O Segredo de
COMPOSTELA

ALBERTO S. SANTOS

O Segredo de
COMPOSTELA

Porto
Editora

O Segredo de Compostela
Alberto S. Santos

Publicado por:
Porto Editora
Divisão Editorial Literária – Porto
Email: delporto@portoeditora.pt

© 2013, Alberto S. Santos e Porto Editora

Design da capa: XPTO Design
Imagens da frente da capa:
© Ricardo Demurez/Trevillion Images
© Mohamad Itani/Trevillion Images
© GettyImages
© Shutterstock.com
Imagem da contracapa:
© Shutterstock.com
Fotografia da capa:
Vera Pereira nos estúdios Fotosport

1.ª edição: maio de 2013
Reimpresso em maio de 2016

Porto
Editora

Rua da Restauração, 365
4099-023 Porto
Portugal

www.**portoeditora**.pt

Execução gráfica **Bloco Gráfico, Lda.**
Unidade Industrial da Maia.

DEP. LEGAL 357432/13
ISBN 978-972-0-04393-1

Este livro respeita
as regras do Acordo Ortográfico
da Língua Portuguesa.

A Prisciliano e a Egéria,
dois seres extraordinários que viveram para além do seu tempo
e a tudo o que representam na nossa cultura e identidade.

Mapa do Império Romano

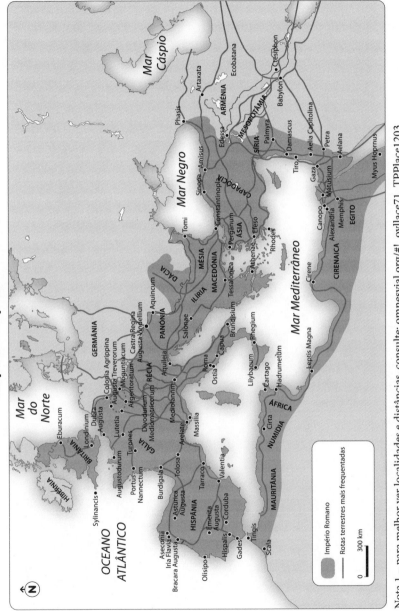

Nota 1 – para melhor ver localidades e distâncias, consulte: omnesvial.org/#1_ovllace71_TPPlace1203

Nota 2 – as correspondências atuais às cidades, localidades e rios da época romana podem ser consultadas nas páginas 471 a 474.

Mapa da Hispânia (Península Ibérica) Romana

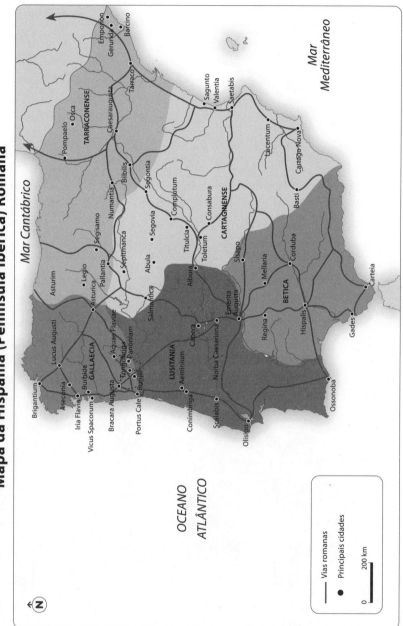

Preâmbulo

Ao longo dos tempos, um inquietante enigma paira sobre Santiago de Compostela: a quem pertencerão os restos mortais que ali se cultuam? Na verdade, Tiago Zebedeu foi o primeiro dos apóstolos a ser martirizado, em Jerusalém, onde foi sepultado. É o único cuja morte vem documentada na Bíblia, no ano 44.

Contudo, oito séculos depois, nasceu na Galiza uma prodigiosa lenda, após as visões de um eremita que viu luzes estranhas num bosque, enquanto se ouviam cânticos de anjos (por volta do ano 820). O bispo Teodomiro de Iria Flavia (atual Padrón) visitou o lugar e encontrou uma velha tumba com restos humanos e atribuiu-os ao apóstolo Tiago e a dois dos seus discípulos. A lenda floresceu e, mais tarde, ampliou-se, com menção de que o corpo viajara miraculosamente num barco de pedra, guiado por anjos, ao longo de sete dias, até à referida Iria Flavia. Segundo a mesma, ali foi desembarcado e levado até à atual Compostela.

Assim, durante quase oitocentos anos, existiu um vazio sobre a veneração do corpo de Santiago em Compostela.

Porém, uma outra perturbante tradição, mais bem documentada, narra que, no final do século IV, chegou pelo mar a Iria Flavia o corpo do líder de um movimento carismático e espiritual com forte implantação popular na Hispânia romana e os de dois homens que o seguiam, decapitados pela sua fé. Dali, terão sido trasladados para o seu sepulcro, acompanhados por uma multidão de seguidores. O povo imediatamente atribuiu-lhes fama de santos e mártires e passou a fazer devoção, peregrinação e os juramentos mais solenes sobre os seus túmulos, invocando o seu nome. A força do movimento perdurou na Galécia até à chegada dos muçulmanos, apesar de sucessivos concílios e ações para o exterminar.

Durante muitos séculos, o líder do movimento foi considerado um herege pela Igreja. Porém, as recentes descobertas dos seus escritos (em Würzburg, Alemanha) vieram pôr em causa a justiça da perseguição e do esquecimento a que foi votado durante cerca de mil e seiscentos anos. E reputados autores e historiadores passaram a perguntar-se: *Afinal, quem está sepultado em Compostela? E se o culto que ali se presta for o maior paradoxo da história do ocidente? Como começou esse culto?* E outros a questionarem-se: *Qual o sentido das peregrinações a Compostela?*

Nada ou quase nada se conhecendo a seu respeito,
posso imaginar para ele (Prisciliano) e lho atribuir tudo
quanto a mim me apeteceria ser e proclamar.

Agostinho da Silva

Prólogo

Santiago de Compostela

A noite caía nas graníticas ruelas de Santiago de Compostela, quando um andrajoso peregrino, curvado sobre um bordão, seguia em direção à catedral. Era um homem sem idade, franzino, com uma verruga no queixo, e que percorrera milhares de quilómetros para chegar a tempo. A sua única companhia era um rafeiro que se lhe juntara em Bordéus.

– Vossa Excelência, acorde!

A porta do quarto do arcebispo de Compostela estremecia com a força dos nós dos dedos do ofegante cónego Labin.

Dom Miguel ressonava, cansado de três noites sem dormir. Os vagos ruídos que lhe entravam no sono soavam-lhe a vozes do Além. Atrás delas, um exército de demónios preparados para o julgar pela obsessão que lhe aguilhoava o espírito.

– Senhor Dom Miguel, responda, por favor!

Fora um homem desalentado que se deitara, logo a seguir às Completas. Rezara-as mecanicamente, sem prestar atenção ao sentido dos salmos. A cabeça estralejava de dor. Colocara tantas esperanças na descoberta que mudaria o rumo do arcebispado compostelano, e tudo em vão! Mandara escavar no meio do deambulatório, na cripta, na entrada, na base do Pórtico da Glória e na superfície do presbitério ao lado do Evangelho, à frente do altar-mor. Apenas descobrira desânimo e desalento. Os sonhos traziam-lhe a figura de José Canosa, o deão do cabido, escarnecendo de si num julgamento presidido por um juiz sem rosto.

– Senhor cardeal!

Labin nunca o houvera feito, mas decidiu entrar de rompante no quarto, desesperado com a ausência de resposta.

– Soltem-me, eu não fiz nada!

– Sou eu! Acalme-se, por favor!

– O que se passa, Labin?! O que fazes aqui?! – perguntou, estremunhado, sentando-se na beira da cama e tirando o capucho de dormir.

– Encontrámos, Dom Miguel! Encontrámos um túmulo!

Ao bater a meia-noite, os sinos da catedral repicavam no coração do zeloso arcebispo de Compostela. Ao quarto dia de noturnas escavações, o que ouvia era, afinal, a voz de um anjo. Atordoado, vestiu-se à pressa. Não tardou a cruzar, em passos largos, a praça do Obradoiro, à frente de Labin. Parou, subitamente, com o aparecimento do vulto noturno.

– Ahhh… que susto! Vá, chega-te para lá! Isto são horas para estar aqui?! – gritou o cardeal, ajeitando o barrete quadrado, da forma romana.

– Desculpe, acabo de chegar… – respondeu o decrépito peregrino, com sotaque estrangeiro.

Com a pressa de entrar no templo, Dom Miguel nem reparara que chovia copiosamente, muito menos se tinha apercebido do homem que lhe surgira à frente, no meio da noite e vindo do nada.

– Este parece que adivinhou o dia! – disse para Labin, recomposto e de sorriso aberto, enquanto subiam a passo largo a escadaria de acesso ao Pórtico da Glória.

O cão cheirou as pernas dos clérigos e latiu. O romeiro coçou a verruga e acomodou o chapéu gasto de aba larga, completamente ensopado.

– Sim, adivinhei o dia… – comentou para o cachorro, enquanto lhe afagava a cabeça, já os dois clérigos seguiam para o destino. – Sabes bem que sim, Diógenes.

O bicho abanou a cauda e latiu de novo.

Os dois clérigos já não ouviram a resposta, nem prestaram atenção ao enigmático sorriso do peregrino que as sombras da noite escondiam. Entraram no templo esventrado em vários pontos e correram para junto do altar-mor. As vozes excitadas ecoavam ao fundo. Vislumbraram Antonio López Ferreiro que, juntamente com José Labin, estava encarregado da direção das escavações, ao lado do mestre de obras Manuel Larramendi, do pedreiro Juan Nartallo e de um marquês galego, amigo do cardeal e que, a pedido deste, acompanhava os trabalhos desde o primeiro dia.

– O que aconteceu por aqui, amigos?

– Desta vez, senhor cardeal, parece que a sorte nos bateu à porta. Santiago fez mais um milagre – respondeu López Ferreiro.

Os archotes deixavam adivinhar o brilho nos olhos daquele homem, tão interessado na arqueologia, antiguidades e tudo o que respeitasse à velha tradição compostelana.

– Vá, Nartallo, conta lá ao senhor cardeal o que descobriste!

– Depois de retirarmos a lousa, debrucei-me no buraco e vi um túmulo que parece ser de pedra e tijolos – respondeu um homem moreno, baixo e ralo de cabelos, com as mãos e a cara sujas de pó. – Está lá no fundo!

– Só um?! – perguntou o cardeal, apreensivo. – Era suposto serem três… Hummm… este pode ser o primeiro. Ou, quem sabe… – Dom Miguel coçava o queixo, enquanto pensava. – Vá, toca a destapar isso e vamos ver o que há!

O coração de Nartallo batia forte e sem compasso. Encheu o peito de ar, procurando acalmar as emoções. Era um homem simples, do povo, profundamente devoto do apóstolo, a viver um momento mágico ao lado de gente influente, que nele confiava para descobrir a mais sagrada relíquia do ocidente.

Comovido, desceu pelo buraco, entrou terra adentro, com um candeeiro de petróleo na mão. Pousou-o junto ao túmulo, para lhe alumiar o sagrado labor. Com um martelo e um escalpelo tirou dois tijolos laterais do sepulcro. Os ladrilhos caíram no chão. Pegou no candeeiro e deu luz ao interior.

– Argggghhh… – gritou, recuando, como se tivesse apanhado um murro no estômago.

– O que foi?! – interrogou Ferreiro de imediato, na parte de cima.

O pedreiro tossia e não conseguia articular as palavras.

– Nartallo! – Larramendi enfiava a cabeça na abertura da laje. – O que se passa, homem?!

Um nervoso miudinho corroía os ventres dos clérigos.

*

Sem que alguém o tivesse percebido, o peregrino e o cão entraram na catedral e fundiram-se numa coluna, duas sombras fantasmagóricas mais que as luzes trémulas compunham para habitar a noite do templo. Dobrado no buraco, Larramendi via o sujo pedreiro com a boca e o nariz tapados pela mão, enquanto se dirigia como podia, de olhos esbugalhados e húmidos, para a saída. Já perto do mestre de obras, fez sinal para que o deixasse passar. Entregou o archote e ergueu-se, lívido como um cadáver, para voltar ao solo da catedral, ainda a tossir. Larramendi ajudou-o a sair da cavidade, amparou-o com os braços e sentou-o num banco. Em tantos anos de trabalho conjunto, nunca vira Nartallo naquele estado.

Lá fora a chuva não parava, como era hábito nos invernos galegos. Mas os emocionados habitantes da catedral compostelana não reparavam nas gordas bátegas que se abatiam sobre o telhado e as janelas da catedral. Um semicírculo de homens, curvados sobre o trabalhador, aguardava que este se recompusesse.

– O que aconteceu, Nartallo?!

– Eu vi… Eu vi uma caixa aberta no sepulcro… Havia algo lá dentro, pareciam ossos – explicava, a custo. – Mas exalava tanto fedor que quase morri…

Payá respirou fundo e os olhos brilharam. Os pensamentos corriam vertiginosamente e um sorriso vitorioso no rosto inteiro sublimava-lhe o gáudio interior: aquele dia 28 de janeiro de 1879 haveria de ficar gravado na história da cristandade com vigorosas e bem desenhadas letras de ouro!

– Eu sabia… Eu sabia… Graças a Deus… – murmurava, enquanto Nartallo recuperava da náusea.

Enlaçado nos pensamentos, o cardeal circulava nervosamente de um lado para o outro, com as mãos atrás das costas, sobre o lajeado do templo. Agora só precisava de colocar o plano em ação. Estava tudo previsto, caso conseguisse concretizar a pia missão: provar cientificamente que o sacro corpo que aquela catedral guardara durante tantos séculos era, sem margem para dúvidas, Santiago Maior, o filho do Zebedeu.

– Quero ver a cara desses incréus! Dizem que não acreditam que aqui repousam os ossos do nosso santo apóstolo?! – resmoneou, esfregando as mãos, enquanto congeminava o que fazer a seguir. – Labin, vai chamar Dom José Canosa! – pediu, com uma piscadela de olho.

Acreditando na tradição de que o túmulo se encontrava debaixo do deambulatório da catedral compostelana, havia preparado a estratégia ao pormenor: os peritos que analisariam os achados; os historiadores que emitiriam o parecer; e, claro, as festas que haveria de organizar por tão extraordinárias notícias. Fora grande a desilusão quando, nos primeiros dias, os trabalhadores apenas descobriram uma cripta retangular com dois compartimentos: um edifício sepulcral romano com unguentários, lacrimatórios, um anel, colares e adornos femininos, uma pedra de quartzo cor-de-rosa, um cavalinho de barro, brinquedo de uma criança romana, moedas e várias peças de uso doméstico de vidro azulado. Mas do túmulo que buscava... nada! Agora, num ápice, a roda da fortuna girara para o fazer feliz!

– Quero ver a cara do Canosa quando vir isto! Oh, se quero! – Dom Miguel rodopiava no próprio murmúrio. – E de alguns membros do cabido! Sempre a desconfiarem das ideias do cardeal!

Pela imaginação de Miguel Payá corria a imagem dos peregrinos a voltarem e a abonarem os exauridos cofres do arcebispado. A culpa da carestia devia-se à abolição da renda que os camponeses de Espanha e do norte de Portugal pagavam à clerezia compostelana, o Voto de Santiago, instituído por Ramiro I, na sequência da mítica batalha de Clavijo, a 23 de maio de 844, quando Santiago aparecera, providencial, em carne e osso, para mudar a sorte da peleja contra os sarracenos. Por muitos e muitos séculos, as primícias das colheitas e das vindimas passaram a pertencer à igreja de Compostela, nos territórios cristãos defendidos e nos que a seguir se tomaram aos mouros. Naqueles fervorosos tempos perdidos na bruma da História, Ramiro achara que era a mais que merecida quota-parte devida ao apóstolo, nos despojos de guerra, pela forma como, de espada em punho, este o ajudara a escorraçar os mouros.

Discretamente, o delgado peregrino aproximara-se e sentara-se num banco, a poucos metros dos acontecimentos. Olhava com atenção para os homens felizes e para o pedreiro convalescente. Aconchegou-se num manto seco que tirara de um saco para se proteger do frio. O seu coração também se alegrava, mas ninguém ali sabia da razão. Perante o magnífico altar da catedral, de onde emanava um leve odor a bafio e a pó, misturado com velas e incensos queimados, recordava episódios antigos e esquecidos, que marcaram um tempo extraordinário no ocidente, no distante século IV. Puxou Diógenes, o obediente cachorro, para si e fez-lhe sinal para que se mantivesse aninhado ao seu lado.

– Como vos lembrastes de escavar aqui, López?

– Senhor cardeal, de cada vez que cantávamos sobre este local a antífona *Corpora Sanctorum in pace sepulta sunt,* olhava para a estrela no mosaico e para a abóbada, onde estão pintados os atributos do apóstolo, incluindo a arca e a estrela. Alguma coisa isso quereria dizer... Um sinal dos nossos antepassados...

– Que bela intuição, meu bom amigo!

– Agora, importa decidir o que fazer: paramos por aqui ou continuamos os trabalhos e abrimos o túmulo?

– Essa é uma boa questão, López Ferreiro... Deixa cá ver...

O cardeal, com o peso dos seus 67 anos, apertava as bochechas que lhe pendiam da cara larga, enquanto pensava. O cheiro intenso do fumo das velas e archotes, misturado com o odor a petróleo dos candeeiros, não o incomodava, apenas a pouca luz que debitavam.

Entretanto, o peregrino viu Labin entrar acompanhado de outra eminência. Atreveu-se a ler-lhe os pensamentos e percebeu que trazia consigo a semente da desconfiança.

– Bem-vindo, Dom José Canosa! Temos boas notícias! – informou Payá, regozijando-se interiormente.

– Boa noite, Dom Miguel! Sim, já me constou. Temos uns ossos, não é? – perguntou o deão do cabido, do alto de um olhar seco e rosto majestático.

– Nartallo não tem a certeza, mas parece que sim... E devem ser bem antigos!... O cheiro quase o matava. – Payá controlou-se, para que fosse o cético a comprovar com o próprio nariz.

Entretanto, a notícia correra pelo Paço Episcopal. Blanco Barreiro e vários outros cónegos não tardaram a aparecer no templo.

O peregrino ardia de curiosidade para saber se era chegada a hora do motivo que ali o trouxera. Viu o cardeal conferenciar com López Ferreiro e o amigo secular, o jovem marquês galego filho de amigos íntimos, que se mostrara interessado em acompanhar os trabalhos.

– O que achais que devo fazer? Mandar abrir o túmulo agora e verificarmos o que está dentro, ou esperar que cheguem os peritos?

Vários argumentos foram arrazoados pelos presentes. Só Dom José Canosa achou mais prudente aguardar pelos peritos. A maioria, liderada pelos argumentos do cónego Jacobo Blanco Barreiro, tendeu para o que desejava o cardeal. Alegava, com o agrado de Payá, que os científicos teriam muito tempo, a partir do dia seguinte, para investigar e certificar os achados. E que ninguém conseguiria dormir sem conhecer o conteúdo do sarcófago.

– Abra-se o túmulo! – foi a sentença do cardeal.

– Vamos abri-lo! – ordenou Labín aos dois trabalhadores.

Apressaram-se, então, a retirar mais pedras do pavimento para ampliar a entrada para o espaço vazio no subsolo da catedral. Quando conseguiram largueza para entrar mais à-vontade, um silêncio sepulcral alojou-se entre as paredes do templo. Dom Miguel reparou, pela primeira vez, que trovejava e chovia torrencialmente. *Um sinal do apóstolo*, pensou, lembrando-se que ele era o *Filho do Trovão*. Tossicou, com os fumos e cheiros que ali se acumulavam.

– O santo fez um milagre…

– Não tenho dúvidas que fez um milagre! A Galiza pode orgulhar-se do seu santo… Patrono da Espanha, não é?!

Payá olhou para o lado, estupefacto. Aquela voz com sotaque não era de nenhum dos cónegos, mas do esfarrapado peregrino que encontrara à porta e espreitava agora para dentro do buraco.

– O que fazes tu aqui, homem de Deus?!

– Sou um peregrino, senhor cardeal!

– E entras para a catedral com um cão?!

– Diógenes também é criatura de Deus, Eminência!

Payá franziu o sobrolho e deu um passo em frente, fixando-se na verruga do estrangeiro.

– De onde vens?! – perguntou, desconfiado.

– De longe… Da cidade de Tréveris, na Alemanha. Não imagina, senhor cardeal, o tempo e as penas por que passei para aqui chegar… Mas cheguei na hora certa! – afirmava, sorrindo, com o cachorro ao lado, abanando a cauda. – Estou muito feliz!

– Não devias estar aqui… – resmungou o cardeal.

– Vossa Eminência não me vai proibir de venerar as sagradas relíquias do santo, pois não?!

– Esta não é a melhor altura – respondeu, quando se ouviam ruídos do interior do subsolo. – Como te chamas?

– A mim… chamam-me *O Cristo*…

Payá olhou de esguelha para o peregrino e desfez-se numa gargalhada.

– Vá, se és *O Cristo*, fica por aí, mas não atrapalhes. Vais poder ver o teu apóstolo… – condescendeu, crendo tratar-se o romeiro de um bom augúrio para a retoma das peregrinações por que tanto ansiava.

O peregrino afagou a cabeça do fiel companheiro e voltou a sentar-se, perante alguns olhares curiosos.

– Então, o que se passa aí?!

– Estamos a remover a tampa de lousa, senhor cardeal!

Depois de terminar o ruído do arrastamento, seguiu-se um novo silêncio, quer na parte de cima, quer entre os que se encontravam nos trabalhos. Em baixo, os fachos de luz concentravam-se na abertura do sepulcro.

– O que veem?

– Ossos e cinzas, senhor cardeal! Parecem muito antigos – respondeu Labin. – E também algumas pedras que compuseram um mosaico romano e pedaços de mármore, uns lavrados e outros em bruto…

Um largo sorriso abriu-se ao longo do rosto do prelado. O grupo fundiu-se em abraços de felicidade. Como previra o cardeal, a missão estava votada ao sucesso. Ajoelharam-se e rezaram quase todos em profunda devoção.

– Louvado seja Nosso Senhor Jesus Cristo e o seu apóstolo Santiago Maior, o patrono da Espanha! – exclamou Payá y Rico, muito feliz.

Dom Miguel imaginara-o e assim se cumpria: aquele dia ficaria para a História e ele também! A descoberta das relíquias que durante tantos séculos se mantiveram escondidas, muito raramente vistas, era um extraordinário acontecimento.

Entretanto, o romeiro havia-se ajoelhado, parecendo rezar. Ao ouvir a troca de palavras entre Labin e Payá, ergueu-se, tirou do alforge uma rosa e atirou-a para dentro do buraco, para estupefação geral.

– Porque fizeste isso? – questionou, apressadamente, Payá.

– É uma rosa azul que guardo há muito para este momento.

– Azul?! Não há rosas azuis, tonto! – respondeu, olhando detalhadamente para a flor que aos seus olhos era cor-de-rosa, enquanto murmurava para o lado: – Este não está bom da cabeça... ou é daltónico...

Todos se riram.

– A minha é azul...

– E onde a arranjaste?! – perguntou, divertido. – Nunca vi rosas azuis...

– Colhi-a na minha terra e guardei-a para esta ocasião – respondeu, com misteriosa serenidade. – Mas, de facto, tem razão: não há mais... Não haverá mais... É a última, senhor cardeal...

A assistência cochichava freneticamente sobre o insólito a que acabara de assistir. Mas logo as atenções mudaram, radicalmente.

– Senhor Dom Miguel Payá y Rico!

A voz que subia do ventre da imponente catedral não soou bem aos ouvidos do arcebispo de Compostela. Era hora de escutar os acordes da jubilosa alegria. Mau grado, não era a música celestial, nem os habituais cânticos afinados que surtiam das gargantas dos clérigos da catedral e que ecoavam nos graníticos recantos, gerando um momento místico e de grande elevação para o espírito. Não! A voz que emergia dos fundos do sagrado templo parecia solta de um inferno, apesar de se resumir a seis breves palavras:

– Senhor Dom Miguel Payá y Rico!

Soaram-lhe secas, trémulas, ansiosas, amedrontadas, misteriosas. E, além do mais, o cardeal nunca tinha ouvido Labin a tratá-lo com toda a deferência do nome completo, fora das comunicações institucionais.

– Diz-me, Labin...

Nos fundos, morava novamente o silêncio. O inquieto Dom Miguel ajustou melhor o olhar para tentar descortinar o que acontecia no subsolo. López Ferreiro surgia debruçado sobre algo, cujo corpo tapava, ostensivamente. O mestre de obras Manuel Larramendi e o canteiro Juan Nartallo encostavam-se a um monte de pedras, sem entenderem o que o assustara. Labin acenava com a mão direita, chamando Payá.

– Precisas mesmo que desça?!

– Sim, Dom Miguel! Peço que chegue aqui, por favor!

O cardeal olhou à volta. O coração batia-lhe com pressa. Não ousou perguntar a razão do pedido do cónego, pois a sua intuição avisava-o para não o fazer. Chamou o jovem marquês para o ajudar a descer. Todos os outros usavam batina, o que podia atrapalhar os movimentos. Já bastava a dele, que teve de arregaçar com as mãos. Por isso, precisava de alguém que o amparasse.

– O que se passa aqui, amigos? – perguntou, numa voz abafada, logo que tocou os fundos, depois de uma perigosa descida, através de pedras pouco seguras.

– Leia esta lápide, por favor! Está escrita em latim!

Labin afastou-se e colocou o candeeiro junto à pedra escrita. O jovem marquês, instruído na língua clássica que aprendera nas aulas do seminário, colocou-se ao lado do cardeal, e foi ele que o amparou no desfalecimento. Quando se recompôs, olhou para as profundezas, com um aperto no peito.

– Não pode ser!… Meu Deus, como é possível?! – resmoneou, entre dentes, lívido como a morte. – Destruam imediatamente essa pedra!

A alguns metros atrás, o peregrino ergueu-se do banco, encheu o peito de ar e esboçou o mesmo enigmático sorriso que dirigira a Payá, na praça do Obradoiro. De seguida, ajoelhou-se, aconchegou o cão ao seu lado, dobrou a cabeça, juntou as mãos e rezou em silêncio:

Quero libertar e ser libertado,
Quero salvar e quero ser salvo.
Quero criar e ser criado,
Quero cantar e ser cantado.
Dançai todos juntos!
Quero chorar: golpeai-me no peito!
Quero ornar e ser ornado.
Sou candeia para ti, que me vês.
Sou porta para ti, quem quer que sejas tu que bates.
Tu vês o que eu faço, não o nomeies.
Com o verbo ensinei, e com o verbo não sou iludido.

1

Aseconia (Santiago de Compostela)

Prisciliano nasceu na paz da sua *villa* e na turbulência do século. Foi à hora nona do oitavo dia antes dos idos de janeiro, o dia 6 do primeiro mês romano, de 349. Coincidia com o aniversário de nascimento do deus egípcio Osíris, o que dava início ao ciclo anual. Entre os cristãos, que começavam a alastrar pelo império, celebrava-se a Epifania do Senhor. Em Mediolanum, governava o imperador Flávio Júlio Constante, filho de Constantino, o Grande.

– Bem avisei Lucídio! Este não era o melhor momento para viajar! Com este frio e o nono mês a chegar-me... – lamentou-se Priscila, pesadamente sentada na cadeira, com os sinais do parto a transformarem-se em dores.

A jovem matrona da casa era uma mulher de cabelos dourados e magra, mas com dificuldades em se mover.

– Vá, senhora, não se preocupe! Está bem entregue... Sabe disso! – sossegou-a Valéria. – Vai correr tudo bem, com a graça de Juno!

E só assim poderia ser! As mãos sábias e acostumadas da viúva de um colono da Villa Aseconia nunca haviam deixado ficar mal uma parturiente.

No exterior, as paredes do casarão retangular que abraçava um largo peristilo eram severamente fustigadas pela chuva intensa. Os deuses regavam abundantemente as longínquas terras do império, a galaica *finis terrae*, mas o tempo era pouco conveniente para quem viajava. O quarto de Priscila, no primeiro andar, não se ressentia do frio invernal, tocado pela intempérie, nos confins da Galécia.

– Valéria, sabes que trago a proteção da minha querida Ísis.

A velha sorria, aproveitando o ambiente aquecido pelo hipocausto, que se situava sob o piso térreo. O ar quente que circulava sob os pavimentos do edifício e pelo interior das paredes transformava o quarto num local aprazível e acolhedor.

– Sim, Juno e Ísis haverão de fazer uma bela parelha para vos proteger – sossegou-a, bem-disposta. – Mas precisa de manter-se calma para que tudo corra na perfeição!

No entanto, não era a serenidade que habitava a auréola da parturiente. A família vivia ainda o luto da sua irmã mais velha, que morrera precisamente durante os trabalhos de parto, no verão anterior. Salvara-se, *in extremis*, o fruto que levava dentro de si, depois de uma delicada intervenção da parteira que a assistiu. Chamaram-lhe Felicíssimo, pela fortuna de ter sobrevivido aos augúrios que, à pressa, se extraíram da leitura das entranhas de animais e dos voos de aves. A partir de então, muitas foram as noites de Priscila transformadas em vigílias, e outras tantas aquelas em que acordava subitamente, afogada no próprio suor, por entre diabólicos pesadelos, que a ameaçavam de dor ou de um precoce encontro com Caronte.

– Como se já não me bastassem os enjoos, o aumento do peso e as dores, agora estes malditos pesadelos! Ai de mim! – murmurava a senhora de Villa Aseconia pelos cantos da casa.

Era o seu primeiro parto, e apresentava-se-lhe como o último passo do sempre incerto percurso da gravidez. Porém, o que a velha Valéria mais temia, apesar do olho sagaz para todos os pormenores, era a sorte do feto. Este não se gerara num colo de facilidades, pois a mãe era uma jovem de quadris estreitos. Mas esse era assunto que guardava para si, e que haveria de levar em conta no momento da luz.

Valéria dormiu ao seu lado. Quando a madrugada trouxe a alva, Priscila vislumbrara a hora de todas as verdades. Acometeu-se de tremores e temeu um ataque de pânico. Estava deitada no quarto à chegada das primeiras contrações. A parteira chamou as servas para a ajudarem.

– Por Júpiter! Temos de a segurar e acalmar! Agarra a senhora por esse lado! – ordenou a uma jovem criada, enquanto indicava a outra que lhe prendesse as pernas.

– Ai que eu morro! Ai que eu morro!

– Calma, senhora! Vai correr tudo bem!

A parteira procurou sossegar a patroa, mas os medos com a sorte da paridura não lhe fugiam. Chamou ao lado uma das escravas que a ajudava.

– Temos de tomar providências! A hora aproxima-se e ela não pode continuar neste estado! Vai buscar água e mistura-lhe aquelas ervas que trouxe do bosque, rápido!

Os esforços para a apaziguarem pouco efeito surtiam. Priscila era uma mulher agoniada. Valéria suspeitava, porém, que o sofrimento era mais de ordem mental que físico.

– Tu, amarra este amuleto no topo da cadeira! – ordenou à mais corpulenta das servas, quando, num gesto rápido, desapertou a corda com um talismã que, como mulher prevenida, trazia à cintura.

Convenceu Priscila a tomar a bebedura. A grávida aquietou-se um pouco. À medida que o tempo passava, as contrações sucediam-se entre espaços mais curtos, mas mais prolongadas. E, com elas, os temores e ansiedades da parturiente, que não parava de queixar-se de dores nas costas, na barriga e até nas pernas. Nada que Valéria desconhecesse, na sua sabedoria doméstica.

– Vá lá, lembro-me muito bem do seu nascimento! Também fez a sua mãe sofrer, mas teve um final feliz!

A Villa Aseconia era herança de Lucídio, uma das muitas propriedades da família espalhadas pela Galécia. Após o casamento, o marido de Priscila mandara remodelar o quarto do casal, decorando-o com um belo conjunto de mosaicos que compunham uma formosa Vénus rodeada de um séquito de Nereides, por entre golfinhos, cavalos-marinhos e outros animais aquáticos. Lucídio Danígico Tácito fizera esta escolha pessoal em sinal de evocação da paixão com que Priscila o tocara. Mas, naquele momento, ninguém tinha tempo ou discernimento para apreciar a preciosa relíquia do talento hispano-romano.

O nascimento de Prisciliano foi um ato sofrido quer para a mãe quer para o bebé. A criatura não tomou consciência do momento, não saberia nunca explicar os custos e as demoras por que passara desde que a sua frágil cabeça alcançou a luz e respirou pela primeira vez o ar quente do quarto materno, naquela manhã de tormenta. O desespero fora tanto como o de sua mãe. Um rosto choroso espreitou o mundo por debaixo da abertura do alto cadeirão. A parteira afanava-se nos trabalhos, porque o corpo era grande de mais para uma via tão estreita. Os gritos de ambos misturaram-se no ar, ultrapassaram portas, janelas e paredes, sobrepondo-se às pesadas bátegas da chuva, e ouviram-se nas várias dependências da *villa*. Os criados pararam os trabalhos. Uns reuniram-se em volta das lareiras, invocando os jovens Lares protetores da Villa Aseconia, outros espreitaram de novo os voos dos pássaros procurando adivinhar o destino, ao passo que os restantes o faziam perscrutando, seguindo a boa tradição augúrica, as vísceras de animais que, como exímios especialistas, tinham sempre à mão para as urgências. E era o caso. As mulheres refugiaram-se aos pés de um pequeno oratório, situado num recanto da zona onde viviam os colonos, para invocarem Juno Lucina, a deusa protetora da gravidez e do parto.

Mas não foi a um áugure, ou a qualquer dos ilustres habitantes do panteão romano, que Priscila recorreu no momento de todas as verdades.

– Salva-nos, Ísis, rainha dos céus! Ajuda-nos, ó mãe dos deuses!

Num ímpeto final, expeliu a criatura acompanhada de um líquido transparente, matizado de sangue. A mãe, rasgada, derramava-se em lágrimas de alívio.

– Cá está! É um rapaz! Um rapagão, minha senhora! – Valéria exibia o petiz, depois de o ter depositado no chão, inspecionado detalhadamente, de o ter lavado e aconchegado numa manta de seda, enquanto Priscila recuperava das dores.

Tomou-o, por fim, delicadamente, pelas mãos e amorou-o, sem pressa. A criança acalmara-se, entretanto, e abriu os olhos como que a adivinhar o mundo novo onde viera desaguar, sem o haver escolhido. Ao redor, as escravas encostavam-se às paredes, presas no momento. Só a chuva galaica carpia, lá fora. Os criados, informados do sucesso do parto, acenderam velas e receberam uma refeição reforçada como benesse pelos bons auspícios que ali se geraram.

Os olhos da jovem mãe eram o espelho do seu mundo interior. Brilhavam de alegria, alívio e emoção. Mas, no íntimo, surtia-lhe uma névoa de preocupação que não conseguia discernir.

– Chamar-te-ás Prisciliano, em homenagem à tua mãe e aos sacrifícios que me causaste ao nascer! – sentenciou Priscila, cerimoniosa. – Gaio Danígico Prisciliano.

Apertou-o levemente contra o peito, deleitada.

– Nasceste no dia de Osíris! Entre o frio e o calor! Pairaste entre a vida e a morte, a minha e a tua! Prepara-te, meu filho, para esta vida incerta, de tristezas e venturas!

Valéria e as jovens ajudantes sorriam de ternura. Não fora ainda tempo de o azar bater à porta da velha parteira. Continuaria afamada na arte de ajudar o nascimento de crianças e animais, porque assistia também às parições das cabras, ovelhas e vacas da *villa*, para melhor apurar a sua sabedoria.

– Por estes dias, iremos a Iria Flavia, ao templo de Ísis, agradecer-lhe os bons augúrios do parto! – rematou a dona da casa, antes de encostar a cria ao peito para a primeira refeição.

No calor do quarto, recomposta dos esforços físicos e distante dos temores iniciais, Priscila não imaginava as pressas e aflições com que haveria de correr da Villa Aseconia até Iria Flavia, em busca do colo de Ísis. Muito menos lhe passava pela cabeça que um homem sem escrúpulos lhe rondava o quarto, tomado por um torpe sentimento.

2

Bracara Augusta (Braga)

Por sua vez, em Bracara Augusta, Lucídio Danígico Tácito tratava dos negócios, desconhecedor dos auspiciosos acontecimentos na sua *villa*. Fora chamado, dias antes, à capital da Galécia para clarificar o cadastro da sua propriedade, na revisão que o fisco laboriosamente operava em tempos de carestia para os cofres do Estado. Aproveitara também para transportar produtos das colheitas para a sua *domus* bracarense.

Desafortunadamente, o carro partira duas rodas numa rua da cidade, caindo no buraco da calçada, que a infindável intempérie havia gerado e tapado com água, iludindo o condutor. Lucídio pretendia que fossem os artistas da sua casa a proceder à reparação. Pediu, assim, ao irmão para mandar um escravo a cavalo à *villa* com ordens para que o viessem buscar no carro novo que oferecera à esposa. Quando voltasse aos seus domínios, ele próprio providenciaria a escolha de bons carpinteiros para enviar à capital e não mais se esqueceria de consultar o velho adivinho surdo, a fim de se assegurar do momento adequado para uma viagem sem chuva. A tormenta daqueles dias não mostrava ares de amainar.

Lucídio, um homem alto, vigoroso e de intensos olhos azuis brilhando no rosto fino, era um abastado proprietário rural da classe senatorial dos *clarissimi*, o que lhe garantia a proteção do império. A sociedade romana, emparedada em classes estanques, praticamente impedia o movimento ascendente dos cidadãos. Mas a deusa Fortuna fora-lhe generosa, fazendo--o nascer no berço da alta aristocracia provincial hispânica.

Décadas antes, necessitando de pecúlio para a guerra e de deslumbrar o povo com o fausto imperial, o imperador Diocleciano decidira criar uma novidade tributária: a avaliação da contribuição fundiária em *caput* ou *jugum*, unidade fiscal ligada à capacidade produtiva de cada propriedade.

– Já viste como vão os tempos, meu irmão?! Onde param os valores do império que tão longe levaram os romanos?!

Sabino, o irmão mais velho de Lucídio, comia com vagar um naco de pão com queijo, oriundo da sua *villa*, no sul da Galécia, junto à foz do Tamaca. Ambos mantinham residência na capital da província, para estarem mais próximos do poder público curial e do governador. A casa, com as termas e jardins, fora herança de um tio rico e sem filhos, construída numa área abandonada que este comprara à cidade.

– Tens razão! O império anda desvairado e nem os velhos deuses nos valem! Com certeza que ouviste falar dos tumultos com os cristãos...

– Não se fala de outra coisa! Parece que se tomaram de razões durante o culto a Mitra. Esses cristãos serão a desgraça do império!

– Os cristãos e os impostos, Lucídio! Não sei o que é pior! – asseverou Sabino, enquanto se deliciava com uma fatia de presunto. – Os cristãos são uma confraria fechada, com ares de superioridade. Mas os cobradores de impostos, esses não! Entram-nos pelas casas adentro, como se fosse tudo deles!

– Malditos cobradores de impostos! – afiançou Lucídio Danígico Tácito, tragando a terceira taça. – Bom vinho este, hein?!

Sabino sorriu e aproveitou para verter também a ânfora na sua taça de prata.

– Cultivo-o na Villa Marecus! – Sabino era um eterno ufano das suas vinhas que produziam um néctar encorpado da cor dos rubis. – E então: conta-me o que se passou com os *tabularii*.

– Acertei com eles os limites do cadastro da Villa Aseconia! Acreditas que queriam quase duplicá-los, para recolherem mais impostos?! Velhacos!

– Cuidado com essa gente! Muito cuidado! Ouvi dizer que torturam familiares e servos para lhes arrancarem falsas declarações contra os proprietários.

– Já me constou... – lastimou-se Lucídio. – Ithacio, que veio de Roma com esse propósito, é capaz disso e muito mais!

Lucídio e Sabino desfiavam o rol de lamentações que atormentavam os proprietários provinciais do império. À míngua de ofícios e comércio florescentes, tidos como atividades menores, os homens considerados eram os que viviam do produto da terra. E daí refugiarem-se frequentemente nos seus domínios, nas *villae*. Era o caso daqueles dois irmãos, ricos terra-tenentes, provenientes de uma família indígena galaica, cujas origens se perdiam até aos tempos em que Décimo Júnio Bruto irrompeu Galécia adentro, cruzando para sempre o rio do esquecimento.

Ithacio, de quem falavam, natural de Ossonoba, no sul da Lusitânia, viera em comissão de serviço da velha capital romana, nomeado *curator civitas*, o responsável pela arrecadação de impostos. Segundo constava, a sua fama quadrava com os males do império: corrupção e delação. Probidade não era propriamente um valor que abundasse desde os confins do oriente até à Hispânia. Falava-se de desvios dos soldos no exército, exploração dos viajantes pelos administradores da posta, roubo de trigo pelos encarregados da anona, corrupção nos tribunais. E, claro, dos cobradores de impostos a aproveitarem-se dos contribuintes. Em suma, dificilmente chegavam aos cofres do Estado os tributos que lhe eram devidos: ou porque não eram cobrados, ou porque eram previamente surripiados por mãos ávidas do alheio.

– Mas, acima de tudo, Lucídio, cuidado com os delatores! Desde Tibério que esse mal nunca mais se exterminou no império. Parece que Ithacio tem vários espiões, e é muito sensível a acusações de magia e bruxaria.

– A sério?!

– Sim, e mesmo sem qualquer prova. Faz tudo para cair com toda a sua voracidade sobre a desgraçada vítima.

– Olha lá, não é por estes dias que Priscila te dará o primeiro filho? – perguntou Sabino, com a boca cheia.

– É verdade, Sabino! Eu nestas andanças e nem sei se já serei pai... – respondeu Lucídio, nublado de preocupação.

Enquanto os dois irmãos debatiam os valores morais e os princípios a transmitirem aos filhos, um criado veio, silencioso como o vento, anunciar:

– Senhor, está lá fora um enviado de Ithacio com um mandato na mão...

– Um mandato?!

O seu estômago apertou-se e o coração acelerou, enquanto os olhos se abriam e o rosto ruborescia. *Um mandato?*, continuava a remoer. Algo de grave acontecera ou estaria para acontecer.

– Sim, ordena que amanhã, depois do *prandium*, o senhor Lucídio Danígico Tácito se apresente no palácio…

– Que pretende esse Ithacio?! Nós a falarmos nele e lá aparece a sombra do abutre! O que achas que pode querer, Sabino?!

– Não sei… Mas coisa boa não será certamente! Esse homem é muito astucioso. Toma cuidado, meu irmão!

Lucídio passou a noite em claro. E o caso não era para menos!

3

Aseconia (Santiago de Compostela)
Iria Flavia (Padrón)

Mais a norte, na Villa Aseconia, a notícia do nascimento do pequeno Prisciliano correra como uma flecha pelas bocas e orelhas dos habitantes. Colonos, criados e escravos bendisseram os deuses pelo bom augúrio dos céus à casa, sinal de descendência para assegurar a grande fortuna dos Danígicos e garantir a vida aos seus habitantes e respetivas gerações.

Mas nem todos estavam felizes. Num dos homens da *villa* habitava um espírito de gosto diferente: o do ódio e da vingança. Passava o tempo a remorder-se com a sua má fortuna e aproveitava as sombras da noite para recorrer à magia negra, conjurando para que a criança não sobrevivesse.

Por essa, ou por outras razões certificadas pelo destino, a desgraça abeirou-se, entretanto, da porta de Priscila, tornando-a numa mulher inconsolável. A notícia dos maus presságios correu igualmente por campos e vales, montes e outeiros, até se alojar nos corações dos habitantes da *villa* com a força de um tição ardente: o pequeno Prisciliano estava doente e definhava, dia após dia.

– Valéria, ai que desgraça! Vai morrer o pobre Prisciliano! E nem tenho Lucídio comigo!

A anciã suspirou. Afligia-se de remorsos com a cisma de que tivesse cometido alguma imprudência durante o parto e afetado os humores da criança. Mas, recordando cada um dos passos, tudo lhe parecia perfeito! Estava ciente de que, apesar das dificuldades, o parto correra bem. Tal como Priscila, Valéria não mais dormira nas noites que se lhe seguiram.

O pequeno, por razões que lhe escapavam, não queria alimentar-se. O pouco leite que engolia era dado à força de muita insistência, e apenas o dos seios maternos. Recusava-se a mamar nos de qualquer escrava, pelo que a mãe vazava o leite para uma tigela de vidro, que Valéria, a muito custo, o fazia engolir.

Um dia, a velha parteira ouviu casualmente as conversas dos escravos. Desde que o pequeno Danígico chegara ao mundo que não parara de chover! Sabendo que Priscila era devota de Ísis, eles murmuravam que tantos dias de chuva só podiam significar as lágrimas da deusa pela má sorte da fervorosa devota e do seu filho. E se Ísis chorava, como chorava desde os tempos primordiais de cada vez que as águas do Nilo transbordavam, lembrando a imensa tristeza pela morte de Osíris, seu eterno esposo, urgia acudir-lhe depressa para apaziguar-lhe os sofrimentos. Talvez fizessem sentido os cicios dos escravos e colonos devotos da deusa oriental, para eles a verdadeira mãe dos deuses, aquela que assegurava a justiça aos pobres e oprimidos e o abrigo aos mais fracos.

– Achas mesmo, Valéria?

– Não tem nada a perder, senhora!

– Era já minha intenção visitar o santuário de Iria Flavia… Mas tens razão! Apressemos a viagem. Não durmo com receio de perder o meu filho e de desiludir o meu marido.

Por aqueles dias, a intempérie estava para durar. A Galécia era pródiga em chuvas, ventos e nevoeiros invernais, mas parecia que Prisciliano convocara para o seu nascimento todas as forças e energias da natureza no estado mais radical.

Junto ao mar, Iria Flavia apenas distava doze milhas de Villa Aseconia. Era lá que se erguia o poderoso bastião galaico da deusa egípcia, apesar de ter conhecido melhores tempos, antes da chegada das primeiras baforadas de cristãos à Galécia.

– Arménio, a senhora manda aparelhar o carro! Amanhã sairemos bem cedo! – ordenou o ruivo Flaviano, vigoroso, com a mão sobreposta num altar votivo ao deus Júpiter. – É preciso protegê-la desta maldita chuva.

Ainda que jovem, da mesma idade da matrona, Flaviano era o curador da Villa Aseconia. Nascera na casa de Priscila e o pai fizera questão de que a acompanhasse para a nova residência, juntamente com alguns escravos.

Flaviano sempre fora muito chegado à patroa, com quem brincara em criança e que conhecia desde que nascera. Rapidamente conseguiu a confiança de Lucídio, que anuiu à esposa quando esta lhe pediu para o tornar responsável pela administração da *villa* na sua ausência, após a morte do velho capataz da família.

O curador tinha-se levantado do triclínio, após um bem nutrido *jentaculum*, e atravessara o peristilo, em passos firmes, rumo ao exterior. Sacudindo pedaços de pão agarrados à túnica branca, apressou-se a transmitir as instruções exatas de Priscila a Arménio, o condutor de carros e liteiras.

– Está bem! – respondeu, sem entusiasmo.

– Arménio…! – interpelou Flaviano, com os lábios retorcidos e o cenho franzido.

– Sim, Flaviano…

– Esta é a oportunidade de te redimires das tuas imprudências!

– Não fui imprudente, como sabes! Já discutimos o assunto e terei mais cuidado! Não voltará a acontecer!

Arménio era filho de um escravo que morrera tempos antes, depois de atender a uma ordem de Lucídio. O pai subira a uma árvore para retirar um gato que passara dois dias sem comer e beber, num dos galhos mais altos. Quando o tentou apanhar, o ramo quebrou e homem e animal morreram estatelados no chão de pedra. Arménio não mais perdoara ao senhor, remoendo pelos cantos da *villa* a sua culpa pela morte do pai.

– Foste, sim! Onde se viu fugir da *villa* durante tanto tempo?! Sabes que isso é crime e só a boa vontade dos senhores te salvou a pele.

Flaviano decidira manter Arménio debaixo de olho, até porque havia assegurado aos patrões que aquela leviandade não voltaria a acontecer.

– E a minha palavra?! Não me deixes ficar mal!

– Não deixarei, descansa!

– E, como sabes, não viajaste com o senhor para Bracara Augusta, como de costume… Esta é mesmo a tua última oportunidade!

Flaviano voltou à sala de estar, onde recebera as ordens de Priscila. A jovem mulher, apesar do parto recente e da debilidade patente no corpo frágil e nos olhos tristes, soergueu a voz, para perguntar em modos suaves, como era o seu timbre:

– Está tudo preparado?!

– Tudo haverá de ficar preparado, Priscila… desculpe, senhora! Acabo de garantir que o carro estará pronto à hora certa e que teremos condutor – respondeu o dedicado curador, cobrindo a mulher com um olhar protetor.

– Sim, porque Arménio é o único que temos, de momento... O rapaz está recomposto?

Flaviano tossicou para aclarar a voz, mas aproveitou para ajeitar o pensamento à resposta a dar a Priscila.

– Ele não voltará a cometer outra imprudência! Aquela serviu-lhe de lição!

– Ai estes cristãos! Tão ciosos da sua ética e não são capazes de perdoar!

– Perdeu o pai... – justificou Flaviano. – É compreensível...

– Mas, no caso, nem de perdão se poderá falar! O meu esposo não cometeu qualquer crime, ninguém imaginaria que um homem tão experimentado pudesse ser tão imprevidente...

– É verdade... – consentiu, enfadado com o tema. – E o bebé, como está hoje? – perguntou, alçando o olho em busca do rosto da criança dormida na alcofa.

Quando um novo dia foi fecundado por Hélio, ainda que escondido atrás das intermináveis nuvens grávidas, as rodas de um imponente carro puxado por quatro cavalos estralejaram no piso da Via XIX. Protegida pela cobertura, Priscila entreviu os fios de luz de alguns archotes que se abrigavam por detrás das janelas da *mansio* de Aseconia, a estalagem à face da estrada que, nas imediações da sua *villa*, dava guarida aos viajantes.

O Império Romano dera ao ocidente uma grande bênção: a rede de vias como nunca houvera conhecido. Fora desenvolvida por necessidades militares e de provimento da posta, e que logo veio a ser aproveitada para o tráfego comercial e social.

Mas não eram as bênçãos do império que motivavam as reflexões de Priscila, Valéria e Flaviano. Dentro do casulo saltitante, os três preocupavam-se em evitar que a chuva entrasse nos precários, embora luxuosos, aposentos e em chegar, rapidamente, a bom porto.

A meio de uma manhã pluviosa, como tantas que a precederam, o santuário de Ísis era um lugar praticamente deserto, no cimo de um monte. À medida que se aproximava, ganhava forma um imponente edifício granítico suspenso numa colunata. Priscila conhecia-o de cor. Apreciava o lintel com a figura da deusa e o espaço evocativo da natividade do divino Hórus, com as paredes decoradas com desenhos alusivos às fases desse nascimento junto a várias deidades. Mas, olhando-o de longe, suspenso sobre a vegetação luxuriante e banhada de chuva, pressentiu a magia do lugar, como se houvesse sido ali colocado para lhe tocar a alma. E essa energia irradiava, intensa, daquele espaço sagrado, de intermediação com o divino, despertando o ser espiritual que a habitava.

Quando chegou às portas do templo, apenas se entrevia, sentado, um velho sacerdote calvo, que vivia nas imediações e lhe provia os ofícios e a manutenção. Protegido das fúrias dos céus, soergueu os olhos, em jeito inquisitivo, à chegada dos peregrinos. Fora acordado de um sono profundo pelo tropel dos cavalos governados por Arménio. Recostava-se na cadeira, dentro do edifício principal. Por cima da padieira da porta bailava, ao sabor do vento, uma placa que anunciava: *Vendem-se lamparinas, filtros para as libações, filactérios, ex-votos e estatuetas de Ísis.*

Porém, quando se apercebeu que chegava um carro bem aparelhado, onde reluziam as faleras, os peitorais dos animais, os passa-rédeas de fino recorte, argolas de bronze por onde passavam as oito rédeas do carro, levantou-se como que impelido por uma mola. O sacerdote nunca vira aquela carruagem, uma verdadeira obra-prima, com um elevado nível de perfeição, em que o artista conseguira combinar uma decoração complexa com um vibrante Mercúrio, deus protetor dos viajantes. E tinha razão para não a ter visto: fora a prenda que Lucídio Danígico Tácito adquirira para a esposa quando soube da gravidez do primeiro herdeiro. Ela e a criança precisariam de cómodos para viajarem, à altura do prestígio social do dono.

– Senhora, a esta hora e neste dia…?! – O velho sacerdote não escondia a surpresa por ver Priscila, muito embora a soubesse muito devota e adivinhasse, assim que o enxergou, que aquele carro só aos Danígicos poderia pertencer.

– É verdade, Feliciano! Os tempos não andam tão favoráveis como esperava… Preciso da ajuda da Senhora dos Céus!

– Este é o lugar certo! Muito embora o século não esteja lá muito propício aos nossos cultos…

Feliciano aproveitou para desfiar o coro das lamentações pelo facto de a seita dos cristãos estar a ganhar cada vez mais adeptos, sobretudo depois da conversão e favores dos imperadores. E de estes se tornarem agressivos opositores dos ancestrais cultos que se velavam naquela terra, desde o tempo em que a velha deusa Nábia fora senhora dos antepassados. E igualmente desde que Ísis ali chegara, vinda do oriente, prometendo aos iniciados a felicidade durante a vida e a salvação na que se lhe seguiria. Essa novidade transformara a deusa que nascera no Egito numa incansável viajante pelo mundo helénico e romano, adaptando-se permanentemente aos novos tempos, fundindo-se com Demeter de Eleusis, ambas vinculadas ao cíclico renascer da natureza. Aquela que fora a primeira companheira de Osíris, agora de Serápis, mas também infatigável peregrina pelos inúmeros portos do *Mare Internum*, tocando o coração dos atenienses, gauleses, romanos e, finalmente, dos hispânicos da península ibérica, tinha agora concorrência de peso, no que tocava às promessas de salvação para além da morte: a de um outro deus oriental anunciado por um judeu crucificado em Aelia Capitolina, a antiga Jerusalém.

Enquanto Flaviano e Arménio esperavam à entrada do templo, maldizendo as condições climatéricas e garantindo a segurança das mulheres que trouxeram até Iria Flavia, Priscila dobrou o umbral da porta, com muito custo, devido ao cansaço da viagem e à indisfarçável debilidade. Mas isso não a impedia de prosseguir de cabeça erguida e pose seráfica, a par do sacerdote, que a protegia da chuva, e já inteirado da razão da imprevista visita. Valéria seguia atrás, transportando o que precisava para o culto. O resto seria ali comprado, pois que também era necessário contribuir para o sustento do sacerdote e do próprio santuário, que os tempos iam difíceis.

Chegada ao altar, depois de um prolongado momento de reflexão, Priscila ergueu os braços aos céus e, de pé, murmurou a ladainha que lhe saiu do coração:

Ó Senhora, tu que vês e atendes a quem te invoca com toda a boa-fé,
A fé dos nossos antepassados e dos vindouros,
Dos que no teu colo encontraram a cura para todos os males,
Consolo para todas as tristezas,
E que assim será para todo o sempre!
Acode-me e protege-me nesta hora!

Ó deusa da simplicidade, ó protetora dos mortos,
Ó deusa das crianças de quem todos os começos surgiram,
Ó Senhora dos eventos mágicos e da natureza!
Tu que deste origem ao Céu e à Terra,
Que conheces o órfão e a viúva,
Que providencias justiça aos pobres
E que dás abrigo aos frágeis!
Rainha dos Céus,
Acode-me e protege-me nesta hora!

Mãe dos deuses,
Que resplandeces em mil caras,
Em quem habitam todos os nomes,
Esposa que choras a morte do teu próprio esposo,
Senhora das culturas verdejantes,
Senhora da Casa que dá a Vida,
Doadora da Luz do Céu,
Em ti confio a vida e a saúde daquele que gerei!

Em pungente silêncio, acendeu uma lâmpada de azeite e colocou-a delicadamente sobre o altar, derramando uma pitada de incenso junto a uma vela que se consumia em chamas de eternidade. Deitou uma moeda no poço que se abria sobre o lado esquerdo e voltou ao silêncio das orações. O sacerdote, retirado para um compartimento do santuário, atrás do altar, aproximou-se de Priscila e murmurou-lhe ao ouvido:

– Está tudo pronto!

As duas mulheres seguiram o homem de túnica verde, muito coçada pelo uso, para a dependência de onde saíra. Nos quatro recantos, ardiam velas e queimavam-se as essências orientais apropriadas ao culto. Ali se consumaria a oblação final, a que ninguém mais poderia assistir.

Valéria tirou do saco um robusto galo negro nascido e engordado na *villa*, com o bico bem amarrado por fios de fiteira. O sacerdote cortou-os, com delicadeza. O bicho cacarejou, aliviado. Mas foi por tempo curto, pois, num único golpe, uma lâmina sacrificial atravessou-lhe o pescoço, dando apenas tempo a alguns rápidos espasmos do corpo sem cabeça que o comandasse. O sangue encheu de vermelho o bacio preparado para a imolação.

Talvez o súbito desaparecimento das mulheres tivesse inquietado os homens que as protegiam, pois Valéria entreviu os olhos dos acompanhantes a surgirem e logo desaparecerem na porta da entrada do compartimento. E quando os dois homens regressaram à luz do dia certamente ter-se-ão espantado com o milagre que acabara de suceder: a chuva parara, depois de dias a fio de tormenta. O vento que soprava do tenebroso mar, fronteira da terra que ali acabava, desvaneceu-se como que por encanto divino.

– Parece que a velha deusa continua poderosa!

– Cala-te, Flaviano! São superstições, idolatria, que tanto mal fazem a Deus…

– Vá, Arménio… Cuidado com a língua! Não viste que até os elementos lhe obedecem…

– Do que estás a falar é de outra coisa, meu caro…

– De outra coisa?!

Arménio virou a face para o sul, para onde as nuvens negras corriam para tão cedo não voltarem. Apenas faziam verter dentro de si bátegas de raiva.

– Foi magia… A poderosa magia negra fez o que acabaste de assistir!

Flaviano olhou para todos os lados e encostou o indicador em riste ao nariz, antes de pronunciar as últimas palavras, pois os três vultos saíam, aliviados e sorridentes, do templo de pedra.

– Cala-te com essa conversa! Senão, serei eu a tomar as medidas…

Arménio deixou um sorriso de escárnio e subiu para o local onde deveria comandar o carro de volta à Villa Aseconia.

O sacerdote não parava de animar Priscila e Valéria, enquanto afagava, como se de uma fina filigrana se tratasse, os passa-rédeas de bronze, uma peça que nunca os seus olhos vislumbraram: de um centro robusto piramidal, sobreposto por um cavalo em miniatura e decorado com motivos vegetais, sobressaíam duas serpentes, para cada um dos lados, cujo cilíndrico e esguio corpo modelava as argolas por onde passavam as rédeas dos animais.

– Trazes as serpentes de Ísis contigo! – sorriu, continuando o afago. – Ela atendeu aos vossos pedidos, senhora! Volta para o sossego do lar e dá aconchego ao teu filho! Ele está à tua espera!

O retorno foi feito com mais tranquilidade. Cruzaram-se com viajantes que os saudavam efusivamente, dando graças por, finalmente, chegar o bom tempo. Quando deixou a calçada imperial, virando à esquerda junto a um marco miliário colocado no tempo de Caracala, a escassa distância da *mansio* fervilhante com vida de gente e animais, o coração de Priscila só procurava a resposta a uma pergunta: como estaria o pequeno Prisciliano?

4

Bracara Augusta (Braga)

Depois de cruzar o rio Minius, restavam pouco mais de quarenta milhas para se alcançar as muralhas de Bracara Augusta. Flaviano e Arménio saíram cedo para buscar Lucídio Danígico Tácito. Aproveitaram as horas da vigília noturna, ainda a lua madrugava a noite. Assim, depois de passarem pelas *mansiones* de Iria Flavia, Aquae Celenis, Turoqua, Burbida, Tude e Limia, alcançaram, após alguns dias de viagem, as portas da capital. Era a hora sexta, ao final de uma manhã fresca, mas de céu limpo.

Flaviano pediu ao companheiro para passarem previamente pela parte de trás do fórum alegando precisar de visitar um familiar adoentado que não visitava havia algum tempo e que Arménio não conhecia. Demorou-se metade de uma hora e parecia satisfeito quando regressou ao carro.

Tomaram uma retemperadora refeição na *domus* de Lucídio e, quando viram pela primeira vez o seu senhor, não deixaram de reparar nas nuvens negras que carregava no cenho.

Lucídio pensava nos acontecimentos que acabava de viver, mantendo, no entanto, a postura nobre e o aspeto impecável e sedutor de deus grego, que alvoroçou muitos corações femininos e ricos da Galécia. Mas a dama do seu coração era Priscila. Não a conquistara sem esforço, pois, como esta desconfiasse da seriedade dos seus intentos, vira-se obrigado a recorrer à ajuda de um tio influente na família. E, coisa de que Priscila nem desconfiava, socorrera-se também de um velho infundido da ancestral sabedoria dos *harioli*, como no ocidente latino se chamavam aos *incantadores*, especialistas em toda a espécie de encantamentos, sobretudo os amorosos. Deu por muito bem empregues as duas moedas de *solidus aureus*, cunhadas com o rosto de Constantino, o Grande, que despendeu no negócio.

Por isso, enquanto trilhava com ar grave e circunspecto as gastas calçadas graníticas que despediam Bracara Augusta, o pensamento de Lucídio voava como um falcão para o seu ninho de Aseconia, num turbilhão de emoções. Aguilhoava-o a saudade de Priscila e da vida pacata da sua *villa*, acompanhando os ciclos do tempo, das sementeiras às colheitas, com todas as festividades que se celebravam de permeio, a deleitosa caça, as leituras de Virgílio e Juvenal que deixara a meio. Porém, o que mais feria o coração de Lucídio, à medida que cada milha se vencia em direção ao destino, era a notícia que Flaviano lhe trouxera: o seu primogénito havia nascido há alguns dias e a mãe receava pela sua saúde. Nada mais havia que fazer em Bracara Augusta!

Por conseguinte, aquele mandato do responsável pela cobrança de impostos, para além de surpreendente, era, acima de tudo, perfeitamente inoportuno.

Lúcidio Danígico Tácito, imerso em tais cogitações, passou ao lado do templo bracarense de Ísis, senhora de muitos devotos corações dos habitantes da cidade, e reparou que algumas colunas estavam destruídas. *Certamente, coisas de cristãos*, concluiu, tendo em conta as notícias de ataques noturnos de gente encapuzada aos templos, oratórios, fontes e todos os lugares onde luzissem os gloriosos velhos deuses do império.

Dobrou, depois, a esquina da rua onde pairava um leve cheiro a incenso e se vendiam pedras e lápides funerárias, lâmpadas votivas e outros objetos fúnebres expostos pelos comerciantes, decorados quer por peixes e pelo crismon dos cristãos quer pelos velhos motivos romanos. Nesse aspeto, os negociantes de Bracara Augusta não eram sectários, procurando agradar aos fiéis da nova e da velha religião.

Quando chegou, inquieto, a casa de Ithacio, Lucídio foi conduzido a uma sala estreita e escura. Apenas uma vela dava cor ao esconso lugar. Ao lado, tão-só separado por uma enorme cortina vermelha da sala do compartimento confinante, ouviam-se vozes de dois homens, animados numa discussão sobre questões religiosas. Ambos pareciam cristãos, mas era evidente que estavam em desacordo quanto à natureza daquele a quem chamavam Cristo, ou melhor, sobre a natureza do laço existente entre Cristo e o Deus que diziam ser seu Pai.

– Cristo é consubstancial ao Pai, eterno e incriado! Foi assim que ditou o concílio de Niceia! – asseverava um deles, de voz fina.

– Ditou?! Ora, ora! Essa foi a vontade de Constantino, incapaz de deixar os verdadeiros teólogos da fé decidirem sobre a Sua natureza. Jesus Cristo é semelhante, mas não consubstancial ao Pai, como demonstrou, com toda a sabedoria, o presbítero Ário de Alexandria: *homoiousios* – de essência parecida –, e não *homoousius* – de igual essência!

– Amigo, essa tua crença ainda te vai trazer muitos dissabores! Põe-te a pau, pois os arianistas não são lá muito apreciados por estas paragens! Andam a difundir a semente da discórdia e da falsidade na Hispânia! Ainda recentemente, o nosso bom bispo Apolónio referiu-se a vós como as ovelhas negras do império.

Lucídio reconheceu o verbo aflautado de Ithacio. Apesar de ser homem pesado, de carnes fartas e flácidas, a inconfundível voz de falsete conferia-lhe um ar de eunuco que, não obstante, o dono da Villa Aseconia sabia não ser. Comentavam-se, à boca pequena, as impertinências do filho mais velho, provocador de vários desacatos, sobretudo durante a noite.

– Ora, ora, meu caro Ithacio! Tu é que lavras em erro com as crenças que Atanásio inventou e que Constantino ordenou em Niceia, sob a influência de Óssio de Corduba, ainda mais ignorante. Nunca encontrarás a plenitude da verdade teológica, amarrado a esse terrível engano, sem perceberes que o Filho não é da mesma natureza do Pai.

– Calma aí, Severiano! Cuidado com essas afirmações, muito menos dentro da minha casa! Haja respeito! – gritou o dono, com estridência.

A conversa escaldou entre os dois que se tratavam por amigos e que centravam o pomo da discórdia na religião que ambos professavam. Ithacio era partidário dos nicenos, que acreditavam que o Filho não era da natureza das coisas feitas e criadas. Para estes, o Filho sempre existiu e junto ao Pai, pelo que eram inseparáveis. No entanto, defendiam serem Pai e Filho duas pessoas distintas, sendo o Pai o único que não fora objeto de conceção.

Aliás, esta rebelião religiosa, que acarretava graves consequências políticas para o império, era uma das principais preocupações dos imperadores, desde que Constantino decidira converter-se ao Cristianismo, a seguir à vitória sobre Maxêncio, na Ponte Milvius, às portas de Roma, a 28 de outubro de 312. Dizia-se que pretendera unificar o império através de uma única religião, universal, a cristã, mas logo se viu atormentado pelas inúmeras discussões e cismas internos. As controvérsias gravitavam, normalmente, à volta do mesmo tema: a natureza de Jesus Cristo. Assim, recomeçavam as ameaças à unidade imperial, pois, com um assombroso furor, as desavenças alastravam e contaminavam as bases do novo poder.

Lucídio conhecia a polémica, pois os seguidores das antigas tradições usavam-na para se defenderem das acusações de idolatria e paganismo, dizendo que nem os cristãos se entendiam quanto à sua crença.

Os cultos dos ancestrais – romanos, gregos, egípcios, orientais – não tinham propriamente um único centro, um chefe, nem uma definição enquanto religião. Cada um era livre de escolher o seu credo e a forma de o cultuar. Podia consultar-se um sacerdote, mas seguir ou ignorar os seus conselhos sobre a forma de invocar a divindade. Cada um utilizava, a seu bel-prazer, palavras, gestos e até artes, como a dança e o canto, bem enraizados, tanto no campo como na cidade.

A religião a que os cristãos chamavam idolatria era, assim, a crença na existência de seres naturais inomináveis, na esperança que eles fossem benévolos e atendessem às orações – exceto aqueles que podiam tornar--se daninhos, através de invocações mágicas. Mas igualmente a convicção de que um ou muitos deles protegiam particularmente cada lugar e cada povo, e também a existência de um conjunto de ritos relativos às esperan-ças e às crenças da vida que se não endereçavam a um ser em particular.

Mas havia também os cultos místicos orientais. Muitos romanos, insatisfeitos com as velhas divindades, buscavam a oriente um deus que os pudesse amar, proteger e garantir a salvação eterna. Daí o sucesso de Cibele e Dionísio, originários da zona da Frígia, ou de Mitra da Síria e de Ísis e Osíris, depois Serápis, do Egito. Eram deidades universalistas que haviam sofrido e vencido a morte, que recordavam a fecundidade agrária, renovando todos os anos a vegetação, e sugeriam o renascimento, indo assim ao encontro de muitas das inquietações dos espíritos sedentos de uma nova verdade.

Enquanto refletia nestas questões, Lucídio constatava que o diálogo a que involuntariamente assistia terminara crispado, saindo o desconhe-cido disparado, de rosto apimentado e a respingar fúrias por todos os poros. Depois de a sua alvíssima toga de linho ter deixado um torvelinho à saída, surgiu o roliço dono da casa, não menos arreliado do que aquele que acabava de sair.

– Já cá estás e ninguém me avisou?! – questionou de supetão, com a saliva a borbulhar nos cantos dos lábios.

– Lamento não ter sido anunciado, Ithacio – respondeu Lucídio, com a melhor cortesia que conseguiu encontrar.

– Vamos, entra! – ordenou, com arquejante respiração. – Já estou atrasado para as minhas termas – resolveu, apontando para uma cadeira, debaixo de um quadro de peixes pintado na parede.

– Então, qual é a urgência, Ithacio?! Pensei que tínhamos esclarecido tudo na última reunião…

– Sim, sim… Mas, como sabes, os impostos não me são destinados, pertencem ao império. Apenas cumpro as funções que o Estado romano me confia – respondeu, ainda rubicundo, sentando-se pesadamente no cadeirão.

– Não discordo, os impostos fazem falta à manutenção do Estado e bem sei que o esforço de guerra com os bárbaros cresce de dia para dia. – Lucídio tossicou, aclarando a voz e respirando fundo para se aquietar. – Mas apenas os impostos legais e devidos, Ithacio! Já nos bastam os que temos, e não são assim tão poucos! Sete sólidos de ouro por cada *caput* é uma magnânima contribuição para o império!

– Deixa-te de lamúrias e vamos diretos ao que interessa! Mandei homens a Aseconia verificar os limites das tuas terras e parece que se confirmam.

– Então, qual é o problema?! – perguntou o convidado, olhando nos olhos de Ithacio.

O anfitrião sorriu, mordaz.

– Relataram-me que não declaraste a totalidade da produção anual…

Lucídio engoliu em seco. Considerava aquela afirmação um ultraje, uma autêntica infâmia. *Como poderia aquele homem duvidar da sua palavra?!* Procurou manter a calma dos aristocratas de boa cepa, escondendo o mais que pôde o remoinho que lhe virava as tripas do avesso.

– Não pode ser, Ithacio! As contas foram feitas na presença dos teus *caesariani*…

– Não é o que me dizem… – contestou o anafado homem, com lentidão, como que procurando estudar o espírito e as reações do dono da

Villa Aseconia. – Atestam que viram cereais que não estavam no lote e no local onde foram anteriormente medidos...

– Foi nesse preciso local que os teus fiscais os viram, colocados após a primeira contagem! Não podiam continuar sujeitos ao tempo... E já vês como está este inverno! Não vou pagar nem mais um *argenteolus*, ou mesmo um mísero *denarius* de bronze que seja! – contestou Lucídio, furioso.

O outro, com um estranho ar de caso, puxou o assento para junto de Lucídio, olhou para todos os lados e falou-lhe ao ouvido, num tom estudadamente baixo:

– Ouve cá, isto é o que tinha inicialmente para te dizer. Mas acaba um passarinho de me soprar ao ouvido que os membros da tua querida família andam pelos montes a praticar magia...

– Magia?! – Lucídio esbugalhou os olhos e o coração estremeceu.

– Sim, mas não uma magia qualquer! – Ithacio recostou-se no seu lugar, fitando-o nos olhos. – Magia negra! – afirmou, aumentando a voz e alongando as palavras. – Sabes bem que esse é o crime que o nosso estimado imperador mais detesta!

– Mentira! Como és capaz de tão monstruosa insinuação?! Os teus delatores mais uma vez se enganaram!

O cobrador de impostos sorria, com gosto, gozando antecipadamente o susto da visita.

– Vai com cuidado, amigo! A tua diletíssima esposa é a responsável por isso!

A terra tremeu sob os pés de Lucídio. Como era possível, e com que fim, aquele homem acusar Priscila de tão grave delito?! E logo ela, coitada, tão atarefada com os preparos para o parto!

Desviou os olhos para um recanto da sala ricamente pintada, onde se encontravam duas ânforas e peças de louça de cerâmica da mesma oficina africana que as de sua casa. O peito arfava, congestionado como os olhos. Recordou a imagem de Priscila e não duvidou uma fração de tempo que a amava e que não era a paixão que lhe toldava a razão. Aquele homem não podia dizer a verdade!

Mirou-o de novo. A gula reluzia nas bochechas de Ithacio, agora lustradas pelo rubor da soberba. Impotente, amaldiçoou-o e à sua maldez. Até que, no meio do vórtice do vulcão onde se via, pressentiu uma energia interior que o ajudava a fugir da lava que o afogueava. Lembrou-se dos dois homens da sua clientela que se encontravam na *domus* para o levarem para Aseconia. Talvez o pudessem ajudar a esclarecer a maldita acusação.

– Posso chamar aqui os meus criados que acabaram de chegar a Bracara?

O redondo homem remexeu-se no cadeirão, repuxou-o para o lugar inicial, semicerrou os olhos e anuiu com a cabeça, para logo sublinhar:

– Podes, claro que sim! Espero que sejam úteis às tuas decisões...

E, assim sentenciado, saiu da sala, alegando ter de mudar de roupa para ir a banhos, logo a seguir. Enquanto esperava que o escravo de Ithacio levasse a ordem de chamada a Flaviano e a Arménio, Lucídio espreitava a janela do seu mundo interior e o que via não lhe agradava minimamente. O chão continuava perigosamente a estremecer. A lava ainda lhe queimava os pés. Nunca dera oportunidade alguma para poder ser atacado por quem quer que fosse. Ele e a sua família eram gente séria e honesta e orgulhava-se disso. Eram apreciados pela generalidade da clientela de Villa Aseconia, fossem colonos, escravos e toda a espécie de criadagem – apenas Arménio parecia a exceção, que o patrão, não obstante, desconhecia – e por todos os prestigiados proprietários da Galécia, pelos membros do senado bracarense, pelo governador... Só os cristãos poderiam ter razões para desapreciarem Lucídio, pois menosprezavam todos os que se mantinham fiéis às tradições dos antepassados, fossem romanos de cepa, fossem os descendentes das tribos galaicas e lusitanas que habitavam o ocidente peninsular antes de chegar a civilização nascida nas margens do Tiberis.

– Aqui estão os teus homens! – informou Ithacio, que irrompeu sala adentro, embargando-lhe as cogitações. – À tua disposição!

Lucídio notou ironia e até uma pontada de desdém, sobretudo na forma como entoava as palavras e mirava o proprietário da *villa* do *conventus lucensis*. Logo saiu para os deixar a sós.

– Meus caros, Ithacio insinua uma terrível acusação contra a minha família... – Parou para escolher as palavras e tomou os rostos de Flaviano e de Arménio com firmeza, explicando o teor da denúncia.

Os dois entreolharam-se. Mas logo o chão de mosaico se tornou o destino de todas as atenções. Era visível a perturbação que os apoquentava.

– O que se passa?! O que quer dizer o vosso silêncio...?!

– Senhor… não sei do que falais… – começou Flaviano, intermitente.

– Do que vos expliquei! O assunto é sério! Tendes conhecimento de algum ato de magia negra, ou de algo semelhante, praticado por Priscila?

O silêncio tapou de novo as bocas dos clientes de Lucídio. Os três homens ficaram, durante algum tempo, suspensos entre si, sem que nenhum quebrasse o mutismo. Formavam um triângulo, em cuja ponta do vértice mais agudo se encontrava o senhor, a ferver de desconfiança quanto à interpretação que podia dar a tão ruidoso vazio. Os dois criados posicionados nos vértices da base mais curta do trilátero experimentavam os dramas que a consciência de cada um era capaz de elaborar, como uma aranha que tece a teia, retirando do interior os fios em que haverá de renascer. Contudo, só um deles deu a conhecer os demónios que os atormentavam:

– Senhor – começou, titubeante –, a minha consciência cristã, porque nunca lhe escondi a minha crença, não me permite mentir ou omitir perante uma tão clara pergunta, que é do meu direto conhecimento…

– Arménio! – resmungou Flaviano.

– Então, o que aconteceu…!? – interrompeu Lucídio, com gotas de suor a escorrerem-lhe das têmporas, apesar da frescura do dia. – O que me queres dizer?!

– Depende da perspetiva, mas talvez seja verdade, senhor, o que esse homem vos informou…

Lucídio caiu na cadeira, como se houvesse sido fulminado por uma flecha, pelas costas.

5

Aseconia (Santiago de Compostela)
Bracara Augusta (Braga)

– Toma o pequeno Prisciliano! É o teu filho!

Priscila estendia as mãos para o esposo, sobre as quais repousava uma criança de olhos abertos e rosto sereno. Lucídio segurou-a, desajeitado, mas o mais delicadamente que pode. Afastou ligeiramente os panos coloridos e ficou a contemplar o bebé, como se o tempo tivesse parado.

– Então, Lucídio?! – acordou-o Priscila, com uma ponta de inquietação.

O marido ergueu-o no ar e arvorou um sorriso embevecido.

– Reconheço-te, Prisciliano, como meu filho, autorizo-te a viver e não permitirei a tua exposição – expressou, afetado, o *sublatus*, o ritual sagrado de reconhecimento paternal, também proferido pelo seu pai, avô e assim sucessivamente, até à madrugada dos tempos.

Orgulhoso, devolveu à mãe o petiz, que o colocou num berço ciosamente fabricado pelos carpinteiros da *villa*, decorado com motivos florais. Priscila sentou-se na ilharga da cama e Lucídio imitou-a, mesmo ao lado, abraçando a esposa. Um aperto carregado de carinho e afeto.

– Valéria informou-me que o pequeno está de boa saúde – referiu, pausadamente e em tom baixo. – E logo me disse que, ao nono dia, o purificaram no altar da casa e lhe chamaram Prisciliano...

– Tínhamos combinado! Se fosse rapaz, ficaria ligado ao meu nome, se fosse rapariga, ao teu. Quem sabe, ainda teremos uma Lucídia! – respondeu, rindo e encostando a cabeça ao ombro do marido.

Lucídio acabava de voltar da jornada bracarense, a meio de um dia soalheiro, a tempo de um frugal *prandium* de pão, queijo e azeitonas. Priscila, preocupada, ainda aguardara pelo esposo até à primeira vigília da noite anterior, pois achava que já devia ter chegado, mas em vão. Dormira intranquila.

– Porque te atrasaste tanto?

– Tive umas reuniões imprevistas… de última hora – respondeu, com o olhar distante.

Não quis apoquentar a esposa com os acontecimentos da capital. Percebeu que o que interessava mesmo ao gordo Ithacio era encontrar um bom motivo para convencer o rico proprietário do norte a deixar umas moedas a mais por baixo da mesa.

– Não tenho recibo para lhe dar… O patrão saiu para as termas! – dissera-lhe o criado de Ithacio, sabedor dos artifícios do seu senhor, quando lhe apresentara a conta do imposto alegadamente em débito e que, tão certo como o destino, não iria parar aos exauridos cofres do imperador Constâncio.

Quando analisava a frio os acontecimentos durante a viagem, e aproveitando uma conversa descontraída com os servos, Lucídio achou que fora a melhor decisão. Muito embora não fosse devoto de Ísis, concluíra, como assegurou com Valéria logo à chegada, que tudo não passara do ancestral rito propiciatório de bonança tão costumeiro na Galécia. No caso, em favor do próprio filho! E que funcionou na plenitude, como lhe asseverou a experiente mulher, quando confidenciou:

– Ísis continua protetora e maternalmente ligada aos seus mais fervorosos adeptos!

Os sacrifícios poderiam ser enquadrados, se uma mente maldosa e astuciosa os acusasse, na categoria de *maleficium*. Por isso, quando confrontado com a falsa nota fiscal, Lucídio preferiu não correr riscos e pagou o que o soberbo Ithacio lhe receitou. O caso ficaria por ali!

O que sobrou daquele episódio e que continuava como um pingo de vinagre a azedar o coração de Lucídio foi não saber ao certo quem fora o apressado delator da visita de Priscila ao santuário de Ísis. O pai de Prisciliano arrumou interiormente a questão, conjeturando uma plausível vinda de um espião de Ithacio aos seus domínios em busca de informação que pudesse usar contra si, na extorsão.

Mas estava enganado. Em Bracara Augusta, o cobrador de impostos celebrava com taças de vinho o pecúlio que habilmente surripiara a Lucídio.

– Este caiu como um tordo! – dizia, ébrio e deitado sobre a mesa do *triclinium*, para o escravo de confiança, que o ajudava nos serviços sujos.

– Sim, não tinha escapatória… O crime de *maleficium* é o caminho certo para a desgraça. O homem ia morrendo de susto.

– Quanto não vale manter a rede de informadores! Uma informação, pequena ou incipiente que seja, pode valer uma fortuna! Aprendi em Roma, a grande escola do império. Vá, enche-me a taça e bebe também um trago! Fizeste um excelente serviço.

– Senhor, estou às suas ordens. Cumpro o que me manda!

Na ampla sala de refeições da *domus* bracarense, embelezada de pinturas e mosaicos finos com desenhos de motivos florais, entrara o filho mais velho de Ithacio, que tinha o nome do pai.

– Ithacito, vem cá!

O redondo rapaz, ainda de tenra idade, mas que era uma fiel imitação paterna na gula como na astúcia, aproximou-se.

– Sim, meu pai! Em que posso ajudar?

Virando-se para o escravo, ordenou o senhor da casa:

– O meu filho vai contigo à basílica! Leva este donativo ao bispo, pois o que foi tirado a um rico idólatra não é pecado aos olhos de Deus. O bispo precisa de ajuda para as obras do templo e para engrandecer a comunidade cristã. E eu preciso de ficar bem visto.

O escravo pegou no saco de moedas e reparou que era uma reduzida parte do que Lucídio pagara. Ithacio apagava os remorsos com pouco dinheiro. Ambos foram cumprir a missão. Quando regressaram, o escravo pediu para falar a sós com o amo.

– Senhor, o bispo ficou muito satisfeito. Agradece-lhe e está feliz por vê-lo, assim como à sua família, fiéis e participativos devotos.

– Esse bispo tem de estar do nosso lado.

– Mas não devo esconder-lhe outra coisa, senhor…

– O quê?!

– O pequeno Ithacio...

– Desembucha, homem!

– ... tirou umas moedas do saco, antes de as entregar ao bispo...

Ithacio arregalou os olhos e disparou uma gargalhada que ecoou pelas paredes pintadas do *triclinium*. O escravo manteve-se impávido.

– O meu filho está a aprender... O rapaz vai longe! – sorriu, bem avinhado. – Vá, mantém o contacto com o escravo de Lucídio e os dos outros senhores da Galécia e paga-lhes convenientemente os serviços. Nunca te esqueças: a informação é o bem mais precioso para um cobrador de impostos! Mas sempre com discrição: se alguém descobre, só tu serás o culpado...

Na Villa Aseconia, Flaviano comentou com Priscila que desconfiava que Arménio traíra Lucídio, explicando-lhe em segredo o que sabia dos acontecimentos de Bracara. Por prudência, reservou a informação para si, mas pediu a Flaviano para redobrar a atenção sobre o cristão.

A Lucídio, o que interessava verdadeiramente por aqueles dias era reencontrar-se com a pacatez do quotidiano, fruir das benesses e do sossego da vida rural, visitar e receber os amigos, deleitar-se em caçadas pelo interior dos seus largos domínios e preparar as próximas festas. E, claro, um banquete em honra do nascimento do primeiro filho, aproveitando a celebração da *Caristia*. Era o feriado comemorativo do dia da família, nove dias depois da *Parentalia*, o período destinado às visitas aos túmulos dos antepassados para convívios em noturnas refeições. Escolheu a *Caristia* desse ano de 350, no oitavo dia antes das calendas de março, o dia 22 de fevereiro do ano cristão, para apresentar Prisciliano formalmente a toda a família.

Nas vésperas desses venturosos dias, o orgulhoso jovem pai mandou colocar um *ankh* na imponente entrada da *domus* da *villa*. Esta antiga *crux ansata* egípcia, encimada por um círculo, significava "vida", precisamente aquilo que mais se havia desejado, gerado e protegido na Villa Aseconia.

Por aqueles tempos, o Império Romano era governado pela família constantiniana, mas o barco imperial criado por Constantino, o Grande, era demasiado amplo e complexo para um único comandante. Em 326, por razões que só ele poderia explicar, o imperador ordenara a morte de

Crispo, o seu primogénito e césar das Gálias. Disseram as más-línguas que Constantino não tolerara que o próprio filho governasse com tanta distinção e comandasse as tropas com assinalável êxito. Uma sombra a prevenir. Já em 335, aquele que sobre a velha colónia grega de Bizantium fundara a florescente cidade de Constantinopla, a Nova Roma do oriente, nomeara césares os três filhos, dividindo o império em outras tantas partes e entregando cada uma à sua governação. Constante, o mais novo, ficara com a parte central – Itália, África e o Ilírico. Ao do meio, Constâncio, coubera governar o oriente – Ásia e Egito. E, ao mais velho, Constantino, como o pai, a sorte ditara-lhe o ocidente – as Gálias, a Hispânia e a Britânia.

O velho imperador concedera ainda honras de governação de pequenos territórios a dois sobrinhos – a Flávio Dalmacio coubera o Baixo Danúbio e a Hannibaliano o Nordeste da Síria e o título de rei da Arménia –, mas rapidamente se iniciou o processo de reposicionamento do poder e eles foram assassinados.

Constantino morreria em 22 de maio de 337 e logo em 9 de setembro seguinte os três césares seriam elevados a Augustos. Reunidos em Viminacium, repartiram o império, já sem primos pelo meio. Constante ficara com o Ilírico, Constantino II com o ocidente e Constâncio II com o oriente. Contudo, Constantino II viria a morrer em 340, nas proximidades de Aquileia, quando tentava apoderar-se dos territórios do irmão Constante. Este aproveitara para tomar de imediato conta das suas terras, tornando-se senhor do Ilírico e do ocidente e, por conseguinte, da Hispânia.

O império do dia 6 de janeiro de 349, quando Prisciliano nascera, não era o mesmo no dia em que festejou o sétimo aniversário. Constante fora igualmente assassinado em 350. Com efeito, o exército, insatisfeito com o imperador reinante, ofereceu a púrpura a Magnêncio, o comandante das Herculianas e Jovianas, unidades da guarda imperial, a 18 de janeiro desse ano. O imperador fora encurralado nos Pirenéus e, num ápice, perdeu o reinado e a vida. O usurpador Magnêncio tornava-se, por força da violência, no senhor do ocidente, a quem toda a Hispânia se rendera.

Restabelecida a normalidade na *villa* e no império, Priscila viajara discretamente a Iria Flavia. Fora deixar, como devia, o ex-voto a Ísis, uma cabeça de bebé esculpida em granito. E ainda uma lápide, elaborada pelos canteiros da casa na mesma pedra granítica, como agradecimento à divina interceção pela saúde do filho.

A vida em Villa Aseconia foi-se sucedendo ao ritmo previsto para os comuns mortais. Prisciliano foi desfrutando de uma infância sossegada e feliz. Valéria ajudava a cuidar do petiz, brincava e contava-lhe histórias assombrosas e com gladiadores. A mente inquieta daquele rapaz forte e moreno fervilhava de fantasias. Sonhava conhecer terras distantes, descobrir os duendes dos bosques e viajar até à lua. Passava horas a olhar para o céu imaginando-se a brincar com as estrelas e a correr sobre a Via Láctea. Prestava especial atenção quando Valéria lhe narrava, antes de deitar, contos sobre uns seres extraordinários a que chamavam druidas, e que habitavam as antigas florestas, onde produziam poções mágicas capazes de dar vigor aos homens das suas tribos. Logo sonhava tomar um desses preparados, subir às árvores e voar como um pássaro, descobrindo todo o mundo conhecido e desconhecido.

Mas havia algo que passou a diverti-lo e, depois, a inquietá-lo. Descobriu que a estrada, junto à *mansio* de Aseconia, era o local que, afinal, trazia e levava gente para o resto do mundo. E haveria de perceber quem eram essas pessoas e os fins que as motivavam a percorrer aquele caminho: legionários, transportadores da posta, ricos proprietários em visita às suas terras e não só...

– Valéria, há pessoas estranhas que caminham em direção ao mar... Regressam, passados uns dias, com ar mais leve e feliz...

– É um costume antigo! – respondeu, com um sorriso e a mente em busca da melhor explicação a dar ao pequeno. – Chega aqui, vou contar--te um segredo!

Prisciliano aproximou-se, entusiasmado.

– Há uma prática muito antiga, que ouvi contar em pequena aos meus avós...

O rapaz abriu os olhos, cheio de curiosidade.

– Desde os tempos ancestrais que se sabe que vem gente de muito longe até ao nosso mar em busca de saúde... saúde interior...

– Saúde interior?!

– Sim, imagina que não andas bem contigo próprio e precisas de um remédio...

Prisciliano esforçou-se, mas pouco entendeu das explicações de

Valéria. Nem a idade lho permitia ainda. O certo era que, sempre que podia, ia ver gente passar na estrada.

E assim crescia o petiz, devagar e alegre, ao ritmo dos ciclos agrários e sempre sob os olhos atentos do pai e da mãe. Até que, um belo dia, ouviu os primeiros choros de um novo ser na *villa*: chegara Lucídia, a desejada irmã, como estava previsto e desejado.

Entretanto, a instabilidade voltara à parte ocidental do império. Magnêncio procurava, por todos os meios, reforçar o seu poder. Do oriente chegavam notícias de uma sublevação do exército panónio e da aclamação de Vetrânio, o seu comandante, mas demorou pouco até que Constâncio tivesse todas as tropas ao lado para enfrentar o usurpador na Batalha de Mursa Major, em 351. Contava-se que Magnêncio guiara as tropas na batalha, enquanto Constâncio passara o dia a rezar numa igreja próxima. Contudo, apesar do aparente heroísmo de Magnêncio, as suas tropas foram vencidas e forçadas a retroceder até à Gália. A Itália não tardaria a juntar-se a Constâncio. Magnêncio tentou a sua última sorte, em 353, em Mons Seleucus, mas estava destinado a morrer, suicidando-se, ao fazer-se cair sobre a própria espada. Desde então, havia um único imperador para todo o império: Flávio Júlio Constâncio, o filho do meio de Constantino, o Grande, o homem a quem, naquele século, estava destinado governar o império por mais tempo.

Esta foi a primeira lição que Prisciliano aprendeu quando o pai trouxe para a Villa Aseconia um pedagogo para providenciar a sua instrução. Até então, o próprio Lucídio se encarregara de o formar com o que julgava mais adequado, embora o petiz apreciasse bem mais as fantásticas histórias que Valéria lhe contava sobre a Galécia.

– Como vês, se gostas da tua cabeça em cima dos ombros e pretendes viver muito tempo, não queiras ser imperador – brincava o jovem mestre de Prisciliano, para ganhar a sua confiança.

O rapaz ria-se e deitava-se a adivinhar que imperador seria o próximo a perder a cabeça.

– E outra coisa: quando um imperador morre às mãos de outro, o mal não chega só para quem perde a vida!

– Como assim, *magister*?

– É penalizada a família, os amigos e, se o poder for tomado por usurpação, os mais próximos colaboradores do antigo imperador. E até mesmo aqueles a quem as suas decisões, por alguma forma, beneficiaram podem perder a cabeça ou, pelo menos, o prestígio.

Prisciliano, na inocência da infância e do mundo perfeito da *villa*, procurou compreender os ensinamentos do pedagogo, enquanto o ouvia discorrer sobre a forma como estava organizado o império, apontando para um desenho feito num papiro.

– O Império Romano divide-se em quatro prefeituras, governadas pelos prefeitos do pretório: o oriente, o Ilírico, a Itália e as Gálias, que é a nossa. Roma e Constantinopla são um caso à parte, cada uma com os seus exclusivos prefeitos. Estas prefeituras dividem-se, por sua vez, em dioceses. A das Gálias é composta pela Britânia, pela Gália e pela Hispânia, governadas por um vigário do prefeito. Por sua vez, cada diocese é dividida em províncias, cada uma com o seu governador. Diz lá então quais são as províncias da Hispânia, Prisciliano?

Mas a cabeça do petiz viajava por outras paragens. O pai já lhe havia explicado a geografia e a divisão do império. Por isso, o seu pensamento pousara na procissão mágica em que participara, pela primeira vez, no dia anterior. O progenitor comandou, à frente, de mão dada com Prisciliano. Atrás de ambos, uma grossa coluna de colonos e escravos. Todos percorriam, a pé e completamente descalços, os limites dos campos de cultivo, com archotes na mão, proferindo os ritos propiciatórios da fecundidade da terra. O petiz apertava a mão do pai, impressionado com a experiência. Seguia encantado com a exuberância da procissão, pois sabia, isso era certo desde incontáveis gerações, que aqueles ritos afastariam o granizo, as geadas e as tempestades. Daquela forma, o pequeno Danígico experimentava a emoção de se ver intimamente ligado à sua linhagem. Imaginava-se um pequeno aprendiz de feiticeiro, dos que sabiam dominar os elementos nocivos à vida e à fertilidade das terras da família.

– Prisciliano! – gritou o pedagogo, com ar sério e reprovador. – Onde está a tua cabeça?!

– Em cima dos ombros, *magister*! Onde haveria de estar?! Não sou nenhum imperador...

O professor desmanchou-se num riso incontrolável. O pequeno surpreendeu-se com a repentina mudança de humores e perguntou:

– De que te ris, Pacato?

– Ó Prisco, eu perguntava-te se sabias quais são as províncias da Hispânia...

Prisciliano percebeu então que a cabeça, mesmo em cima dos ombros, também podia viajar através da imaginação, por montes e vales, espaços próximos e longínquos, mundos mágicos e reais, sem que o corpo, ou quem lhe estiver à frente, disso se apercebesse. E, a qualquer momento, poderiam voltar a reunir-se, como o faziam agora, respondendo com um aberto sorriso:

– Tarraconense, Cartaginense, Bética, Lusitânia e a nossa querida província: a Galécia!

– Muito bem! E em quantos conventos se divide a Galécia?

– Essa é muito fácil: o asturicence, o lucense, onde residimos, e o bracarense, onde se encontra Bracara Augusta, a capital do convento e de toda a Galécia.

Naquela noite, o jovem discípulo dormiu mal. As lições do pedagogo e as recentes vivências nos *pagi* da *villa* transportaram-no para novas aventuras oníricas, sonhando com intermináveis viagens por cidades, *vici*, *castela* e *villae* do império, e com um imperador que usurpou o poder, mandou cortar cabeças e perdeu a sua depois de causar tanta desgraça ao mundo presente e futuro.

6

Aseconia (Santiago de Compostela)
Bracara Augusta (Braga)

Prisciliano crescia na pacatez da *villa*, mas em vigoroso ambiente intelectual. O competente pedagogo surpreendia-se permanentemente com os contínuos progressos do petiz na leitura, escrita, aritmética e nas demais áreas fundamentais na sua educação.

No dia em que perfez onze anos, não se cansava de dizer a Lucídio:

– Tem aqui um menino-prodígio! Este rapaz vai chegar muito longe, se lhe der oportunidade!

– Já reparei, Pacato! Tenho notado o gosto que tem por aprender e a forma como procura conhecer tudo o que o rodeia! – respondeu Lucídio, satisfeito com o filho e o mestre.

– Se continuar assim, aconselho-o a levá-lo para uma academia, quando tiver idade. A de Burdigala é a melhor, como saberá! No ocidente estão os melhores mestres e sábios como professores.

Lucídio ficou a matutar nos conselhos de Pacato, enquanto preparava uma viagem a Lucus, para visitar velhos amigos que acabavam de chegar das Gálias. Haveria de lhes pedir opinião sobre o assunto. Assim como sobre um rumor que corria sobre descaradas chantagens de Ithacio para obter dinheiros ilícitos aos contribuintes da Galécia.

Enquanto a noite caía devagar, ninguém imaginava os estranhos movimentos que aconteciam por aquelas paragens. Dois vultos aproximaram--se, furtivos, da berma da Via XIX, perto da *mansio* da Aseconia.

– Já confirmaste o que te pedi? – perguntou um homem, debaixo de uma árvore, protegido pelas sombras das trevas.

– Sim, é verdade. Lucídio vai a Lucus colher informações sobre Ithacio. Ele afirmou que recorrerá pessoalmente ao imperador... – respondeu o segundo, olhando para todos os lados, receoso.

O primeiro agarrou-o nos ombros e falou-lhe grosso, ao ouvido.

– Não vais deixar que isso aconteça! O meu senhor desta vez expôs-se de mais com esses proprietários. Pode ser o fim dele... e o meu... e o teu, ouviste?!

– Sim, eu sei disso...

– Ele jurou-me que, se alguma coisa correr mal, estamos perdidos...

– E o que queres que faça? – questionou, com frieza.

O primeiro retirou um pequeno recipiente que trazia amarrado por um fio ao pescoço, como a bula das crianças, e entregou-lho.

– Toma!

– O que é isto? – perguntou o outro, cauteloso.

– É veneno... Que mais haveria de ser?! Agora, usa-o com sabedoria. É letal, mesmo misturado com água. E toma cuidado que os poderes desta poção não passam com o tempo! Por isso, não te enganes, pois, se a bebes na dose certa, morres!

Segurou a pequena vasilha de barro e procurou os olhos do outro, no escuro.

– Só isto?

– Ah, claro, aqui está a tua paga – respondeu, colocando-lhe na mão uma bolsa fechada de couro. – É uma oferta muito generosa desta vez!

As moedas tilintaram e o recetor sorriu. Despediu-se apressadamente e, protegido pela penumbra, voltou a Villa Aseconia, enquanto o outro cavalgava em direção a Bracara Augusta. Deitou-se no catre sem tirar a roupa, escondeu a poção venenosa, contou o dinheiro e sorriu.

– É desta!

Na manhã seguinte, acordou cedo e cumpriu o ritual que fazia sempre que podia. A meio da manhã, deslocou-se às termas da *villa*. Sabia que a senhora se banhava apenas acompanhada pela criada mais chegada. Mesmo não gostando dela, aproximara-se da escrava para, na alcova, conhecer os segredos dos patrões e deixar boa imagem junto de Priscila. E, claro, descarregar a virilidade. Sabia o caminho de olhos fechados até ao discreto orifício que abrira na parede, donde desfrutava a vista das mulheres nuas na piscina. E como desejava ele Priscila! Excitou-se, como das outras vezes. Só voltou a si depois de se satisfazer agarrado ao membro duro, entre pensamentos eróticos com uma única destinatária. Terminou, ofegante, com um murmúrio sob os olhos brilhantes: *Agora, vais ser minha!*

No dia previsto para a viagem a Lucus Augusti, Lucídio acordou cedo. Quando se preparava para sair, com os primeiros alvores do dia, foi acometido de imprevistas e dolorosas cólicas.

– Vais em minha vez, Pacato! – ordenou, dobrado sobre si mesmo.

– Eu, senhor? Mas hoje tinha umas coisas combinadas com Prisciliano... Não prefere descansar, recuperar e viajar amanhã ou depois?

– Não, vais tu! Estou muito mal e não me parece que recupere rápido. Entregas esta carta e pedes ao destinatário para vir ter comigo com urgência. Entretanto, mando um escravo à frente, a cavalo, para chamar um médico que vive em Lucus. É o melhor que conheço nas redondezas! Vais com Arménio no carro e voltas com eles, pois estão velhos de mais para andarem a cavalo.

Já não era a primeira vez que o pedagogo de Prisciliano cumpria missões para o seu dono. Não imaginava é que aquela seria a última!

Pouco tempo depois de deixarem a *villa,* voltou o esbaforido Arménio, lavado em lágrimas. O carro desatara-se dos animais numa curva e caíra na ravina mais próxima. Arménio, o condutor, conseguiu saltar e salvar-se, mas Pacato não. Perdera a vida, com a cabeça esmagada numa pedra!

Arménio não conseguiu explicar o sucedido. Garantia que, como sempre, tinha feito a revisão aos arreios, rédeas e a todo o sistema de segurança do carro, na noite anterior.

– Foi magia negra ou sabotagem – repetia, *ad nauseum*, por todas as esquinas, sobretudo porque Lucídio mandara instaurar um rigoroso inquérito ao sucedido, apesar de continuar de cama com vómitos permanentes, havia mais de uma semana.

De coração destroçado, Prisciliano acompanhou os restos cremados do pedagogo à última morada. Chorou o tempo todo e fechou-se no quarto. Apenas a mãe entrava ocasionalmente, porque, também ela devastada e extremamente apreensiva, tinha de dividir a atenção com o pai, cada vez mais debilitado. Tal como Flaviano, que lhe trazia as refeições e informava sobre o estado de Lucídio, parecendo o único capaz de manter a serenidade no caos que se abatera sobre a *villa*.

A partir da semana seguinte, a normalidade foi-se restabelecendo. Com a chegada do médico, Lucídio começou a melhorar, até alcançar a habitual frescura física. Também Prisciliano retomou as rotinas, exceto as habituais aulas com Pacato, por quem nutria profunda saudade.

O jovem discípulo sentiu, mais do que qualquer outro, a imprevista partida do mestre que tanto admirava e de quem era cúmplice, mais do que aluno. Foi a primeira vez que se confrontou com a morte de alguém tão querido. O sentimento de vazio e perda era bem diferente do que experimentava quando ouvia dizer que este ou aquele colono, este ou aquele animal, haviam morrido. E o pedagogo comprometera-se a levá-lo à pesca, quando voltasse da viagem. Pacato aproveitava os momentos de lazer para, descontraidamente, continuar a administrar-lhe importantes conhecimentos para a vida. Prisciliano só conseguia mitigar aquele desconhecido vazio onde se alojava a nostalgia fugindo para a pedra onde ambos costumavam pescar, em belas jornadas de felicidade. O pequeno vidrava os olhos no ribeiro que serpenteava dolentemente, como se fosse um ser vivo, em plena harmonia com a restante natureza, habitado pela vida dos pequenos barbos e das plantas que ondulavam no fundo. Recordava a última lição do pedagogo: ensinara-lhe que a vida de um rio era perene, a não ser que lhe secassem a nascente ou lhe desviassem o curso. Era diferente da dos peixes, como da dos homens, que nasciam, cresciam e morriam, só não se sabendo ao certo como e quando. Pacato sabia! A morte, esse triste destino dos homens, começara então a coabitar muito próxima do pequeno Danígico.

Quando o médico regressou a Lucus, deixou uma semente de inquietude em Villa Aseconia.

– Priscila, sabes o que acha o médico?

– Não, Lucídio! Diz lá, que estou a ficar nervosa! Alguma peste que anda por aí?

– Não, nada disso!

– Diz, por Júpiter!

O homem respirou fundo. Sabia que sobressaltaria a esposa, mas não havia outro remédio senão preveni-la.

– Acha que ingeri algum veneno…

Priscila tapou a boca com a mão, angustiada.

– Não pode ser… – comentou entre os dedos.

– Desconfias de alguém, querida?

– Não, não é possível… Não pode ter sido veneno… Talvez alguma coisa que comeste, algum alimento estragado… Não consigo imaginar outra coisa…

Dois meses depois, em plena primavera de 360, o revigorado jovem Prisciliano acompanhou o pai a Bracara Augusta. Lucídio viajava por várias razões, nomeadamente para tratar de assuntos fiscais em casa de Ithacio. Dois assuntos ocupavam-lhe o pensamento. Um deles era a notícia da morte súbita do amigo de Lucus, de quem nunca ouvira a confirmação dos boatos sobre as ações de Ithacio. Corriam rumores de envenenamento. O segundo, muito especial, e que haveria de ser resolvido num destino tratado previamente por Sabino: a casa do decurião Décio Frutuoso, membro da cúria bracarense, detentor do pelouro dos mantimentos.

Os membros da cúria eram uma classe distinta, mas que conhecera melhores dias. O seu elevado estatuto social e político transmitia-se a quem nela nascesse, pela regra das castas. Porém, isso nem sempre era sinal de boa fortuna para os que nasciam decuriões, porquanto era o pecúlio pessoal que respondia em primeira linha pelas faltas de dinheiro nos cofres públicos. Por conseguinte, muitos trilhavam o caminho da ruína.

Sabendo disso e dos tristes acontecimentos do irmão, Sabino, de forma discreta, fizera saber a Décio Frutuoso que o irmão precisava de um bom pedagogo para o filho. O decurião era um homem generoso, mas atolado em dívidas resultantes da reparação do pano ocidental da muralha da cidade que ruíra com o mau tempo e por muitos terem faltado ao pagamento que lhes cumpria.

No jardim do peristilo da *domus* de Décio Frutuoso, uma menina chorava convulsivamente. Um vulto aproximou-se devagar. Era um homem que perdera a conta à idade, calvo e de olhos pretos brilhantes num rosto redondo. Não tinha a orelha esquerda. Dizia-se que a perdera numa zaragata de juventude, mas ele sempre se esquivara a falar do assunto.

– Egéria, então?! Onde está a menina forte e inteligente que eu conheci? – perguntou, com ternura.

– Lívio, estou tão triste. Não consigo entender porque vais embora. Gosto tanto de ti.

– Vá, minha querida… A vida é mesmo assim. O teu pai não pode…

– O meu pai não pode deixar-te ir…

– Ele ama-te. É um homem sério e íntegro. Do melhor que conheci na minha longa vida. Foi um gosto servi-lo… e ensinar-te…

Egéria levantou-se e abraçou o velho pedagogo. Pelo pensamento passou um caleidoscópio de imagens de tantos momentos vividos com Lívio.

– Promete-me, pelo menos, que me vens visitar! – suplicou, ainda marejada, mas mais calma.

– Lívio, está na hora! Chegaram as visitas!

Um escravo interrompeu o momento carregado de emoções entre o mestre e a discípula. Lívio já não pôde responder. Se Décio Frutuoso chamava, o servo devia obedecer. Apertou discretamente a mão a Egéria, o sinal que sempre lhe fazia para a acalmar.

– Despede-te de Lívio e retira-te para o teu quarto, por favor!

A menina acompanhara o pedagogo até junto do pai e saiu cabisbaixa, deixando um olhar triste a Lívio e um breve *adeus*.

O homem que Lucídio pretendia era um escravo prestigiado da casa do decurião e, acima de tudo, um sábio carismático muito apreciado em Bracara Augusta, ainda que no outono da vida. Foram muitos os familiares de Décio, incluindo o próprio, e de outras ilustres famílias que aprenderam com Lívio.

O senhor conduziu-o a um amplo salão, ainda com os sinais da riqueza perdida. A *domus* bracarense, situada no bairro rico da cidade, continuava opulenta por fora e por dentro. A austeridade não havia chegado, por enquanto, aos utensílios domésticos, que se viam nas várias dependências, desde o vidro às cerâmicas finas importadas de várias proveniências.

– Vá lá, Prisciliano, cumprimenta o senhor decurião! – ordenou Lucídio a um rapaz petrificado.

Ainda mal recomposto da viagem e da efervescência da capital, tão contrastante com a placidez da amada *villa*, o jovem estava paralisado à frente de dois vultos. Um criado passou com um vaso de água, deixando no ar o refrescante odor a lavanda, um cheiro que lhe fez lembrar a mãe, que costumava secar os caules da planta pendurados em pequenos ramos, colocando-a depois entre as roupas para as perfumar.

– Com que então és o famoso Prisciliano?! – O vozeirão de Décio Frutuoso ecoou no salão. – Já ouvi falar de ti, garoto! Toda a Galécia sabe que há um rapaz inteligente na Villa Aseconia! É um grande prazer conhecer-te pessoalmente!

– Então, Prisco?!

Por força de dois abanões nos ombros, este saudou o dono da casa, como mandava a boa regra. Mas o motivo do letargo não era a saudação, nem o encontro com o novo pedagogo, que se encontrava encostado à parede, silente, de queixo erguido, e muito menos o respeito pela memória do desafortunado Pacato. O motivo do torpor de Prisciliano era outro, bem mais prosaico e mundano: uma rapariga da sua idade vestida com uma formosa túnica branca, com o cabelo acastanhado amarrado no alto da cabeça. Acabara de entrar, nas costas do decurião. Algumas sardas pintalgavam-lhe as maçãs do belo rosto, mas o que lhe fez nascer um estranho ninho de borboletas no fundo do estômago foi o par de olhos imensos, cor de azeitona ainda verde, que possuíam uma qualquer encantatória magia capaz de o transformar numa pedra. A multidão de mariposas batia as asas freneticamente dentro de si.

Conhecia muitas meninas, as familiares e as que integravam o interminável contingente de filhas de colonos e escravos da Villa Aseconia. Mas nenhuma tivera a arte e o engenho, como se de verdadeiro feitiço se tratasse, de lhe fazer aparecer um ninho de seres alados tão desesperados no fundo da barriga.

– O que fazes tu aqui, minha filha? – perguntou Décio Frutuoso, embaraçado, quando se apercebeu da sua presença. – Tinha-te dito para ficares no quarto! – concluiu, disfarçando o mal-estar.

– Vim conhecer as visitas, meu pai! E saber quem levará o meu querido Lívio – respondeu, com os olhos inchados e uma loquaz melancolia.

Lucídio abraçava Prisciliano sobre os ombros. Lívio, no seu canto, mantinha a serenidade dos mestres e de quem estava sempre preparado para o imprevisto. A menina correu para ele, lançou-lhe os braços e desfiou novamente um pranto interminável.

– Vá lá, filhinha! Lívio já te ensinou o que sabia, e este moço tem ares de boa pessoa, não te parece?

Egéria soluçava, agarrada aos panos da túnica do velho precetor, que lhe afagava a cabeça e, com um sorriso de circunstância, lhe pedia sossego, assegurando-lhe que tudo haveria de correr bem.

Décio Frutuoso, atrapalhado, encolhia os ombros, enquanto dizia:

– Isto passa! Tivemos uma conversa séria a este respeito e ela compreendeu – mas os olhos não escondiam as feridas que se lhe abriam no coração, com o sofrimento da filha e o desprendimento do bom mestre e amigo.

Finalmente, Egéria deslocou-se para a frente de Prisciliano, lançando--lhe um olhar dominador.

– Prometes que não deixas que lhe façam mal? – questionou-o, enquanto limpava as lágrimas.

As pernas de Prisciliano eram um canavial em dia ventoso. Só dizia que sim com a cabeça, atordoado com o efeito que a filha de Décio lhe provocava e com a tristeza que ensombrava a sala. Um suave odor juvenil embriagou-o ainda mais. Entretanto, chegara uma outra menina, mais nova que Egéria, que Décio Frutuoso puxou para junto de si, mimou na cabeça e logo agasalhou com o braço.

– Gala, fica aqui quietinha. Estamos a falar com estes senhores.

Os olhos azuis vivazes da mais pequena fitavam Prisciliano, estudando-o de cima a baixo.

– … e que, sempre que vieres a Bracara Augusta, o trazes a visitar-me? – continuou Egéria, com ar sério, como se estivesse a celebrar o contrato mais importante da vida.

– Sim, sim, prometo! – despachou-se Prisciliano a responder.

A rapariga abraçou o primogénito de Aseconia, como agradecimento. Um breve sorriso despontou-lhe nos lábios. O pobre rapaz, pelo seu lado, apressava-se a separar-se do abraço, para que a moça não reparasse na reação súbita e incontrolável que lhe crescera entre as coxas.

Feitas as despedidas, Prisciliano levou para casa um novo mestre, mas também o cheiro doce que emanava dos cabelos de Egéria e as últimas palavras que a ouviu sussurrar: *Obrigada, meu Deus!*

7

Bracara Augusta (Braga)
Aseconia (Santiago de Compostela)

– Que sacrilégio estás a fazer, ó idólatra?! Quem te autorizou a tocar na sagrada figura do Bom Pastor, com as mesmas mãos ímpias com que tocas nos ídolos dos pagãos?!

Prisciliano acabava de levar um estalo na face que o assustou e desorientou. Deu de caras com um rapaz, uns cinco ou seis anos mais velho, forte e furioso. Surgira-lhe, sem contar, pelas costas.

– Desculpa, não sabia… – retorquiu, aturdido.

– Não voltes a fazer isso, senão rebento-te os queixos. E não quero saber se és filho de Lucídio Danígico Tácito, outro grande idólatra! – vociferou, puxando-lhe a orelha direita até à dor.

Prisciliano reagiu, espetando o cotovelo no abdómen do rapaz, mas a gordura amorteceu o golpe fazendo rir o atacante, que lhe puxou ainda mais o lóbulo.

– Olha, olha, é bravo o menino! Parece que queres levar mesmo uma tareia!

Largou-lhe a orelha e imobilizou Prisciliano, amarrando-o com os braços por trás, enquanto continuava a intimidá-lo com o resto das sentenças que trazia no alforge:

– Agora, senta-te nesse escabelo e nem pio! Se te vir a levantar ou a bulir, levas no focinho, ou não me chame Ithacio Claro!

Prisciliano obedeceu. O coração aos pulos quase lhe entupia a garganta. Para a sua idade, tinha força e valentia. Mas não podia competir com aquele brutamontes. Com os nervos em franja, decidiu esperar que o pai terminasse a reunião naquela *domus*, mesmo sentindo a bexiga a incomodá-lo ao ponto de quase não aguentar.

Estava Prisciliano naquele estado porque, depois da visita ao decurião, decidira acompanhar o pai a casa do cobrador de impostos, que era o principal objetivo da viagem a Bracara. Lívio ficara em casa de Sabino.

– Ficas aqui, Prisciliano!

– Deixa-me ir contigo, por favor! Gostava de conhecer melhor a nossa capital.

O pai concedeu, com um sorriso. Quando passavam junto ao santuário de Tongoenabiago, o deus local protetor das águas, perguntou-lhe:

– Então, o que achas do novo pedagogo?

– Parece um bom mestre! Pela forma como Egéria se despediu dele… Tive pena dela. Sei bem como deve estar triste… Tão triste como quando perdi o meu querido Pacato.

– Eu sei, filho… Eu sei… Mas a vida é assim mesmo – ajuizou, pensativo. – É como os campos onde semeamos a nossa seara. Os cereais nascem, crescem, amadurecem e, um dia, serão colhidos, findando o ciclo. Contudo, a sua morte no campo gera a vida de outros seres, a quem alimentam, e permite que novas sementes sejam lançadas à terra, novas searas floresçam.

Prisciliano continuava o seu percurso, meditabundo. Refletia nas palavras do pai, mas o pensamento que o habitava transportava-o irremediavelmente para o mesmo lugar: a casa de Décio Frutuoso. E para junto da mesma pessoa: a menina sardenta, que o abrasara e dominara com o imenso par de luzes esverdeadas. Eles sim, dois vastos campos verdes onde Prisciliano sentia, ao mesmo tempo, medo e vontade de correr.

Ithacio recebera Lucídio com os bons modos dos fingidos. Enquanto se reuniam, Prisciliano esperava sozinho num salão da casa. Era um espaço decorado com frescos nas paredes e mosaicos no chão, cujas pedrinhas compunham desenhos onde se distinguiam um peixe e uma palma. Num recanto, divisou um pequeno oratório, adivinhado pelos cheiros das oblações e dos líquidos sagrados. Um delicado odor a incenso fechou-lhe os olhos e transportou-o para a sua *villa*. O rapaz estava habituado a ver espaços semelhantes nas casas que frequentava, dedicados aos Lares e Penates, os deuses responsáveis pela prosperidade e bem-estar das famílias, e aos Manes, os espíritos dos antepassados. Em todas havia a figura de um Lar colocada entre a imagem de dois Penates. Mas nunca antes vira a imagem de um homem de pé, com uma ovelha sobre os ombros e outra junto aos pés. Fazia-lhe lembrar Orfeu, que encantava os animais enquanto tocava lira. O pastor pintado mirava intensamente quem o olhasse de frente. Prisciliano perturbara-se, pressentindo-lhe um estranho magnetismo nos olhos. Analisava detalhadamente cada pormenor da imagem e tocava-a para lhe sentir a textura, quando foi surpreendido com o estalo do filho do senhor da casa, que o deixara naquele estado de ansiedade.

No *tablinium*, a conversa entre Lucídio e Ithacio durou quase uma hora. Acertaram as contas, mas o cobrador de impostos não se atreveu a pedir mais do que o devido. Sabia dos rumores que corriam na Galécia e queria, a todo o custo, passar uma imagem séria perante o influente proprietário da Villa Aseconia. Nunca mais voltaram a abordar o incidente ocorrido onze anos antes, embora Ithacio, nas anteriores reuniões, sempre fosse sugerindo estar a par do que acontecia na vida de Lucídio.

– Soube do grave acidente com o teu carro, Lucídio. Foi grande o prejuízo, caro amigo?

– Grave mesmo foi a perda de Pacato… Um excelente pedagogo. Agora tenho outro.

– Hummm… Lívio… Já me constou! Sabes que sempre desejei trazê-lo para minha casa, mas Décio Frutuoso nunca mo vendeu, nem agora que caiu em desgraça. Eu sei que esse Lívio lhe pediu para não vir, maldito…

As revelações deixaram Lucídio perplexo.

– Aposto que encheu os ouvidos de Décio contra mim… E desconfio até que me acusou de ter provocado a sua desgraça. Só não entendo como um cristão que se diz tão devoto como Décio Frutuoso manteve tanto tempo um pedagogo idólatra em sua casa. Comigo, já estava batizado, nem que fosse à lei do chicote…

– Ithacio, o império respeita as crenças de cada um. Há muitos anos que a tua religião convive com os nossos antigos cultos… Há que os aceitar e compreender!

– Ora, isso é treta! Não sigas a fé do imperador e verás o que te acontece!

– insinuou, enquanto resmungava: – Se uma família cristã estava interessada em ficar-lhe com o pedagogo, Décio deveria ter acedido… Danado!

Muito embora as decisões de Constantino e Licínio, em 313, através do Édito de Mediolanum, fizessem devolver à Igreja os seus templos e propriedades confiscados e desestabelecessem o paganismo do estatuto de culto oficial do império Romano e dos exércitos, e apesar das conclusões do concílio de Niceia, em 325, que fixaram o credo niceno e refutaram o arianismo, não tinha sido proibido, por enquanto, o culto dos pais e avós de Lucídio e de tantos como ele.

– Por favor… O império sempre respeitou as crenças de cada um.

– Ora, Lucídio, se o imperador é cristão, todos o devemos ser. Quer por respeito, quer para obtermos as benesses da corte imperial. Não sei o que esperas. Parece que a norte do rio Minus os desnaturados pagãos ainda não entenderam isso e continuam a resistir.

– Respeitamos os cultos dos nossos antepassados, Ithacio – refutou. – Já agora, sabes que morreu há cerca de um mês um bom amigo de Lucus, dizem que envenenado? Aquele que eu ia visitar quando adoeci?

O gordo homem enrubesceu e procurou desviar-se do campo de visão do inteligente Lucídio, que desconfiava estar perante o assassino moral. Faria tudo para evitar dar sequência à conversa sobre as suas perversas atividades.

– Sim, constou-se-me… – titubeou. – Pobre coitado, morreu sem ser batizado.

– Que a terra lhe seja leve! – retorquiu Lucídio, com a velha fórmula de despedida da vida, cada vez mais certo das suas suspeitas.

– Vamos lá, Prisciliano!

– Vamos, vamos! – respondeu, levantando-se apressadamente, mas levemente arqueado, com as dores no baixo-ventre.

– O que tens, rapaz? Estás muito pálido! Demorei muito tempo?

– Nada, meu pai! Estou só um pouco cansado da viagem… – redarguiu o filho, omitindo os acontecimentos com o rapaz que se encontrava junto ao dono da casa.

– E tu, Ithacio Claro, fizeste companhia aqui ao valentão? – inquiriu o opulento pai, com uma palmada nas costas e um piscar de olhos.

Os olhares dos dois rapazes cruzaram-se. Se alguém pudesse observar os feixes que se enastravam entre ambos encontraria lastros vermelhos, muito rubros, a ligá-los ou a separá-los. Contudo, Prisciliano não pôde deixar de ver nos olhos do jovem Ithacio Claro, igual ao pai no aspeto físico e na personalidade, as sombras negras do cinismo, desdém e arrogância.

– Claro que sim, meu pai! Demo-nos perfeitamente, não foi?

Mal saíram da *domus*, e perante um espantado Lucídio, Prisciliano correu por uma viela e, atrás de um muro, sem ninguém à vista, levantou a toga e aliviou a dor que o atormentava, esvaziando a bexiga contra o tronco de uma figueira.

O retorno a Villa Aseconia iniciou-se três dias depois. Quando deixavam as portas da capital, um amontoado de gente inumava um defunto na necrópole situada à direita da via que percorriam. Alcançaram Iria Flavia, ao mesmo tempo que chegaram os primeiros nevoeiros. Algum tempo depois, começou a chuviscar e, ao longe, surgiu a imagem de uma silhueta difusa que se foi transformando em cavaleiro, à medida que se aproximava. Mais perto, Prisciliano reconheceu Flaviano. Lucídio saiu e confabularam a distância impossível de serem escutados. Pelo semblante dos dois, pareceu ao jovem que algo muito grave acontecera. O pai sentou-se numa pedra e dobrou-se sobre si mesmo durante um largo período de tempo, indiferente à chuva que o deixara totalmente encharcado. Lívio acompanhava a cena, sentado ao lado de Prisciliano. A longa experiência de discreta análise dos comportamentos humanos pressentiu uma terrível notícia.

O percurso final foi feito debaixo de uma intensa chuvada, húmida companheira até ao lar, mas sobretudo sob um carregado silêncio, que se sobrepunha à intempérie, no exterior. Prisciliano não resistiu a perguntar:

– O que se passa, papá?

– Nada, nada... – respondeu Lucídio à pressa, enquanto apertava o filho contra si. – Aconteceu um problema à nossa seara, mas nós os dois haveremos de salvar o campo.

Lívio, perspicaz, entreviu os olhos do novo patrão virarem-se para o lado contrário ao do filho, para que este não se apercebesse das ondas de água salgada que lhe rebentavam em vagas sucessivas nos cílios negros, como se ali se houvesse armado uma formidável tempestade. Lá fora, estrondearam trovões, precedidos de raios que feriam o mundo, depois de rasgarem com vigor o horizonte. E concluiu que a notícia que iriam conhecer seria bem mais grave do que alvitrara inicialmente.

Na verdade, os sentimentos humanos dificilmente conseguem esconder-se das reações exteriores, como Lívio aprendera durante a longa vida. E, da forma como reagiu o novo dono, das palavras que dirigiu ao filho e do mais que analisou e concluiu, o velho mestre estava certo de que o primeiro ato a que assistiria na Villa Aseconia seria o enterro de Priscila, a mãe de Prisciliano.

A dor que se instalou naquele recanto poente do mundo romano foi imensa e devastadora. Lucídio amava Priscila como nunca imaginara. Era, para ele, uma autêntica deusa na terra: boa esposa, boa mãe e de excelente trato. Dera-lhe dois filhos extraordinários e, com ela, esperava aumentar a prole, agora que o casal estava crescido. Prisciliano, ainda afetado pela perda de Pacato, não imaginava o quão atroz seria a dor pela definitiva separação de uma mãe, na sua idade.

– Mãezinha querida, o que te aconteceu?! Porque nos abandonaram os deuses? Porquê… Porquê… Porquê?!

Prisciliano e a irmã emudeceram, com um vazio no estômago e nós na garganta. Esconderam-se nos quartos, chorando, inconsoláveis de sofrimento. O jovem experimentava uma descontrolada raiva, acreditando ser o culpado da morte da mãe. Murmurava pelos cantos:

– Porque não chegámos mais cedo?! Fui eu que atrasei o pai na viagem, senão chegávamos a tempo…

– Não podias fazer nada – o pedagogo procurava reconfortá-lo, perante tamanha frustração pela perda atroz.

Lívio aconselhou a que os deixassem viver a dor e insistia para que fossem alimentados. Mas foi em vão. Ninguém lhe ligava: os familiares não paravam de os abraçar e os dois irmãos recusavam-se terminantemente a comer.

Prisciliano passou duas noites em claro. A imagem da mãe pairava-lhe, viva e intensa, no horizonte. Se a via através do pensamento era porque o pensamento tinha outros olhos. E se estes viam era porque existia o que estavam a ver. Então, a mãe só podia estar viva.

– Mãe, vem dormir comigo, como quando era pequenino. Por favor, mamã, deita-te aqui ao meu lado... – murmurava, delirante, de olhos fechados. – Aquece-me, querida mãe...

Um criado que o vigiava à porta, para alguma eventualidade, mirou o petiz com a ajuda da luz mortiça de uma vela e comoveu-se. O coração apertava-se-lhe perante a dor que os olhos lhe revelavam. E sofria quase tanto como o rapaz, pois apreciava a patroa. Porém, o delírio do órfão deambulava por outras paragens da vida. As insuportáveis dores de cabeça que sentia transportaram-no para os momentos em que, febril e com a papeira, crendo que ia morrer, a mãe lhe devolveu a vida com tanto carinho.

– Mamã! Agora posso abraçar-te. Estou novamente saudável. E foste tu que me salvaste com os teus mimos e infusões.

Mas logo a realidade se sobrepunha ao delírio e o pranto voltava, atormentando-lhe a noite, completamente desamparado no mundo. O escravo, enroscado sob uma manta de lã, sentado no chão e encostado à parede, não resistiu às emoções. Chorava em silêncio, contagiado pelo sofrimento que pairava no quarto.

A profunda tristeza e o extremo cansaço iam definhando Prisciliano com o passar dos dias. Tanta gente imprevista e até desconhecida em casa causava-lhe igualmente estranheza e incompreensão. Mas o que mais lhe despedaçava o coração era a dúvida que o consumia como o fogo: o que era a morte? O que significava a fuga do sopro da vida de um corpo agora frio, rígido e lívido? Era o fim ou o princípio? Ou, até, a ponte de uma viagem? Lembrara-se vagamente de conversas com Pacato sobre a eternidade. Agora, ele olhava a eternidade de frente. Ela estava ali à vista de um corpo inanimado. Seria ele uma memória do passado ou um *até já*?

Defronte desse corpo frio, Prisciliano fechou os olhos e sofreu de uma imensa solidão. Uma criatura indefesa, incapaz de existir sem a mãe. Aos poucos, a prolongada meditação aconchegou-lhe o espírito. Alucinação ou não, viu-se a entrar numa comunhão espiritual com a alma de Priscila que quis guardar no coração, prometendo-lhe que a manteria para sempre. Abriu finalmente os olhos, com vontade de a abraçar.

Com o caos uma vez mais instalado na *villa*, Flaviano tomou conta das operações urgentes, também ele muito afetado. Pelo seu lado, aproveitando ser um desconhecido na casa, Lívio movia-se discretamente entre a família mais chegada, os servos e os colonos, escutando os lamentos, as manifestações de tristeza, as comoções e assistindo às oferendas aos deuses. Foi da boca de Flaviano que ouviu a explicação dos acontecimentos:

– A senhora estava bem! De repente, ficou com tonturas, cólicas, vómitos…

– Como eu, coitada! Tal como me aconteceu… – lamentou-se o desamparado Lucídio. – Mas eu sobrevivi para assistir a esta desgraça! Pobre Priscila! Pobres de nós! Ai que desdita se abate sobre esta casa!

Lívio continuava o seu labor, inquirindo discretamente aqui e ali, entre os criados encarregados de arrumar os quartos, os responsáveis pela limpeza de outras partes da casa, da cozinha, os que cuidavam dos animais, todos os que, de alguma forma, pudessem ter contacto com Priscila.

Flaviano cuidou, entretanto, de enviar emissários a cavalo a Lucus, Asturica, Brigantium, Bracara, Tongobriga e a todos os recantos da Galécia onde residissem familiares e amigos, que, nos dias seguintes, foram chegando às catervas a Villa Aseconia.

As exéquias duraram vários dias. Depois de lavado, perfumado e vestido, o corpo de Priscila fora colocado no átrio da *villa*, rodeado de flores, sobre o luxuoso leito mortuário. Sobre a língua, Lucídio colocou uma moeda para pagar ao barqueiro Caronte a viagem pelo Estige até ao Hades. À medida que chegavam, as pessoas passavam junto do féretro para as últimas despedidas.

Até que chegou o último dia. Seis familiares transportaram aos ombros o leito de madeira. Com um aperto no peito, Prisciliano caminhava logo atrás, ao lado da irmã, agarrados ao pai. A seguir, os parentes e amigos, assim como as carpideiras, que puxavam os cabelos e batiam no peito, enquanto choravam, gritavam e cantavam em louvor da defunta. Na procissão de negro, cada um levava presentes para Priscila, como perfumes, flores e utensílios femininos. Alguns erguiam archotes e havia até familiares com máscaras, rememorando os antepassados ilustres. Ao chegarem à zona do *compositum*, o leito fúnebre foi colocado sobre uma pira de troncos e galhos de árvores. Lucídio e os filhos foram içados ao topo e o viúvo abriu delicadamente os olhos da falecida para que visse o céu. Choraram, abraçados, e despediram-se de Priscila com um terno beijo na testa.

Os que transportaram os archotes acenderam, de seguida, a pira e todos ali ficaram em silêncio, vendo o corpo a ser consumido pelas chamas. Amigos e familiares sussurravam: *Que a terra te seja leve!* No fim, os restos cremados foram recolhidos numa tela branca e depositados numa caixa construída para esse fim, ricamente ornamentada, depositada no mausoléu dos pais de Lucídio. Ali se colocaram o óbolo de Caronte e as lucernas para alumiar o caminho até à outra vida, assim como comida, copos, pratos, unguentários e vidro, lacrimatórios e objetos pessoais e, claro, o anel que Lucídio lhe oferecera no dia do casamento.

Prisciliano, inconsolável, afastou os corpos que lhe tapavam a vista e baixou-se.

– É para ti, mamã… Para que não te esqueças de mim… – sussurrou, soluçando.

Perante a consternação geral, entregara-lhe o primeiro brinquedo de que tinha memória, oferecido pela mãe: um cavalinho de barro.

Depois de encerrado o túmulo, os escravos asseguraram que o tubo destinado ao posterior envio de oferendas à falecida estava em bom funcionamento. Foram sacrificados vários animais e oferecida uma refeição aos presentes. Prisciliano refugiou-se no quarto, numa imensa solitude. Chegada a noite, teimou em não adormecer. A memória da mãe continuava intensamente presente, embora o coração estivesse mais aquietado. Pensou, meditou, chorou, chorou até se entregar, extenuado, nos braços de Somnus.

Quanto terminaram as *Novendalis*, os nove dias de luto destinados ao recolhimento da família, purificação da casa e louvor aos deuses Manes para que os abençoassem com o apoio dos espíritos dos antepassados, celebrou-se uma refeição com todos os familiares. Mais sereno, Prisciliano dirigiu-se ao túmulo de Priscila e lembrou-se de uma conversa, na última *Parentalia*, quando, juntos, visitaram a sepultura da mãe de Felicíssimo.

– Meu filho, um dia todos partiremos desta vida. Mas gostava de manter o nosso convívio, na eternidade. Para continuarmos a brincar e a rirmo-nos juntos. A tomar as nossas refeições. A partilharmos as nossas alegrias…

– Eu também quero ficar contigo, mamã! Mas isso vai demorar a acontecer, não é? – retorquira o pequeno com medo da morte e de perder a mãe que tanto amava.

– Claro, meu filho – rira-se ela, com gosto. – Só daqui a muito, muito tempo, quando já formos velhinhos. Eu, primeiro que tu, claro...

Prisciliano abraçara-a enquanto meditava na vida dos seres humanos, que não eram como os deuses que conhecia, que se misturavam com homens e continuavam eternos.

– Por isso, quando chegar a tua vez, promete-me que virás descansar no mesmo lugar onde haverei de ficar.

– Prometido, mamã! Tens a minha palavra!

A lembrança desse momento irrompera-lhe um novo rio de lágrimas, onde encontrou o travo amargo da saudade de quem tanto amava e não mais veria.

Enquanto isto, Lívio continuava o seu discreto labor. Notou que uma pessoa se afastara do ritual romano e que, atrás de toda a gente, de palmas justapostas e erguidas, murmurava algo impercetível. Precisava de saber de quem se tratava e o que dizia à sua divindade. Despercebidamente, passou-lhe nas costas e logo descobriu tratar-se do único cristão que, até ao momento, reconhecera na *villa*. Não demorou a saber que se chamava Arménio e era um dos condutores dos carros e liteiras de Lucídio. Com todos os cuidados, e sem que alguém reconhecesse os propósitos que o moviam, descobriu tratar-se do filho adotivo de um antigo colono cristão, em tempos, livre proprietário de um pequeno pedaço de terra, nas imediações da capital. Sabino intercedera por ele depois de ter sido arrasado pelo fisco, diligenciando junto de Lucídio para que o recebesse nas suas terras, como colono, e lhe desse a proteção devida à nova condição. No entanto, viria a morrer num desafortunado acidente doméstico, tentando salvar um gato.

Em surdina, Flaviano dera-lhe mais pormenores, nomeadamente que, apesar dos sucessivos avisos a Lucídio para que tivesse cuidado com Arménio, este o manteve nas suas funções, embora não fosse o único condutor da *villa*. Flaviano ainda acrescentou que, das diligências que ele próprio levara a cabo a pedido de Lucídio com vista a apurar as condições da morte de Pacato, tinha concluído ter sido uma grosseira falta de cuidado de Arménio que provocara o desastre e que só não morrera o próprio Lucídio porque a súbita doença o impedira de partir, naquele dia, para Lucus.

– Pelo menos, a partir daí, o patrão não mais o escolheu para seu condutor! – concluiu, com o rosto contrito.

Entretanto, Prisciliano cumpria treze anos de uma ora pacata ora turbulenta existência. Por essa ocasião, muita coisa havia acontecido no mundo romano e, embora tardiamente, as notícias sempre chegavam à Villa Aseconia. O imperador Constâncio tivera necessidade, anos antes, de alguém que garantisse a estabilidade das fronteiras das Gálias, constantemente violadas pelos ataques germânicos. Em 355, chamara o primo Juliano, aquele que sobrara da razia de mortandade que desferira sobre toda a família para evitar que algum deles lhe quisesse a cabeça em troca do diadema imperial. Deu-lhe o título de césar da parte ocidental do império e fê-lo casar-se com Helena, sua prima e irmã do imperador. Nos anos seguintes, Juliano lutou com denodo contra as tribos germânicas, onde se mostrou exemplar como comandante dos exércitos, estratega, administrador e legislador. Recuperou Colonia Agripina em 356, derrotando os alamanos em Argentoratum. Dois anos antes da morte da mãe de Prisciliano, em 360, Constâncio ordenou a Juliano que levasse os seus exércitos para oriente. Ninguém gostou da ideia, nomeadamente os soldados de Juliano que não tardaram a proclamá-lo como Augusto e novo imperador. Constâncio morreria de peste, entretanto, a 3 de novembro de 361, e, quer porque lhe deixasse o trono em testamento, quer porque as tropas o aclamassem com alegria, Juliano tornou-se dono de todo o império, unificado debaixo da sua coroa. Empreendeu uma profunda reforma da administração, nomeadamente quanto ao prestígio das cúrias. Embora batizado, declarou-se pagão logo que iniciou o mandato e aderiu às antigas crenças, perante a fúria e a indignação dos bispos cristãos.

Cerca de um mês depois das exéquias de Priscila, Lucídio instruía Flaviano para que os pedreiros e canteiros da *villa* iniciassem, com a maior urgência, a construção de um mausoléu destinado aos restos da esposa. Lívio deixou a conversa terminar e pediu ao patrão para lhe falar a sós. Caminharam no exterior da residência, falando sobre o estado de espírito ainda melancólico de Prisciliano.

– Mas era sobre isso que me querias falar?

– Não... não era sobre isso – o pedagogo tossicou e avançou sem reservas. – Há um homem muito perigoso nesta *villa*!

– Como assim?! O que sabes tu?! – questionou Lucídio, parando imediatamente, como se tivesse levado um murro no estômago.

– Entre outras coisas, há muitos anos que passa informação da vossa vida a Ithacio...

– Tens a certeza do que estás a dizer, Lívio?!

– Mas não só isso! Esse homem tentou matá-lo... a si...

Lucídio abriu a boca de espanto, sentindo que lhe faltava o ar. Ao longe, um vulto acompanhava-lhes os passos e procurava perceber as reações do senhor de Aseconia, já que era impossível ouvir o que diziam.

– A mim?! A sério?!

– Sim, envenenando-o e provocando o acidente do carro que vitimou Pacato!

– Por Júpiter! Fez isso tudo?!

– Sim, e conspirou ainda para a morte do seu amigo de Lucus, ao serviço de Ithacio...

– Como é possível uma pessoa dessas... em minha casa?!

O pai de Prisciliano estarrecia-se com o que ouvia. O rosto contraiu-se, o sinal da fúria que o habitava, rememorando todos os trágicos acontecimentos que Lívio narrava.

– Mas há, ainda, outra coisa que devo dizer-lhe...

– O quê?! Que mais desgraças tens para me contar?!

O velho mestre coçou a cabeça lisa e depois o espaço onde existira a orelha, como sempre fazia quando tinha más notícias para dar.

– Ele é também o responsável pela morte da sua esposa!

– Quem é, Lívio?! – perguntou, ensandecido com a ideia de ter um assassino dentro da sua *villa* e pronto a fazer justiça.

8

Aseconia (Santiago de Compostela)

Enquanto Lívio abria rolos, preparando as lições de Prisciliano, este mirava-o de perfil. Estava cada vez mais espantado com a sabedoria do mestre. Era um homem sagaz, inteligente, com uma capacidade de raciocínio e intuição que parecia mais divina que humana. Fora brilhante na forma como desenlaçara um crime aparentemente perfeito, resolvendo em definitivo um mal que corroía até à desgraça total a família dos Danígicos. Pensou em Egéria, na sorte que teve por ter aprendido com aquele ser especial, e compreendeu a imensa tristeza por tê-lo perdido.

No final da aula de latim, desfrutaram de um magnífico pôr do sol na Villa Aseconia. O deus Hélio iniciava o seu repouso atrás das colinas ocidentais. Egéria continuava a habitar os pensamentos do aluno.

– Egéria gostava muito de ti, *magister*!

– É uma boa menina – respondeu Lívio, com uma névoa de saudade da filha de Décio Frutuoso. – Gala, a irmã mais nova, é mais travessa, mas também boa rapariga. Mas ela mexeu contigo, não foi, Prisciliano?

– Comigo?!...

Aos olhos argutos do pedagogo não tinham escapado as reações do discípulo, típicas de um jovem que começava a ser tocado pela magia de Vénus. O primogénito de Lucídio ia descobrindo que o sexo oposto não existia apenas para cuidar da casa, mas também para complementar a existência de um homem. Por isso, a provocação de Lívio ensanguinou as faces de Prisciliano de um intenso e incómodo rubor, loquazes testemunhos da afirmação do mestre.

– Vá lá, isso é normal! Egéria é uma menina muito formosa. Ademais, é inteligente, sensível, responsável e dona do seu nariz!

– Já aprendeu muito? – questionou, ainda corado, procurando fugir ao cerne da conversa.

– Muito! Muito mais do que lhe ensinei. Gosta de ler sozinha, principalmente filosofia e religião... textos das suas crenças...

Prisciliano pôs-se a matutar nas últimas palavras de Egéria, quando o ofuscou com o perfumado abraço de despedida. *Obrigada, meu Deus*, foi o que lhe ouvira. Era, com certeza, uma cristã, religião que praticamente ignorava. Os únicos cristãos que conhecera eram Arménio, os Ithacios, gente anónima que gravitava à volta da basílica de Bracara e de Lucus e, agora, a jovem e bela Egéria e a sua família.

– Também és cristão?

– Pelas barbas de Neptuno, não... não sou! – respondeu, vagueando o olhar para o céu. – Egéria e Gala tinham um catequista para esses assuntos. Não era a minha missão.

– Catequista?!

– Sim, a pessoa que ensina a religião dos cristãos aos catecúmenos, os que se preparam para receber o batismo e entrar na Igreja.

Era um mundo novo para Prisciliano. Ouvira dizer que, depois de terminadas as perseguições de Diocleciano, no início do século, o Cristianismo disseminara-se no império, chegando aos próprios soberanos, à família imperial e a algumas elites do Estado.

– Lívio, os cristãos são gente boa ou má?

O pedagogo sorriu. Aquela pergunta não era inesperada de todo. Era até perfeitamente natural que o jovem tivesse dúvidas e inquietações sobre o mundo que se fora construindo dentro e fora da sua curta existência.

– Vamos lá ver... O que achas, Prisciliano?

– Não sei ao certo. Por isso te perguntei...

– Então diz-me: achas que Egéria é boa ou má pessoa?

Prisciliano ampliou os olhos, corou, mas não se evadiu da resposta.

– Parece boa pessoa... E tu acabaste de confirmá-lo.

– E os Ithacios, serão boas pessoas?

– Não, não são! – respondeu, sem hesitar.

– E Arménio, o único cristão desta casa, parece-te boa pessoa?

– Sim, Arménio tem um temperamento especial, mas conheço-o bem e não tenho dúvidas de que é boa pessoa.

– E Flaviano, que não é cristão, que te parece? É boa ou má pessoa?

O rosto de Prisciliano transformou-se numa rocha. Cerrou os dentes, assim como as mãos, e o olhar vazou para longe, para o mausoléu da sua querida mãe.

– Maldito! Danado! Velhaco!

Nas suas contínuas averiguações, Lívio desvendara a raiz de todos os males da *villa*: era Flaviano quem semeava as tempestades e transformava a paz no pesadelo.

O homem em quem Lucídio mais confiava nutria por Priscila uma obsessiva e demencial paixão, desde adolescente. Não reagiu bem ao noivado e casamento, nem ao nascimento dos filhos. Tudo fazia para se vingar, prejudicar ou fazer desaparecer Lucídio, que julgava o causador de toda a sua infelicidade. Por outro lado, seduzia-o a ganância do dinheiro fácil. Fora ele quem passara informações a Ithacio, quem lhe denunciara o rito sacrificial a Ísis, aquando do nascimento de Prisciliano, porque também ele havia recorrido à magia negra para evitar que a criança sobrevivesse. Lívio descobrira também que fora Flaviano quem boicotara o carro de Lucídio que vitimara Pacato. Como era óbvio, tendo sido ele próprio o investigador do caso, não encontrou as suas culpas, apenas as do inocente Arménio. Havia também colocado, previamente, veneno na ânfora de água que sabia que Lucídio tomaria antes de sair, naquele fatídico dia, esperando que o efeito apenas se produzisse durante a viagem, depois do acidente. Se não morresse do acidente, morreria do veneno. Mas porque demorou mais tempo a sair do que o previsto e tomou menos água que o habitual, os efeitos do veneno adviram antes da partida e não foram letais. Flaviano apressara-se a esconder a ânfora, para evitar suspeitas. Infelizmente, não mais se lembrou dela na *cella*, a despensa da casa. Priscila encontrou-a por acaso e, sequiosa, tomou a dose certa do líquido fatal.

Tudo isto, Lívio descobrira e contara a Lucídio, depois de somar o que ouvira de várias fontes e de convencer Arménio a abrir-se consigo. O condutor de carros vivia atormentado e permanentemente ameaçado por Flaviano, desde que o cristão apanhara o capataz a espreitar a senhora nua no balneário, pelo buraco secreto que abrira na parede e que sempre tapava depois de usar. Aproveitava-se da confiança e da posição de vigilante da senhora, enquanto ia a banhos. Por pudor, o pedagogo nunca contou esta parte a Prisciliano.

Arménio, fervoroso temente ao novo Deus, quando percebeu que sobre si recaíam as suspeitas que o próprio Flaviano se encarregara de fomentar, começara a confiar o que sabia a Lívio. Este, raposa treinada para farejar factos atrás de meias palavras, sedutor e inteligente, experimentado na arte de analisar os comportamentos humanos, recorrendo à lógica, disciplina em que, a par da retórica, era um verdadeiro mestre, mas também à matemática, ao bom senso e a uma boa dose de intuição e adivinhação, traçara a sentença perante um desconcertado Lucídio.

Pressentindo que o mundo se lhe desmoronava à frente e consciente dos seus pecados, Flaviano farejava cada recanto ao seu redor. A chegada de Lívio e as suas discretas movimentações tornavam-se cada vez mais perigosas. Desapareceu, subitamente, e sem deixar rasto, depois de assistir, escondido, às reações de Lucídio às explicações do pedagogo. Percebeu então que fora descoberto. Resultaram infrutíferas as diligências do pai de Prisciliano para o localizar e justiçar. Houve quem dissesse que o vira integrado num dos bagaúdos, os bandos de salteadores das estradas da Hispânia, que atacavam os viajantes desprevenidos ou os acompanhantes de escoltas pouco numerosas. Era diversa a origem dessas quadrilhas de malfeitores: desde pequenos camponeses arruinados pelo fisco ou extorquidos pelos ricos proprietários até mineiros e escravos fugidos dos seus senhores e, é claro, os criminosos, como o caso de Flaviano.

Assim, a um preço muito elevado, era certo, mas a paz voltara para ficar na Villa Aseconia.

– Como vês, Prisciliano, há gente boa e gente má entre os cristãos, e gente boa e gente má entre os adeptos das antigas religiões!

– Então, porque mudam as pessoas de religião?!

– Bem, isso é uma longa história que começou há muitos séculos, na Judeia, que é uma parte do nosso império...

– Foi Jesus Cristo quem a inventou?!

– Ah! Ah! Ah! Não se inventam religiões! Jesus Cristo viveu há quase quatro séculos naquela província. Era, também ele, um judeu, mas não concordava com a forma como o seu povo se relacionava com Deus.

– Era um homem bom, esse Jesus Cristo?!

– Dizem que sim, que pregava a existência do Deus único dos judeus, mas um Deus bom, que o enviara ao mundo para redimir os homens e lhes ensinar alguns mandamentos que, se fossem observados, os fariam comungar com esse Deus, depois da morte.

– E os cristãos também se transformam em heróis, como Ulisses?

– Ah! Ah! Ah! Tens cada pergunta! Não é isso! Acreditam que vão ressuscitar no fim dos tempos.

– Para quê?!

– Para viverem para sempre junto d'Ele, no Céu, que é uma espécie de Olimpo.

– Bom homem esse Jesus Cristo, Lívio! – comentou Prisciliano, enquanto se lembrava da imagem do Bom Pastor que vira em casa de Ithacio Claro, da última vez que fora a Bracara Augusta, e do ataque físico e verbal que este lhe infligira.

– Sim, um bom homem que levou uma vida reta e justa. Alguns dos cristãos acreditam ser Ele próprio também Deus.

– Então, é como o Ulisses! Foi homem e deus. Uma espécie de semideus!

Lívio coçou o cocuruto, franziu o cenho e remexeu no buraco da orelha desaparecida. O rapaz argumentava razoavelmente, mas achou que não devia ir mais longe. Prisciliano deveria, aos poucos, descobrir e construir por si a sua própria espiritualidade.

– Vamos lá ver se consigo explicar-te: para alguns cristãos, Deus afinal não é um mas três que são um: Pai, Filho e Espírito Santo.

– Para alguns? Não pensam todos da mesma maneira?!

– Não. Na verdade, uma parte dos cristãos acha que o Filho, Jesus Cristo, não é da mesma natureza do Pai... Não são bem três em um.

Prisciliano abria os olhos, procurando entender aquela complexa explicação. Vendo a confusão que estava a gerar no rapaz, Lívio atalhou:

– Vá, explico-te noutra ocasião. É um assunto tão complicado que nem imaginas o sangue que faz correr no império entre os que acreditam que ele é da mesma natureza do Pai e os que não acreditam...

O aluno coçou o nariz, acatou a decisão do mestre quanto aos esclarecimentos sobre as estranhas crenças dos cristãos, mas não se desarmou do tema:

– E tu, Lívio, porque não aderiste a essa religião? Até porque os teus amos bracarenses são cristãos...

– Oh, Prisciliano, eles são boa gente! E eu já não tenho idade para mudar de crenças. Os velhos deuses sempre foram bons amigos e cheguei à conclusão que, tirando os ritos dos cristãos, qualquer um pode acreditar nos valores que defendem, sem o serem efetivamente... – respondeu, com um esquivo brilho nos olhos.

– Mas nunca pensaste em te converteres, como alguns senhores das cidades já o fizeram?

O pedagogo olhou o aluno de frente, matutando na resposta. Depois de algum tempo, respondeu:

– Na verdade, sim! Houve uma época em que me deixei seduzir pela força da mensagem dos primeiros cristãos que conheci: a luta contra as desigualdades sociais, o abandono das riquezas e conforto terreno em troca da felicidade eterna, o apreço pelos valores da tolerância, respeito e verdade. O exemplo da vida de Jesus e a sua coragem também me tocaram, assim como os de muitos mártires cristãos do império que deram a vida em nome da sua crença, morrendo em situações dramáticas às nossas mãos romanas... Senti-me um deles...

– E o que te fez recuar?

Prisciliano pretendia saber todas as respostas para o mundo em que vivia. Queria entender a razão que levava as pessoas a acreditarem em verdades diferentes, porque havia gente que sofria e porque, no fim, tal como acontecera à sua querida mãe, todos haveriam de morrer. Lívio dava-lhe as explicações, fornecendo-lhe toda a sua ciência e conhecimento. E disse a verdade quando respondeu à pergunta mais pertinente do aluno:

– Porque tudo mudou, desde que o Cristianismo passou de religião perseguida a religião oficial do Estado e do imperador!

– Mudou?! Como assim?!

– Muitos cristãos começaram a praticar os pecados que antes condenavam: deixaram-se seduzir pelas delícias do poder; a Igreja, que é a comunidade dos crentes cristãos, passou a ter uma força muito grande no império e a usá-la em seu favor; os cristãos passaram a desentender-se, perseguir e depreciar quem pensa de modo diferente... E, por isso, achei melhor continuar na minha velhinha religião, a da minha consciência e dos deuses que nunca me abandonaram.

Prisciliano sorriu e ficou a meditar nas palavras do venerável pedagogo. Este mirava-o, com um sorriso enternecido, sabendo do vulcão que ardia no coração ávido de conhecimento do aluno.

– Prisciliano, senta-te aí – disse, apontando para uma cadeira do *tablinium* da *villa*. – Vou contar-te um segredo!

– Um segredo?!

– Sim, não é um segredo importante para muita gente que, por regra, não se interessa por estas matérias. Mas para mim é e, por isso, gostaria de o partilhar contigo.

O rapaz abriu um largo sorriso. Andava feliz sobretudo pela cumplicidade que o mestre lhe devotara.

– Prisco, a minha linhagem é muito antiga. A minha família é de origem gaulesa, mais concretamente de uma cidade chamada Augustodurum, no norte das Gálias, perto do mar.

– E porque me contas isso, Lívio?

– Já ouviste falar dos druidas, Prisco?

– Claro, adorava as extraordinárias histórias que Valéria me contava sobre eles...

– Pois bem, eu descendo dos velhos druidas!

O aluno recostou-se na cadeira e arregalou os olhos, admirado, mas sobretudo encantado com a revelação do mestre. O seu pedagogo era um druida!

Não tardou que Lívio o levasse a visitar os bosques da *villa* e a instruí--lo com mais detalhe nos velhos cultos druídicos que ainda recordava dos antepassados. Explicou-lhe o significado das árvores, mostrou-lhe a importância das clareiras circulares que ainda subsistiam em alguns bosques e para onde muitos rústicos se dirigiam em convívio e festejando os ciclos do tempo.

Prisciliano prosseguia a sua educação, cada vez mais encantado com os ensinamentos do pedagogo. Este aproveitava as viagens aos bosques para avaliar os progressos do aluno no grego e no latim, depois das lições de gramática ministradas ao redor das narrativas de Homero, de Juvenal, de Virgílio e de outros tantos autores do mundo greco-romano. Lívio era um homem feliz por descobrir o fascínio do jovem pelas histórias ancestrais do povo de cujo sangue descendia pelas faces da sua identidade.

– Um dia, o meu pai contou-me que nós não somos romanos do Lácio

– comentou Prisciliano. – Não somos romanos puros. Somos descendentes de famílias que sempre habitaram estas terras galaicas e que nos fomos romanizando, ao longo do tempo.

– É verdade! Como vês, corre-nos o mesmo sangue das origens.

– Sabes, Lívio, desde criança que gosto de ir para junto da estrada ver gente a passar. Imaginar as histórias que cada um traz dentro de si. De onde vem, o que o move, porque procura estes lugares tão distantes do centro do império.

– E que concluíste?

– Vejo os legionários a cuidarem da segurança. Vejo os senhores que se deslocam para as grandes cidades ou para os seus domínios. Vejo os transportadores da posta e imagino as boas e más notícias que levam. Vejo também gente comum. De vez em quando, aparecem pessoas que caminham em direção ao oceano, graves e pesadas, como se carregassem uma pilha de culpas, e que voltam, tempos depois, aliviadas e sorridentes.

– Há mais outra coisa que eles carregam… Um destes dias, conto-te a história desses viajantes especiais até descobrires o que mais transportam no regresso a casa. Agora vais descansar, senão o teu pai ainda diz que ocupo demasiado tempo contigo.

Foi num dia de nevoeiro que Lívio decidiu passear com o aluno até à Via XIX, nas imediações da *villa*. Sabia, por informações que obtivera previamente, que era o dia certo. Sentaram-se junto da estalagem de Aseconia e esperaram.

– Ei-los, Lívio! – Prisciliano apontava para um par de homens magros e barbudos, que caminhavam sem pressa, de volta da costa marítima. – Gente estranha, não achas?

O mestre explicara-lhe que, desde tempos imemoriais, havia gente de sítios distantes, nomeadamente das Gálias, mesmo antes de aquelas terras pertencerem a Roma, que seguia o caminho das estrelas, orientada pela Via Láctea, em direção ao mar da *finis terrae*, perto da *villa* onde viviam.

– Mas o que vêm fazer, ao certo, a este lugar?

– Nós vivemos num lugar mágico, o último reduto da Terra. É o lugar onde o sol se põe todos os dias para, no seguinte, voltar a nascer – Prisciliano deslumbrava-se com os fascinantes ensinamentos do mestre. – Assim, os homens que querem fazer uma viagem interior, para crescerem espiritualmente como homens novos, seguem o caminho das estrelas e vêm render homenagem ao sol, para renascerem com ele na manhã seguinte.

– Não entendo muito bem o que dizes…

– Um dia, perceberás estes homens especiais, os peregrinos da Via Láctea. Os que viajam em busca da redenção interior, através de um caminho de perfeição.

– E porque seguem a Via Láctea?

– Porque simboliza o caminho das almas para o outro mundo. Numa noite de luz, repara como ela se orienta do lugar de onde o sol nasce para este lugar, onde se põe… – respondeu Lívio, passeando o olhar através da abóbada celeste.

– Não deve ser muito fácil esse caminho… Normalmente, parecem pedintes e malcheirosos.

– É evidente! Os caminhos de perfeição são compostos por muitos escolhos, infindáveis jornadas de sofrimento, fome, doença e outras penalidades. Estes homens viajam sujeitos aos humores do tempo – explicava perante um rapaz de olhos arregalados. – Vêm com o único propósito de alcançarem o lugar onde o sol se entrega aos infernos, para descerem com ele ao Hades da vida e ressuscitarem mais puros, depois de se encontrarem a si próprios. Esse é o fim de qualquer peregrinação. Os nossos antepassados colocaram, naquele lugar, um altar, a *Ara Solis*, para prestarem tributo ao sol que ali morre e, no dia seguinte, volta a nascer a oriente.

As palavras de Lívio bailavam na mente de Prisciliano e fizeram-no correr muitas vezes sozinho para a beira da estrada tentando compreender os viajantes, aquela experiência redentora que se evidenciava na diferença entre os que seguiam em direção ao mar e os que voltavam, ressuscitados. Como referia ao mestre, via-os mais leves de espírito. Sorriam por dentro e isso via-se por fora. Um dia reparara noutra marca: esses homens vinham carregados de conchas de vieiras do mar. Assim que observou esta particularidade, correu como uma flecha para a *villa*.

– Lívio, Lívio!

– O que se passa, Prisco? – perguntou o pedagogo, estendido no *triclinium*, enquanto degustava peças de fruta.

– Já descobri a outra diferença dos peregrinos que regressam a casa!

– Vá, conta-me – respondeu, franzindo a testa.

– São as conchas, as conchas do nosso mar…

O velho mestre abriu-se num largo sorriso.

– É verdade! Para os que voltam, esse é o talismã de Vénus, a prova de que fizeram a viagem à *finis terrae*.

Nas noites seguintes, Prisciliano estudou o céu: a posição e as fases da lua, as estrelas e as suas constelações. Até que fez um pedido especial ao mestre, surpreendendo-o e alegrando-o em simultâneo.

– Lívio, leva-me a uma clareira, à noite, e ensina-me os segredos do firmamento, os caminhos da Via Láctea!

9

Aseconia (Santiago de Compostela)
Bracara Augusta (Braga)

Na *Parentalia*, deu-se o primeiro encontro de Prisciliano, da irmã e de Lucídio com o espírito de Priscila. Foi um momento comovente, mas igualmente terapêutico. A família deslocou-se em noturna procissão para o *compositum tellus*, o cemitério da *villa* onde se encontrava o mausoléu da mãe, como os dos antepassados, levando comida, bolos e vinho para a refeição. Assim se entrava em plena comunhão com a linhagem e se mantinha viva a família, trazendo para o convívio os que haviam partido. Os fundos do sepulcro de Priscila haviam sido rebaixados, de modo a formar um *triclinium*, com uma mesa redonda no meio. A cama central estava reservada à defunta. No lado direito, estendeu-se o viúvo e, no esquerdo, Prisciliano e Lucídia, acreditando que conviviam com o espírito da mãe que repousava entre as cinzas depositadas num delicado pote de cerâmica. Ao lado, viam-se ainda pratos, jarras com flores frescas, adornos pessoais de Priscila e algumas moedas. Prisciliano olhou para um objeto e emocionou-se. Uma lágrima de saudade molhou-lhe o rosto.

– Então, Prisco?! – interpelou o pai.

– É o meu cavalinho de barro... Está ali! – retorquiu com um sorriso comovido, aproximando-se do brinquedo e apertando-o contra o peito, de olhos fechados.

Lucídio aproximou-se com o coração embargado, abraçando o filho e o brinquedo. Assim ficaram por muito tempo, em enternecido silêncio.

Depois de todos os incidentes que abalaram a plácida existência de Prisciliano, as novas vivências facultadas pelo sábio pedagogo eram um excelente paliativo. A boa disposição, a sabedoria que lhe fermentava a existência, a par da passagem do tempo, foram um potente remédio para os males da alma. A dor pela perda da mãe foi-se transformando, aos poucos, numa terna memória.

– Então, Prisciliano, Lívio continua o mesmo casmurro idólatra?

A conversa decorria em pleno verão, em casa de Egéria e de Gala, no amplo salão onde se conheceram pela primeira vez. Desde então, Lívio sempre acompanhava o pupilo e o pai à capital. Prisciliano achou, de resto, a melhor forma de poder rever a menina que o encantava, visitar a família e deslumbrar-se com a grande cidade. Por isso, perguntava amiúde ao pai quando seria a próxima viagem e contava os dias pelos dedos.

Lívio sorria perante o quadro enternecedor das paixões que buliam os corações dos três adolescentes que amava. Observava-os e compreendia--os: Prisciliano, inteligente e deslumbrado por Egéria; Egéria, senhora do seu nariz, devota da nova religião, teimando em admitir que se entristecia com as partidas e ansiava pelas chegadas de Prisciliano; Gala, a menina de cabelos pretos e olhos azuis coruscantes, amiga da irmã, mas sempre em busca da atenção do amigo, que admirava. Numa das últimas visitas, enquanto conversava com Décio Frutuoso, Lívio apanhara-a, entre suspiros, a observar Prisciliano e Egéria, enquanto esta brincava, feliz, com o cachorro já crescido que o jovem lhe trouxera de prenda de Villa Aseconia, tempos antes. Sem perceber o sorriso, retorquiu à antiga aluna:

– Ó Egéria, tu queres ser a minha catequista! Mas olha que eu é que fui o vosso mestre – respondeu Lívio, em vez do rapaz, pois que se lhe embargava a garganta quando interpelado diretamente pela menina mais velha da casa.

– Vá, não descansarei enquanto não te evangelizar! Estás sempre a tempo de receber o batismo!

– Minha filha, não comeces com essas coisas... Já falámos sobre isso! Não vou discutir a tua crença. E, analisando o teu ponto de vista, não sei quem é mais idólatra, se eu, se tu, que adoras uma cabeça de asno, uma cruz de madeira, e dizes que o sol é o teu Deus... – Lívio sabia, melhor do que ninguém, a fórmula para a provocar.

– Sim, sim! – respondeu, com os lábios retorcidos. – A mesma conversa de sempre! Só te esqueceste de dizer que também fazemos reuniões noturnas, onde sacrificamos criancinhas, e que molhamos o pão no seu sangue para, de seguida, o comermos aos pedaços. E que até somos incestuosos pecadores porque casamos com os nossos irmãos...

Prisciliano assistia, divertido, àquela querela típica de argumentos entre cristãos e pagãos, à volta dos elementos simbólicos do Cristianismo, como o domingo, dia do sol, o dia sagrado, a cruz e o cordeiro como símbolos de Jesus Cristo, a eucaristia e a circunstância de todos os cristãos se tratarem por irmãos.

Estranhava, sobretudo, a felicidade que irradiava de Egéria e questionava se estaria ou não relacionada com as suas crenças. Notara que, à medida que o tempo avançava, se tornava numa moça cada vez mais segura de si e das suas convicções. Até que decidiu entrar na conversa, com a questão que lhe vinha ardendo nos lábios:

– Egéria, porque te tornaste cristã?

A pergunta, caída no meio da acesa discussão entre os outros dois, fê-los estancar a porfia e cobrir o jovem com um ar de curiosidade.

– Prisciliano – respondeu, devagar –, quando a luz da verdade te ofusca a vista, te ilumina o coração e te chama para a felicidade eterna, o que achas que deves fazer?

O rapaz voltou ao mutismo inicial. Não se via minimamente habilitado a disputar com Egéria argumentos de convicções e crenças que lhe eram ainda nebulosas. Ficou a remoer a pergunta, enquanto os outros se mantinham em suspenso, a ver como se desenvencilhava do laço que lhe montara a jovem astuciosa.

– Vá, responde à questão. És tão inteligente! – A provocação vinha de Gala, cujos olhares e insinuações não escondiam o encantamento pelo jovem Danígico.

– Bem vejo que Lívio vos ensinou a boa arte da retórica!

– Boa, Prisco! Muito bem! Obrigado pelo apoio! – retorquiu o pedagogo.

– Não, não... – Egéria levantou a mão direita, movendo-a para os lados, a sublinhar a sua posição, com ar sério e compenetrado. – Calma aí! A fé não é um ato retórico! Deus é, não se explica! Acredita-se no seu mistério, na palavra e mensagem redentora que nos deixou o Seu Filho!

– Então o teu Deus é como os nossos?! Também tem filhos?! – provocou o jovem, estimulado por se sentir mais à vontade no diálogo. – Conheces esse Deus?

– Sim, Prisciliano, eu conheço o Filho do Homem!

Lívio deu um dissimulado toque no joelho do aluno. Achava prudente não se alongar mais na discussão, pois conhecia Egéria melhor que ninguém e sabia que era menina para se entusiasmar e dar uma longa lição da sua doutrina, e não podiam perder muito tempo na casa de Décio Frutuoso.

– O Filho do Homem é o meu guia e a minha meta! E vós, a quem é dada a possibilidade de o conhecer e, mesmo assim, o recusais, não vos podereis queixar de ter escolhido continuar nos caminhos das trevas e da idolatria, em vez de aproveitar este cruzamento na estrada da vida para virar à direita e entrar na vereda luminosa da verdadeira fé anunciada por Jesus Cristo! E tu, Lívio, olha bem para a tua idade!…

– Sim, Egéria, e olha tu as horas, que já nos esperam na casa de Sabino para o *prandium*…

Levantou-se para sair, com as duas irmãs a rirem-se muito. Egéria despediu-se no salão, pegando previamente na mão de Prisciliano.

– Obrigado, Prisco, por cumprires a tua palavra e me trazeres Lívio de vez em quando…

O formoso sorriso com que terminou o agradecimento encantou o jovem. Ia responder, mas a rapariga deu meia volta e desapareceu nos interiores da *domus*. Foi Gala quem os acompanhou à porta.

– Não nos leves a mal! Ah… e… e volta mais vezes… – suspirou, na despedida.

Caminhando na rua empedrada, Lívio pôs a mão sobre o ombro de Prisciliano, sorridente.

– Ai, meu menino, desconfio que, cada uma à sua maneira, estas meninas gostam de ti – gracejou.

O rapaz sorriu. Achava piada a Gala, mas havia algo em Egéria que o fascinava. E não descansaria enquanto não descobrisse do que se tratava.

Quando voltaram de Bracara, acompanhou-os o primo Felicíssimo. O seu pai pedira a Lucídio para que Lívio o instruísse, na Villa Aseconia.

– Que recordação tens de tua mãe, Felicíssimo? – perguntou-lhe, no mausoléu de Priscila, que visitou logo que chegou a casa.

– Só o que me contaram e as memórias das visitas ao túmulo. É estranha esta sensação de estarmos junto a alguém que amamos sem nunca termos conhecido…

– Tens razão, primo! Mas eu conheci a minha mãe e amei-a muito. Trago-a no coração e, um dia, haverei de voltar para junto dela e dos meus antepassados, neste mesmo lugar – comentou, recordando a promessa assumida nos dias de plenitude.

Se houve lição que Prisciliano aprendeu na ainda curta vida foi que a felicidade não é um bem que sempre permaneça. A paz de espírito era como uma montanha que se sobe a custo e que, uma vez alcançado o cume e desfrutado o prazer da contemplação das belezas em volta, dava lugar a uma inevitável descida em direção aos perigos da selva onde se erguia.

E ao sopé da montanha chegou novamente Prisciliano quando lhe bateram os catorze anos à porta, pouco dias depois de o pai ter casado com uma mulher mais nova. Num amarelado dia de outono, quando descansavam os campos das últimas colheitas, cobertos com as primeiras folhas pálidas que esvoaçavam dos carvalhos que habitavam os bosques das redondezas, e as primeiras chuvas e ventos outonais visitaram a Villa Aseconia, uma nova triste notícia alojou-se como uma sanguessuga no coração de Prisciliano.

Lívio adormecera à noite na serenitude da sua experimentada existência, que iluminara muitas almas com o conhecimento. O lastro da sua passagem prosseguia agora por via das sementes que germinavam no espírito de tantos alunos.

Prisciliano lembrava intensamente a última experiência com Lívio, quando este o conduziu, numa noite de plenilúnio, durante o solstício de verão, à clareira do bosque. Não eram os únicos visitantes. Vários *pagi* celebravam uma festa de agradecimento à mãe terra pelos frutos que lhes concedera. Bebiam, saltavam e dançavam, como que embriagados de felicidade, em concupiscência com a natureza e os próprios corpos.

Preso na magia da memória desses momentos, alumiado por uma lucerna de azeite, Prisciliano demorara mais tempo a terminar os trabalhos de gramática que deveria apresentar pela manhã. Atraía-o, de novo, o firmamento e os seus mistérios. Estranhou a ausência do mestre, ao chegar a quarta hora. Ele era sempre o primeiro. Por isso, quando corria para o aposento de Lívio, homem tão certo nos seus hábitos, um cinzento pressentimento apertara-lhe o coração. Mesmo num percurso curto, os acontecimentos vividos com o seu último pedagogo foram-se sucedendo vertiginosamente. As aulas de latim, grego, gramática, alguns princípios de retórica, os ensinamentos de filosofia, religião, história e geografia, do mundo em geral. Mas, especialmente, as lições sobre os mistérios da vida e do passado. Lívio era uma autêntica enciclopédia em cujo cálice se podia beber a melhor sabedoria. E Prisciliano não descurara essa oportunidade.

Bateu à porta do quarto, mas não ouviu resposta. Entrou. O pressentimento estava certo. Lívio dormia o eterno sono dos justos. Mas deixou um sinal que impressionou o pupilo: o sorriso de sempre nos lábios de mármore. Daquela vez, Prisciliano não chorou. Acariciou-lhe a cabeça calva e beijou a testa rugosa, lívida e fria, ali ficando a pensar nos dias passados com o ser que conhecera no mesmo dia em que o coração ganhou um habitáculo para uma certa rapariga.

O alforge das memórias de Prisciliano transbordava, saltando aos trambolhões dentro daquele quarto pintado de motivos florais, algures na Galécia. O jovem era capaz de as observar através dos olhos da imaginação. E logo se transportou para Bracara Augusta, para a casa de Décio Frutuoso, que havia entretanto recuperado os créditos e a riqueza, mas cuja honra o tornava incapaz de propor a Lucídio que lhe devolvesse o pedagogo, mesmo pagando um preço mais elevado que aquele que recebera. No momento de solidão entre Prisciliano e a eternidade que se abrira para Lívio, deitado sobre a cama com a túnica de dormir, o aluno recordava com ternura a manhã em que conhecera Lívio e Egéria. Ao mesmo tempo, procurava interpretar o enigmático sorriso da sua despedida. Desconfiava que também ele, apesar de tudo o que lhe dissera e ensinara, remoía na consciência as novidades que a nova religião trazia ao mundo romano. *Seria aquele sorriso o sinal exterior da felicidade com que chegara ao ocaso, sem remorsos, quanto à crença que o guiou, passando com tranquilidade a barca de Caronte, ou haver-se-ia convertido, à última hora, à fé de Egéria, pregada por Aquele Jesus Cristo, que ele considerava um homem bom e a discípula a emanação do próprio Deus?*, meditava. Tinha-o visto, recentemente, a falar abundantemente com Arménio e a ler coisas escritas por um tal Orígenes e um Clemente de Alexandria, que percebeu serem gente cristã.

Nunca haveria de saber. O certo era a presença da imagem de sabedoria morta, viva e eterna, simbolizada no quadro formado pelo cadáver serenamente belo de Lívio, que se lhe gravava para sempre no coração. O filho de Lucídio confrontava-se com a sua personalidade, a descoberta do eu físico e espiritual, ao mesmo tempo que se inquietava com a beleza mundana, como a de Egéria, que o despertava para os secretos encantos da elegância feminina e os contíguos prazeres da libido. Inquietava-se com o intrépido bando de borboletas que se digladiavam no fundo da barriga a cada vez que a via, e que lhe perturbavam o sono. Mas continuava sem compreender a intensidade com que aquela rapariga vivia e transmitia a sua fé, colocando-a, aparentemente, no primeiro plano da sua vida. Por isso, sem se aperceber, dava por si a querer saber mais sobre a sua religião. Sobretudo porque ouvira certa vez Egéria confidenciar a Lívio:

– Nunca casaria com um idólatra!

10

Aseconia (Santiago de Compostela)
Bracara Augusta (Braga)

– Não pode ser!

Prisciliano voltara sozinho à margem da Via XIX. Foi em busca de consolo e de paz interior, retomando velhos hábitos, observando gente desconhecida que ia e vinha. Prosseguia a inacabada busca por adivinhar-lhes os pensamentos e descobrir a razão que impelia as pessoas nos seus eternos movimentos de viagem. Passara muito tempo desde que vira os últimos estranhos viajantes da *finis terrae*. Quando surgiu aquele ser passando devagar em direção ao mar, mirou-o de cima a baixo com grande curiosidade. Era um homem sem idade, magro, encafuado num gorro de lã e num manto comprido. Coxeava ligeiramente, pelo que se fazia ajudar por um cajado. Seguia com ar ausente, mas quando passou por Prisciliano saudou-o com um sorriso enigmático.

O jovem sobressaltou-se, sem compreender a razão. Logo que deixou de o ver na linha do horizonte, sentiu um aperto no estômago. Correu estrada fora, com o coração aos saltos. Era tarde de mais. Desaparecera, como que por encanto. Era impossível não o ter apanhado, a não ser que se tivesse desviado da estrada. Voltou, rebuscando com os olhos tudo o que mexesse, procurando atrás de árvores e arbustos, sem sorte. Decidiu, então, passar dias seguidos à espera de encontrá-lo no regresso, até que o vislumbrou novamente, na semana seguinte, à mesma hora, na linha do horizonte onde o havia perdido. Vinha vestido da mesma forma que da primeira vez. Aproximou-se e interpelou-o, perturbado.

– Desculpe…

– Boa tarde, rapaz! Ainda cá estás?

– Tenho vindo todos os dias…

– E o que me queres?

– Acho que o conheço, mas não sei de onde…

– Achas? – perguntou com um sorriso bondoso.

– Parece-me uma pessoa que conheci… e que morreu…

– Se morreu… já não existe… Como se chamava essa pessoa? – perguntou, sentando-se ao seu lado. – E tu, como te chamas?

O jovem sentiu um cheiro familiar, mas que não sabia identificar.

– Era Lívio, o meu pedagogo… Morreu há tempos… Eu chamo-me Prisciliano… E tu, quem és e o que fazes?

– Chamam-me muitos nomes… Depende do tempo… Mas podes chamar-me "o buscador".

– Buscador?

– Sim, meu filho: o buscador da verdade.

De seguida, levantou-se, deu-lhe uma palmada nas costas e foi-se. Sem mais palavras. Apenas com o sorriso da vinda. Prisciliano ainda o chamou, mas o homem não voltou. Apenas se virou para trás, tirou o gorro e fez uma breve vénia. O jovem viveu as semanas seguintes em silêncio, pensando no viajante e nas suas palavras. Se não tivesse a certeza que Lívio tinha morrido, juraria que era ele, um pouco mais velho. Uma noite acordou ofegante, no meio do sonho. As oníricas deambulações levaram-no novamente àquela despedida e vira, agora, nitidamente, que, quando o viandante tirara o gorro, lhe faltava a orelha esquerda. Não dormiu mais com a perturbante ideia de o espírito de Lívio ter encarnado no peregrino.

Entretanto, o ano 363 terminava com muito frio. A neve cobriu os campos de Villa Aseconia. Prisciliano e Lucídia divertiram-se como nunca, moldando bonecos, animais e árvores, que adornavam com roupa, paus, arbustos e uma cenoura como nariz. Mas terminou feliz também para o filho maior de Lucídio. Há muito que sonhava com os catorze anos, momento em que alcançaria uma nova etapa no seu crescimento.

Porém, por aquele tempo, notícias preocupantes chegavam também aos confins da Galécia: Juliano morrera, a 26 de julho de 363, numa batalha vitoriosa contra os persas sassânidas. Discutiu-se por todas as cidades e fronteiras de que braços saíra a surpreendente flecha com o selo da morte: se de um inimigo ou de um soldado cristão do seu exército, querendo vingar-se das crenças pagãs do imperador. Na verdade, ninguém em Bracara poderia assegurar a verdade, a não ser que Juliano ficara reconhecido pela sua competência, apesar dos acalorados debates entre cristãos e pagãos sobre as razões da sua morte. Aqueles chamaram-lhe "O Apóstata", vindo a tornar-se no último imperador não cristão a governar o império. Sucedera-lhe Joviano, mas não seria por muito tempo.

– A partir de agora, ajudar-me-ás a tomar conta da *villa* – dissera-lhe o pai, na noite em que celebraram o aniversário. – A tua mãe deve estar feliz contigo, filhote!

– É verdade, meu pai. Hoje visitei-a. Levei-lhe a sua comida preferida: línguas de flamingo e de rouxinol acompanhadas, é claro, de *garum* – respondeu, com os olhos cintilantes a emoldurar um terno sorriso.

– Ah, Prisciliano... Nunca mais degustamos essa iguaria que ela sabia cozinhar tão bem! – respondeu, com saudade.

Priscila habitava o tempo dos dois. Trouxeram à tona de tão especial dia as memórias da hóspede imortal dos seus corações. Prisciliano amava a mãe, amava o feminino que ela representava no seu imaginário pueril. Apesar do desaparecimento físico, ela continuava a dar-lhe subtis orientações e a apaziguar-lhe os dias, levando-lhe o sonho de uma vida cheia e emocionante. Lucídio, mesmo tendo refeito a vida num segundo casamento com uma rapariga de dezoito anos, bela e rica, não o fizera para substituir o lugar da Priscila. Amava a nova esposa, que lhe revigorara o ânimo de viver, lhe estimulara a virilidade e lhe dera, entretanto, um novo e desejado filho, mas uma parte do coração continuava, para sempre, dedicado à doce mulher de olhos negros, devota de Ísis, a mais brilhante do firmamento divino.

Prisciliano ansiava pelo aniversário para passar a acompanhar o pai no seu quotidiano. E assim se cumpriu. As primeiras horas da manhã eram ocupadas a atender a vasta clientela da *villa* no *tablinium* e a tomar decisões quanto aos vários aspetos da manutenção da propriedade. O jovem começava a perceber que a missão do *pater familias* era complexa. Não só era o responsável pelos ritos religiosos domésticos como tinha conflitos para dirimir, animais a nascer ou que morriam de doenças desconhecidas, colheitas que corriam mal, vendas de produtos da terra para as cidades que nem sempre se concretizavam, gente que não pagava, inundações que provocavam estragos que urgia reparar, um mundo de decisões que o adolescente não imaginava. Até ali, parecia-lhe que, tirando as intempéries, as doenças e a morte, que julgava relacionadas com os humores dos deuses, o mundo era um lugar bem mais previsível e menos complicado. As tardes, quando não saía com o pai em visita a alguma terra ou *villa* dos seus domínios, passava-as no estudo e nas leituras, não descurando as higiénicas visitas aos balneários domésticos.

Porém, dois anos correram rápido. Prisciliano ansiava chegar aos dezasseis. Era a idade em que se podia entrar no exército, embora não fosse essa a ambição do jovem de Aseconia. O seu sonho era prosseguir os estudos em Bracara Augusta, já que o tio Sabino ali passara a residir definitivamente. De cada vez que visitava a capital da Galécia, Prisciliano deslumbrava-se com a vida que fervilhava na rua, os edifícios imponentes, as raparigas bonitas e bem aprumadas, em especial com a que lhe preenchia o coração, embora não tivesse notícias suas nos últimos tempos. Nesta prolongada ausência, começara a prestar atenção a outras mulheres, particularmente às formas voluptuosas das escravas. Uma havia, Letícia, a dos seios grandes e olhos pretos rasgados, que começara a ocupar-lhe os pensamentos antes de dormir, bem como alguns sonhos que o faziam acordar com o membro intumescido. Com vinte anos, a escrava trabalhava na cozinha e na limpeza dos aposentos da casa dos senhores. Brincara com Prisciliano, na meninice. A criança que o tempo ia transformando num jovem bonito, pujante e vigoroso, com os traços do pai. Quando menos esperava, ela lançava-lhe sorrisos enigmáticos que o deixavam ainda mais desnorteado.

– Letícia tem umas boas curvas, não tem, Prisco?! – perguntou Lucídio nas costas do filho.

– Pai, estavas aqui?! – retorquiu, num sobressalto.

Lucídio fizera-o corar de vergonha. Observara Letícia no *triclinium*. Cada movimento denunciava-lhe os contornos voluptuosos: ao dobrar-se para lhe encher o copo, colocar comida ou levantar a palamenta, durante a refeição. Mas não imaginava que estava a ser observado pelo pai, nem se apercebera do sorriso cúmplice que trocara com Letícia à sua saída, antes de interpelar o filho.

– Há algum tempo… – respondeu, entre um riso jucundo. – E há muito que me apercebi do jeito que a observas…

– Meu pai, não digas isso! – respondeu, atrapalhado, procurando mudar de conversa. – Também vens almoçar?

A ansiada viagem para Bracara Augusta e para um novo mundo estava prevista para as calendas de abril. Antes, porém, haveria de se cumprir a cerimónia de iniciação por que todos os adolescentes aspiravam e que simbolizava a passagem à idade adulta: a *Liberalia*, a festa dedicada ao deus *Liber Pater* e à sua consorte *Libera*, celebrada dois dias depois dos idos de março.

Nessa manhã, Prisciliano acordou sem sono, mesmo tendo passado quase toda a noite em claro. Havia mais de dois meses que completara a idade mágica e aguardava fervorosamente o dia da integração no estado adulto. Abandonaria para sempre a *toga praetexta* infantil e a *bula* de ouro, o recipiente que trazia pendurado ao pescoço a atestar-lhe a cidadania romana e que o precavia dos maus espíritos, com amuletos escondidos no interior.

– Hoje é o teu primeiro dia. – Lucídia abraçava-o, com os olhos marejados.

– Porque choras, querida irmã?

– Acabaram as nossas brincadeiras! Vais partir… para adulto… e para Bracara. Pressinto que não voltaremos a ser os mesmos.

Prisciliano apertou-a contra o peito. O mais pequeno assistia à cena, ainda sem perceber o significado daquelas emoções.

– Tu estarás sempre comigo! Contigo e com a nossa mãe aprendi algo muito importante: a mulher é um ser extraordinário! Dá-nos a vida, protege-nos a vida, ama-nos na vida, dá-nos o fruto que é a vida. A mulher é, na verdade, um ser formidável que merece os mesmos desígnios e direitos que um homem…

– Oh, não digas disparates! Sabes bem que o papel das mulheres é secundário. Só nos resta sermos submissas aos homens e, para além disso, procriar, cuidar da casa, dos filhos e dirigir os trabalhos dos escravos.

Lucídia sabia do que falava, muito embora algumas mulheres romanas pudessem sair de casa sozinhas, visitar os templos de eleição, assistir aos espetáculos públicos e banhar-se nas termas, visitar outras *domus* e recostar-se nos triclínios dos banquetes para que fossem convidadas. E não era menos verdade que os ventos que sopravam de Roma e das grandes cidades do império traziam liberdade a algumas delas, nomeadamente às ricas viúvas que ganhavam uma segunda vida, com dinheiro nos cofres para gastar a bel-prazer e sem marido que lhes atormentassem os espíritos.

– Não me parece bem! – contestou, com um sorriso torcido.

– Meu irmão, não digas mais asneiras! Ou pretendes mudar o mundo? – galhofou Lucídia, bem-disposta. – O destino dos homens está traçado há muito e para sempre, e o das mulheres também.

Prisciliano tomou um ar grave e colocou-se a três palmos do rosto, com os olhos nos olhos:

– Eu quero mesmo mudar o mundo, minha irmã! Sobretudo naquilo que estiver errado!

Lucídia suspirou e enfiou-lhe o braço, convidando-o a um passeio em redor do *impluvium*.

– Vá, agora não é tempo de filosofias. Prepara-te para a festa. Em Bracara encontrarás, na certa, muitas mulheres bonitas para lhes contares essas histórias. Os homens exercem o poder. São assim, Prisciliano! E tu não serás exceção!

A *Liberalia* foi uma festa prodigiosa na Villa Aseconia. Vários animais foram sacrificados para repasto dos inúmeros convivas. Prisciliano, Lucídia e outros jovens da mesma idade divertiram-se com as músicas e as máscaras penduradas nas árvores.

Prisciliano conhecia o ritual da iniciação na idade madura. Toda a família, amigos e clientes mais importantes de Lucídio foram convidados para esta etapa fulcral no percurso do filho mais velho. O pai, com o peito inchado de orgulho, conduziu-o pela mão a um altar da *villa* e, com delicadeza, retirou-lhe a bula do pescoço. O jovem observou-a e sorriu. Dentro, colocara o primeiro pelo da barba que cortara, tempos antes. Era a sua oferenda aos Lares. Percorreu-o uma estranha mistura de saudade das primícias da infância e de vertigem pela aventura da vida, pelo futuro que se lhe abria à frente, e que se simbolizava pela substituição da *toga praetexta* pela alvíssima *toga virilis*, a roupa de homem adulto que não mais poderia retirar e que lhe consignava a condição de cidadão romano.

Quando a noite caiu, exibiu-se uma faustosa procissão, iluminada por muitos archotes. Durante o dia, os escravos haviam cortado uma árvore esguia, o inevitável símbolo fálico. Dado que o velho deus *Liber Pater*, além de deus da fertilidade, era também deus da natureza, da vegetação e responsável pela proteção das sementes, a procissão dirigiu-se aos campos da *villa*, para proteger as culturas do mal e abençoar de fertilidade as terras e as gentes.

Nos dias seguintes, Prisciliano viajou com o pai e alguns membros da família para se inscrever como cidadão de pleno direito no *tabularium*, o arquivo municipal. Voltou a Lucus Augusti, a capital do *conventus* a que pertencia a Villa Aseconia. Durante a viagem não lhe saíam da cabeça os inesperados acontecimentos ocorridos na penumbra do seu quarto, dois dias depois do aniversário da maioridade.

Acabara a última higiene e correra a buscar o precioso objeto que escondera debaixo da roupa, no armário. O quarto pintado de tons avermelhados apenas se alumiava com uma vela que espalhava um fio de luz fosco e tremeluzente. O silêncio noturno que cobria a *villa* era o ambiente ideal para continuar a destapar os segredos escondidos no rolo de pergaminho que descobrira na biblioteca do pai: a *Ars Amatoria*, de Ovídio. Na sua *Arte de Amar*, o proscrito poeta romano ensinava os homens a conquistar os corações das damas, a conservar o coração da amada e, por fim, explicava infalíveis truques de sedução para as mulheres atraírem os homens desejados, bem como obterem prazer de si mesmas, sem necessidade de manipular o objeto do amor masculino. Porém, o que mais excitara Prisciliano foram as posições que Ovídio aconselhava às mulheres, para induzir um mais intenso desfrute do amor. A imaginação que a leitura despertava era um incêndio para o corpo inteiro, sempre que, às escondidas, lia o pergaminho. Descobria que a jovem de boa aparência devia deitar-se de costas, mas que aquela que tivesse o ventre enrugado deveria adotar a posição do parto e que a posição do cavaleiro era a mais aconselhada para a de baixa estatura.

Existem mil jogos de Vénus; o mais simples e que exige menos esforços consiste em estar deitada do seu lado direito, meio inclinada, ciciava Prisciliano, pensando que talvez fosse a posição mais adequada para, um dia, se iniciar nas delícias da excitante deusa. Foi nesse preciso momento que ouviu um toque abafado na porta.

Sobressaltou-se. Outros ruídos estranhos e imprevistos havia da parte de fora. Uma respiração entrecortada por um tossico nervoso e pés a baterem no chão, talvez para se aquecerem. Era noite de muito frio, mas o hipocausto apenas temperava o ar dentro do *cubiculum*, o confortável quarto onde dormia. Encostou a orelha à porta. Outro toque.

– Quem é? – perguntou, a medo.

– Abre a porta! – respondeu a voz rouca, quase silenciosa, mas que Prisciliano reconheceu, de imediato.

Estremeceu novamente, mas por razões diferentes. Uma onda de suor quente percorreu-lhe a espinha. Havia meses largos que olhava aquela mulher como se estivesse endemoninhado. Tempos antes, o pai fizera--o corar de vergonha e, agora, parecia que ela adivinhava as leituras que lhe escaldavam a noite. Já não podia negar as evidências: aquela escrava não lhe gerava um ninho de borboletas no estômago, como Egéria, mas humedecia-lhe os lábios, enchia-lhe os vasos ainda virgens da virilidade.

– Posso entrar?

– O que queres, Letícia? – respondeu, não muito alto, mas o suficiente para ser ouvido do outro lado.

Prisciliano ardia de tanto calor. Entre as coxas remexia-se, acordando do torpor, o sinal da sua inquietude.

– Conversar contigo… Vá lá, não me deixes aqui sozinha tanto tempo… está muito frio… e alguém pode aparecer…

A camisa de dormir denunciou a crescente efervescência. A mão direita, tomada por vontade própria, mimou o falo que, como que tocado por artes mágicas, intumescera, incontrolável. Acariciou-o e sentiu-lhe a dureza. Apertou-o com força e manipulou-o, enquanto pensava no que fazer e nos riscos que poderia correr. Lembrou-se do momento em que, na semana anterior, tivera de ir ao quarto, na hora da limpeza, buscar um pergaminho de que se havia esquecido, e vira Letícia dobrada sobre a cama, revelando sem o notar, boa parte das coxas carnudas. Quando se voltou, surpreendida, um voluptuoso seio, redondo e alvo, saíra-lhe das vestes desapertadas. O bico rosado erguido desafiara-o para um duelo para o qual não havia treinado. O sangue tingira-lhe o rosto, enquanto se lhe erguia o mastro varonil.

– Ah, Prisciliano, queres ajudar-me? – perguntara, então, Letícia, com um sorriso malicioso, enquanto guardava o seio dentro da túnica e a fechara, sem pressa.

Nessa ocasião, o jovem limitara-se a pegar no rolo e sair do quarto, ainda enrubescido, murmurando uma desculpa qualquer. O texto de Ovídio ainda não o havia instruído convenientemente sobre a forma como um jovem inexperiente poderia aproveitar um excelente pretexto para abandonar a virgindade com uma mulher mais velha e luxuriosa. Porém, nas madrugadas seguintes, as coxas e o seio de Letícia passaram a dormir com ele. Todas as noites se entregava freneticamente a manipular o seu membro delirante com o pensamento concupiscente fixado em cada pedaço das formas voluptuosas da criada.

Agora, ali estava ela, disposta a concretizar-lhe os sonhos! Inspirou fundo e abriu a porta. Um vulto sorridente, disfarçando o nervoso, cruzava as mãos à cintura, apertando os braços contra o corpo, protegendo-se do frio, o que fazia erguer ainda mais os seios generosos e esticar-lhe os bicos para diante.

– Entra, Letícia, está frio aí fora!

A escrava entrou e Prisciliano envolveu-a com um manto quente sobre as costas. Arranjara-se e perfumara-se para o momento. Deslaçara os cabelos, deixando cair sobre as costas uma cabeleira ondulante, o sinal da sensualidade.

Roçou-lhe os peitos nos braços com simulada casualidade, o que o excitou ainda mais. Nos últimos dias, lera compulsivamente a *Ars Amatoria*, não fosse a oportunidade aparecer-lhe novamente imprevista. Mas o que se seguiu foi uma daquelas conversas inócuas que se tem quando ambas as partes desejam urgentemente chegar ao lascivo diálogo dos corpos. Prisciliano nem sequer guardou memórias dessas frases sem importância, apenas da forma como se enfiaram no calor da cama e de como Letícia lhe murmurou palavras incendiárias ao ouvido. De como lhe retirou, com desesperante vagar, as roupas do corpo, o beijou com o seu delicioso hálito acanelado e lhe sugou a língua. Afinal, a arte amatória era coisa mais fácil e muito mais excitante do que os relatos escritos dos pergaminhos.

Naquela viagem para Lucus, o sorriso secreto de Prisciliano era a forma que o pensamento invadido de mundana felicidade lhe sublimava. Recordava o momento excelso em que Letícia fugira para debaixo da roupa, lhe tomara com a mão o pénis duro, o esfregara devagar e, de repente, o sentira tomado por um louco prazer. Os lábios da serva beijaram delicadamente a curva vermelha que se desenhava no topo do membro túmido e, delícia das delícias, sentiu o calor da boca carnuda a envolvê-lo até ao fundo, numa libação incandescente. Pressentiu os dentes a apertarem-lhe a base, ainda que levemente. Prisciliano estremeceu e conteve a respiração. Ela retomou, depois, os movimentos lentos e aveludados, que foi apressando aos poucos. O rapaz colocou-lhe a mão sobre a nuca e forçou-a a fazê-lo com mais rapidez, pois que a sofreguidão lhe fez desejar o momento tão urgente como interminável. Mas terminou depressa, numa explosão muito mais contagiante que as anteriores masturbações. Letícia espalhou-lhe com a língua os líquidos agridoces pelo abdómen e pelo peito. Mas Prisciliano não estava satisfeito. Logo se viu preparado para uma nova viagem, já sem a mesma urgência do destino, porém, com igual deslumbre e intensidade. Ouviu mais sussurros e gritos abafados da escrava que dava tanto prazer como o que recebia do jovem amo. Fora prevenida de que seria a sua primeira vez e que deveria transformar aquela iniciação num momento mágico para o novo adulto. E foi o que fez. Deitado, Prisciliano viu-a tomar conta de si e, qual amazona, cavalgou-o na posição de Vénus no baloiço, como explicava a *Ars Amatoria*. Agora sim, os ensinamentos de Ovídio faziam sentido.

No dia seguinte, o cansaço e a falta de sono não apagavam a felicidade que irradiava do rosto de Prisciliano. Não viu os olhares cúmplices trocados entre Lucídio e Letícia, que recebera uma generosa recompensa do patrão pela dedicada iniciação ao filho maior. Uma escrava sabia cumprir todas as missões. E para um cidadão romano era correto, até desejável, que, sem nunca poder casar com uma serva, com ela pudesse temperar as fúrias e necessidades da sua virilidade. A partir de então, Letícia passou a ser a sua exclusiva companhia em tantas noites de frenético prazer.

11

Bracara Augusta (Braga)

Em Bracara Augusta, como noutras paragens, os medos do fim do mundo, como o conheciam, bem como os receios pelo futuro da romanidade, murmuravam-se de boca em boca, como veneno a entrar num corpo moribundo. Os mais velhos contavam histórias ocorridas cerca de cem anos antes, quando francos e alamanos cruzaram o Rhenus e semearam, tempo de mais, o terror nas Gálias e em parte da Hispânia, que nada contribuíam para a paz de espírito das gentes que habitavam aqueles idos tempos de incerteza. E, para angústia coletiva, nada ajudava o quotidiano cada vez mais austero, pelo peso do fisco e da carestia de alguns bens essenciais às famílias de menores recursos. E havia, ainda, os bagaúdos, de quem chegavam notícias dos violentos assaltos que perpetravam nas estradas e caminhos da Hispânia.

As informações que apareciam das contínuas ameaças das fronteiras germânicas não eram animadoras. As hordas bárbaras procuravam conseguir o objetivo por que afincadamente lutavam há anos, décadas, séculos: ocupar as terras férteis e mais quentes do sul da Europa. E Joviano, o imperador que restabelecera o Cristianismo no império, morrera na Ásia Menor, apenas oito meses depois de iniciar o reinado, a 17 de fevereiro de 364. Contava trinta e três anos de idade. Sucedeu-lhe o panónio Valentiniano, aclamado em Niceia e que fixou a corte em Mediolanum, ao norte da península itálica. Tomou as rédeas da parte ocidental do império e dirigiu-se a Constantinopla, onde, logo a 28 de março, entregou o governo do lado oriental a Valente, seu fiel irmão.

Os medos, as mudanças, as crises punham em causa os valores da sociedade romana, como a sobriedade e a confiança no império, nos deuses eternos, na capacidade de organizar a sociedade de forma estável, abrindo as portas para novas filosofias que buscavam a aquietação da alma humana, ao mesmo tempo que contribuíam para a degradação de costumes, que se ia acentuando em alguns círculos da sociedade.

Contudo, no fulgor do século, e sem problemas de ordem financeira ou outros que o apoquentassem, Prisciliano embriagava-se com o sabor da juventude e a intensidade dos prazeres dos dias que a vida lhe fazia descobrir vertiginosamente. As visitas a muitas *villae* das imediações de Bracara Augusta, em convívios e festas, davam um colorido permanente à vida do jovem Danígico.

Num dia em que passeava distraidamente pelo fórum, viu ao longe a silhueta de uma rapariga de cabelos castanhos, cuidadosamente apanhados. Observava o perfil elegante, mas mais bonito e sensual do que da última vez que o vira. Estava uma mulher feita, exibindo todo o esplendor da juventude e vulgarizando a concorrência que povoava a grande praça bracarense. Nem mesmo Gala, a irmã que a acompanhava, uma jovem abundante de atributos, ofuscava o seu caminho. Prisciliano aproximou-se. Egéria descobriu-o pelo canto do olho, mas evitou-lhe discretamente o olhar. Não que não desejasse dirigir-lhe a palavra. Na verdade, vivia com o secreto desejo de o rever e saber de si. Sabia amiúde notícias suas através dos cochichos das criadas. E uma delas sabia que agradava a Egéria quando lhe trazia informações de Prisciliano. Mas, naquele momento, havia alguém nas redondezas que não podia perceber que lhe dava atenção. Só Gala lhe sorriu. Prisciliano ficou de respiração cortada. Desejou correr para Egéria, um misto de paixão e incontrolável atração física. Mas ela logo desapareceu, envolvida pelas escravas e familiares.

A imagem da filha mais velha de Décio Frutuoso prendeu-se-lhe como resina. O sorriso misterioso, o porte direito, o olhar magnético, a pele delicada, o corpo adivinhado debaixo das vestes passaram a acompanhar os dias de Prisciliano. Por mais que tentasse, não conseguia desprender-se daquela inquietante imagem. E os dias contaminaram as noites, que lhe trouxeram a insónia pela madrugada dentro, para logo entrar em sonhos, perdido nos seus braços, no corpo imaginado de Vénus, mergulhando torrencialmente em pensamentos concupiscentes que lhe despertavam a virilidade, impossível de conter sem o fulgurante derrame da própria seiva. Numa das últimas noites, acordara, molhado, depois de rememorar o irrepetível prazer de uma libação moldada pelos dois polpudos lábios vermelhos, que recebera de Letícia, mestra na arte dos jogos do amor, na despedida da Villa Aseconia. Perturbara-se com a livre imaginação que o sonho gerou, pois descobrira que o rosto de Letícia lhe surgira no corpo de Egéria!

Prisciliano era um jovem atlético, alto, moreno, de cabelo escuro e liso. O preto olhar enigmático conferia-lhe igualmente um ar de discreta sedução, de ostensiva masculinidade, que levava tantas raparigas a suspirarem pelos seus encantos, em conversas femininas ou em pensamentos privados. Mas ele seguia determinado nos seus propósitos de conquista, passando a vigiar à distância os passos da filha de Décio Frutuoso. A ida à basílica, as visitas aos familiares e às amigas. Fez discretas perguntas até lhe conhecer as rotinas. Não foi difícil voltar a vê-la surgir-lhe de frente, sobriamente esplendorosa, perto do fórum corporativo, como acontecera em outros lugares da soberba capital da Galécia, sempre numa daquelas necessárias casualidades que tantas vezes se fazem acontecer, quando a cabeça tem um único interesse em que se ocupar. Era uma manhã que ameaçava tormenta.

– Egéria! Por estes lados?!

– Oh, Prisciliano! Que bom ver-te por aqui! Como tens passado? – retorquiu, sem o evitar.

– Estou bem, obrigado. Agora estarei por cá mais tempo. Vim estudar por uma boa temporada – respondeu, prendendo-se nos olhos brilhantes e que respiravam alegria. – Há tanto tempo que não te via!

– Tem piada, há dias pensei ter-te visto no fórum… e na esquina à saída da basílica. E também na via dos Oleiros, onde tenho uma amiga.

– A sério?! – Prisciliano corou e engoliu em seco três vezes, até recuperar a voz. – Talvez, afinal cheguei há alguns dias…

Foi o primeiro de muitos encontros. As simpatias e afeições recíprocas aumentavam de dia para dia. Prisciliano estranhava que Egéria procurasse sempre momentos e lugares pouco convencionais para se encontrar com ele, sempre acompanhada de perto da sua fiel e confidente escrava que lhe guardava a retaguarda. Não foram poucas as vezes que, a um discreto sinal da serva, se escapulia apressada e ansiosa, deixando-o apreensivo, sem encontrar justificação para essas atitudes. Passaram a corresponder-se, sempre que não era possível encontrar-se, servindo a escrava de correio. Um dia, ela trouxe-lhe uma notícia triste. Não vinha por escrito. Ouviu-a da sua boca:

– A menina não pode encontrar-se consigo, Prisciliano… – anunciou, desconsolada, como se vivesse as dores da sua senhora.

– Porquê?! O que aconteceu?!

– Não posso dizer-lhe… É um assunto pessoal…

A notícia foi pior que um murro no estômago. Passou dias seguidos com o peito apertado. Felicíssimo questionava-o amiúde sobre o estado de espírito irritadiço e sem paciência e as olheiras adivinhavam muitas noites mal dormidas. Até que tomou a decisão: procurá-la-ia e não descansaria até lhe falar pessoalmente.

Conseguiu-o ao final de várias tentativas quando se dirigia à basílica, num dia cinzento que ameaçava chuva a qualquer momento. Estava com a escrava, que se afastou à sua chegada.

– Egéria, preciso de falar-te…

A moça olhou ao redor e respondeu, preocupada.

– Não é prudente falarmos, Prisco…

– Como assim?! Não percebo porque deixaste de me falar…

Do céu cinzento desprenderam-se algumas bátegas grossas. Os transeuntes correram a refugiar-se junto às paredes e sob os umbrais das portas.

– Vamos, abriguemo-nos ali! – indicou o rapaz, enlaçando o braço da moça.

– Nesse templo pagão?! – questionou Egéria, secamente. – Nem penses!

– Vá, o templo de Ísis é um bom local para nos protegermos da chuva.

– Não, a basílica está aqui perto! É para lá que vou. Se quiseres… podes acompanhar-me. Senão, despedimo-nos aqui e podes entrar à vontade no teu templo.

O rapaz espetou-lhe os olhos negros, mas não arrancou mais que determinação nos seus propósitos. Sem qualquer margem de manobra, cedeu, pois era a única hipótese de lhe falar. A basílica bracarense fora construída sobre um antigo mercado, em tempos protegido pelo próprio *Genium Macellum*. Foi a primeira vez que Prisciliano entrou num templo cristão.

Lá dentro, tomado pelo estranhamento da misteriosa novidade, olhou em redor, perscrutando as criaturas que por ali se acomodavam. Umas fugindo da intempérie, outras rezando à volta de uma pedra sobre a qual se via a imagem de algo que parecia um peixe. Sentiu-se, ele mesmo, um peixe fora de água, um estrangeiro num mundo totalmente desconhecido.

Egéria pediu a Prisciliano para se sentar enquanto se deslocava para perto do altar, a fim de cumprir os rituais da sua devoção. Enquanto observava o teto da basílica de Bracara, Prisciliano pressentiu que alguém se sentava do lado esquerdo, roçando-lhe as vestes.

– Que faz um pagão no templo de Deus?

A voz fina que conhecia de outros tempos fê-lo estremecer e adivinhar, pelo fedor, um corpo redondo e transpirado. O nariz decifrou o suor porcino que infetava o redor e, pelo canto do olho, certificou-se da evidência.

– Ithacio Claro! – regurgitou, buscando um ar de surpresa. – Bom dia!

– Sim, sou eu, em carne e osso! – retorquiu o outro, com um sorriso cínico e azedo. – Mas não respondeste à minha pergunta!

Prisciliano voltou a olhar em frente e respirou fundo. Egéria era uma moldura ligeiramente inclinada, interrompida por gente que se movimentava de um lado para o outro, dentro do templo. Virou-se para o vizinho e franziu a testa, antes de responder.

– Como parece evidente, abrigo-me da chuva...

– Aqui não é o sítio certo para te abrigares da chuva, meu caro! Aconselho-te a sair imediatamente, antes que tenha uma palavrinha com o bispo e te ponha lá fora pelas orelhas...

– Assim seja, Ithacio Claro! Não quero perturbar as tuas orações – retrucou, condescendente e sem vontade de gerar polémica na casa sagrada dos cristãos, mas também sem deixar um aguilhão cravado no coração do filho do cobrador de impostos. – Diz-me uma coisa: o teu Deus não dá abrigo a um pagão, trazido à basílica pela mão de uma devota?

O rosto de Ithacio inchou de escarlate, ao mesmo tempo que cobria de ira a inocente Egéria, recolhida em orações.

– Vá, desaparece daqui imediatamente... – ordenou, com secura. – Antes que seja tarde de mais!

Prisciliano saiu do templo, debaixo do dilúvio. Antes, porém, dirigiu uma mirada rápida a Egéria, mas não vislumbrou o lampejo que dirigia aos dois, por detrás do véu. Ela haveria de compreender. Ainda tentou abrigar-se sob as beiradas de algumas casas, mas o vento e a chuva oblíqua rapidamente o embeberam até aos ossos. Irremediavelmente empapado, decidiu-se a tomar o caminho de casa. Ao desconforto inicial sucedeu uma espécie de acomodação, ao ponto de se esquecer da chuva que, por aquela altura, se misturava com alguns focos de névoa. Rememorava os acontecimentos. A saída, tão precipitada como imprevista, não lhe permitira despedir-se convenientemente de Egéria. Só quando se viu de novo encharcado percebeu a imprevidência. Haveria de lhe explicar, logo que possível.

– Prisciliano! – gritou alguém, na esquina da rua.

Virou-se para trás, num repente. Ao espanto inicial sucedeu um embevecido sorriso.

– Egéria! Olha para ti, pareces um pintainho molhado! Devias ter ficado na basílica!

– Não! – asseverou ela, com um sorriso. – O ar estava irrespirável por aqueles lados.

A rua estava completamente deserta. As portas e as janelas, fechadas. Ninguém se atrevia a meter o nariz na borrasca. Quem o fizesse talvez se julgasse perante dois espíritos abandonados, acabados de sair de outro mundo, misteriosas aparições surgidas na névoa que engolia a cidade.

– Prisciliano, queria agradecer-te a companhia e lamentar o que sucedeu na basílica.

– Já sabes?

– Sim, infelizmente. Dele não se poderia esperar outra coisa…

– Estás a falar daquele cristão? – insinuou, com indisfarçável secura. – É das tuas relações?

– Vá, não fales assim. Ithacio Claro é uma pessoa especial. O pai dele falou com o meu… – retorquiu, com uma sombra de tristeza. – Toma cuidado com ele! Mas preferia que ouvisses o que tenho para te dizer.

A resposta foi uma estocada no estômago de Prisciliano. Mas não se atreveu a perguntar o que pretendia o pai do flácido Ithacio.

– Sou todo ouvidos… – titubeou. – Há muito que espero explicações tuas…

Egéria sorriu, sem felicidade. Parecia uma vestal fugida do templo, dando fim à sua condição.

– Gosto muito de ti! Cada vez mais…

A manifestação de Egéria deixara Prisciliano sem palavras. O jovem espantou-se com a declaração. Tomou-lhe a mão direita e, depois de um longo silêncio apenas entrecortado pelo som monótono que fazia a chuva a cair sobre ruas e telhados, correspondeu, mais sereno:

– Eu também gosto muito de ti, Egéria! Mas preciso que me expliques o que se passa...

Um vulto masculino aproximara-se, entretanto. Escondia-se atrás das colunas do estabelecimento de um ourives e espreitava, sem ser visto. A cena a que assistia enfureceu-o. De imediato, uma aranha entreteceu-lhe nos recantos do coração uma teia de fel, onde escrevia os secretos planos da vingança.

– Agora não... Um dia destes, falamos. Tenho de ir embora antes que percebam que estou contigo...

– Que percebam... Quem?

– Adeus... – respondeu, desaparecendo entre a névoa.

Naquela noite, Prisciliano não dormiu. Estava constipado, e invadia-o um misto de alegria e inquietude. Os acontecimentos do dia recapitula-vam-se, caoticamente, enquanto se aquecia no braseiro do quarto e sol-tava espirros sucessivos. Quem espreitasse os trejeitos que fazia no rosto acharia que delirava de febre. Ora sorria, cerrava os dentes, ora coçava a cabeça ou fazia caretas. Mas tudo não passava de manifestações físicas das vertiginosas viagens do pensamento através dos intensos recantos do dia. E não conseguia afugentar o vazio da resposta ausente de Egéria que lhe comprimiu o peito até o dia clarear.

Egéria não dormiu. O coração estava confrontado com o maior dos dilemas: não mais podia negar-se a si própria a afeição pelo pagão Pris-ciliano, mas havia sido prometida em casamento pelo pai ao cristão que mais detestava. Por isso, sentiu-se na obrigação moral de se afastar do jovem de Aseconia. Remexeu-se a noite inteira dentro da inquietação que a aprisionava. O coração combatia ferozmente o dogma e a decisão que tomara sobre esses assuntos, enquanto lhe repugnava a ideia de viver com um homem que só lhe parecia cristão dos lábios para fora. Corriam rumores sobre corrupção, prepotência e até violência por parte do pai e do filho. Por outro lado, não podia negar ao pai o assentimento a um casamento tratado por ele... E revolvia as funduras da alma, procurando descobrir a razão por que Décio Frutuoso não encontrara noivo mais adequado, aquele que ela idealizara. Porém, o pai não o podia encontrar porque ele não era cristão. E ela sabia-o. E por isso sofria e não dormia.

Ithacio Claro também não dormiu. Apostara com os amigos que casaria com a mulher mais bonita e desejada de Bracara Augusta. Falara do assunto ao pai e este não perdeu tempo. Décio Frutuoso tinha novas contas a acertar com ele e com certeza que não teria objeções a que a filha casasse com o filho de um tão rico e devoto contribuinte do bispado bracarense. Nem que tivesse de falar ao bispo, que tantos favores lhe devia. Décio informou Egéria do trato, mas viu a sua flor murchar nas semanas seguintes. Pedira então ao velho Ithacio que o casamento ficasse, por enquanto, adiado sem data marcada. Quando, escondido na parte de fora da loja do ourives, Ithacio Claro viu os modos como Egéria tratara com Prisciliano, encheu-se de ciúme, raiva e só uma ideia lhe pairou a noite inteira no pensamento: vingança!

Também Décio Frutuoso não dormiu. Viu a tristeza ensombrada no rosto da filha, quando voltou da rua. Não descansou até que ela lhe contasse o sucedido. Homem experimentado, logo percebeu o dilema da filha. O dilema para que ele contribuíra, mas que não podia resolver. E nem estava em condições de afrontar o poderoso Ithacio. E, por isso, Décio não dormia.

O jovem de Aseconia aguardou por sinais ou mensagens de Egéria, como lhe prometera, mas estes tardavam. Foram, entretanto, chegando vários convites para festas nas *villae* das imediações da cidade. A popularidade de Prisciliano crescia ao ponto de a sua presença se tornar imprescindível. Especialmente entre as jovens bracarenses, que apreciavam a sua beleza varonil misturada com a inteligência fina e a capacidade de sugestiva argumentação. Cativava-as a magia da voz quente, grave e levemente rouca, falada com o ritmo dos mais proeminentes retóricos da romanidade. Eram várias as que perdiam a cabeça e o tentavam seduzir, com maior ou menor astúcia. Os amigos incentivavam-no. Porém, o que ele menos queria era que chegasse aos ouvidos de Egéria uma qualquer informação que pudesse aniquilar os seus propósitos. Os olhos só tinham o destino que o palpitar do coração indicava.

Até que chegou a mensagem tão esperada pela mão da fiel escrava. Egéria convidava-o a visitar a sua *domus*. Mas uma outra serva vivia na casa com as mãos untadas para informar o dono das moedas, caso visse Prisciliano com Egéria. E não demorou muito a percorrer ruas e ruelas até chegar ao destino: a casa de Ithacio Claro.

O rapaz transformou-se numa fera enraivecida e apressou-se a chamar dois escravos que o serviam nas missões sujas. Tomado pelo ciúme, decidiu-se a concretizar o plano de vingança que lhe latia na mente.

Em casa de Décio Frutuoso um anjo dentro de uma túnica branca surgia aos olhos do jovem apaixonado. Os cabelos cintilavam-lhe, como a pele, tocados pela luz diáfana da manhã, fazendo com que irradiasse uma aura protetora dos seus contornos. Assim a viu Prisciliano, à contraluz. Todos os ruídos do quotidiano eram abafados pela emoção. Cogitava que talvez o pensamento, quando ocupado pelo torpor da intensidade de um momento, desligasse os tímpanos do mundo real. Nem o palrarejo da criadagem, muito menos os barulhos da rua, o chiar das carroças e os guinchos da criançada que brincava na calçada à frente da casa existiam na cabeça de Prisciliano. Os seus olhos e ouvidos captavam tão-só a beleza serena de Egéria, onde contrastavam dois cílios luminosos.

A moça explicou as razões da ausência. Pediu a Prisciliano que compreendesse o seu drama, agora atenuado com o adiamento *sine die* do casamento. E que gostaria de manter a amizade e os encontros entre eles. O jovem compreendeu a angústia, mas a sua aumentou. Não imaginava que Egéria estivesse prometida a alguém, muito menos a Ithacio Claro, o arquétipo do que detestava numa pessoa.

No momento da despedida, ele pegou na mão da anfitriã para lhe fazer uma vénia de cortesia. Mas, num súbito impulso, abraçou-a e beijou-a com sofreguidão. Era o primeiro beijo. Vénus renascia na concha de madrepérola gerada pela espuma dos lábios dos dois jovens. Egéria empurrou-o, sem sucesso, até que se deixou ficar, perdida na viagem que os lábios transportavam e as línguas desgovernavam. Foram subitamente interrompidos pela escrava que voltava da visita a Ithacio. Despegaram, corados, despedindo-se apressadamente.

Egéria correu para o quarto, num turbilhão de emoções. Deixara-se tomar pelo calor da paixão, pela luxúria que sempre lhe ensinaram a reprovar. Agora eram os remorsos, a vergonha. Como seria se os pais soubessem? E o prometido noivo? Egéria sofria, amargurada. Chamou a escrava e instruiu-a severamente a não dizer nada do que viu. Mas o mal estava feito.

Prisciliano vagueou sozinho pelas ruas da cidade. Era um homem feliz. Um pensamento alojara-se no coração, com discrição, e foi crescendo sem que tivesse consciência dele: tinha de convencer Egéria a casar consigo! E a primeira coisa a fazer era ter uma conversa séria com Décio Frutuoso. Planeando a melhor forma de o fazer, enlevado pelas sensações que vivera, vagueou pela cidade, sem noção do destino.

Vultos discretos acompanhavam-lhe os passos perdidos. O jovem enamorado saiu das muralhas e deitou-se na sombra de um carvalho, junto a um ribeiro, e fechou os olhos, procurando decidir o que fazer a seguir. Foi violentamente acordado, aos safanões, por três encapuzados. Sem que tivesse tempo de se defender, taparam-lhe a boca com um tecido, imobilizaram-no, amarraram-no à árvore e tiraram-lhe as roupas. Apenas lhe deixaram um farrapo a tapar as partes púdicas. De seguida, desferiram--lhe vergastadas nas coxas e nas costelas.

– Se te tornas a portar mal, da próxima vez rebentamos-te os queixos. A seguir, partimos-te as pernas e cortamos-te os tomates!

No fim, tiraram-lhe o tecido da boca, para que pudesse respirar à vontade.

– O que é que eu fiz, malditos?!

– Pensa bem… És suficientemente inteligente… Pensas que levas tudo à tua frente, que são todos da tua laia, porco de merda…

– Porca é a tua mãe! – respondeu, furioso e sem pensar na frágil condição.

– O que disseste?! Repete lá, se fazes favor!

O atacante exibia já um punhal afiado junto ao pescoço de Prisciliano que emudecera, ajuizadamente.

– Então, perdeste a coragem?!

A lâmina cocegou-lhe o pescoço e subiu um palmo. No queixo, o encapuzado premiu-a e puxou-a com força para direita, até lhe abrir um lanho profundo. Desapareceram, rindo-se ruidosamente, não sem antes avisarem:

– Não te esqueças! Quem te avisa teu amigo é!

E mais uma vez se riram, deixando Prisciliano amarrado e impossibilitado de conter a ferida que o fazia esvair numa interminável nascente de sangue. Gritou por ajuda com todas as forças que encontrou. Mas o tempo foi passando, sem que vivalma viandasse por aqueles perdidos lugares. Só quando caía a noite um pescador que voltava à cidade o viu naquele estado, o desatou e o amparou até casa.

12

Bracara Augusta (Braga)

O jovem de Aseconia acordara sobressaltado, naquela manhã dos idos de maio, mês dedicado a Maia, a mãe de Mercúrio, que tinha a suprema missão de desenvolver a natureza vegetal. Muito embora maio fosse o mês menos favorável para os casamentos, já nada fazia parar o espírito viril que habitava a juventude do filho de Lucídio Danígico Tácito, sacudindo--lhe o corpo e o coração em direção às pulcras donzelas bracarenses que ia conhecendo. Olhava para as cicatrizes como marcas de um destino perdido, a olvidar.

Os dias que se seguiram ao traiçoeiro ataque foram de frustração. Contou ao primo o sucedido e decidiram-se a fazer algumas discretas perguntas no submundo urbano, mas nada conseguiram descobrir sobre os atacantes, para poder mover uma ação judicial sobre eles e o mandante. Apenas lhe restava estar mais atento e evitar andar sozinho, sobretudo em lugares isolados.

Passou dias inteiros em casa a curar-se e a recuperar as forças físicas e psicológicas. Visitou as profundezas dos lugares onde habitam a saudade, a tristeza e a raiva. Tentou novamente chegar à fala com Egéria, através de cartas, recados, mas em vão. Quando recuperou, passou a procurá-la mais afincadamente, nas imediações da sua casa, nas ruas, no fórum, na basílica, mas sempre sem sucesso. Até que numa das prolongadas esperas à saída do templo, conseguiu vislumbrá-la, acompanhada dos pais. Egéria aproveitou o ajuntamento do fim da celebração religiosa e afastou-se, discretamente, por momentos, num alvoroço interior.

– O que fazes aqui?

– Procuro-te!… Há muito tempo…

– Não faças isso! Sou permanentemente vigiada… E não viste o que te aconteceu?! Foi um erro aquele beijo… Toda a gente soube em casa e não imaginas o inferno em que vivo.

Prisciliano não se conformou.

– Egéria, eras capaz de casar comigo?

Ela mirou-o de frente e, de rosto contrito, prestes a rebentar em lágrimas, respondeu-lhe:

– Prisciliano, não me confrontes com isso, por favor!

– Porque não?!

– Não posso – respondeu com um olhar triste.

– Não podes?!

– Não!… – reafirmou, com uma névoa húmida a toldar-lhe a visão, a sombra dos remorsos por ainda não lhe ter contado a decisão que tomara. – Tive de jurar ao meu pai que casaria com…

Um estampido detonou no peito de Prisciliano.

– … com Ithacio Claro!

– Sim… – confirmou, com os olhos prestes a rebentar em água.

– Pensei que o esquecerias de vez… Depois daquilo tudo…

Egéria não aguentou mais e chorou. Como temia perder o rapaz para sempre e, por isso, refugiara-se em casa dias a fio, com vergonha e remorsos, adiando a revelação que a atormentava. Prisciliano desmaiara por dentro. Fora um golpe duro de mais.

Amava Egéria, mas o choque era brutal. Ela assumira definitivamente o casamento com um homem bruto, violento e malcriado. Ainda alvitrara a hipótese de o tempo, o curador de males, imperfeições e infortúnios, o levar ao regaço da tal Igreja em que Egéria e o pai vislumbravam salvação eterna para os homens que, até então, e segundo eles, viviam infindáveis tempos de trevas! Mas acontece que também o tempo, correndo como a água do rio, leva oportunidades como barcos carregados de gente e mercadorias para bem longe. Uns voltavam, outros não. Vogado um mês nesse rio, Felicíssimo informou-o de que corria a notícia de que a filha de Décio Frutuoso saíra da cidade e refugiara-se numa *villa* da família, nas cercanias de Danegia.

– Foi viver para a foz do Tamaca, na zona de Tongobriga, perto da *villa* do nosso tio.

– Não entendo essa rapariga! – retorquiu, virando as costas a Felicíssimo e pegando num rolo de pergaminho da estante.

– Vá, primo, há mais mulheres no império... Estou farto de te falar de Júlia, que não tira os olhos de ti. E não tens a deliciosa Letícia? Porque não a mandas vir cuidar de ti aqui em Bracara? – questionou-o com um sorriso aberto. – Não me importava nada de a ter para mim!

Admitiu que o primo tinha razão. Estava decidido a manter distância da seita dos cristãos, muito embora a mesma crescesse entre as elites sedentas de agradar aos ventos que sopravam das capitais imperiais. Estava cada vez menos entusiasmado pelas coisas do Além, pelos poderes dos deuses.

A raiva levou-o a olhar para outras mulheres. Decidiu-se a conhecer os favores do mundo, como forma de esquecer Egéria.

– Felizmente, conheço o teu imenso coração. Ainda contém muitos espaços vazios. E não imaginas quantas e quão belas candidatas existem empolgadas por os preencher – insistia Felicíssimo.

Prisciliano sorriu. Desde que chegara a Bracara, o corpo atlético, que irradiava vigor e energia, mas sobretudo os olhos pretos e rasgados pintados num rosto magro e moreno, dentro de um cabelo escuro e curto, causava um estranho magnetismo nas raparigas, provocando risinhos e olhares malandros. Para não falar da cicatriz no queixo que lhe conferia uma fera sensualidade.

Por isso, Prisciliano pediu ao pai que lhe mandasse Letícia para Bracara e selou o melhor que pôde a ferida aberta por Egéria, deixando que os olhos continuassem a descobrir que o mundo era um mar de surpresas para onde corriam todos os rios. E que mulheres e homens cumpriam a profecia de Zeus, buscando incessantemente a alma meia que vogava pelo Universo.

No dia em que a escrava de Aseconia chegou, Prisciliano rondou-a o tempo todo, com sorrisos e cumplicidades. À noite, pediu-lhe que cozinhasse o seu guisado preferido e lho trouxesse ao quarto. Letícia aproximou-se com o corpo bamboleante, segurando a bandeja com comida e vinho. Deitou-se na cama, convidando a serva a deitar-se também.

– Gostaste de vir até Bracara, Letícia?

– Estou bem, desde que me tratem bem – retorquiu, mostrando os dentes alvos como a pele. – E esta cidade é deslumbrante.

Prisciliano trocou um sorriso cúmplice, oferecendo-lhe deliciosas iguarias e uma taça com a dádiva de Baco. Não passou muito tempo até que o vinho fosse entregue pelos lábios sequiosos de outros prazeres. Sentiu-lhe o familiar hálito acanelado, tocou-lhe a língua e bebeu-lhe o néctar que os lábios destilaram. Letícia, conhecedora da arte da sedução, desfez o laço e libertou os cabelos opulentos, atirando-os para trás e fazendo-os bambolear nas costas. Prisciliano brincou-lhe com os caracóis longos. Desapertou-lhe a túnica que escorreu pelo corpo bem torneado. Os bicos dos seios retesados estavam a postos para uma nova guerra de Vénus e Prisciliano não enjeitaria o combate. Desde que vira Letícia, em nada mais pensara. Esperara, ansioso, aquele momento. Sugou-lhe os seios com volúpia, desejo e urgência. Ela gemeu com a voz rouca que tanto o excitava. Pô-la de pé, abraçou-a, sentiu-lhe o perfume do pescoço e ronronou-lhe ao ouvido:

– Bem-vinda a Bracara, bela ninfa de Aseconia.

– Ah, Prisciliano… É tão bom…

Os olhos caíram sobre o resto do corpo.

– Por Júpiter… és tão linda!

O sexo provocantemente depilado denunciava que se preparara convenientemente para o momento do encontro com o seu senhor.

Por entre taças de vinho e palavras sedutoras, os dois corpos deram-se as boas-vindas durante uma interminável noite de prazeres, só vencida pela aurora e o cansaço dos corpos suados.

Enquanto a sua beleza e cortesia arrombavam corações, Prisciliano progredia no exercício da arte da sedução, no gosto de caçar em vez de ser presa, ao mesmo tempo que começava a interessar-se por uma mulher para constituir família.

Júlia Cornélia era a filha mais nova de um rico decurião de Bracara Augusta, muito cobiçada e conhecida por ninguém conseguir espetar-lhe a seta de Cupido. Era altiva e comentava-se que, para desespero dos pais, que a queriam prometer a um filho de um rico aristocrata, e de tantos rapazes, só haveria de dar atenção a quem e quando entendesse.

Prisciliano achou-lhe piada. Divertiam-no os comentários e invejas, mas, quando ouvia os amigos falarem de Júlia e dos lamentos que derramavam à mesa pela sua frieza, passou a reparar mais na sua gracio-sidade e a engendrar uma forma de a conquistar. Não nos mesmos modos que as escravas. Desde que descobrira as delícias de Letícia, os sensuais movimentos abandonados e indolentes, procurava desvendar um misté-rio que se lhe formava: descobrir se todas as mulheres tinham o mesmo sabor quando abriam a flor de Vénus, se o gosto dos beijos era igual, se a pele era sempre suave, se todas gemiam e gritavam como a serva de Aseconia quando o cavalgava como a um potro selvagem. Felicíssimo ajudara-o nessa entusiasmante tarefa. Como o prazer e o lazer eram valo-res cultivados pelos bons romanos, convidava-o para alguns festins pri-vados nas *villae* de alguns amigos, onde sempre conviviam as mais belas escravas. E como Vénus não podia ir sem Baco, as noites passavam-se em orgias animadas e perfumadas pelos vinhos doces oriundos do oriente, que se tomavam durante e após os banquetes, quando nem senhores nem escravas eram capazes de discernir sobre o juízo dos atos, apenas dese-josos de encontrarem o suor dos corpos ardentes e o paladar das libidos efervescentes. Razão tinha Ovídio no pergaminho que lhe abrira os hori-zontes na arte de amar: *Vénus no vinho é fogo no fogo!* Cumpriam-se os códigos romanos das relações: quem tinha poder penetrava, quem não tinha era penetrado, fossem mulheres – desde que de outro nível social, virgens de condição livre ou matronas –, escravas ou escravos.

Com Júlia era diferente. Era um jogo. Um jogo de sedução onde o mais importante era um outro gosto. O gosto da conquista. Os louros que o fariam um herói em toda a capital. Procurou-a discretamente numa das festas públicas da cidade. Era uma mulher deslumbrante, sensual, engala-nada pelos longos cabelos negros apanhados, de pele morena e acetinada. Prisciliano desejou ardentemente descobrir a textura dos seios que se adi-vinhavam abundantes debaixo do corpete que usava sob a túnica interior, descobrir-lhe os contornos do corpo protegido pelas finas vestes de seda, tocar a alva pele, entrar-lhe nos olhos perfurantes e grandes como uma uva madura, para logo lhe provar o sabor da boca.

Já que Egéria escolhera outro caminho, Prisciliano começou a apreciar a ideia de se deixar aquecer pelo fogo de Júlia. Sabia ser arriscado ir mais além da sedução, mas os impulsos varonis eram agora o seu deus.

Animado pela luxúria da juventude, consultou o áugure que vivia junto ao Nympheum, a fonte em que se refrescava nos dias de canícula, para saber se Júpiter considerava aquele um dia propício para convidar Júlia a sua casa. O tio Sabino viajara para a Villa Marecus, preocupado com o mau ano agrícola e os negócios da distante *villa* e, certamente, não se importaria que tão bela donzela lhe perfumasse o jardim. Apesar de ligar menos aos poderes dos deuses, com Júpiter mais valia prevenir do que arriscar.

– Meu filho, podes convidar essa beldade durante os próximos dez dias para o que bem achares, até mesmo para casares com ela – respondeu o velho de cabelos brancos escorridos, enquanto, com uma mão, apontava para uma águia-real que planava no alto e, com a outra, recebia as moedas da paga.

– Obrigado – agradeceu Prisciliano, de olhos cravados na esbelta ave que se precipitou, subitamente, sobre uma pequena andorinha.

– Mas toma cuidado, meu rapaz. Sendo filha de um cidadão romano, não pode ser desflorada antes do casamento. E sei de muitos jovens que suspiram pela sua beleza. A formosura aliada à riqueza e ao poder do pai podem gerar um caldeirão de ciúmes e invejas… e problemas, é claro…

– Achas, Tibério?!

– Ah! Conheço bem os recantos mais sombrios da condição humana! – E, apontando novamente para a águia, prosseguiu: – Olha, olha! Esperta a andorinha que se refugiou a tempo numa árvore com ramos e galhos pontiagudos.

Prisciliano sorriu, acompanhando a cena. Sabia muito bem do que falava o adivinho ancião. Tantos eram os que abordavam Júlia com volúpia. Mas não lhe saíam da lembrança os olhares cúmplices que lançavam quando se cruzavam na rua e das palavras de circunstância que trocavam, afetuosas e enigmáticas.

No dia seguinte chegou a descoberta. Não haveria melhor mês do que aquele maio para desfrutar dos encantos do jardim que Sabino cuidava com todo o desvelo. Esmerava-se por manter as colunas e estátuas dos deuses bem cuidadas, como se fossem os principais beneficiários dos perfumes das suas flores e precisassem de estar felizes no paraíso. Viera com a escrava, pois não podia andar sozinha. Mas logo Prisciliano encontrou forma de a misturar com os servos da casa, deixando-os a sós. Júlia molhou a mão no tanque que se encontrava no centro do retângulo de árvores e flores e aspergiu a cara de Prisciliano, que contorceu o rosto, entre múltiplos sorrisos.

Desfrutaram de uma conversa amena, passeando por entre canteiros de rosas e lírios que geravam um aroma, ora delicado ora intenso, quando misturados com os odores do tomilho, lavanda, menta e funchos que Sabino mantinha com tanta paixão.

Ao longo do caminho que contornava o espaço, uma cortina de loureiros cuidadosamente aparados separava-os da zona ajardinada. Prisciliano puxou Júlia para debaixo de um limoeiro florido que irradiava um odor balsâmico, cujo podador se esmerara em esculpir na copa uma esfera perfeita. Tomou-a delicadamente pela mão, em direção ao tronco, com um sorriso comprometido.

– Cuidado, Prisciliano! Não me vais devolver a casa com a túnica suja. A minha mãe não acharia piada.

– Assim não reclamará! – respondeu, virando-se ao contrário e encostando-se ao tronco do limoeiro, num ângulo cego para quem pudesse espreitar por qualquer das janelas da casa.

Os beijos e abraços foram apressados. Os dois jovens experimentavam o gosto um do outro, servido numa sensação que caldeava entre o perigo de serem apanhados e a excitação pela descoberta que os corpos pediam. Foi Júlia quem deu por encerrada a investida, a respirar ofegantemente, afastando Prisciliano.

– Vá, que te deu?

– Tu… não sei… – titubeou, com o olhar dardejante.

A jovem serenou e acariciou com a mão quente a face rúbea do rapaz.

– És muito atrevido! – disse-lhe, com um tom embevecido. – Mas tens um rosto muito bonito…

– Oh, simpatia tua, Júlia!

– Tens algo que é especialmente cativante…

– Sim?! O que é?!

– As sobrancelhas, Prisciliano. As tuas sobrancelhas são longas, arqueadas e bem delineadas. Parecem desenhadas de propósito para o teu rosto perfeito e expressivo.

– Porque dizes isso?! – questionou, envaidecido.

– Porque a tua presença distingue-se na multidão. Perguntava-me o que era tão singular em ti que gerasse essa invulgar atração. Agora descobri: é o olhar! Um olhar ao mesmo tempo escasso e brilhante, seguro e frágil, rasgado por um desafiante mistério, incisivo e penetrante, que emerge, único e sedutor, do meio de toda a gente.

– Oh, pareces uma poetisa…

Subitamente, os olhos de Prisciliano arregalaram-se e a aflição pintou--lhe as maçãs do rosto.

– Júlia, chega-te para o lado, rápido!

– O que foi?! Que aconteceu?! Não estou a entender!

– Ai o tio Sabino que me vai dar cabo da paciência! O que fomos fazer!

Prisciliano olhava angustiado para o chão. Júlia estava incrédula. Nada lhe fazia perceber o motivo de tanta preocupação. A não ser as flores pisadas no meio do frenético enlace entre os dois.

– O que se passa?! Explica-me, por favor!

Prisciliano dobrou-se e ergueu delicadamente uma das flores espezinhadas, com um pau que recolhera nas imediações. Eram azuis e eram rosas. Assim Prisciliano as via.

– Não lhes toques…

– Porquê?! – perguntou, estupefacta.

– Não vês que são rosas azuis?

– Azuis?! – Júlia olhou-as e viu rosas de todas as cores, menos azuis. – Não existem, Prisciliano… Nunca ouvi falar de rosas azuis… O sol deve ter-te provocado alucinações.

– Pois… Só eu as vejo azuis. O meu tio disse-me que algum deus as semeou no seu jardim para eu as ver dessa cor. Por isso, acha que são divinas… Até me disse que significam um grande mistério para quem assim as vê. Algo impossível de ser alcançado. – Subitamente, o rapaz silenciou.

– Então?!

– Também significam um amor eterno e único … – redarguiu, omitindo que esse amor nunca poderia ser vivenciado por alguém que espezinhasse as rosas azuis.

Prisciliano deixou Júlia em casa, quando o sol se aninhou atrás das montanhas, tingindo o céu de cores ocres. O incidente das rosas não voltou à conversa. Aliás, Prisciliano até se arrependera de lhe falar sobre a flor. Agora, entregavam-se às despedidas cúmplices, à porta da casa, que só terminaram quando a mãe apareceu e lhe atirou um ar de reprovação, já a lua nova se esforçava por tomar conta do breu. Prisciliano voltou, com o pensamento distante, e a cantarolar, cruzando a cidade pelas ruas estreitas, para chegar mais rápido.

Quando passava pelo fórum, alguém chamava pelo seu nome, nas suas costas. Virou-se e abriu a boca de espanto.

– Gala?! Por aqui?

– Andava à tua procura. Fui a tua casa… Disseram-me que andavas por estes lados, com a tua nova namorada.

– Vá, que conversa! O que aconteceu?

– Egéria…

– Egéria quê?

Enquanto desferia passos largos em direção à casa das duas irmãs, Prisciliano pensava no que acabava de ouvir.

Gala acompanhou-o ao quarto. Egéria estava deitada de olhos fechados. Dormia. Emagrecera, mas continuava cativantemente bela. Prisciliano tocou-lhe na testa ardente e ficou a olhar a sua pungente letargia. Um anjo doente. A mulher que se determinara a esquecer com a sucessão de muitas outras. Sentou-se ao seu lado e passou algum tempo em silêncio, recordando o passado conjunto. Quanto mais a olhava mais certo estava que, agora que conhecia tantas mulheres, não eram os atributos físicos que o cativavam. As borboletas voltavam a habitar-lhe o fundo do estômago.

– Adoeceu há dois dias e tem estado com febres altas!

– E porque me procuraste, Gala?! Não sou médico…

Gala chegou-se ao jovem, tomou-lhe a mão e disse-lhe ao ouvido:

– Quando delira, só chama por ti…

– Por mim?!

Egéria não acordou, nem foi acordada. Algumas pessoas que visitavam a casa esperaram que os dois deixassem o quarto para a poderem visitar.

Prisciliano voltou à rua, apreensivo. Gala acompanhou-o à porta e, no último momento, abraçou-o, em silêncio. Olhou-o com profundidade e suspirou com melancolia, antes de voltar ao seu interior:

– Prisciliano, és um homem tão especial!

O jovem deambulou, sem destino definido!

– Olha que menino bonito por aqui anda! – Um encapuzado, brandindo um varapau, surgira da sombra de uma viela deserta.

Prisciliano assustou-se, mas procurou manter a calma. Novamente um encapuzado no seu caminho. Hesitou entre continuar ou voltar para trás. Não era covarde e não fora apanhado totalmente desprevenido. Recordava a lição do mestre Lívio, que lhe ensinara que evitar uma batalha era sempre uma boa forma de a vencer.

– Não sei quem és, mas estou em paz! E estou com pressa... – anunciou, com a voz falsamente calma.

– Não é importante saberes quem sou, narciso de merda! Só quero que conheças o gosto deste pau no lombo. Ainda não aprendeste a comportar-te como um menino bonito!

Um calafrio percorreu-lhe a espinha, mas pressentiu os músculos a retesarem-se, passando ao estado de alerta, como acontece aos soldados quando o inimigo assoma nos campos de batalha. Com a frieza de espírito que conseguiu alcançar, recuou alguns passos, preparando-se para voltar à rua mais larga e movimentada que acabara de deixar.

– Onde pensas que vais, pretensioso Apolo? Tenho uma estadia no Olimpo para te oferecer, totalmente gratuita, esta noite, idólatra vaidoso! Espero que aprecies!

Olhou para trás e viu outro embuçado a dobrar a esquina, cobrindo-lhe a retaguarda, com o varapau a bailar-lhe nas mãos. Percebeu que não havia tempo para negociações. Numa guerra há sempre danos colaterais. Caso os dois se aproximassem demasiado, poderia ficar encurralado e incapaz de se defender. Tomou a decisão que lhe pareceu adequada. O primeiro dos encapuzados pareceu-lhe pequeno e de compleição mais débil. Prisciliano sempre privilegiara o exercício físico e brincara aos gladiadores, enquanto criança e adolescente. Correu para ele, ao mesmo tempo que lhe gritava impropérios:

– Vamos ver quem és, canalha! Velhaco! Covarde!

O atacante, de pau em riste, esperou pela sua incursão. Desferiu o primeiro golpe, que acertou com força no ombro direito de Prisciliano, gerando uma dor intensa. A violência da estocada atirou-o contra a parede, onde uma pedra saliente lhe rasgou o braço esquerdo. A mão sentiu o calor do sangue que lhe tingia a toga de escuro carmesim. Virou-se então para o atacante e, com um fulgurante pontapé desferido no meio das pernas, fê-lo largar a arma e rugir de dor, como um touro ao receber o cutelo do sacrifício aos deuses.

O outro aproximava-se, a correr, mas não teve tempo de apanhar Prisciliano, que se esgueirara rapidamente pelas vielas da cidade. Quando dobrou a esquina, viu do outro lado um rapaz esbracejante e furioso, que lhe endereçava obscenos vitupérios: Ithacio Claro.

13

Bracara Augusta (Braga)
Panoniam (Panóias – Vila Real)

Numa parda manhã de outono de 364, um súbito denso nevoeiro apanhou os bracarenses desprevenidos. Foram muitos os cidadãos que, por precaução, se refugiaram em casa. Uma nevoaça tão espessa não auspiciava nada de bom. Prisciliano e Felicíssimo apressaram o passo, embalados pelo delíquio coletivo, depois de terminada a aula de retórica. Incomodava-os a penumbra que os impedia de ver a maior distância. E, com os tempos que corriam, mais valia um pingo de prudência que uma ânfora de valentia.

Mal entraram na abastada casa do tio, aperceberam-se de um inusitado alvoroço. Prisciliano vagueou pela cozinha que cheirava a comida esturricada e logo voltou para junto do primo, que se encontrava sentado na cadeira de um dos salões, à espera das novas.

– O que se passa? – perguntou Felicíssimo.

– Os criados murmuram que o nosso tio está muito doente... Um médico vê-o agora no quarto.

– O tio Sabino?!

Muito embora não o fosse de sangue, o dono da casa fazia questão que Felicíssimo fosse tratado da mesma forma que Prisciliano.

– Por Júpiter, quem mais haveria de ser?! – A voz de Prisciliano entoava a música da impaciência num compasso de preocupação. – E parece coisa grave... Só me faltava que morresse também!

– Prisciliano!

– A minha vida tem sido uma sucessão de perdas de pessoas queridas… Triste fado que carrego, com a morte, sempre traiçoeira, indesejada e fora do tempo, a roubar-me os dias felizes.

– Ah, primo, não te quero como áugure da má fortuna! Ninguém te disse que o tio Sabino está assim tão mal! Vamos com calma.

– Não sei … Costuma ser este o aviso de que Caronte tem a barca estacionada por perto.

– Prisciliano, a morte faz parte da vida e a vida faz parte da morte… Mas não te precipites com maus julgamentos.

Prisciliano alvoroçava-se com as notícias. E preocupava-se com os desconhecidos que o haviam perseguido novamente, embora não tivesse dúvidas de quem era o mandante, que não resistira a rondar o local do crime para se rir na sua cara, depois da sova. Determinara-se a andar mais atento, pressentindo os olhos que o seguiam furtivamente e evitando expor-se demasiado.

– Sim, Felicíssimo! A vida ensinou-me que a morte gera a vida, refunda-a, regenera-a. Tal como a primavera que nasce quando morre o inverno.

– Eu sei, Prisciliano. A vida é só o espelho da natureza…

– Mas os humanos, tal como a natureza, deviam ter o direito a viver na plenitude todas as estações.

– Vá, deixa-te de filosofias! Temos de visitar o tio Sabino! É o mínimo que podemos fazer para nos inteirarmos do seu estado de saúde e, quem sabe, dar-lhe algum conforto. O médico já saiu?

O físico, para além de plantas e unguentos, recomendara absoluto repouso. Porém, a meio da tarde, uma apressada criada veio chamá-los à presença de Sabino. Era um pedido pessoal, mas mais parecia uma ordem.

– Ah, meus filhos, estou muito mal… – queixou-se o acamado, com os olhos inchados de tristeza. – Nunca me vi assim: com febres altas, cólicas, diarreias. Não sei o que me aconteceu!

Os dois primos trouxeram palavras de ânimo, mas logo perceberam que a voz sofrida, a tez pálida e uma certa aura de melancolia que ensombrava os cílios do tio eram mau presságio para o futuro da casa.

O corpulento homem foi definhando, durante duas semanas, que encheram de plangência a *domus* bracarense dos Danígicos. As cólicas e a diarreia não o atormentavam mais, mas as febres intermináveis eram um permanente convívio, passando noites em delírios.

Numa tarde em que o sol se enrolava na espuma das nuvens altas, para desfiar alguns filamentos de luz nas frias ruas da cidade, os dois primos foram novamente chamados, de urgência, ao quarto do tio, quando regressavam da aula de gramática. Temeram o pior, pois a criadagem, por entre abundantes oferendas aos Lares e aos Penates, não parava de murmurar que o fim estava próximo.

– Meus filhos, chamei-vos porque preciso da vossa ajuda!

– Da nossa ajuda, tio?! – questionou Prisciliano, com os olhos arqueados. – O que poderemos fazer por ti?

– Preciso da vossa companhia para uma viagem, uma longa viagem…

– Uma viagem?! – responderam os dois em uníssono. – Não me parece que o tio esteja em bom estado para viajar – acrescentou Prisciliano, apreensivo.

– Não tenho outro remédio. E, a bem dizer, não é propriamente uma viagem, mas antes uma peregrinação…

– O tio sabe que pode contar connosco para tudo o que necessitar! Temos umas festas marcadas na *villa* de uns amigos, mas a tua vontade, querido tio, está acima de tudo.

– Obrigado, meus filhos! – retorquiu, com afeto. – Preparai-vos! Partiremos à hora prima dos idos de outubro!

– E poderemos saber qual o destino dessa viagem, ou peregrinação, como lhe chamaste?

– Sim, claro! – balbuciou, com um ligeiro brilho nos olhos. – Preparem-se porque vamos ao santuário de Panoniam. É a minha última esperança!

Os dois rapazes arregalaram os olhos. O sagrado lugar que Sabino aspirava visitar era dedicado a Serápis, divindade que ali chegara cerca de dois séculos antes, vinda, como Ísis, do longínquo oriente. Serápis nascera nas margens do Nilo com o fim de conciliar o credo helénico com o panteão egípcio, e logo ganhou fama de grande taumaturgo na arte de curar gente.

– O tio deve estar mesmo mal – murmurou Prisciliano ao ouvido de Felicíssimo.

No alto ermo de um dos montes onde governava Marandicus, o deus máximo e montanhoso indígena, um tal Caio Calpúrnio Rufino construíra um santuário serapeu. Nas graníticas fragas marânicas, o deus egípcio passou a conviver com os velhos deuses nativos. Aquele bom romano da ordem senatorial, titular de uma alta patente na Legião VII Gemina Félix, sediada na cidade de Legio, era oriundo da cidade de Perge, na longínqua e pequena província da Panfília, perto da Síria. Fora naquelas distantes paisagens do império que Rufino se iniciara no culto à sua divindade predileta. Servira na frente renodanubiana da Panonia e, como era hábito dos colonizadores romanos, de lá trouxera o nome para o lugar sagrado que mandou erguer nas terras galaicas. O santuário que fundara era o maior e mais procurado centro de culto a Serápis em toda a Hispânia. Sobretudo pela sua potente virtude: restituir saúde aos iniciados, como nenhum outro curandeiro ou divindade seria capaz de fazer. Porém, estas virtudes só aconteceriam caso ocorresse uma circunstância muito especial, que os dois primos não desconheciam.

– Foste chamado em sonhos por Serápis, meu tio?!

– Acertaste! Na última noite tive um sonho que, para mim, foi muito claro. Serápis apareceu-me na forma de homem maduro, com os cabelos brancos a emoldurarem-lhe a cabeça e a propagarem-se pela barba. O semblante era grave, como as palavras que me dirigiu, ao mesmo tempo que me apontava a corbelha onde guardava os sagrados mistérios. É, sem dúvida, o seu chamamento para a *incubatio*.

– E que te disse ele no sonho, tio Sabino?

– *Voa para o meu colo e a minha luz te aquecerá!*

Os dois rapazes entreolharam-se. As festas que tinham programado na *villa* de Dumio eram nada mais nada menos que as Juvenales. Honravam Juventas, a deusa da Juventude, e só poderiam ser tão prodigiosas como extraordinárias, como tantas outras em que haviam participado. O dono da casa garantira a presença das donzelas mais formosas do *conventus bracarensis*, bem como esperava que chegassem, num barco que atracaria por aqueles dias no porto de Aquae Celenae, os mais delicados vinhos do império, para perfumarem o gosto dos cabritos e javalis assados, suavizarem as gargantas sequiosas dos mais afamados néctares e despertarem as mentes e a libido dos participantes.

Com certeza que a generosidade de Juventas surgiria no final da festa, o momento em que apareceria de mãos dadas com Eros e Afrodite, fazendo com que as primícias da mocidade romana pudessem ser verdadeiros hinos à eterna juventude.

Os quatro olhos dardejaram entre si, entrevendo tudo o que haveriam de perder três dias depois dos idos de outubro, pois era impossível ir ao Santuário de Panoniam, prestar o culto e voltar tão rapidamente, com um homem enfermo como o tio Sabino. Acompanhar o penitente significava desistir de uma festa que há muito lhes fazia crescer a água na boca, pois quer Prisciliano quer Felicíssimo andavam de olho nas duas filhas de um importante decurião bracarense, com fama de terem corpos parecidos com as esculturas de mármore das deusas romanas. Ninguém se poderia gabar de lhes conhecer o gosto da pele suada, quanto mais o perigoso sabor das suas primícias.

– Que aborrecido, logo agora que íamos conhecer as irmãs Flavianas. Os deuses viraram-nos o cu, Prisciliano! – ciciou Felicíssimo, quando a criada acondicionava alguma comida junto à cama do enfermo.

Prisciliano ergueu os olhos e os ombros. Ambos sabiam que Sabino alcançara, como qualquer devoto de Serápis, a mais difícil e desejada revelação. Sobretudo para alguém tão profundamente enfermo: o chamamento da própria divindade para um encontro no seio da terra-mãe. Não era o doente que induzia o deus a um forçado encontro, mas precisamente o contrário. Por isso, os prazeres da carne e do estômago haveriam de ficar adiados para novas calendas.

– É verdade, primo. Só nos resta pedir para marcar outra festa. Agora não poderemos abandonar o tio Sabino! – respondeu ao ouvido do primo.

– É óbvio! Mas eu também tenho curiosidade em conhecer esse santuário dedicado ao deus oriental. Vou dizer ao nosso amigo que não conte connosco! – E, piscando o olho ao primo, rematou a rir: – E pedir-lhe que não convide desta vez as filhas do decurião, não vá alguém ensinar-lhes os segredos de Eros.

Mal a alba prenunciou um dia de sol outonal, uma carreta puxada por dois bois trilhava as calçadas desertas da cidade, tripulada pelos criados de Sabino e transportando os três peregrinos da família dos Danígicos. Tomaram a estrada mais segura e confortável, via Aquae Flaviae, a cidade que os Flávios mandaram construir sobre um antigo *oppidum*.

Sabino seguia deitado e silente numa cama improvisada com um colchão nutrido de uma substancial dose de penas de ganso para amortecer as irregularidades da calçada e dos caminhos de terra. Passaram pelas *mansiones* de Salacia, Praesidio e Caladuno, antes de alcançarem a cidade termal. Quando tombou a noite, pernoitaram numa das estalagens. Os edifícios de repouso estavam estrategicamente construídos a cerca de vinte milhas entre si, quebrando a paisagem vegetal, para dar guarida aos viajantes. A seguir a Aquae Flaviae, tomaram a estrada para sul, que descia até ao Durius. Algumas jornadas depois, atingiram uma zona a partir da qual só se poderia seguir a pé e por entre as veredas que abraçavam a colina, desenhadas pelos pés dos peregrinos.

A pétrea morada divina fora criteriosamente escolhida num local de difícil acesso, tornando-o sagrado e profundamente numinoso. Só assim o encontro entre o homem e o deus poderia ser alcançado pela via onírica, morrendo e renascendo no ventre da terra, depois de uma longa jornada da alma e após o divino chamamento. Era essa mesma etapa que Sabino se propunha fazer.

– Meus filhos, agradeço-vos todos os cuidados, mas agora seguirei sozinho. É aqui que começa a minha cura.

– Tio, tens a certeza que estás em condições de prosseguir sem a nossa ajuda?

– Podeis seguir-me, mas à distância. A partir daqui, vou despedir-me de mim… para me reencontrar…

Os dois rapazes abraçaram o peregrino. Sabino pôs-se a caminho, um andrajoso e solitário moribundo, em introspetivo silêncio, rumo ao colo de Serápis. Aquele devoto homem sabia como ninguém que a incubação só seria verdadeira terapia se caminhasse doente, febril, penitente, débil no corpo e na mente, vencendo as duras penas de uma paisagem árida, agreste, erma, inclinada. Esse momento de aproximação seria fundamental para impelir o corpo ao movimento, ao sacrifício, à extenuação, para que a onírica revelação pudesse ser alcançada e, com ela, a total regeneração física e mental do penitente.

Os olhos preocupados de Prisciliano e Felicíssimo acompanharam a silhueta do rico senhor de Bracara Augusta, que cambaleava, montanha acima, agarrado ao bordão que lhe servia de apoio. Sobre as costas, carregava o peso de todas as debilidades que o afligiam. Ao desenhar-se o contraste no horizonte cinzento, mais parecia uma alma penada vagueando pelo mundo em busca de aconchego, disfarçada de maltrapilho. Os dois primos paravam periodicamente a marcha para não se aproximarem da sombra ambulante que se dirigia para a morte ritual. Temiam que o vulto pudesse transformar-se em cadáver, antes que as mãos terapêuticas de Serápis o acolhessem no regaço.

Porém, quando a determinação que move a fé é mais forte que as forças físicas, por mais débeis que sejam, os milagres acontecem. E Sabino, um autêntico vagabundo, venceu finalmente a primeira etapa, quando alcançou, a suar em bica, as portas do sagrado recinto. O deus Marandicus, dono dos bosques daquelas serranias desde tempos ancestrais, amparava-o discretamente com a brisa que fazia soprar do alto.

O santuário era um espaço composto por três grandes fragas, onde foram abertas cavidades destinadas aos ritos, anunciados por inscrições em latim e grego. Os sacerdotes do templo sabiam que o velho adepto do culto serapiano, da alta estirpe bracarense, estava prestes a chegar. Por isso, o mais ancião esperava-o à porta, com membros da clerezia à retaguarda, cheios de mesuras e atenções. No tempo em que as boas barbas da Hispânia começavam a desertar dos velhos cultos para o ascendente Cristianismo, era um acontecimento auspicioso receber Danígico Sabino no seu templo. Para além de que, certamente, algumas boas moedas haveria de deixar nos cofres, e que tanta falta faziam, com a carestia reinante.

A luz diáfana da manhã já descoberta fazia reluzir o branco das vestes sacerdotais. Todos se inclinaram para receber o peregrino, segurando as coroas de vergônteas de carvalho. Prisciliano e Felicíssimo aproximaram-se, entretanto, dentro da bolha de silêncio. Até ao final dos ritos, só os sacerdotes haveriam de falar, para proferirem as divinas evocações. Arrumaram-se para o lado para entrar um boi castanho não muito corpulento, mas espesso e arredondado, e com dois longos e afiados cornos apontados ao céu. Vinha engalanado com grinaldas de cores suaves e guiado por um sacerdote que o amarrou a uma estaca de ferro, apoiada por duas escoras, pregada na fraga do meio. Todos os bois que não fossem selvagens estavam destinados à morte ritual. Normalmente, depois de uma dedicação às duras tarefas do ciclo agrário, a carne seria alimento para os frios dias de inverno. Mas àquele cabia outro nobre destino: o mistério do sacrifício no altar dos deuses.

O animal foi sacrificado na cavidade quadrada da primeira fraga destinada à *imolatio*, ao mesmo tempo que, em oferenda aos deuses, as vísceras, polvilhadas com farinha e sal, regeneradoras e purificadoras, se queimaram num fogo lento e resinoso. O sangue foi vertido nos fóculos, pequenas cavidades do petrófilo especialmente escavadas para o efeito. A seguir, a carne foi assada na *gastra*, uma outra cavidade redonda destinada à cremação sacrificial. Estava, finalmente, pronta a refeição ritual.

Sobre a manta verde e ondulante que aconchegava as serras maronesas pairava uma ligeira névoa acetinada que logo se viu perfurada por bandos de pássaros oriundos de todos os horizontes, impulsionados pelo ritmado rufar de um tambor tocado por um dos sacerdotes mais jovens. Os companheiros dançaram e cantaram, alegremente. Sabino reluzia a devota circunspeção dos que aguardam os favores dos deuses. Crentes nos seus bons humores, mas sempre receosos de que a invocação não chegasse ao destino certo.

– Como te sentes, meu tio?

Prisciliano sentara-se ao lado do doente, enquanto seguia o fio dos ritos. Tal como Felicíssimo, integrara o coletivo dos comensais das carnes sacrificiais que, depois da longa e cansativa viagem, lhe pareciam o melhor repasto de sempre. E muita sobraria ainda para alimentar a comunidade, nos dias seguintes. Mas preocupava-o o débil estado do tio.

– Com algum frio, meu filho! Com algum frio… – respondeu, enquanto esfregava as mãos para se aquecer. – Mas o frio nunca arrefece o calor da esperança. Hoje será o dia de todos os dias.

Prisciliano ponderava sobre as palavras de Sabino, bem como sobre os tempos que vivia. Tantas eram as ofertas de salvação que surgiam de todos os lados. Os velhos cultos imperiais conviviam com o panteão dos deuses romanos e helenos, sobre os quais se construiu o império, que se misturaram alegremente com os deuses indígenas das conquistas, passando depois a coabitar com os novos deuses de mistérios, que traziam a novidade da salvação para além da vida. Todos eles eram agora confrontados com uma nova deidade, a dos cristãos. Uma divindade que ameaçava tomar conta do velho Olimpo e das consciências dos homens. Pior que tudo, apoderara-se da rapariga dos subtis encantos.

O pensamento sobre Egéria, naquele contexto, pareceu-lhe sem propósito. Depois de a visitar doente, e do segundo ataque mandado por Ithacio logo a seguir, Egéria recuperou a saúde. Mas não demorou a recolher-se novamente na sua *villa*. Prisciliano não entendia essa atitude. E andava de olho nos propósitos de Gala, que insistira para que fosse a sua casa, parecendo movida por um qualquer outro oculto intento. De resto, nem soube da conversa que se desenrolou dentro das paredes de Décio Frutuoso, no dia seguinte ao ataque.

– Posso ver Egéria?

– Está muito doente, Ithacio...

– Gala, sei que está doente, mas teve visitas ontem... Porque pode Prisciliano vê-la e eu não? Esqueceste-te que me está prometida?

– Não, não é isso... Está a dormir agora e delira...

– Volto amanhã e depois, até a encontrar recuperada – despediu-se Ithacio, irado com a recusa de Gala.

Mas não a viu. Quando Egéria recuperou, Gala informou-a do que se passara. Numa madrugada de nevoeiro, alguns escravos do pai acompanharam-na à *villa* do sul da Galécia onde se refugiava dos medos de Bracara.

– Gala, prefiro estar longe daqui do que ter esse Ithacio por perto. O nosso pai não pode continuar com essa ideia sem sentido. Se insistir no casamento, tornar-me-ei uma virgem consagrada e ingressarei numa comunidade.

– Oh, irmã... E Prisciliano?

Egéria ensombreceu. Com dor, procurava cauterizar o coração da paixão pelo jovem galaico. A pressão dos pais, de Ithacio e as notícias de que Prisciliano se tornara dono de muitos corações e corpos femininos e amigo da boémia, não dando mostras de pretender converter-se, traçavam um destino incontornável: tinha de o esquecer! Não casaria com ele, mas tudo faria para fugir ao fado que lhe traçaram com Ithacio.

No meio das fragas maronesas, Prisciliano sentia que Egéria vinha, afinal, sempre a propósito. De tudo e de nada. Atirara-se, como um vulcão, para o colo de tantas sedutoras mulheres, procurando encontrar nas curvas que formavam as suas coxas o antídoto para as impertinentes lembranças da filha de Décio Frutuoso, no perfume de outro corpo o elixir para as insónias de tantas noites acendidas pela revolta do desinteresse de Egéria em se relacionar consigo.

Nesta incessante busca pelo mistério feminino, era capaz de discernir o perfume natural que irradiava da pele das mulheres que foi conhecendo.

Das louras, puras ou acinzentadas, de quem emergia um suave e delicioso odor a âmbar, tal como as de cabelo castanho. Das de alva pele, com um doce cheiro a violeta, enquanto nas morenas encontrava um suntuoso toque e o intenso sabor do almíscar. Nas de pele intensamente alva escrutinava o imprevisto odor do ébano, enquanto das ruivas efluía uma vigorosa fragrância selvagem.

Mas de Egéria apenas recordava o sabor floral do beijo. Primeiro e único. Ali, sentado no frio, percorria-o o intrépido calor da saudade.

– Que cara de lince feroz é essa?

– Ah, tio, desculpa! Pensamentos… maus pensamentos, mas nada que te deva preocupar.

Os comensais haviam passado para o segundo rochedo e acenavam a Sabino. As danças desenrolavam-se no chão. No topo, ardiam velas misturadas com vísceras e sangue, nos côncavos do granito.

– Vem cá!

Sabino abraçou o sobrinho e murmurou-lhe:

– Sabes, eu também fui jovem. E sei algumas coisas sobre esses assuntos do coração. Por isso, vou dizer-te uma coisa: a paixão é muito bonita, intensa e emocionante… Mas não desejaria voltar a apaixonar-me!

– Já não estás em idade, tio Sabino! E o coração não é propriamente a tua prioridade! – gracejou Prisciliano, divertido com a ideia de ver o tio viúvo a sofrer das dolências do coração, quando as suas maleitas eram físicas. Mas logo se tornou mais sério, para questionar: – Mas por que razão dizes isso?

– Oh, meu filho! Na tua cara está escrito o nome "Egéria"! Essa moça é um fantasma que vive na tua sombra, acompanha-te dia e noite, dorme e acorda contigo. Leva-la para todo o lado, para te atormentar. Até para aqui a trouxeste. Achas boa ideia andar um demónio à solta, mas sempre ao nosso lado, a atormentar-nos os dias?!

O espanto, não sendo um fenómeno propriamente físico, teve o condão de agir sobre a boca de Prisciliano, abrindo-a num carnudo arco quase perfeito. Balbuciou algumas palavras desarticuladas, mas foi logo impedido por um dos sacerdotes de Serápis que se aproximou com a sentença que cabia ao tio Sabino:

– Está na hora de começar! – E, virando-se para Prisciliano: – Tu e tu

– apontava igualmente para Felicíssimo – têm de sair! Esta é a hora de o iniciado se preparar para o encontro com o nosso senhor.

– Tio, os espíritos malignos nem sempre habitam nos infernos...

Os dois primos saíram do perímetro sagrado e acamparam nas imediações da porta principal, no seio de um bosque de carvalhos abraçados por vários arbustos de visco-branco. Dois maltrapilhos vagueavam pelas redondezas. Um dos sacerdotes confidenciou tratar-se de dois ricos terratenentes de Asturica Augusta que padeciam, um, dos olhos e, o outro, de intermináveis dores no abdómen. Mais pareciam dois vultos errantes que habitavam o silêncio apenas povoado pelas neblinas das manhãs que nasciam torrenciais ou da cor fria da prata. Aguardavam, desde a distante primavera, desesperados, pelo sonho catalisador de Serápis, que abençoou Sabino em Bracara Augusta, para se poderem aninhar também no seu colo regenerador.

Sabino dirigiu-se à segunda fraga e comeu cerimoniosamente um naco da suculenta carne sacrificial. Um dos chefes sacerdotais apontou para a estátua de Serápis, trazida do oriente pelo fundador do templo. Figurava um homem corpulento sentado no trono divino, de barba e toga. Na cabeça, um *modius*, um recipiente de medida de cereais. O doente olhou para o estranho animal esculpido à sua direita: uma serpente com três cabeças de cão, um Cerebrus a guardar o reino de Hades.

– Apresento-te Serápis, a autoridade máxima dos Infernos. A mão esquerda segura o bastião de Hades, o bordão em que ampara aquele que haverá de caminhar entre os dois mundos: nosso senhor Serápis, curador de todos os males, simultaneamente dono da vida e da morte.

– Ave, Serápis! – murmurou Sabino, inclinando-se respeitosamente perante a divina estátua. – Socorre-me na minha doença!

– Eis Serápis, o verdadeiro deus severo, senhor das profundezas e dos abismos infernais, que te levará à morte e te voltará a acordar para uma vida nova!

Sabino foi despido e ungido com azeite e, depois, com sangue e gordura do touro sacrificado.

– Agora, prepara-te para morreres!

Foi, de seguida, encaminhado para a última rocha, a mais alta, por conseguinte, a mais sagrada. De queixo erguido, apesar das dores de que padecia, subiu as escadas estreitas e íngremes cavadas na pedra, como se ascendesse à montanha sagrada do Olimpo, em busca do deus consolador, purificador e curador. No alto, soprava uma suave brisa. O sol alimentava as últimas cores ocres do dia. Era ali que se encontravam, escavadas no granito, algumas tinas retangulares, o lugar onde haveria de morrer.

– Aqui te despojarás de todos os males e da vida gasta. Aqui deixarás de ser para voltares a ser.

Nos tanques líticos, brilhava o sangue da vítima sacrificada, ao lusco-fusco. Os sacerdotes reuniram-se à sua volta para a transmutar no sangue do deus do templo. Sabino haveria de dormir no colo de Serápis. Fora essa a finalidade que ali o trouxera. Com um fio de emoção a trespassar-lhe o coração agitado, despediu-se em silêncio dos sacerdotes e entrou na tina de sangue, onde se deitou. Apenas o rosto ficava à vista, permitindo que respirasse durante a longa incubação noturna. Os sacerdotes, depois de várias rezas, fecharam o cubículo escavado na fraga, com uma tampa metálica. Sabino estava pronto para o último sono.

14

Alexandria
Bunili (Boelhe – Penafiel)

Numa manhã de abril do ano 365, terminado o defeso que constituía a estação do *Mare Clausum*, a Aurora clareou límpida sobre a terra e enxotou a sombra da noite. Ao mesmo tempo, os archotes de Febo elevavam-se a oriente, fecundando de luz as águas calmas do imenso lago que ligava as margens europeias e africanas do império. O rebate sobre piratas ao largo, dos que começavam a atormentar o comércio marítimo, fora um falso alarme. E a borrasca de vários dias havia terminado. Passado o medo, pendurado na beirada da corbita de velas quadradas, Prisciliano vivia, pela primeira vez, uma sensação de alívio. O entusiasmo inicial pela aventura que engendrava, de conhecer a mítica Alexandria e a distante província do Aegyptus, desvanecera-se com os rumores de bagaúdos à solta no mar e às primeiras ondulações do barco, logo que embarcou em Gades, no sul da Bética. Para além de passageiros, a nave transportava *garum* e ânforas de azeite, produtos daqueles ocidentais lugares, muito apreciados nas ricas cidades do império.

Correu para a proa da embarcação. Atrás da enorme cabeça de cisne esculturada em madeira e que lavrava as águas do *Mare Nostrum*, o coração de Prisciliano palpitava na busca dos primeiros sinais do que Antípatro de Sídon considerou ser uma das sete maravilhas do mundo.

– Ali, Prisciliano! Aquele pequeno ponto sobre as águas é Neptuno! – Elpídio surgiu por detrás, assustando o galaico, comprometido com as suas cogitações.

– Não consigo ver muito bem, há alguma neblina.

– Repara melhor, nesta direção! – Esticara o indicador como uma espada em direção ao inimigo. – Aquela figura difusa é o velho Poseidon. Vê-lo-ás, imponente, sobre o Farol, armado com o tridente, a dar-nos as boas-vindas a Alexandria.

Subitamente, e com o avanço da corbita, uma luz fogueou debaixo de Neptuno, a chama projetada por mil espelhos e que ardia para a orientação de tantos navegantes. Prisciliano correu a acordar o tio Sabino para que também visse a maravilha projetada pelo engenheiro grego Sóstrato de Cnido.

Aquela longa jornada pretendia cumprir a promessa de Sabino, em Panoniam, aos pés de Serápis, depois de acordar do sono regenerador. Transmitira aos sacerdotes e aos sobrinhos que o deus lhe aparecera em sonhos e lhe ordenara que peregrinasse a Alexandria para terminar as orações no Serapeum, o templo mais importante da sua devoção. Prisciliano, embora suspeitasse tratar-se de um pretexto de Sabino para cumprir a viagem que sempre desejara fazer, ficou muito feliz quando o tio o convidou, assim como ao primo, para o acompanharem no périplo. Mas Felicíssimo não se aventurou. O mar tenebroso e violento que se atirava contra as costas galaicas causava-lhe um insuportável terror.

– Alvorada! Toca a acordar, tio! Alexandria à vista e o farol já alumia!

Todos acudiram à proa para admirarem a maravilha. À medida que o farol ganhava corpo, Elpídio desfazia-se em explicações sobre o imponente edifício e a cidade. Prisciliano estava encantado. Ao longo da viagem foi sentindo uma estranha atração intelectual por aquele desconhecido, pouco mais velho que ele. Entrara a bordo no porto de Ostia, onde a corbita fizera escala para deixar algumas mercadorias, embarcar novos passageiros e reabastecer de água e víveres mais frescos. Elpídio era um rapaz precocemente calvo e pálido. Sabia tratar-se de um estudante da academia de Burdigala, mostrava um razoável conhecimento sobre o mundo, filosofia, matemática e retórica, mas não explicara o motivo da sua viagem. Porém, não deixava de ser uma excelente companhia, muito falador e, sobretudo, perguntador.

– Este farol tem cerca de quinhentos pés de altura – dizia, apontando para um edifício majestoso, integralmente coberto de mármore, que lhe conferia uma resplandecente alvura. – Eleva-se em três corpos: o primeiro é cúbico, o segundo octogonal e o terceiro circular, coroado por Neptuno.

O farol de Alexandria fora construído na ilha de Pharos, que dava nome a tal prodígio da engenharia, ligada à cidade por uma calçada e um aqueduto pelo chamado heptaestádio, por ter o cumprimento de sete estádios.

Um enxame de barcos entrava e saía permanentemente de Alexandria. Alguns surgiam do lado direito do farol, do Porto de Oriente ou Porto Magno. Tratava-se de um lago artificial de pouco mais de quatro milhas de circunferência, perto do qual repousavam as ruínas do Porto Real, o Palácio e os seus jardins, fantasmas de pedra que recordavam um passado de régio esplendor, o da dinastia dos Ptolomeus, cujo último descendente reinante fora a desafortunada Cleópatra. Porém, o patrão da corbita que transportava os hispânicos e o aquitano conduziu-a para o Eunostos, o Porto do Bom Regresso, do outro lado do farol, onde, entre muitas outras, atracavam as embarcações imperiais que levavam os cereais a Constantinopla e às grandes cidades do império.

À medida que chegava ao porto, impressionado com a imponência do perfil de uma urbe tão cosmopolita, a rondar o milhão de habitantes, Prisciliano mergulhava no mundo interior, procurando encontrar-se consigo próprio e com o seu tempo. Recuava nos dezassete anos de vida bem vividos, primeiro na pacatez da sua *villa* onde nada lhe faltara, a não ser o saudoso colo da mãe, e agora na efervescência mundana de Bracara Augusta, falhada que fora a paixão com a filha de Décio Frutuoso, bem como com todas as mulheres que o mundo lhe oferecera.

Foram essas duas figuras femininas que a memória lhe trouxe, quando vislumbrou um santuário dedicado a Ísis, na ilha onde se erguia o farol. Recordou, com ternura, a imagem da mãe e as histórias que lhe contara sobre o seu nascimento. De como recorrera a Ísis com fé e fervor para o salvar! Sorriu para a deusa preferida de Priscila, ali cultuada junto às águas do mar, como em Iria Flavia. Depois, pensou em Egéria. Distante dela, no tempo e no espaço, sentiu saudades. Esboçou um novo sorriso, mas triste. O desconsolado sorriso que confirmava o que tantas vezes quis negar a si próprio. O pensamento, a imaginação e a faculdade de ter memória, que aos humanos era concedida, traíam-lhe a vontade de esquecer aquela rapariga, que o perseguia desde a infância.

Prisciliano cansara-se rapidamente de Júlia, como de tantas outras moças que conhecera. Não porque os seus generosos atributos o não fizessem transportar para o ninho de Eros, mas porque sentia um vazio que não conseguia explicar, igual às últimas despedidas de Letícia, depois de desabitado da espuma com que Urano fecundou Afrodite. Talvez estivesse nauseado com o disputado pomar da bela filha do decurião. E ria-se agora de si e de Ithacio Claro. Conseguira apanhar um dos seus acólitos e havia-o feito soltar a língua depois de uns valentes açoites. Constatou o que já sabia: agia a seu mando, mortalmente enciumado de Prisciliano. Pôs a mão na testa, onde ainda existia o inchaço resultante da cabeçada que desferiu no corpulento Ithacio Claro, quando o encontrou a jeito e a sós, numa viela escura de Bracara Augusta. Foi a primeira vez que bebeu no cálice da vingança. Não que lhe tivesse apreciado o gosto, mas, pelo menos, fê-lo sorrir a imagem do invejoso a estremecer as carnes flácidas quando caía desamparado sobre si. Lá no fundo, vingava também a humilhação de que fora vítima, na primeira vez que o visitara, ainda criança, acompanhando o pai a casa do cobrador de impostos.

– Vingar-me-ei de ti até à morte, idólatra de merda! – rugira Ithacio Claro, enraivecido e caído sobre a calçada. – Regista isso, pois hei de ver-te morrer às minhas mãos!

Ora, ao contrário de Júlia e de tantas outras, Egéria sempre lhe voltava ao pensamento, nos momentos mais imprevistos, qual formoso demónio a atormentar-lhe o espírito.

Mas a porta interior que se abriu em Prisciliano era composta de duas folhas. Ao abrir a segunda, descobriu-se num outro tempo: o século que lhe estava a ser concedido viver. Era o tempo de mudanças, inquietações, medos e descobertas. O jovem achava-se bem iniciado nas disciplinas que aprendera com os dois mestres, na Villa Aseconia, bem como nas aulas em Bracara Augusta. Assim, quando colocou o pé no Eunostos, estava muito longe de imaginar como a procissão da aventura humana era uma permanente surpresa, composta por sucessões de acasos, ou divinas disposições, para levar os homens a cumprir o seu destino e, em alguns casos, a imortalidade.

O cais era um frenesim de gente a desembarcar e a embarcar. Os escravos suavam em bica, carregando e descarregando mercadoria, fazendo jus à importância do porto, no coração do *Mare Nostrum*. Pairava um cheiro a peixe podre misturado com especiarias e maresia. As gaivotas planavam e grasnavam em busca de algum naco de comida. Elpídio, conhecedor, de outras viagens, do peso histórico e cultural da cidade, dispusera-se a arranjar uma casa onde se albergassem os novos amigos hispânicos, na verdade, a mesma onde ele próprio costumava hospedar-se.

– Escusam de gastar dinheiro nos albergues! Há uma casa sóbria, limpa e bem posicionada, de um velho amigo que está de viagem para Atenas. É lá que fico, e com certeza que vos fará um preço em conta.

Sabino agradeceu. Prisciliano regozijou-se com a ideia. Poderia, assim, continuar as animadas conversas com o rapaz com quem estabelecera boas cumplicidades, durante a viagem.

– Ah, e é perto do Serapeum! – acrescentou com um riso divertido, dirigido a Sabino.

Quando tratavam do aluguer de um carro para transportar as bagagens, fez-se um grande burburinho. A multidão parou o que fazia, adivinhando um trágico acontecimento. Uma alta dignidade saiu de um buque acabado de atracar. O homem passou de cabeça erguida, guardado por uma corte de guarda-costas de aspeto ferino e vários acólitos, à retaguarda. À passagem, muitos eram os que se ajoelhavam e faziam sinais cruciformes no rosto. Outros tantos cuspiam para o chão e lançavam olhares venenosos e de desdém à iminente personalidade. Quando esta dobrou para a Via Canópica e deixou de se ver, o frenesim portuário renasceu, mas em redobrada intensidade. O maralhal gesticulava e gritava. Prisciliano não os entendia bem, ora porque falavam um latim vertiginoso e com sotaque africano, ora porque alardeavam em grego, língua que, apesar das boas lições, não dominava ainda na perfeição, sobretudo quando falada pela plebe.

– O que se passa, Elpídio?! Quem era aquele homem? – perguntou Prisciliano, curioso, mas sobretudo receoso, já que a discussão degenerara numa aparente batalha campal.

– Aquele que viste é Atanásio, o patriarca de Alexandria! Um homem que gera ódios e paixões, mesmo entre os cristãos. Já foi várias vezes expulso da cidade, principalmente quando mandam os da crença arianista.

A polícia do prefeito começara a distribuir democraticamente bordoadas em quem não obedecia às ordens para desamotinar, até conseguirem uma acalmia tensa. No ar continuava a pairar o fumo invisível que faz a ira e a vingança no coração dos humanos, quando enardecidos pelo fogo de Alecto, Megera e Tisífone. O desaguisado dera-se entre cristãos nicenos, quase todos marinheiros e estivadores, e os arianistas, seita que vinha de fora dos muros da cidade, da zona da necrópole, onde conviviam coveiros e carregadores de ataúdes, e a quem se juntavam os pastores das montanhas. Estes tinham ainda do seu lado alguns pagãos e um ou outro judeu. *Estranha confraria*, pensou Prisciliano, que ao simples ato de cuspir para o chão e às palavras de desprezo à passagem de um prelado juntou razões de sobra para se defender dos furibundos adeptos do patriarca Atanásio.

– Há uma coisa que deves saber! – Elpídio levava os amigos para uma zona de segurança, enquanto explicava. – Alexandria é tão intensa na sabedoria e filosofia como nas paixões religiosas entre os que cultuam os velhos deuses, os judeus e os cristãos, mas sobretudo entre estes mesmos, nas suas várias crenças.

A polícia passou, entretanto, com um jovem da idade de Prisciliano, do grupo dos arianistas, a espumar rancor e baba, enquanto esperneava e tentava libertar-se, sem sucesso. Atrás, as tropas musculadas continham as fúrias dos companheiros, que gritavam palavras de ordem contra Atanásio e o Prefeito da cidade, alardeando estar conluiado com o patriarca.

– Vejo que estás a par da vida de Alexandria! Que deus te traz cá, Elpídio?

15

Alexandria

A nova residência alexandrina dos Danígicos situava-se na colina do bairro de Rakhotis, a zona onde assentaram os primeiros povoadores egípcios, antes da fundação da cidade pelos gregos. Tinha um pórtico, à entrada, um pátio interior com colunas, um jardim nas traseiras e uma horta com árvores de fruta e plantas aromáticas. Um muro separava esta parte da zona habitada pelos escravos. A casa era cuidada pelos servos, mas não mostrava sinais de luxos, antes espelhava a vida espartana do dono. Porém, não podia ser lugar mais a jeito. Dali via-se o santuário mais procurado pelos peregrinos de Alexandria, precisamente o que tocara o coração de Sabino, levando-o a viajar desde os confins da Galécia ao buliçoso mundo da cidade fundada por Alexandre, o Grande.

Os novos inquilinos tiveram de subir uma imensa escadaria de mármore branco, acompanhados dos transportadores da bagagem para alguns meses de estadia, até atingirem o imenso planalto, uma plataforma de vários estádios de cumprimento.

Sabino não queria perder tempo. Havia que agradecer a Serápis o dom da saúde, bem como a boa fortuna que os acompanhara na atribulada viagem, mas de bom destino. Assim, poucos dias depois de devidamente acomodados na residência emprestada, dirigiram-se ao Serapeum, flanqueado por estátuas de carneiros, figurações do deus Khnum, que os crentes acreditavam ser o modelador e iniciador dos aspetos criativos da humanidade. Enquanto Sabino penetrava no interior do templo, acompanhado pelos sacerdotes, Prisciliano deixou-se ficar para trás, numa plataforma de mármore, onde passavam dois canais artificiais de água a bordejar as escadas e que morriam nas fontes do interior do edifício sagrado. Daquele mágico terraço, o olhar podia abraçar toda a cidade.

– Este varandim é mais seguro que o do barco!

Prisciliano assustou-se com a voz que lhe surgiu por trás, imprevista, quebrando o silêncio da sua oração à vida e à natureza que o envolvia. Não era sua intenção prestar culto a Serápis, pois era devoção do tio. Distante dos deuses plurais que o século oferecia em generosa bandeja, tocava-se pela beleza e singularidade de um momento, uma paisagem, algo que lhe estimulasse o coração, ávido de novas experiências. Por isso, enquanto tentava adivinhar o que se escondia dentro do casario arrumado no reticulado urbano, assustou-se com a voz tão grave como suave, cujos tons à vista desarmada conhecia, mas não ainda as virtudes ou misérias que se guardavam no coração do seu dono.

– Que susto, Elpídio! Pensei que acompanhasses o tio Sabino!

– Não te preocupes com o teu tio! Está como em sua casa, e os médicos-sacerdotes do templo hão de cuidar dele na perfeição. É o ofício a que se dedicam, há muitos séculos. E para quem acredita…

– Se o dizes… – respondeu Prisciliano, mais confortado, mas certo da capacidade de adaptação do tio Sabino a novas vivências, as quais, aliás, parecia que procurava permanentemente para lhe alimentarem corpo, alma e espírito.

– E tu, não vais visitar o deus mais popular de Alexandria?!

O jovem galaico sorriu e escondeu-se num enigmático *tenho tempo*, enquanto as cogitações rememoravam respostas que o aquitano ainda tinha de esclarecer.

– E por que deus vens tu a Alexandria?!

A pergunta não o apanhara desprevenido. Fugira em várias ocasiões à questão, apenas porque queria conhecer melhor o jovem hispânico. Na verdade, ambos se estudavam, sem o darem a conhecer ao outro. Durante os últimos dias, Elpídio observara-o, mas discretamente. Estava cada vez mais seguro que Prisciliano era um ser especial: inteligente, acutilante, de bons modos, talvez até mais que isso. Precisava de um bom mestre que o iniciasse no correto conhecimento do mundo.

– Meu caro, eu também sou um peregrino…

– Um peregrino?! Mas, então, porque não entras no templo mais

152

procurado pelos peregrinos que vêm a Alexandria? Poderias acompanhar o tio Sabino!

À distância, o sol resplandecia no mármore leitoso das paredes do farol. Elpídio enfiou o braço no de Prisciliano e fê-lo passear pela esplanada que se debruçava sobre Alexandria.

– O meu templo, Prisciliano... o meu templo não é construído pelos homens... É certo que pode viver dentro das construções humanas, mas não é necessariamente um edifício com as estátuas dos deuses.

– Então, que templo é esse?! – perguntou o jovem, tão apressado como perturbado.

– O meu templo é outro! É o templo da verdade. Eu peregrino em busca da verdade, do Uno, do conhecimento! Por isso, talvez, até mais que um peregrino, eu seja um buscador!

– Um buscador?! – questionou, enquanto limpava uma gotícula de suor cujo responsável não era propriamente o sol alexandrino, pois já se encontravam abrigados no refresco de uma pérgola.

– Sim, um buscador do templo da verdade.

Prisciliano coçou a cabeça. Torpedeou-o uma improvável energia interior. Os olhos suplicaram-lhe a explicação, pois, da boca, apenas havia silêncio.

– Acredito que esse templo habita cada um de nós!

– Então porque vieste a esta cidade?! Vá, explica-me, Elpídio!

– Não queiras saber tudo de uma vez! As portas do templo de que te falo, mesmo que nos pareçam próximas, são quase sempre pesadas e têm fechaduras perras. É necessária a chave certa e as dobradiças bem oleadas para que se abram em todo o esplendor. E também força para as empurrar.

– Continuo a não entender onde queres chegar!

– Quanto tempo passarás em Alexandria?

– A viagem foi prevista para alguns meses. A ideia do tio Sabino é regressar a Bracara Augusta antes da estação do *Mare Clausum*, em novembro.

– Então, terás algum tempo para conheceres Alexandria e perceberes as respostas que esta cidade te dará às inquietações que tanto te desassossegam. Lembra-te do que te disse no dia do desembarque e no que te digo hoje. O resto, o tempo revelar-to-á. Gostaria ainda de te afiançar que esta cidade, a par de Atenas, tem as duas melhores escolas de sabedoria que o mundo conhece. Aqui se estuda o homem que mudou o paradigma do mundo: Platão!

– Platão?!

– Sim, presumo que o conheças das tuas aulas de filosofia.

– Claro que estudei Platão... Mas não estou a ver...

– Um destes dias, visitaremos um dos maiores mestres destas paragens. Aliás, não há peregrinação a Alexandria, de dia ou de noite, pela estrada ou pela alma, que não contemple uma visita ao filho da grande Sosíprata. Mas, primeiro, aguardemos pelo dono da casa.

Os dias seguintes foram dedicados a conhecer a cidade à qual, a seguir a Constantinopla, só Antioquia se poderia comparar em grandeza e importância, em toda a parte oriental do Império Romano. Era em Alexandria que residiam os mais proeminentes responsáveis pela administração imperial do território egípcio; os seus portos serviam como rótula vital de redistribuição dos excedentes agrícolas e manufaturados para as principais cidades do mundo latino. Prisciliano espantou-se com as caravanas de camelos que chegavam com especiarias, joias, incenso, perfumes e seda que haveriam de engalanar as casas e cidadãos do ocidente, nomeadamente da Hispânia e da Gália, embarcadas nos portos alexandrinos. Daí que florescesse uma pujante comunidade de mercadores, que dominavam rotas como a da Arábia, do Golfo Pérsico e da Índia. Mas a estrela de Alexandria brilhava sobretudo para os estudantes, que vinham de todos os recantos do mundo romano em busca de sabedoria, e para os peregrinos, em relação aos quais se dizia, certamente com algum exagero, que tantos eram que chegavam a duplicar a população residente.

Com Elpídio como cicerone, Prisciliano tomou o coração de Alexandria: a Ágora, chamada de Mesopedion. A ampla praça vivia em permanente frenesim, como se todos os cidadãos, dos mais importantes aos que ninguém via, dos mais ricos aos mais pobres, os filósofos, os meliantes, os cristãos de todos os credos, os pagãos, os judeus e a massa informe e desconhecida, a tomassem como lar. Serpentearam por entre as tendas dos comerciantes de onde irradiavam os quentes cheiros dos perfumes orientais e os exóticos odores das especiarias, tudo sob o manto de um burburinho que ligava as vozes da gente que a habitava, sob um sol escaldante. Num dos recantos, um homem barbudo e quase nu, tostado por mil sóis, esforçava-se por elevar a voz, virado para a parede, onde se encontrava um édito imperial. Denunciava o que achava ser o poder iníquo dos poderosos, pouco se importando com o facto de a assistência interessada se reduzir a duas ou três pessoas, com o mesmo aspeto do orador, e a alguns transeuntes curiosos. Era um ser andrajoso, cujo corpo não sentia água havia muitos dias.

– Esse pertence à seita dos cínicos, gente sempre pronta a emitir opinião sobre tudo o que acontece na cidade, quer lha peçam ou não.

– Bem que se podiam cuidar melhor... O fedor que irradiam chega longe! E apenas com um farrapo de túnica a cobrir-lhes a cintura...

– Não ligues, fazem parte da mobília da cidade. Chamam-se, entre eles, "os cães de Alexandria". Por falar nisso, parece-me que devíamos aproveitar para ir às termas. Não aguento este calor!

As termas, bem como o ginásio e pequenos anfiteatros, situavam-se nas imediações da Ágora. Refastelaram o corpo e a alma nos relaxantes banhos. Quando saíram, viram um nutrido grupo de gente nos bancos de um teatro das redondezas. Ao fundo, no palco, um homem magro, de meia-idade e modos suaves preparava-se para falar perante uma plateia que, apesar de numerosa, se remetia a um reverente silêncio. No rosto de Elpídio, Prisciliano leu que a personagem não lhe era desconhecida. Parecia muito agradado por vê-lo. Puxou o jovem para o anfiteatro e indicou-lhe que se sentasse num dos poucos espaços disponíveis.

O homem agradeceu a assistência e começou a dissertar sobre a virtude da sofrósina, numa voz rouca e gasta pela idade. Uma brisa soprou do mar, refrescando o ambiente habitado por uma extensa plateia, sequiosa das palavras do mestre.

– Vivemos tempos, ó cidadãos de Alexandria, em que importa ter em conta os ensinamentos dos santos que nos precederam na predicação das virtudes da moderação, prudência e bom senso.

O homem discorreu perante um público atento, chamando os ensinamentos de Pitágoras e Platão para concluir que a vida filosófica era a arte do desprendimento do mundo dos objetos e da libertação dos desejos carnais para os substituir pelos desejos da virtude moral.

– Um corpo belo e atraente não é tão sedutor como a sabedoria. Só prescindindo do ilusório do mundo sensível poderá alguém chegar à perfeição, alcançando a revelação que lhe permita contemplar o Uno.

As palavras fluíam como a corrente de um rio. Suaves e provocadoras, mas seguindo a orientação do destino que lhes cabia: o mar onde se juntariam todas as águas dos rios. Mas também insinuantes e viscosas como o vento do deserto que trazia o perfume dos oásis, junto com o calor abrasador que queimava os espíritos mais distraídos. Defendia, com atroz eloquência, a elevação do espírito para se alcançar a união com o divino, através do desenvolvimento do conhecimento.

– Contudo, saber só por saber não é suficiente para se poder contemplar o Uno. É necessária a perfeição ética! – pregava, com determinação, através de uma voz quente e calejada, de quem era mestre na oratória. – E isso só é possível quando o espírito se eleva para além da perfeição corporal, da beleza efémera e da bondade hipócrita que os homens encontram na ordem material da existência. A sabedoria e um comprometido comportamento ético são as chaves certas para se poder contemplar a beleza e a bondade supremas.

No final, o homem saiu com a filha, uma adolescente com cerca de doze anos, de olhar sonhador, que conduzia pela mão, perante as reverências da assistência.

– Vamos, Hipatia! Está na hora do *prandium* – dizia para a menina, quando passava por Prisciliano e Elpídio.

Prisciliano viu a menina e estremeceu. O sorriso gracioso, a forma delicada como andava e o olhar inteligente e sonhador fizeram-lhe lembrar Egéria, quando tinha a mesma idade. Tomado por uma súbita melancolia, não conseguiu tirar os olhos da pequena Hipatia, enquanto a via afastar-se, com o pai.

Esse estado de alma era o mesmo que, naquele preciso momento, vivia Egéria, na Galécia. Os dias sucediam-se na Villa Bunili, sem motivos de ânimo. Gala transmitira-lhe as últimas novidades:

– Prisciliano viajou… Consta que foi com o tio para Alexandria…

– Que faça boa viagem – respondera, sorumbática.

– Irmã… O que se passa contigo?! Continuas muito abatida.

– Gala, sabes bem das minhas angústias. Elas tomam conta de mim, como uma doença. Triste sina ser mulher…

– O mundo é assim mesmo… Não poderás mudar o que está estabelecido como sendo o nosso desígnio. E bem sabes que o nosso pai quer o melhor para nós, embora não perceba o que é melhor para nós.

Recordando aquela conversa com a irmã, Egéria olhou para oriente. Acomodou-se sobre a pedra em que se sentava todos os dias, no recanto do bosque, onde se dirigia para rezar e meditar. Em silêncio, chorou. Sozinha.

No caminho para casa, Prisciliano matutava naquilo a que assistira. Um rio de perguntas inundava-lhe o mundo interior. Os dias alexandrinos, ainda que curtos, começavam a provocar abalos na forma como o jovem interpretava a vida. Elpídio falava-lhe sem esclarecer. Mas aquela terra era como um pergaminho aberto para o desconhecido, cujos rolos o aquitano se limitava a abrir, sem mostrar grande pressa. E Prisciliano desconfiava até que o fazia sem experimentar a força da certeza.

– Elpídio, quem era aquele homem?!

– Estás a falar de Theon, o homem que acabámos de ouvir?

Prisciliano assentiu com a cabeça, enquanto uma brisa perfumada soprava das montanhas.

– Theon dirige o Museu de Alexandria, o Lar da Ciência. É um homem muito culto e respeitado nesta terra. É mestre em geometria, matemática, astronomia e filosofia.

– Ouvi-o falar em santos, mas não me pareceu cristão!

– Tens razão, Theon não é cristão. Sócrates disse, *in illo tempore*, que todas as almas humanas são mortais, mas que as almas dos justos são imortais e divinas. Para alguns homens sábios, nestes tempos que bebem os ensinamentos de Platão, homens como Porfírio, Plotino, Jâmblico, embora pagãos, foram homens santos, porque praticaram o bem e a justiça. E nenhum deus os consideraria de forma diferente. Por isso, há até bons cristãos que os consideram homens santos.

Prisciliano ficou a pensar naqueles assuntos, continuando, grave, a percorrer o seu caminho com os olhos a acompanhar as sandálias que venciam, pé ante pé, as desgastadas pedras da calçada. Pessoas meditabundas, crianças descalças, grupos que discutiam alto, quer sobre religião quer sobre galinhas roubadas, escravos, mulheres, gente de várias cores cruzavam-se com o galaico, sem que ele as visse ou ouvisse. Os dois bem procuraram a sombra de algumas palmeiras que bordejavam a via, mas o pensamento fervilhava noutras paragens, as interiores. O galaico descobrira, aos poucos, como se de uma iluminação se tratasse, o vigor dos sábios alexandrinos e que ele correspondia às necessidades intelectuais e culturais dos seus habitantes. Aos extraordinários Museu e Biblioteca, únicos no mundo, acrescentavam-se fabulosos templos pagãos, como o Serapeum, basílicas, os círculos de teólogos, filósofos e retóricos, as escolas de matemática, astronomia e medicina, a catequética e a rabínica. E um qualquer espaço público poderia ser adequado para transmitir conhecimentos pelos respetivos mestres.

– Elpídio, diz-me outra coisa: aquele homem defende o desprezo pela beleza física, pelos bons modos e boa aparência, em detrimento do que diz ser a beleza da sabedoria?

O aquitano riu-se e colocou-lhe o braço sobre o ombro, caminhando a par e de passos sincronizados.

– Não me pareceu, amigo! O que ele diz é que a beleza física não é o mais importante na vida. Não reconheces tu como há animais tão belos e, não obstante, não passam de simples animais irracionais?

16

Alexandria
Canopo (perto de Alexandria)
Bunili (Boelhe – Penafiel)

Sabino ficara muito satisfeito quando soube que um dos objetivos de Elpídio era deslocar-se a Canopo. Tratava-se de um rico subúrbio da zona oriental de Alexandria, onde existiam, desde os tempos em que Estrabão visitara o Egito, alguns importantes templos dedicados a Ísis, a Anúbis, mas sobretudo a Serápis-Osíris. Disseram-lhe, no templo alexandrino, que peregrino que se prezasse não perderia a oportunidade de visitar os templos de Canopo, afinal ali tão perto, afamados, inclusive, pelas virtudes benfazejas para a saúde dos crentes.

O aquitano esperara, como anunciara a Prisciliano, que regressasse o dono da casa, pois ele era o melhor cicerone para a viagem. Chegara num dia quente, como todos os dias, fisicamente debilitado.

– Marcos, há muito que te esperava.

Elpídio correu para o homem e abraçou-o, com ternura. Enquanto trocavam palavras de afeto, Prisciliano observava-o. Era um homem sem idade, moreno, franzino, com um nariz e olhos inquisidores, cabeleira comprida e precocemente encanecida. Reparou que tinha um olho azul e outro verde, o que, sendo esquálido, lhe conferia um ar de ser de outro mundo.

– Fui a Atenas falar com os mestres... E, na vinda, demorei-me um pouco mais. E quem são estas visitas? – perguntou, apontando para os galaicos.

– Ah, desculpa, não tas apresentei. Aproveitei a tua habitual generosidade e convidei-as a passarem a jornada alexandrina na tua casa…

A conversa fluiu com as apresentações e conversas de circunstância. Mas Prisciliano observava e retinha tudo o que ouvia. O anfitrião nascera na egípcia Mênfis, era um homem pouco falador, a início, mas de modos corteses e afáveis. Rapidamente, percebeu tratar-se de um homem reputado, pois, durante duas semanas, recebeu inúmeras visitas, sobretudo de jovens alunos dos seus ensinamentos. Foi então que soube que, alguns anos antes, Elpídio fora seu pupilo, naquela casa, e que ali voltava para refrescar a sabedoria com o antigo mestre.

Numa manhã um pouco nublada, saíram da residência, juntamente com alguns servos. Prisciliano seguia feliz, pois conheceria o célebre Antonino, que, a par do dono da casa, Elpídio venerava como sábio. Alcançaram a Ágora, no habitual frenesim, e entraram na Via Canópica, a mais importante da cidade. O seu percurso dividia o traçado hipodâmico da urbe em duas partes, ligando a Porta do Sol, a nascente, à Porta da Lua, do lado contrário, a que deitava diretamente para o bairro da Necrópole. Um torvelinho formava-se nas imediações do Cesarion, o monumental templo construído para o culto imperial, agora ocupado como basílica, ora pelos arianistas ora pelos nicenos, conforme a crença do imperador do momento.

Algo de grave estaria a acontecer, pois a multidão exaltava-se. Até que, de repente, se colocou em movimento. Eram, sobretudo, jovens frenéticos e buliçosos, ao redor de um camelo. Tocavam o animal com paus e gritavam palavras de ordem. Horrorizado, Prisciliano discerniu um corpo morto, esquartejado e mutilado que seguia pendurado por cordas no lombo do bicho.

– Repara, Elpídio, é o homem que foi preso no porto, no dia em que chegámos! – apontou, com estupefação.

E foi para o porto que se dirigiram. Enquanto esperavam pela corbita, viram o cadáver ser queimado e as cinzas deitadas à água, não fosse alguém querer transformá-lo em mártir para os seguidores da religião que professava. Embarcaram com aquela trágica imagem do quotidiano alexandrino e fizeram-se ao mar para perfazerem as cerca de treze milhas e meia até Canopo.

O barco fez-se às águas calmas, amainando aquela visão da crueldade humana. Elpídio, preocupado com os espíritos maléficos que poderiam habitar o coração de Prisciliano e que transformavam a sua face habitualmente alegre e radiosa num rosto ensombrado, aproximou-se, com Marcos.

– O mundo é feito do bem e do mal – disse este, em tom neutro. – Por isso, aos nossos olhos, o bem e o mal aparecem personificados nas ações humanas.

– Vá, concentremo-nos no que hoje nos interessa. Não é todos os dias que alguém pode visitar o mestre Antonino – Elpídio desviou, definitivamente, as atenções para os fins que os moviam. – Marcos, acho que devias dar-nos algumas explicações sobre este homem sapiente, justo e piedoso.

– Muito bem! – respondeu, cheio de boa vontade. – Mas ninguém pode conhecer o filho sem saber da mãe. Sosípatra de Pérgamo, uma das mais brilhantes sábias do império.

Marcos de Mênfis contou então a extraordinária história da vida de Sosípatra, na qual Prisciliano não descortinou o que era real ou lendário. Discípula de velhos sábios iniciados no saber caldeu, eram-lhe atribuídos, desde criança, os dons da clarividência e da sabedoria, que se dizia terem sido herdados por Antonino.

A viagem prosseguia através de um dos setes braços do delta do Nilo: o Canópico. Antes de Alexandria alcançar todo o prestígio na África romana, o porto de Canopo era o mais importante das terras egípcias. Os quatro viajantes arranjaram alojamento nas imediações do cais. Sabino, como de costume, tinha o seu programa pessoal que passava pelas visitas aos famosos santuários dos deuses da sua eleição. Serápis haveria de ser, uma vez mais, generosamente louvado pelo peregrino bracarense.

Marcos de Mênfis conhecia bem os hábitos de Antonino. Sabia que a melhor hora para o encontrar era a do amanhecer. Por isso, ele, Elpídio e Prisciliano dirigiram-se a um pequeno tugúrio isolado da cidade, virado ao delta, onde o mestre se deslocava ao final de todas as noites para receber o dia.

À porta do casebre escorado por periclitantes estacas de madeira, mas de onde saía um agradável odor a ervas orientais, um pequeno cão recebeu-os com alguns latidos e a cauda a abanar. Cheirou as pernas de Marcos e, de seguida, as dos dois outros companheiros.

– Olá, meu velho Diógenes! Continuas bem cuidado! – Marcos afagou a cabeça do canino, que se aninhou e abanou o rabo ainda com mais velocidade. – Vá, leva-nos ao teu dono!

Seguiram pela vereda de um jardim, bordejada de palmeiras. Um leve odor a jasmim brisou o ar até ao recanto preferido do filósofo. Ali estava ele, sentado na posição de lótus, à maneira dos indianos. Meditava e concentrava-se no subtil ato de inalar as primícias do dia, os nascentes raios de sol e, com eles, se insuflar de vida e sapiência.

– Salve, Marcos de Mênfis! – disse sem se virar.

– Vejo que o dom da clarividência não te abandonou, meu bom amigo! Antonino continuou imóvel, como se não necessitasse de respirar.

– Diógenes, caro Marcos! Há coisas em que os cães são melhores mestres que os homens.

– O cão?!

– O meu Diógenes tem um latido único para ti… E até abana a cauda de um jeito tão especial a que só tu tens direito. Bem, agora também os teus amigos têm o seu próprio latido.

– Já vi que te preveniram que trago amigos! Apresento-te Elpídio de Burdigala e Prisciliano de Aseconia, na Galécia.

– O cão, foi o Diógenes que me preveniu – respondeu numa voz nem baixa nem elevada. – Se são teus amigos, são bem-vindos também a esta humilde casa. E com certeza que serão boa gente, caso contrário ele já me haveria prevenido. Os cães, meu caro, sabem sempre distinguir os amigos dos inimigos. Por isso, depois de tantos anos, não largo o meu Diógenes.

Dito isto, levantou-se devagar, virou-se para os três forasteiros, a quem cumprimentou com um sorriso aberto. Era um homem magro, alto, moreno, de longos cabelos, com uma mirada negra e rasgada debaixo de duas linhas espessas. Repuxou a barba comprida e desordenada e observou os desconhecidos de cima a baixo com uma expressão indecifrável. Ao cabo de algum tempo, convidou-os a sentarem-se nuns bancos de pedra, que funcionavam como uma esplanada sobre o mar. Desapareceu, de seguida, para dentro do casebre, sem qualquer justificação, para logo voltar com uma ânfora de água fresca que distribuiu por quatro púcaros.

– Querido Marcos, há quanto tempo não te via! – disse, batendo-lhe levemente nas costas. – E como foram os teus dias no deserto?

Os três visitantes entreolharam-se. Marcos enrubesceu um pouco.

Elpídio e Prisciliano sabiam que Atenas não era propriamente um oásis no meio de um inóspito areal.

– O teu Diógenes também tem um latido especial para quem chega do deserto, Antonino?! – inquiriu, sem responder à pergunta.

– Não, meu caro. O Diógenes vai mijar àquele mesmo cato, sempre que alguém chega do deserto. – Antonino apontava para a direita, onde o cachorro se aninhara, depois das necessidades. – Talvez seja o cheiro dos lacraus que por lá se comem que lhe faz comichão na bexiga – concluiu, inexpressivo, mas deixando um sorriso contido nas visitas.

– Vá, chega! As informações correm depressa. De facto, passei uma temporada de quarenta dias num mosteiro da Nítria.

– Então viraste asceta? Um origenista… Não está mal, para um bom filósofo!

Nos tempos que se viviam, nascia no oriente romano, especialmente no Egito, uma nova forma de encarar o mundo: o ascetismo. Sobretudo o ascetismo cristão. Homens e mulheres, muitos da classe rica e aristocrática, despojavam-se dos seus haveres e da vida mundana e tornavam-se monges, eremitas ou anacoretas no deserto de Nítria e em outros inóspitos lugares. A solidão que ali se vivia, as privações e jejuns, a imitação dos quarenta dias passados por Cristo no deserto apelavam à aprendizagem de uma auto-disciplina física e moral. Ali, o apelo divino estaria mais perto e seria mais audível.

Marcos de Mênfis era um desses homens. Também ele um aristocrata, viveu os oferecimentos do século, formou-se na sabedoria dos neopla-tónicos, cujo mestre era o homem que o desnudava à frente dos amigos, com um discurso que o de Mênfis nunca sabia se correspondia a inteira clarividência, se a uma especial intuição, ou até se o mestre obtinha espe-ciais informações das gentes que o visitavam. Do que não duvidava era das capacidades das visões que herdara da mãe e da sua iniciação na teur-gia e na sabedoria dos caldeus, que o ajudavam a prever o futuro de uma forma inquietantemente certeira. Era pagão, estudioso e seguidor de Pla-tão, mas tinha discípulos de todos os credos.

– Sim, Antonino! Depois de ler os escritos de Orígenes e de conhecer os mosteiros da Nítria que seguem os seus ensinamentos, vi-me tocado pela sua doutrina. Foi ele que me fez converter. Hoje sei que foi um homem verdadeiramente extraordinário.

Antonino sorriu dentro da mesma indecifrável expressão.

– Nisso tens razão! Foi o primeiro dos filósofos cristãos. Foi, é… e julgo que será o maior intelectual cristão que o mundo conhecerá… e esquecerá.

– Porque o dizes?!

– Ele próprio traçou, com uma intensa intuição, o que eu também vislumbro.

– A que te referes?! Diz-me!

– Um dia, Orígenes intuiu que todo o império seria cristão…

– É conhecida essa intuição… que, aliás, assisto a cada dia que vivo.

– Mas desconheces o resto da história, meu caro Marcos. Tu que foste iniciado na filosofia pagã, que conheceste as bases da teurgia e a sabedoria dos caldeus, tu que te deixaste seduzir pelo maniqueísmo e que, agora, te tornaste cristão, toma atenção ao resto…

Elpídio acompanhava a discussão com os olhos esbugalhados de interesse. Estava cada vez mais claro para Prisciliano que a viagem de Elpídio a Alexandria estava relacionada com uma intensa sede de sabedoria. E Prisciliano, um rapaz que todos consideravam brilhante, sentia-se cada vez mais insignificante ao contactar com tais seres. Àquela hora da viagem, já não era o mesmo Prisciliano que aportara no Eunostos, deslumbrado com a cidade desconhecida, acompanhando o tio Sabino na busca da cura. Agora, ele próprio se sentia doente. O verdadeiro doente. Sofria as dores da ignorância por assuntos debatidos pelas mais sábias pessoas do século. As questões ontológicas e metafísicas nunca haviam sido a sua prioridade. Mas o ar que respirava em Alexandria era diferente de tudo o que conhecia. Despertava-o interiormente para inquietações que não imaginaria existirem sequer. E estremecia por o acaso lhe ter concedido a benesse de o colocar entre gente tão sábia. Olhou para Elpídio e agradeceu-lhe intimamente por tudo o que estava a viver. A seguir, recordou Egéria. Sem perceber a razão, pressentiu uma corrente espiritual que o conectava com ela, ao mesmo tempo que um sobressalto interior.

E se soubesse quem percorria as serranias galaicas em direção à Villa Bunili de Décio Frutuoso, onde a filha se recolhia, compreenderia a surpresa e o susto de Egéria quando abriu a porta.

– Ithacio! O que fazes por aqui?

– Não me convidas para entrar?

– Diz-me, antes, o que vieste fazer.

– Falar contigo, esclarecer certas coisas…

– Vá, entra! – ordenou, com o coração aos saltos.

Atravessaram o *impluvium* e chegaram ao peristilo, onde deambularam no corredor marginado por uma colunata.

– Como descobriste onde estava?

– Ninguém escapa à minha rede de informações… Nem tu… – respondeu, pensando na criada de Décio, a quem abonava para lhe contar o que precisava. – Preciso de saber porque fugiste e te recusas a casar comigo.

– Ithacio… Não estou preparada…

– Qual quê, não estás preparada?! Não penses que me enganas! Diz a verdade! – O rapaz gritava, gerando comentários nos escravos que se apressavam a fugir, perante o olhar imperativo de Egéria.

– Acalma-te! Vim até aqui para pensar na minha vida.

– Pensar na tua vida?! A tua vida está decidida: vamos casar e não estou disposto a esperar mais tempo. O meu pai regressará a Ossonoba, a sua terra natal, no sul da Lusitânia, e nós vamos também…

– Vamos?!

– Sim, e casados! Já falei com o bispo de Bracara e está tudo tratado. O teu pai não se oporá… – respondeu, sorrindo por dentro, sabendo da chantagem de pai para com Décio Frutuoso.

Egéria arregalara os olhos, aflita, com o pensamento turvo, em busca de salvação.

Em Canopo, Prisciliano lembrava-se vagamente de Egéria lhe ter falado de Orígenes, mas, nessa ocasião, nem prestara atenção. Observava o cão que se tinha deitado junto a um roseiral.

– Por Júpiter! Rosas azuis?! – mumurou, atónito.

Antonino apercebera-se do espanto de Prisciliano.

– Como sabes que são azuis?

Todos olharam para as rosas. Mas não as viram azuis, mas vermelhas, brancas e amarelas.

– Eu vejo que são azuis, mestre…

O sábio sorriu, interiormente, e passou a prestar-lhe mais atenção. Os outros acharam que o rapaz estava com alucinações, talvez cansado ou perturbado pelo sol. Subitamente, ouviram-no mudar de conversa e perguntar:

– Mas quem foi esse Orígenes?!

Sobre a mesa recaiu o silêncio. Todos olharam para Prisciliano, como se da sua boca tivesse saído uma pergunta sacrílega. O cão Diógenes levantou os olhos do meio das rosas e fixou-se no galaico, como que à espera de ver o que acontecia. Este corou, mas não deixou cair o olhar. Antonino quebrou a tensa mudez, erguendo, num gesto rápido, a cabeça em direção a Marcos de Mênfis.

– Prisciliano, como deves ter percebido, Orígenes foi um homem muito culto que nasceu em Alexandria, há cerca de duzentos anos, e que encontrou na filosofia neoplatónica a justificação para as suas convicções religiosas cristãs.

– E que intuiu ele?! – perguntou o galaico.

Todos olharam para Antonino, à espera da resposta.

– Como estava a dizer, Orígenes intuiu que o império Romano seria, um dia, todo cristão. Mas que, quando isso acontecesse, o Cristianismo se acomodaria ao poder imperial e perderia muita da pureza e do vigor dos primeiros tempos, o espírito evangélico e carismático que moveu os primeiros cristãos.

Todos acompanhavam com interesse a argumentação do filho de Sosíspatra. De alguma forma, a sua fama de profética sabedoria não deixava de fazer estremecer o coração de Prisciliano ao ouvir aquelas palavras. A forma enigmática como falava deixava uma dúvida no ar: Antonino falava da intuição de Orígenes ou era a voz da sua clarividência a ajuizar sobre o futuro?

– Orígenes não estava errado. Reparem: Constantino passou para a Igreja Cristã, de um dia para outro, todos os privilégios de que gozava a fé pagã – argumentou o de Canopo.

– Mas não a converteu na única religião do império, nem o é, de momento – respondeu Marcos.

– Sim, dizes bem, não o é, ainda! Mas não faltará muito para que isso aconteça. – Ergueu o indicador direito e os olhos em direção ao canal do delta que ali os levara, apontando para Alexandria. – Posso anunciar-te que, dentro de um quarto de século, os cristãos destruirão o Templo de

Serápis, em Alexandria, com a cumplicidade do imperador. A partir desse momento e desse imperador, nada mais será como dantes.

Todos estremeceram com as palavras do sábio de Canopo.

– E repara que nem Cristo nem os apóstolos, muito menos os apologistas que viveram no tempo de Orígenes, solicitaram tais privilégios. Apenas pretendiam uma coisa muito simples: a liberdade absoluta de culto! Cada um com as suas crenças e que o Estado respeitasse as diferentes convicções!

Prisciliano escutava atentamente aquele debate. Embora distante das polémicas, já conhecia as quezílias entre os cristãos. Porém, o seu coração ardia por saber mais sobre aquele Orígenes que mobilizava o debate entre o seguidor da sua doutrina, Marcos de Mênfis, e o pagão Antonino. Descobriu que, como os seres que habitam à frente do seu tempo, aquele alexandrino vira as relações com a própria Igreja tornarem-se tempestuosas, não tendo sequer o bispo de Alexandria permitido a sua ordenação. Aliás, Orígenes só a muito custo conseguiu ser ordenado, mas logo consideraram ter sido de forma não canónica, pelo que se viu fortemente perseguido. Além de que as perseguições de que fora vítima tinham outras obscuras justificações: a crítica que fazia à avareza e ambição de alguns clérigos, a defesa que fazia da distinção entre o clero e a laicidade e, claro, o radicalismo com que viveu a fé, tornando-se voluntariamente eunuco pelo reino dos céus.

No final da visita, Antonino acompanhou os visitantes à porta, para se despedir. Abraçou afetuosamente o discípulo.

– Desejo-te as maiores felicidades e progressos, quer intelectuais quer espirituais, sobretudo na busca da salvação que tanto desejas.

Virou-se, de seguida, para Elpídio. Sorriu e ofereceu-lhe um novo abraço.

– Tu falaste pouco, Elpídio. O teu espírito anda muito inquieto, numa intensa peregrinação interior. Vieste em busca de respostas que aquietem essa convulsão que te arde no coração. Haverás de encontrá-las. Marcos é um bom mestre e continuará a iniciar-te no conhecimento que detém. Depois seguirás o teu próprio caminho.

Finalmente, entregou-se a Prisciliano. Abriu um sorriso, coisa rara no sábio, e abraçou-o também.

– Tu és um campo galaico pronto a ser cultivado. Conheces as tradições dos druidas?

A pergunta apanhou-o de surpresa.

– Sim, conheço bem as tradições antigas galaicas e o panteísmo dos druidas. Nasci no meio dos campos e dos montes da Galécia profunda – respondeu, lembrando-se das lições de Lívio e das histórias de Valéria.

– Os druidas, tal como Pitágoras e Platão, acreditam na transmigração das almas. Tenho algo em comum com eles. Mas não é desses assuntos que te quero falar. Serápis trouxe-te a Alexandria, mas não será ele que te levará de volta a Bracara Augusta!

Prisciliano estremeceu. Corando, pressentiu um aperto no estômago.

– Como assim, mestre?! – perguntou, com a voz tremida.

Antonino escorreu-lhe a mão pelo cabelo e afagou-lhe o rosto.

– Tu levarás de Alexandria uma semente que florescerá intensamente nos campos e montes da Galécia! Os frutos chegarão aos corações da His-pânia, da Gália e até desta África! Serás um Orígenes para o teu povo, nas terras onde habita o espírito dos druidas! – Antonino torceu os lábios e olhou para os outros dois, rememorando o sincretismo que acabava de enunciar e, voltando-se de novo para o jovem galaico, dentro de um silên-cio apenas povoado pelo olhar dominador, declarou: – Não te esqueças, Prisciliano, que Orígenes foi amado e odiado pelas suas gentes. Contudo, por muito que os homens queiram apagar a sua memória, a História não o haverá de deixar. Nem quando te encontrares com *o Cristo* e ele te tapar o olhar para sempre, na capital do império!

Prisciliano sentiu um estranho calor percorrer-lhe o corpo, espe-cialmente nas pernas. O espírito bailava entre a emoção e a comoção, a dúvida e a certeza, perante o sábio egípcio. Aquelas palavras infundidas de inquietante mistério não mais lhe saíram da memória.

– Como sabes, a antiga tradição destas terras diz que a deusa Ísis é o símbolo do renascimento, do triunfo sobre a morte!

Prisciliano recordou os augúrios a que foi votado pela mãe, aquando do nascimento, e sorriu.

– Ísis conseguiu ser fecundada por Osíris, quando jazia morto, gerando Hórus, o qual, depois de vencer todos os inimigos, foi triunfal-mente anunciar a boa nova ao país dos mortos. Como diz o texto das Pirâmides: *Osíris! Tu partiste, mas voltaste; tu adormeceste, mas foste acor-dado; tu morreste, mas vives de novo.*

O pensamento de Prisciliano buscava vertiginosamente os azimutes da compreensão de todas as palavras do sábio. Porém, por muito que puxasse pela cabeça, nada mais conseguiu articular do que a pergunta tantas vezes feita ao mestre.

– Como sabe tudo isso?!

O dono da casa voltou ao rosto abstrato com que respondia às perguntas sérias:

– Diógenes, meu caro Prisciliano!

– Diógenes?!

– Sim, filho! Desde o dia que em que os meus inimigos lhe pregaram as patas dianteiras num madeiro e sobreviveu, o meu cão tornou-se no mais sábio e profeta dos animais... Mais que os homens!

Todos olharam para as patas do bicho. Lá estavam os sinais das feridas passadas nas patas da frente. Diógenes mirou o mestre e aninhou-se aos seus pés, enquanto continuava a explicação:

– Ah, e o meu cão tem uma particularidade: mija nas pernas de todos aqueles a quem é talhada uma missão especial no mundo... Sobretudo os que conseguem ver as rosas que são azuis!

– Maldito cão! – atirou Prisciliano, sacudindo a toga, as pernas e os pés molhados de urina canina.

17

Alexandria
Ostia
Bracara Augusta (Braga)
Bunili (Boelhe – Penafiel)

Os dias em Alexandria terminaram com uma experiência imprevista e extremamente marcante para Prisciliano, no deserto egípcio, que nunca mais esqueceria. Por sua vez, Sabino tornara-se num homem curado e feliz. Na viagem de regresso, Elpídio acompanhou-os no mesmo barco, até Massilia, de onde seguiria pelos rios e estradas interiores até à Aquitânia. Ao deixarem as linhas do horizonte da cidade dos sábios, Prisciliano recordava o impressionante deserto africano e os improváveis seres que o habitavam.

– Elpídio, ainda penso naqueles homens que afirmam viverem permanentemente a morte de Cristo, em condições tão deprimentes... debaixo de um sol tórrido...

– Sim, para eles o tempo é circular. Entendem, como Platão, que o mundo vive num eterno retorno.

– Como assim?!

– Entendem que o tempo é uma circunferência: finito e ilimitado!

– Finito e ilimitado?! Como é isso possível?!

– Se definires um ponto numa circunferência e, a partir dele, a percorreres num dos sentidos, vais invariavelmente encontrar o ponto de partida. Mas esse ponto não significa o fim da tua jornada: podes continuar a percorrer a circunferência em círculos... para sempre. Assim, como vês, o trajeto é finito, mas ilimitado.

– Hummm… estou a ver. Se fosse um segmento de reta, ele seria finito e limitado, teria um início e um fim. Agora entendo melhor o pensamento platónico.

Em Ostia, Prisciliano despediu-se com muito afeto de Elpídio, prometendo que o visitaria em Burdigala e, se possível, continuaria os seus estudos na famosa academia aquitana. Chegou a Bracara cansado, mas feliz com a experiência irrepetível que a vida lhe concedera, agradecendo ao tio Sabino tê-la permitido. Uma semana depois de regressar, em pleno frenesim matinal do fórum bracarense, não pensava nas filosofias orientais. Circulava com dificuldade entre a multidão, pedindo desculpa pelos encontrões, pois tinha pressa de encontrar Felicíssimo. De repente, parou com o coração acelerado. Não a imaginaria ali. O sol projetava-lhe a sombra, como se fosse a continuação da estátua de uma seráfica cariátide, aguardando que a irmã comprasse roupa para o frio. Só a expressão inquisidora do rosto e os olhos pestanejantes lhe garantiam humanidade. Estava ainda mais bonita, apesar de singelamente vestida com uma túnica alva.

Prisciliano não esquecera os contornos dos corpos lânguidos e bem nutridos das moças que a magia da sua aura constantemente atraía, sempre bem vestidas e perfumadas, pelo que aquela discreta criatura lhe passaria completamente despercebida, não fossem as contagiantes feições do rosto. À medida que se aproximava do corpo parado na praça, descobria uma sensação que julgava extinta: o turbilhão de borboletas a dançar freneticamente no estômago.

– Egéria…

– Prisciliano…

Tomados pelos olhares magnéticos, dirigiram-se, sozinhos, para um recanto abrigado por uma árvore, junto de um ninfeu que arrulhava pela voz das ninfas aquáticas. Egéria pedira a Gala para esperar por si. Esta viu-os partir, cobrindo-os com um olhar onde se podia adivinhar o travo do desencanto. Ainda deu uns passos em direção a eles, mas logo desistiu, quando os viu caminhar juntos e, poderia jurar, de mãos dadas. Chegados ao destino, o jovem observou detalhadamente o redor, prevenindo-se dos violentos e enciumados olhos do noivo de Egéria. Sentindo-se à vontade, abraçou-a tão impetuosa e emocionadamente como da primeira vez, beijando-lhe os cabelos perfumados e aninhando-se no seu pescoço.

– Há tanto tempo que não te via! Ouvi dizer que viajaste para Alexandria… – comentou a rapariga, ainda dentro do abraço.

Egéria não escondia a emoção do reencontro. Tantas foram as noites passadas com remorsos de um passado perdido. A mão tremia-lhe e os olhos humedeceram-se.

– Sim, acompanhei o tio Sabino na sua peregrinação.

Mais serena, a jovem abriu-se num sorriso trocista, colocando-se ao seu lado, sentados num banco granítico.

– Vejo que continuas um bom pagão! Tu e o teu tio!

Prisciliano olhou-a e respondeu-lhe com a polpa do indicador direito erguido e colocado sobre os lábios da amiga. Ele é que pretendia saber mais dela, do que havia sido a sua vida nos últimos tempos e dos que passara recolhida numa *villa* da família.

– Egéria, é verdade que não me converti à tua fé. Mas, hoje, vejo o mundo de um ângulo diferente. Compreendo melhor as decisões dos homens que vivem a inquietação da existência e não se conformam com o que lhes ensinaram. Agora diz-me tu: como têm sido os teus dias? Estás diferente, não sei explicar…

– Folgo muito em sabê-lo! – afirmou, não se desfazendo do sorriso. – É verdade que tenho passado algumas temporadas fora do mundo. Desligada do século, das vaidades e invejas, dos ciúmes e ostentações… em busca do Uno. Mas eu é que sou a curiosa. Conta lá o que viste em Alexandria!

Prisciliano sorriu e chegou-se a ela. A pergunta migrara-o para as memórias que ainda transportava bem vivas, no íntimo.

– Conheci uma cidade extraordinária! E homens singulares e de imensa sabedoria. Privei com cristãos de grande erudição, com filósofos das várias crenças. Mas houve duas coisas que me inquietaram especialmente: a filosofia neoplatónica dos mestres alexandrinos e a vida dos ascetas no deserto.

– Hummm… vejo que chegas mais sábio. Privaste com algum asceta?

Prisciliano acenou afirmativamente com a cabeça enquanto a imaginação lhe voava para o deserto egípcio.

Depois de regressar de Canopo, Marcos de Mênfis preparara-se para voltar ao deserto. Fora Elpídio quem lho pedira. Pretendia conhecer a vida dos ascetas, entender a razão da sua existência. Prisciliano, envolvido no espírito do tempo e do lugar que povoava a jornada alexandrina, misturado com o alvoroço juvenil por novas aventuras, mas sobretudo pela ânsia de buscar respostas para o buraco que começava a abrir-se-lhe na alma, surpreendera os dois, no dia anterior à partida para o calor dos inóspitos areais.

– Há lugar para mais um?

– Nem penses, Prisciliano! Estás louco?! Não te autorizo!

– Sossega, tio Sabino! Estes dois senhores não deixarão que mal algum me aconteça.

– O teu tio tem razão! O deserto é muito perigoso e não é um sítio muito agradável para se estar – aconselhou Marcos.

Porém, apesar dos protestos, e para desconsolo de Sabino, ninguém fora capaz de impedir o jovem de acompanhar Marcos e Elpídio.

– Conheci muitos ascetas, Egéria! Levam vidas miseráveis. Vi homens e mulheres com peles tão enegrecidas pelo sol de altas temperaturas que apenas lhes cobriam os ossos. Pareciam lençóis estendidos sobre paus, pois carnes já não havia. Gente de cabelos compridos e sujos, olhos encovados, pestanas queimadas pelas lágrimas de tanto sofrimento. Os que não viviam nus apenas se cobriam com panos ásperos e velhos. Um verdadeiro degredo…

Prisciliano explicava e olhava em redor, sempre atento aos movimentos dos transeuntes. Egéria torcia a boca. Nem ela, quando praticava o jejum e a abstinência rituais, a tanto se mortificava. O que Prisciliano lhe contava mais parecia demência.

– Estiveste muito tempo nesse deserto egípcio?

– Não… Não consegui ficar mais que três dias… – O rapaz cruzou os dedos das mãos e apertou-as, mimetizando a compressão do coração que experimentou durante a estadia. – Vivem em grutas que os próprios escavam e apenas sobrevivem com pão duro, sal, ervas que a sorte ou o acaso conseguem fazer crescer naqueles lugares tão quentes e inóspitos. Só bebem água se esta, improvavelmente, brotar numa fonte das imediações.

Egéria estremeceu com a imagem. Mas o olhar que fez recair sobre o vizinho era de profunda admiração. No silêncio que se seguiu, Prisciliano rememorava, abatido, as memórias que lhe revolviam a consciência e a jovem pressentiu que se encontrava junto de um rapaz muito diferente do que havia conhecido.

– Não aguentei! Comecei a ter tonturas e diarreias e tiveram de me trazer de volta a Alexandria. Na verdade, Marcos era o único que nos poderia orientar no caminho do regresso – Prisciliano suspirou. – Olha, não imaginas a vergonha que tenho pela minha fragilidade!

– Oh, não te sintas assim! Também a mim os maus espíritos me martirizam. E nem sempre os aguento. E tive necessidade de regressar a Bracara Augusta, para junto da família. – Egéria esboçou um sorriso consolador, para logo lançar a pergunta que lhe picava por dentro: – E não descobriste Cristo em Alexandria, Prisciliano?

– Não foi fácil – gracejou. – O teu Deus tem forte concorrência por aquelas bandas: os deuses gregos, os romanos, os egípcios e muitas outras divindades orientais, querida Egéria. Isto para além de um sem-fim de seitas que nem imaginas: há os gnósticos, os seguidores do orfismo e das práticas herméticas e teúrgicas. Lá nisso, os céus de Alexandria andam bem alimentados de preces!

– Vá, não brinques com coisas sérias! Se foste visitar os ascetas do deserto que se despojam de tudo em busca da total renúncia ao mundo para chegar ao Uno, é porque o teu coração se tocou por algum apelo interior.

– Não estejas tão certa! Também descobri que há ascetas pagãos…

– Pagãos?!

– Sim, gente que mantém um profundo desdém pelas posses, poder e conforto material. São mestres que encontram nesse estilo de vida um melhor exemplo para os ensinamentos filosóficos, atraindo muitos discípulos em busca da perfeição.

– Prisciliano, o teu espírito anda muito baralhado! – Os lábios caídos da moça espelhavam o desconsolo da resposta que não queria ouvir, mas que, mesmo assim, evidenciava a inteligência e abertura de espírito que Egéria muito admirava nele. – Vá lá, como te sentes depois dessa experiência? O que mudou essa viagem em ti?

Prisciliano entrou nos olhos dela, enquanto refletia no comentário. Egéria tinha razão. A cada dia que passava, desde que pisara o porto de Alexandria, mas sobretudo depois de ter entrado no barco que o transportou de volta à Hispânia natal, o seu espírito vivia num turbilhão existencial. De repente, passou a atormentar-se com a ideia da morte e das obscuras portas que ela poderia abrir para as almas dos humanos. Também nas várias formas de encarar a vida, tão diferentes daquelas onde nascera e crescera. Mas, sobretudo, na razão que levava tanta gente instruída em busca da mortificação terrena, crente nos benefícios purificatórios para a alma. Estranhava o tempo que vivia, em que definhava o ambiente económico e social, num império cambaleante, em busca de impostos e com medo dos bárbaros, e crescia a espiritualidade, com tantos caminhos que procuravam levar a um único destino: a salvação das criaturas! Daí que a morte e o que ela representava para a humanidade passasse a povoar os sonhos do jovem galaico. Na última noite, fora visitado por uma tríade de loucos espíritos maléficos que o queriam levar para o meio de bestas ferozes, no final da vida. Lembrou-se do amigo Elpídio, do momento em que o conhecera. Entendeu a resposta à pergunta que fizera à chegada sobre o deus que o levara a Alexandria. O sorriso que abriu para Egéria era a sublimação da iluminação interior dessa memória. E descobriu que também ele se via próximo do momento espiritual de Elpídio.

– A minha viagem transformou-me num peregrino…

– Num peregrino?! – assinalou, com a testa franzida. – Que tipo de peregrino?! Como o teu tio Sabino?! Um peregrino da idolatria?!

Com o mesmo sorriso iluminado, respondeu, sabendo que provocaria na jovem o mesmo efeito que sentira quando conversava com o aquitano:

– Mais do que um peregrino, sinto-me um buscador, querida Egéria!

O encontro com Prisciliano provocara um forte abalo no coração da filha de Décio Frutuoso. Havia-se determinado a tornar-se numa cidadela inviolável às ciladas do coração, depois dos sismos do passado. Contemplava-o e não entendia as insónias habitadas pelo rosto, ainda que belo, antes tão alheado da sua fé. Mas a sua sagez e sabedoria, a busca interior que o transformara num ser mais espiritual, insaciado com uma incipiente existência, tocavam-na e o coração atraiçoava-a. E também ele se ressentia do mesmo mal.

– O que te preocupa? – perguntou, vendo-o amiúde a olhar à volta.

– Sabes bem a razão. Não quero um novo encontro com o teu noivo.

Egéria ensombreceu por alguns momentos e logo abriu um sorriso.

– Já não lhe estou prometida. Ithacio viajou com o pai para Ossonoba, no sul, bem longe daqui. Eu consagrar-me-ei a Cristo. O meu pai tratou de tudo com o bispo e acertou as contas com o velho cobrador de impostos.

Aquando da visita de Ithacio Claro à *villa* de Egéria, esta não o deixou ir embora sem resolver definitivamente a questão.

– Não vou casar contigo! Vou consagrar-me a Cristo, por isso recuso o casamento.

O rapaz estarreceu e corou.

– E não insistas! O bispo certamente compreenderá esta minha opção. Tantas são as mulheres que a Ele se consagram, que será, a partir de agora, o meu esposo.

– Danada! Pensas que não sei porque não queres casar comigo?! Foi ele, Prisciliano!

Ela respondeu-lhe com o silêncio e apontou-lhe a direção da porta.

– Juro que me vingarei! Esse maldito vai pagar-mas, nem que seja no Inferno! Ou não me chame Ithacio Claro! Aliás, já lho prometi e não vou falhar! – saiu com estrondo, debitando impropérios até ao cavalo guardado pelos escravos que o acompanharam.

Egéria viu-o partir, tão feliz por se ter libertado daquele grilhão que lhe picava o coração como receosa dos propósitos de vingança.

Prisciliano emudeceu largo tempo, confrontando as memórias. Não mais olhou à volta, mas entrou num remoinho emocional, embora Egéria não lhe contasse as prometidas represálias, para não o preocupar. Entretanto, chegou Gala.

– Irmã, faz tempo que ando à tua procura! O pai já perguntou por ti... Vamos! – ordenou secamente, com um olhar ambíguo dirigido aos dois.

Prisciliano pegou-lhe nas mãos e despediu-se com uma vénia apressada, voltando a casa mais inquieto do que antes.

Felicíssimo, por sua vez, muito se alegrara com o regresso do primo, auspiciando cortejarem juntos as filhas do novo *praeses* da Galécia acabado de chegar da Gália a Bracara Augusta. E também para uns opíparos banquetes que preparara em segredo, com vinho grego e suculentas escravas de sobremesa, para celebrar a chegada. Contudo, também ele se deparou com um Prisciliano diferente, estranho e sorumbático. Sobretudo naquele dia, sentado num recanto dos jardins da *domus* bracarense. Via um jovem ausente. A cabeça planava nas nuvens, dentro de um mundo que não era o mesmo que deixara, antes de rumar a Alexandria. Hesitou em levar por diante o ágape, bem como as orgíacas homenagens a Baco.

– O que se passa contigo, primo?

– Comigo?! Nada. Estou bem… Por que raio estás tu preocupado?

– Não sei, estás diferente – respondeu, cheio de cautelas. – O que andas a ler? – acrescentou, apontando para uma pilha de pergaminhos sobre uma mesa.

– Ah… – Os olhos de Prisciliano dirigiram-se para o foco de curiosidade do primo. – Trouxe-os de Alexandria. Ofereceu-mos Marcos de Mênfis, um homem notável que devias conhecer.

Felicíssimo aproximou-se dos pergaminhos, cheio de curiosidade. Tomou-os na mão e foi dizendo em voz alta:

– Evangelhos da vida de Jesus Cristo, escritos de Paulo de Tarso, Physiologus, Apócrifo de Esdras, Livro de Enoch, Didaché, *De Principiis* de Orígenes… Por que raio de leituras te interessas, primo?! Converteste-te ao Cristianismo ou a alguma nova seita?!

Prisciliano tomou a obra de Orígenes nas mãos. As asas do pensamento bateram até Canopo, à casa de Antonino. As últimas palavras do sábio reboaram-lhe no coração. Lera aquele escrito vezes sem conta, procurando uma resposta para os augúrios do mestre. Ali encontrara o pensamento de Orígenes sobre coisas como a proveniência das almas: se advinham do sémen dos pais, se eram geradas, ou se eram criadas *ex nihilo*, ou ainda se eram preexistentes; sobre se o Deus dos cristãos e os espíritos eram ou não incorpóreos e qual a origem dos anjos e dos demónios; se o mundo finito foi ou não precedido por outro, e seria seguido por um novo mundo.

Mas o que mais o fazia prosseguir a busca interior foi ter descoberto que Orígenes dividia os seres humanos entre os Simples e os Perfeitos, sendo estes os que descortinavam as verdades mais ocultas, capazes de entender o simbolismo, o sentido metafórico, ou seja, o verdadeiro significado espiritual das Escrituras. *Será que os Perfeitos de que falava Orígenes eram os anacoretas, os ascetas, os andrajosos monges do deserto que se despojavam de tudo o que era material para buscarem a iluminação interior?* Arrepiava-se com a ideia que lhe alumiava o pensamento. Mas as últimas palavras de

Antonino habitavam-lhe horas de desassossego! *Talvez fosse mesmo uma brincadeira, uma piada do filho de Sosípatra,* acabava sempre por concluir.

– Não, Felicíssimo... Como nos ensinaram os mestres, devemos conhecer para compreender, conhecer para concordar, conhecer para discordar – respondeu finalmente, devolvendo o pergaminho ao primo.

– Hummm... Não são apenas as leituras... – insistiu, com o dedo apontado ao coração do filho de Lucídio. – Desde que viste Egéria, andas mais distante.

Prisciliano hesitou. Passara os últimos dias quase integralmente com ela. Inicialmente, encontravam-se no fórum, mas não demorou a visitá-la em casa. A jovem queria saber tudo sobre a viagem a Alexandria, mas rapidamente passaram para debates sobre filosofia e religião, as crenças que os uniam e dividiam.

Porém, no entardecer de um desses dias, algo mais acontecera, quiçá a razão por que Felicíssimo lhe intuíra um estado de espírito macambúzio. No meio de um diálogo intenso, Egéria levantou-se e sentou-se ao seu lado. Prisciliano pressentiu-lhe o perfume agridoce da pele levemente suada. Enquanto explicava as suas dúvidas, ele deixou-se levar pelo calor da voz que o enfeitiçava. Já não eram palavras, mas sons tirados por uma flauta encantatória que lhe enlevavam o coração. A melodia transportou-o para o jardim das Hespérides.

– Sabes que Egéria significa "inspiração"?

– O queres dizer com isso?

– Em tempos, houve um escritor e hermeneuta grego chamado Evémero. Disse que Egéria era uma das sete belíssimas ninfas do poente do mundo. Habitavam no extremo ocidente e tinham o dom da profecia e da metamorfose.

– E onde queres chegar?

– Tenho estado a pensar nisso...

Não lhe saía da cabeça o que Egéria outrora lhe dissera: que não casaria com um pagão. Mas também sentia que essas palavras, aliadas ao que acabara de viver, o faziam sentir como uma crisálida que fora ovo e se preparava para transformar em borboleta, uma verdadeira metamorfose. Talvez o que lhe habitava o estômago fossem larvas que não o queriam ser mais e, agora sim, transformavam-se em verdadeiras borboletas livres e multicolores. Parecia-lhe que a vida era uma constante metamorfose. E Egéria, a bela ninfa que sempre o acompanhava, presente ou ausente, consciente ou inconscientemente, ali estava, jubilosa e resplandecente, musa da hespérida finisterra, naquele final de tarde, sem brisa que atrapalhasse o calor. O jardim da casa transformou-se no éden dos dois, num dia em que não havia familiares por perto, apenas escravos impedidos de se aproximarem. Quando o vira sair de casa com o pueril sorriso dos amantes, Felicíssimo não apostaria um denário que fosse em como o ocaso daquele dia se transformaria no início de uma relação efervescente.

– Vamos até aos balneários da tua *domus*...

– Estás louco, Prisco?! Imagina se alguém nos vê... o que haverá de pensar?!

– Hoje não tens ninguém da família em casa, querida. E nenhum escravo se atreverá a acercar-se de nós.

– Não sei... Mas o que vai na tua cabeça?..

– Nada. Ali estamos mais quentes e protegidos dos olhares indiscretos da criadagem...

Dentro do balneário, Prisciliano encostou Egéria à parede de estuque branco. Ela dobrou os braços sobre o peito, em jeito defensivo, e cerrou os lábios.

– O que me queres?

– Beijar-te, amar-te... Estou perdidamente apaixonado por ti – arrulhou-lhe ao ouvido.

– Não sei... não consigo pensar... – respondeu, com um suspiro, e desarmando-se para receber um beijo sôfrego.

Os vapores quentes amaciaram-lhes a pele, os delicados aromas de essências e óleos naturais de jasmim foram despertando os corpos para uma melodia comum. Ela suspirava, com o coração aceso por mil fogueiras. A cada investida de Prisciliano, Egéria procurava resistir, mas o calor era tanto que as roupas caíram no mármore branco.

– Meu Deus... O que aconteceu?

– Acalma-te, meu amor. Vamos para dentro da água quente...

– Nem penses...

Mesmo que quisessem resistir, a nudez dos corpos perfeitos atiçava-lhes a imaginação de sensualidade e concupiscência.

– Prisciliano, és belo!

– Quero-te tanto – respondeu, deixando as mãos escorrer-lhe sobre os ombros, acercar-se da base dos seios duros, que apertou, primeiro com suavidade ao redor dos mamilos, depois com força.

Egéria sentiu o coração acelerar. Suspirou e gemeu com o prazer das carícias que lhe reviravam os olhos. O suor da sala branca misturou-se com o dos corpos nus, incendiados, da cor do mármore, como o do chão do *caldarium* onde se deitaram de seguida. Ela sentiu-lhe o pénis eriçado entre as coxas. Na urgência do momento, apertou-as, já não discernindo de onde vinha o imenso calor húmido que a fervia por dentro.

– Que loucura! Não podemos continuar, vamos embora!

Mas o leve assomo de arrependimento esvaiu-se com o fumo dos vapores. O ar quente parecia-lhes cada vez mais rarefeito. Sentiram a respiração um do outro entre relâmpagos de volúpia.

Os dois corpos abandonaram-se, ardendo de paixão e desejo. As resistências de Egéria caíram, deixando-se levar para a piscina quente, entre suspiros. Ali encontraram um vertiginoso destino comum. Prisciliano tomou-a ao colo e fundiram-se os dois olhares, lânguidos e sedentos um do outro.

Os primeiros gemidos de Egéria geraram um turbilhão de emoções e, logo a seguir, o líquido carmesim das suas primícias formou uma mancha que se espalhou sem pressa pelas águas. A dor foi-se transformando num deleite incontrolável. Prisciliano encostou a amada à parede e entrou-lhe com sofreguidão. Já sem fôlego, atingiram o êxtase com dois gritos simultâneos de imenso gozo e intensas vibrações a percorrerem-lhes as medulas.

– O que fomos fazer?! – murmurou Egéria quando, ainda deitada no chão branco, recuperou a consciência. – Perdemos o juízo… Ai de mim…

– Acalma-te, meu amor… Foi… foi mágico…

Egéria olhou à volta, recolheu as roupas apressadamente e vestiu-se. Sentada, dobrou-se sobre os joelhos e soluçou.

– O que fui fazer?! Eu… devota da minha fé… e uma donzela… Estou perdida…

Prisciliano aproximou-se devagar e envolveu-a por trás com o corpo.

– Egéria, aceitas-me como teu esposo?

18

Burdigala (Bordéus)
[Bracara Augusta (Braga)]

As ondas de um mar novo não assustaram Prisciliano. Mas adormece-ram-no. Levado num berço sobre águas estranhamente calmas, acudia ao apelo do amigo. Mais do que apelo, a um novo desafio. E como Prisciliano gostava de desafios! De repente, Bracara Augusta parecia-lhe pequena de mais para um tão sedento espírito. Alexandria rompera-lhe os horizon-tes, Egéria perfurara-lhe o coração, mas o amigo aquitano espetara-lhe o gume da espada em plena alma faminta.

Algumas jornadas depois, uma barcaça levantou ferro do pequeno porto do Celanus e transportou Prisciliano à foz, onde apanhou um barco de maior porte para enfrentar o oceano. O destino era Burdigala, na costa das Gálias, através de vários dias de água salgada até ao grande estuário do Garumna, perto de Navioregum.

Carregava no dorso o oportuno convite do amigo, mas também um vazio espiritual. Olhava para trás e apenas vislumbrava um nó existen-cial que teimava em pretender desatar. Amava as tradições do seu povo, mas não encontrava destino nos velhos deuses do Olimpo, nem nos rituais despidos de valor ético manifestados no culto ao imperador, que se mantinham apenas para efeitos civis, um fóssil da garantia da unidade do império. E a viagem a Alexandria ainda vibrava como um murro no estômago. Algo o seduzia em tudo o que aprendera. Mas, quanto mais conhecia cristãos da sua terra, menos se sentia tocado pelo destino que eles lhe propunham.

– Vá, não somos todos iguais, meu amor! – defendera-se Egéria, embora Prisciliano não a colocasse na mesma casta.

– Eu sei, mas anda por aí muita gente a beijar o crismon apenas por oportunismo. E outros – lembra-te de Ithacio Claro e da sua família – têm uma moral perfeitamente deplorável.

– Oh, já te disse que emigraram para o sul da Hispânia! Felizmente que Roma mudou as leis e, desde 365, passou a ser o conselho municipal a eleger o *curator civitas*. Voltaram à sua terra, para gozar as riquezas que aqui arrecadaram.

– Roubaram, queres tu dizer! – Prisciliano cerrou os lábios, à lembrança das suas extorsões. – Não sei o que poderia acontecer se nos voltássemos a encontrar! Mas repara nas riquezas que a Igreja anda a acumular, no poder cada vez maior dos seus bispos, na vida opípara que alguns ostentam. Nem parece que há tão pouco tempo eram ferozmente perseguidos!

– Ora, sabes bem que não são todos assim! Tenho fé que, um dia, me ajudes a combater os erros de que falas.

Durante a navegação de Prisciliano para Burdigala, Egéria partira para a sua Villa Bunili. O viajante passara muitas horas em branco nas noites marítimas, pensando na amada. Recordou, enlevado e nostálgico, os dias que passearam juntos, de mão dada e imensa alegria, nos campos desertos das imediações de Bracara, das histórias das suas vidas que, em grande cumplicidade, partilharam junto a um regato escondido de olhares curiosos. E, claro, o sublime momento no balneário da *domus*, que lhe incendiava noites de concupiscentes pensamentos. Vislumbrou finalmente os primeiros recortes da terra gaulesa, nos finais da primavera de 370. Até lá, fizera escala em Brigantium, com o seu imponente farol construído por Gaio Sévio Lupo, de Aeminium, que lhe fez lembrar o de Alexandria, e ancorara também em Portus Blendium.

Em pleno estuário aquitano, Prisciliano adormeceu, vencido pelo cansaço das longas jornadas marítimas. E o sono levou-o a um sonho impetuoso. Assim, os frescos alvores do primeiro dia nas margens das Gálias aquitanas apanharam o jovem galaico numa outra viagem: nas oníricas águas do mundo interior. A imaginação do inconsciente vestira-o com a pele do peregrino, mas uma pele translúcida que nunca experimentara: a de peregrino do tempo. Rememorava as personagens de um passado desconhecido que a vida lhe oferecera: Antonino de Canopo, o homem dos misteriosos augúrios, mas também Homero, Virgílio, Platão, Jesus Cristo, Paulo de Tarso, Orígenes, Plotino, Clemente de Alexandria... Via-se nascer e morrer. Enquanto o olho do sonho observava o parto difícil do ventre materno e o tormentoso momento da morte, vislumbrava igualmente a personalidade expandir-se-lhe para além de tão estreitos limites. Como se o tempo fosse uma linha vertical que começasse antes do nascimento e não terminasse depois da morte. Como se apenas pudesse ser entendido numa relação de profundidade, uma reta finita e ilimitada, não o lugar plano do teatro da vida física, ou circular, como ensinavam os novos platónicos.

– Esta não foi a hora do teu nascimento! – assegurava-lhe um mestre desconhecido, de túnica branca e rosto informe, com uma verruga no queixo.

– Então quem sou eu, e onde estou? – perguntou, dentro do sonho e embalado pelos movimentos da embarcação.

– Tu és a continuação. A continuação da vida que nasceu outrora e se insuflou nos teus antepassados. Que não te fez ilha no oceano do tempo, mas te trouxe a este continente de vida que és hoje. És o presente do passado, o passado do futuro. Mas sempre o presente. Nunca deixarás de ser presente, mesmo quando te quiserem apagar da História.

– Mestre, eu sou um insignificante ser deste momento que me está a ser concedido viver.

– És... ainda... Prisciliano. E talvez o sejas por muito tempo, mais do que possas imaginar.

– Não te entendo, mestre!

– Tu és o presente de um passado de muitos séculos, mas és o futuro de muitos mais. O nosso tempo não começa no dia em que nascemos, muito menos termina no dia em que morremos. Tem em conta que alguns dos homens estão tocados pelo génio divino. São seres especiais, estão destinados à perfeição, a planarem acima do comum dos mortais. Esses homens são como o tempo: estão para além do século e da matéria. São os elos que fazem avançar o mundo, o mundo material, mas sobretudo o mundo espiritual. A cidade para onde te diriges acolherá o teu passado, transformará o teu presente e decidirá o teu futuro.

O sonho não batia certo com o que ouvira em Alexandria, de que o tempo era um eterno retorno, como ensinara Platão: uma circunferência ilimitada, mas finita. A nova eternidade que o sonho lhe vislumbrara era, assim, uma reta infinita e ilimitada, pois que se definisse um ponto sobre ela e começasse a percorrê-la numa das direções poderia caminhar eternamente sem nunca voltar a encontrar esse ponto.

Prisciliano sobressaltou-se e abriu os olhos, semiconsciente e mareado. Subiu ao convés, ainda atordoado pelo efeito que o sonho provoca em quem não acorda às horas rotineiras, pensando no seu significado. O vento fresco que lhe empurrava os cabelos para trás matou-lhe o torpor. O sonho perturbara-o, mas haveria de pensar nele numa outra ocasião, pois o coração alegrava-se com uma nova visão: a terra das famosas Gálias que crescia, imensa, à sua frente. O lugar certo para quem precisava de alimentar a alma de saber. A terra aquitana onde morava a mais famosa escola do ocidente: a academia de Burdigala, melhor, o *auditorium* de Burdigala, como era conhecida a escola fundada ao redor do ano 300. Era nesse *auditorium* que se ensinavam os retóricos mais ilustres e que, para o mundo romano, se transformara no inesgotável viveiro de advogados, senadores, poetas e magistrados. O espírito de Prisciliano esperava por Burdigala como um mendigo a quem lhe matasse a fome. Por enquanto, navegava emparedado pelo estuário que se formava pelas águas salgadas dos dois grandes rios aquitanos: o Garumna e o Duranius. Vários barcos povoavam o harmonioso plano de água. Nada parecido com Alexandria, mas, mesmo assim, o sinal da vida e do comércio que por aquelas terras ainda se fazia, embora não fosse mais o grande *emporium* comercial de outrora.

À medida que chegava o momento de aportar, via o amuralhado elevar-se, brusco e solitário, entre vinhas e pântanos, uma fortaleza quadrada colossal que dominava de longe a planície com os seus muros e torres. Era lá dentro que o jovem nascido em Aseconia queria saciar-se, com a urgência da juventude que busca a novidade, antecipando o rosto da madurez.

Ao longe, erguia-se o perfil dos restos do templo da deusa Tutela, a velha protetora da cidade. A proporção imensa do monumento que fora o símbolo do esplendor dos Severos dominava o ponto mais alto da cidade.

Porém, Prisciliano apenas o poderia imaginar através das ruínas que se viam do rio, da colunata que fora majestosa, formada por enormes capitéis coríntios ornados de um entretecido de acantos, encimados por uma coleção de decadentes estátuas e de tristes cariátides.

Recordou-se de Lívio, que lhe ensinara que cada lugar tinha uma individualidade específica, com divindades ou espíritos que o habitavam, e era importante perceber os que estavam presentes, porque alguns deviam ser evitados, enquanto outros podiam ser de bons auspícios.

– As cidades são compostas pelos edifícios, praças e vias públicas, pelos seus habitantes, mas também por Mnemosyne e as Musas, as filhas.

– Quem é essa Mnemosyne, Lívio?

– É a deusa Memória dos gregos… – respondera o pedagogo. – Estou a ver que preciso de reforçar as lições da cultura helenística.

Prisciliano mirava a cidade e procurava captar os sinais da sua Mnemosyne. A glória dos tempos idos praticamente desaparecera, abandonada com a investida dos vândalos, um século antes. Mas a que o jovem galaico buscava em Burdigala não se via, dentro ou fora das sóbrias muralhas. Prisciliano sabia que o conhecimento reside nos corações e nas mentes e se transmite de mestre para discípulo, como de mãe para filho se difundem os primeiros sons, as primeiras palavras, os primeiros desejos do mundo.

Quando atravessava a Porta Navigera, a entrada fluvial da cidade, o galaico levava um coração aberto e transbordante, acreditando que a vida era muito generosa por o ter colocado, pela mão de Elpídio, sob a égide de Delfídio, o famoso mestre e grande advogado das Gálias, que lecionava com enorme sucesso na academia de Burdigala. O companheiro da jornada alexandrina havia-o conseguido. Escrevera-lhe a convidá-lo. Prisciliano hesitara. Mas quando falara ao pai do convite, este, como que rememorando acontecimentos ou conversas antigas, franziu o sobrolho, acenou devagar com cabeça e respondeu:

– Meu filho, há muito que me falaram deste teu destino. Se esse convite te chegou, significa que se cumprirá. A vida oferece-nos apenas uma ou duas oportunidades para sermos felizes. Mas nunca sabemos ao certo quando elas nos visitam. É preciso estar atento e arriscar para não as perdermos. Esta pode ser uma delas.

A seguir buscou o conselho de Egéria, a mulher que lhe engendrara muitos sonhos no coração e na razão. Improvável mulher, Egéria. Autónoma, inteligente, ao mesmo tempo rica e desprendida dos favores do século.

– Prisco, acho que deves ir.

– Mas, Egéria, estou cada vez mais enamorado de ti... Combinámos casar no início do próximo ano...

– Eu também. Mas o mundo não acaba amanhã. Estás a precisar de saciar a tua sede de conhecimento e vejo que vais no bom caminho.

Prisciliano sorriu, abraçou-a longamente, comovido, e perguntou-lhe ao ouvido:

– Casas comigo, quando voltar?

– Não! – respondeu Egéria, com ar sério, virando-lhe as costas.

– Não?! Como assim?!

– Não... Já te disse que não caso com um idólatra!

– Egéria, não estou a perceber... Está... está tudo acertado, entre nós...

Voltou-se de novo para Prisciliano, com um abundante sorriso:

– Mas casaria com um buscador!

Entre sorrisos e carícias, beijaram-se e apertaram-se ainda mais.

– Ai de ti se não casas comigo! – E, baixando a voz: – Não te esqueças que me desonraste, malandro!

Prisciliano beijou-a, feliz.

– Não te faria isso, meu amor!

– Concordo que vás, porque sei que fará bem ao teu espírito irrequieto e insaciado. Mas quero que voltes mais sábio e preparado para casarmos, vivermos na tua *villa*, em Aseconia, e termos muitos... muitos filhos, juntos! – concluiu, com um suspiro de alegria.

Entre os vários afetos que trocaram, prometeram manter-se em contacto, por escrito.

– Vou esperar pelo teu regresso, meu amor! Agora estuda, eu estarei ao teu lado, todos os dias dos teus dias – murmurava-lhe na parte de trás do pescoço, dizendo o que o coração desmentia, antecipando a dor de tanta ausência, mas sem soçobrar ao destino que estava traçado.

Felicíssimo espantava-se cada vez mais com as mudanças de Prisciliano, que, depois de uma juventude licenciosa em Bracara, continuava fascinado pelo desconcertante desprendimento do mundo da filha de Décio Frutuoso, falando até de casamento.

– Espero que em Burdigala encontres belas donzelas para te fazerem novamente feliz, querido primo! – reafirmara, na despedida, entre palmadas nas costas. – Se precisares, avisa, que vou lá dar-te uma ajudinha.

Antes de embarcar, Prisciliano abraçou longamente Egéria e o pai, que viera propositadamente a Bracara. Como homem feito, controlava, a custo, as lágrimas, mas não evitava um desconfortável aperto no coração. Olhava para Egéria, para o pai, Felicíssimo e outros amigos e familiares e o pensamento fazia-lhe correr a imagem da mãe, da infância, da meninice, dos professores, do tio, dos irmãos, do primo, dos amigos, da viagem a Alexandria. Pressentia que se encontrava numa fronteira da existência, segurando na mão ainda trémula a lâmina de corte com o passado, a antecâmara de uma iniciação, de uma mudança da vida, interior e exterior. O jovem que sai do casulo e se transforma num homem, independente, seguro, maduro.

– Amo-te muito, Prisco! – sussurrara-lhe a amada ao ouvido e pegando-lhe na mão, onde deixou um objeto duro. – Leva esta pedra de quartzo cor-de-rosa. A minha avó, que era uma deliciosa crente do paganismo, acreditava que os deuses Amor e Eros trouxeram esta pedra à Terra para brindar às pessoas amor e reconciliação. Como ainda és meio pagão, espero que te lembres de mim sempre que a vires – concluiu, com um sorriso, procurando aliviar o peso do afastamento iminente.

– E tu acreditas nesses deuses?

– Claro que não, meu amor! Mas acredito que a pedra te fará lembrar de mim…

Quando deixou de ver o amado, voltou para casa e dirigiu-se ao pequeno oratório onde costumava rezar sozinha. Um leve odor a incenso perfumava o lugar. Ali ficou tempos intermináveis, em oração e peregrinação espiritual até ao seu âmago, acompanhando em pensamento a viagem de Prisciliano. Chorou de saudade, mas o coração dizia-lhe que algo profundamente tocante estaria para acontecer entre os dois. Só não sabia o quê!

– Prisciliano!

No meio de uma pequena multidão que sempre se remexia ao redor do cais de pedra, vislumbrou um vulto com os olhos agudos que o levaram

189

longe. Era Elpídio, o amigo! Acenou-lhe, tão feliz como cansado, enquanto o barco estacionava num dos inúmeros ancoradouros de madeira. Correu para terra firme e quase tropeçava em si próprio, ainda embalado pela ondulação de tanto mar, antes de o amarrar num demorado abraço.

– Que bom que vieste, amigo!

– Estou tão feliz por te rever, Elpídio!

– O pessoal da minha casa levará a tua bagagem para a *villa*. Agora, sobe para o carro e vamos, sem perder mais tempo. Estás a precisar de um banho e de bom descanso.

O viajante entrou no veículo que o haveria de levar à *villa* de Elpídio. Antes de penetrar num emaranhado de ruas estreitas bordejadas de casas encavalitadas, deteve o olhar numa bela fonte fabricada em mármore de Paros, o único monumento que ainda restava na cidade. A água do Divona brotava das doze bocas de bronze, derradeira homenagem à velha deusa dos Bituriges Vivisques, os indígenas celtas dos tempos da conquista das Gálias. Contudo, não era a água que lhe fazia sobressaltar o ser, que o afligia e o fazia esbugalhar os olhos. Havia uma cara barbada que o olhava fixamente. Estremeceu, tomado por um incompreensível pânico. Ou muito se enganava ou o dono daquele pérfido rosto era um velho conhecido de Prisciliano. Precisava urgentemente de saber a quem pertencia.

19

Fozera (Libourne, perto de Bordéus)
Burdigala (Bordéus)

Numa aména manhã de estio, Elpídio e Prisciliano passeavam nos jardins da Villa Fozera, debruada sobre o Duranius, onde vivia o aquitano com a família, a poucas milhas de Burdigala. Acabara de redigir uma carta ao pai e outra a Egéria a contar-lhes os pormenores da viagem e a sossegá-los, já que tudo corria de feição, exceto o incidente com o barbudo que não lhe saía da cabeça. Omitiu essa parte para não os preocupar.

As *villae* aquitanas eram diferentes das galaicas. Apesar de serem igualmente espelhos das fortunas dos donos, mais pareciam castelos, o reflexo do receio de que os bárbaros rompessem de novo a fronteira, medo que nunca deixou de habitar o subconsciente gaulês.

Escravos suados reparavam a parede norte. Ao longo das várias semanas que habitava a *villa*, Prisciliano foi-lhe conhecendo todos os recantos: os bosques, as termas, os parques, a biblioteca, o pequeno espaço destinado ao teatro, bem como as inúmeras estátuas de mármore que povoavam o jardim. Mas o que mais o impressionava eram os vinhedos sem fim que, a par das searas de trigo, se transformaram na grande fonte de riqueza daquele domínio, e cujos afamados vinhos chegavam aos quatro cantos do império.

– Elpídio, estou mesmo encantado com Delfídio, o mestre da retórica.

– Estás na capital do ensino, no ocidente. É aqui que se formam as personalidades mais ilustres. Não sei se sabes mas, o ano passado, o imperador Valentiniano chamou o *retor* Ausonius ao seu palácio de Augusta

Treverorum, para instruir Graciano, o filho primogénito. Foi um grande orgulho para Burdigala!

Prisciliano acompanhava com entusiasmo as aulas do novo mestre. Com o tempo, afeiçoou-se a alguns colegas, como Latroniano, um rapaz excecionalmente dotado para a poesia que chegara de Aeminium, na Lusitânia, e de Tiberiano, profundo amante da retórica, oriundo de Corduba, na Bética. Certo dia, nas imediações da basílica, deu de caras com o homem cujos olhos o fulminaram à chegada. Foi um encontro e uma mirada rápida e ferina. O desconhecido desapareceu, num ápice. Algum tempo depois, desconfiava que aquele vulto frequentava furtivamente as imediações da academia.

– Elpídio, diz-me uma coisa: no dia em que aqui cheguei, estava um homem de barba ruiva junto à Fonte de Divona. Tenho-o visto de vez em quando e sempre com um estranho ar de caso... Sabes quem é?

– Não me recordo! Não estou mesmo a ver quem seja... Mas porque perguntas?

– Não sei... Aquele olhar faz-me lembrar alguém...

– Vá, esquece lá isso! És um rapaz bem-apessoado – gracejou –, talvez queira deitar-se contigo!

– Maldito sejas! – Prisciliano empurrou com os ombros o amigo, mesmo sabendo que brincava. – Não me tomes nesse partido!

– Vá, acalma-te! Quando voltares a vê-lo, avisa-me. Garanto-te que, mais rápido que uma flecha, ficaremos a saber de quem se trata. Agora vamos para as aulas que se faz tarde!

Os alunos aglomeravam-se às dezenas para ouvirem o mestre Átio Tiro Delfídio. Sonhavam ser advogados, magistrados, membros da administração imperial, aspiravam a poetas, historiadores, professores. As aulas superiores de retórica não se circunscreviam a uma matéria única. Eram como que um método. Aprendia-se dos *retores* a arte de bem falar e bem escrever, sobre literatura, poesia, história, a moral e a ciência. Ao contrário das aulas de gramática que tivera no passado, em que se partia de um texto para o comentar, nas de retórica o professor propunha um tema a desenvolver. Delfídio consagrava as horas do seu curso a uma lição, meio preparada, meio improvisada. Cada conferência tinha o seu tema, conforme a inspiração do momento ou os interesses dos alunos.

Numas das lições, aquele homem alto, sereno, de nariz afiado e cabelos curtos e semiencanecidos invetivou diretamente Prisciliano:

– Então, meu rapaz! Estás a gostar da experiência?

– Muito, mestre! Estou muito orgulhoso de aqui estar e de ser vosso discípulo – respondeu, sem esconder o rubor, por estar a ser questionado em frente aos colegas.

– Ainda bem! Elpídio tinha razão quando me falou de ti.

Fez-se um burburinho na sala. Os companheiros murmuravam, uns de inveja, outros de satisfação, por o mestre ter abonado Prisciliano em público, coisa que raramente acontecia.

Elpídio felicitou-o, quando mergulharam no frenesim da rua burdigalense. Prisciliano não sabia ao certo o que dizer.

– Vá, não foi nada de especial, apenas um incentivo do mestre.

– Pois fica a saber que ele não é muito pródigo em elogios. Muito embora esteja um pouco diferente desde que se converteu ao Cristianismo.

– Delfídio é cristão?

– Sim, há algum tempo! Não imaginas o brado da sua conversão na cidade. Igual à de Ausónio. Os cristãos regozijaram-se e não se falou de outra coisa em todas as basílicas das Gálias. Porém...

– Porém...? O que queres dizer?!

– Hoje, alguns dos que elogiaram Delfídio estão mais reticentes – respondeu, ensimesmado.

Prisciliano não compreendia o que ouvia. Ia pedir explicações, mas o olhar deteve-se numa esquina, junto ao mercado do peixe.

– Elpídio, ali! – Apontou com o indicador, energicamente, para o local que os seus olhos marcavam.

– Ali o quê, Prisco?

– Junto ao mercado... – Baixou então o braço, desapontado. – Ele percebeu que o vi e fugiu...

– Que se passa, rapaz?

– Era o mesmo homem do dia em que cheguei... Estava encostado à esquina da rua. Quis passar novamente despercebido e desapareceu quando lhe apontei o dedo.

– Raios, da próxima tenta ser mais discreto! Quando o vires, diz-me, mas sem que ele se aperceba – ralhou Elpídio. – Mas não será só impressão tua? – perguntou, enquanto examinava as redondezas. – Quem te conheceria em Burdigala com receio de se denunciar?! Tens inimigos?

– Não, que eu saiba… – O galaico puxou pelos cordões da memória, em busca de eventuais personagens que pudesse considerar como inimigos. – Ahhh… na verdade, conheço uma pessoa que não gosta de mim, nada mesmo.

Contou então a história de Ithacio Claro, desde o dia em que o conheceu até à última vez que o viu, estatelado no chão, depois de uma cabeçada que o deixara mais atordoado que o ciúme que o envenenava, por saber que os corações de Prisciliano e Egéria se aproximavam vertiginosamente. Elpídio riu às gargalhadas.

– Vou já saber se há algum Ithacio Claro na cidade, meu bom amigo! Se houver, mando trazer-to pelas orelhas, como ele te fez em criança.

– Não precisas de te ocupar com essa missão… – ajuizou Prisciliano, perante o ar incrédulo de Elpídio. – Não precisas porque não é Ithacio. Este é bem mais velho e muito mais magro. E Ithacio vive agora em Ossonoba, no sul da Lusitania, bem longe daqui, e mais parece um porco vestido de gente.

– Pronto, se o dizes… Mas haveremos de descobrir o motivo das tuas preocupações.

Os dois rapazes deixaram as muralhas da cidade e entraram no campo orlado de infindáveis vinhedos, em especial da casta *Biturica* que os romanos trouxeram da Hispânia, no meio dos quais emergiam os monumentos arruinados, restos da glória passada.

Em determinado momento, Prisciliano olhou para o lado e viu um roseiral bravio, ao lado de plantas de artemísia, que a mãe usava para tratar desarranjos gástricos. Estremeceu.

– Elpídio, de que cor são aquelas rosas?

O amigo olhou e respondeu com naturalidade:

– Cor-de-rosa… Porque perguntas? Estás a ver mal?

Prisciliano emudeceu, lembrando-se da conversa no jardim de Canopo. Ele via-as azuis, como as do jardim do tio, como as de Antonino de Canopo. Não respondeu diretamente, acreditando ser um sinal do céu a lembrar-lhe o amor por Egéria. Meteu a mão no alforge e afagou a pedra de quartzo, como se estivesse a acariciar a amada. Concentrou-se depois na conversa com o amigo.

– Esquece, o sol confundiu-me. Elpídio, há pouco acendeste uma fogueira que ainda me arde. – O carro que os transportava à Villa Fozera seguia, sem pressa, mas o galaico pretendia voltar à questão que ficara pendente na conversa, à saída da academia. – Qual a razão para que os cristãos já não encham a boca quando falam do mestre Delfídio?

Elpídio mordeu os lábios, franziu o cenho, enquanto coçava a testa.

– Delfídio não tem papas na língua! Vive a sua fé dentro da *villa*, juntamente com a família e alguns discípulos mais chegados. Como raramente vem à basílica da cidade, o clero vai murmurando coisas sobre ele...

– Mas por que razão vai pouco à basílica?

– Ele desaprecia a forma opulenta, hipócrita do bispo e dos seus acólitos. Acha que estão mais preocupados em agradar aos poderosos, em apreciar o sabor das riquezas e do poder que, de repente, lhes caiu nas mãos. Acha também que não se sentem tocados pelo espírito evangelizador que deveria presidir à conversão. E não é, nada mesmo, apaniguado da ostentação das manifestações religiosas, que, segundo ele, são o símbolo do estado a que a Igreja chegou, depois de ter sido perseguida e se tornar, praticamente, a religião oficial do Estado romano.

Aquelas palavras calaram fundo no coração de Prisciliano. Lembrou-se das últimas discussões com Egéria e achou que, de alguma forma, eram as mesmas que levavam o mestre Delfídio a afastar-se dos donos da Igreja. Emocionou-se com o estranho sentimento de cumplicidade moral e intelectual. Os olhos semicerravam-se à medida que expandia o pensamento para as paisagens interiores que visitara, em outras ocasiões. Elpídio leu-lhe no rosto um torvelinho emocional.

– O que se passa contigo? Estás a sentir-te bem?

– E tu, Elpídio? Nunca mais me falaste da tua vida, desde que cheguei. Das experiências que colheste em Alexandria e da tua fé. Apenas notei que, em certos dias e noites, desapareces como o vento e sem explicações. Nunca te perguntei o que fazes, por não ser da minha conta... Mas, afinal, vivemos juntos experiências tão intensas... Por isso, me pergunto...

Acabavam de chegar a casa. Elpídio convidou-o a entrar no quarto. Era a primeira vez que lhe concedia essa oportunidade. A cama encostava-se à parede lateral. Junto à janela que deitava para o bosque, havia um banco e uma escrivaninha, com vários rolos amontoados. Na parede contrária ao leito, erguia-se uma espécie de biblioteca privada. Prisciliano passou os olhos pelos pergaminhos que se acomodavam de forma cuidada. Obras clássicas greco-romanas que tão bem conhecia, filósofos antigos e mais recentes, folhas de apontamentos e trabalhos de casa. O jovem de Aseconia parou, finalmente, numa estante completamente dedicada a autores cristãos, alguns que conhecia, outros totalmente desconhecidos. Pegou num pergaminho semiaberto e leu em voz alta:

– Cartas de Paulo de Tarso…

Enquanto isso, na cidade, num lugar escuro, o homem barbudo que vigiava Prisciliano reunia-se com um grupo de rapazes da ralé, a quem pagava os serviços sujos.

– Acompanhem-lhe todos os movimentos. Conheço muito bem esse rapaz. É extremamente perigoso para a nossa causa – asseverava, enigmático e provocador.

– Deixa connosco! Verás que nenhum mal nos fará. Basta uma ordem tua e ele desaparece, sem deixar rasto.

– Para já, não… – refletia, preocupado, o barbudo. – Para já, não… Pode ser arriscado… ainda é cedo. Mas relatem-me tudo o que virem e ouvirem.

Virou-se, de seguida, para Túlio, um órfão, franzino, que com ele vivia e cuja subsistência dele dependia:

– Tu vais entrar na turma de Delfídio!

– Eu?!

– Sim, vais contar-me tudo o que lá for dito!

O rapaz estremeceu. Não sabia se estava preparado para aquela missão.

20

Varatedo (Vayres, perto de Bordéus)
Fozera (Libourne, perto de Bordéus)
Burdigala (Bordéus)

Desconhecedor das urdiduras que se teciam em Burdigala, Prisciliano fascinava-se com a noite de lua cheia que alumiava os céus e a terra, em pleno estio. Conhecia muitos rios – o Minius, o Celadus, o Durius, o Avus, o Tamaca, o Limia, o Nebis, na sua Galécia natal, para já não falar do grande Nilo, no Aegiptus –, mas nunca imaginaria existir um fenómeno tão extraordinário oferecido pela natureza.

Delfídio convidara todos os que compunham o conventículo que se reunia na residência, a Villa Varatedo, na margem do Duranius, situada poucas milhas a jusante da Villa Fozera, para assistirem ao momento mágico, antes das orações noturnas.

Porém, na cabeça de Prisciliano vogavam os acordes da alegria que lhe chegara pela manhã.

– Prisciliano, uma carta para ti… Vem da Galécia…
– Mostra, Elpídio. De quem é?!

Apanhou o manuscrito e refugiou-se no quarto. Era de Egéria a missiva por que tanto ansiara.

Querido Prisco,
Espero encontrar-te bem por terras aquitanas e na graça de Deus. Desde que partiste que vivo avassalada por uma imensa saudade. Perdoa só agora

escrever-te, pois estive até ontem recolhida na minha villa. *Entendo melhor as tuas inquietações, quando dizes que és um buscador. A vida é uma contínua busca de algo que nos parece estar sempre à frente e que nunca alcançamos. Somos eternos insatisfeitos. Eu acreditava que podia viver longe dos assuntos do coração, apenas dedicada ao serviço de Deus, abstraindo-me de tudo o mais que fosse acessório à minha existência, inclusive o casamento. Agora não: estou totalmente apaixonada por ti e desejo partilhar a vida contigo, com todas as minhas forças. Já não importa se ainda não te sentes tocado por Ele, o que sei é que Ele habita na tua alma.*

Hoje, procuro descobrir se, por inspiração de Deus ou do Demónio, me vejo tão afetada com a tua ausência e passo os dias com esta vontade incontrolável de te desposar. Desde que voltaste de Alexandria, encontrei em ti um homem novo. Bebeste no cálice da sabedoria. Não és mais um pagão. Como dizes, és um buscador. Um buscador da verdade, do Uno. E quem busca inicia um caminho. Acredito que a tua insatisfação e incompletude haverão de levar-te ao porto da salvação.

Saberei esperar por ti, com paciência. Deus me ajudará. Agora tenho a certeza de que serei capaz de casar com um buscador. Volta depressa!

Sente no coração toda a saudade e recebe os meus afetos.

Tua,

Egéria

Prisciliano apertou, com força, a pedra de quartzo cor-de-rosa oferecida por Egéria. Beijou-a secretamente. O coração reacendera-lhe a chama da saudade e aquela carta fora o rastilho. Entregara-se-lhe de corpo e alma e oferecia-lhe o que sempre negara: o casamento.

– Reparem na força das ondas desta maré de águas vivas – dizia o mestre, na sua voz pausada. – Deus oferece-nos este espetáculo único para nos fazer refletir sobre a Sua verdadeira natureza.

Mas Prisciliano vivia a magia de um outro rio, cuja corrente descia vertiginosamente, longe dali. A carta da amada não lhe saía do pensamento. Porém, no Duranius, uma frenética caravana de ondas, de quase três passos de altura, distanciadas cerca de catorze passos umas das outras, corria vertiginosamente sobre o rio. A tanta distância do estuário e do mar, aquele fenómeno impressionava quem não o conhecesse.

Parecia que, num repente e do nada, mesmo em frente à Villa Varatedo, uma miríade de monstros aquáticos, talvez enormes serpentes ou dragões, se acometiam de uma fúria impetuosa e se erguiam subitamente das águas. Lançavam-se, depois, rio acima, numa frenética correria que só amansava, algumas milhas adiante, quiçá vencidos pelo cansaço e satisfeitos pelas aquáticas diabruras.

– O que vedes chama-se macaréu! Desconheço que esta dádiva divina exista noutro lugar do mundo, para além destas terras sagradas. E só acontece com viva intensidade em épocas especiais, como na lua nova, na lua cheia e nos equinócios.

Prisciliano vivia igualmente o seu macaréu. Amava Egéria e atormentava-se com um ímpeto que o tomava, tal como os monstros das águas, à sua frente, mas não tinha, naquele momento, a certeza absoluta de qual a direção certa da felicidade na relação com Egéria.

A Delfídio, Prisciliano, Elpídio, Latroniano, Tiberiano e a mais de uma dúzia de homens, haviam-se juntado Eucrócia e Prócula, esposa e filha do mestre, e ainda outras duas mulheres, uma delas Ágape, fiel companheira de Elpídio. Depois da experiência no rio, chegara a hora de se dirigirem, em silenciosa procissão, para um ermo lugar no bosque formado por uma clareira bordada de velhos carvalhos. O galaico lembrou-se de Lívio e da experiência que lhe proporcionou na adolescência, quando o levou a assistir a uma festa pagã num lugar semelhante.

Instintivamente, recordou novamente a carta de Egéria. Olhou para o céu, em busca da Via Láctea, o caminho das almas, que ligava o oriente ao ocidente. A estrada que o conectava com o berço natal. Ao som dos melodiosos salmos cantados sem pressa, Prisciliano fechou os olhos. Tal como os demais, vestia uma túnica branca até aos calcanhares e meditava de pé, por muito tempo. Enlevou-se interiormente e viu-se caminhar sobre as estrelas, contemplando a fragilidade da alma em busca do Uno e do Infinito. De cima, vislumbrava o imenso Universo, no qual os homens se reduziam a simples partículas de pó, pertenças de Deus e que ao seu colo ansiavam voltar, um dia, depois do Juízo Final.

Era a quarta noturna sessão em que o galaico participava, na *villa* do mestre, depois da sua arrebatada conversão. Fora um sublime momento de solidão que lhe tocara o último reduto da alma. Guardaria para a eternidade o momento da iluminação, o momento em que sentiu o sagrado espírito descer sobre si e infundi-lo da energia divina, irrompendo num incêndio interior, que lavrou sem parar. No meio do bosque, ajoelhado perante a natureza bruta, sentira uma deflagração de amor por Deus, como se tivesse sido fulminado por uma arrebatadora paixão por Ele. O corpo dobrou-se sobre si próprio, no limite das forças. Chorou e riu, num misto explosivo de emoções. O espírito voou até se fundir com uma luz ofuscante que o chamava para si, a iluminação da plena comunhão com o Uno.

Tudo começara, singelamente, tempos antes, quando Elpídio lhe revelara o mistério que teimava em esconder: fazia parte de um conventículo secreto, presidido pelo mestre Delfídio. Iniciara-se nas suas atividades secretas pouco depois de voltar de Alexandria. Não lhe falara antes sobre o assunto porque perscrutava silenciosamente o íntimo de Prisciliano. Quando se apercebeu que o galaico continuava perdido na existência, buscando uma vida com sentido, ofereceu-lhe serenamente as coordenadas do caminho da perfeição: o ascetismo. Não o radical, como o que conhecera nos desertos africanos, não de limite, como o dos que se mortificavam sem utilidade para a comunidade, mas uma ascese moderada. Um aperfeiçoamento interior, buscando o numinoso, a face do Deus criador, através de um despojamento dos prazeres temporais. Um aperfeiçoamento descomprometido com o século, com o poder, mas antes com o espírito verdadeiramente evangélico dos primeiros cristãos. O desprendimento que também experimentaram os mártires, oferecendo a vida como exemplo de redenção.

Afinal, havia um lugar certo para aquietar a alma sequiosa de Prisciliano: nem os decadentes velhos deuses, nem o distanciamento ateísta, nem os exageros dos ascetas egípcios, muito menos a velha Igreja, cujos protagonistas conhecia e que em nada o seduziam.

Agora sim, compreendia Egéria. O seu coração voava novamente como uma águia pelo plenilúnio para pousar no da amada, que talvez vivenciasse também a sua mística oração, numa clareira de um qualquer ermo da Galécia. A ela se uniu, amando-a profundamente, como se amam duas almas gémeas. Agora, igualmente sem concupiscência, sem a luxúria das orgias bracarenses, mas antes com a continência dos desejos, que ia aprendendo a dominar, depois dos retiros e da ascese interior com que vivia o quotidiano.

Aos poucos, deixara igualmente de comer carne. Passara a recusar ingerir a dor dos animais no espetro da morte para servirem de alimento aos humanos. Também eles eram criaturas de Deus, do mesmo Deus que oferecia, na natureza, muitas oportunidades de sobrevivência e alimentação. Aprendera a recusar nutrir-se com a morte, antes com a vida, uma vida nova.

– Delfídio aprecia-te muito, Prisciliano. – Eucrócia, uma vigorosa mulher loura com pouco mais de quarenta anos, aproximou-se, com modos suaves, depois de uma sessão de salmos, jaculatórias e ritos que só eles conheciam. – Tem-te como um dos discípulos mais promissores.

– Obrigado, senhora! Estou-lhe muito grato por me ter aberto as portas da graça divina. É a quarta vez que estou convosco...

– Podes vir sempre que quiseres. Ou sempre que necessitares. Estamos aqui para te dar conforto, afeto e apoio no caminho. E olha que não é um caminho fácil – acrescentou Prócula.

A filha do casal era ligeiramente mais nova que Prisciliano, mas muito parecida com a mãe, com uns líquidos olhos azuis, certamente uma jovem atraente para qualquer varão.

– Estou consciente dos escolhos que terei de vencer – respondeu, desviando o olhar para as estrelas.

Prisciliano recolheu ao seu interior, rememorando o momento da conversão, o dia em que o incêndio fulminante lhe afogueou o coração. Fora num entardecer pintado com uma paleta de cores violáceas que Elpídio lhe explicara as virtudes da ascese. Falou-lhe dos exemplos de Hilário de Limonum e de Martinho, um antigo combatente panónio, que acabara de ser nomeado, por aclamação popular, bispo de Caesarodunum, cidade conhecida como Turones. Dias antes, Elpídio levara-o a Blavia, um pequeno núcleo urbano situado no estuário que ligava Burdigala ao mar. Prisciliano acreditou que fora comprar peixe fresco. Só mais tarde entendeu as intenções do amigo quando pararam para ouvir Martinho falar a uma multidão que se juntou ao seu redor. E Elpídio conseguiu o que pretendia: Prisciliano impressionou-se com o aspeto simples daquele ser vestido como um mendigo, mas sobretudo pela forma destemida como falava das efémeras vaidades do mundo, fossem elas dos donos do império, dos patrões da Igreja, dos simples cidadãos ou até de escravos que se deixavam vencer pelas misérias da condição humana, como a corrupção, a inveja, o poder despótico, a maledicência.

– Como diz Mateus: *Vigiai, pois não sabeis o dia e a hora em que o Filho do Homem há de vir!* – Ouviu-o troar no interior, enquanto admirava o homem santo, que vivia como asceta e evangelizador.

Quando voltou a casa, pediu a Elpídio para ler os "Atos dos apóstolos" e a "Carta de Paulo de Tarso aos Gálatas", de forma a entender a conversão, na estrada de Damasco, do homem que perseguira cristãos e, de repente, se transformara no maior missionário da cristandade. Paulo, o homem que o Ressuscitado cegou, quando lhe apareceu envolto numa luz incandescente, para o fazer renascer três dias depois, tantos como os que mediaram entre a Sua morte e ressurreição, num homem novo, espiritualmente fortalecido e imbuído do próprio Espírito Santo.

Nessa noite, Prisciliano não dormiu. O fogo interior lavrou horas a fio, levando-o a reviver os acontecimentos recentes e todo o passado. O tempo em que se entregara a prazeres licenciosos que, agora, lhe pareciam ocos e sem sentido. O tempo das vaidades e festas intermináveis. O tempo em que cresceu acreditando nos ídolos, tal como a sua família – mãe, pai, irmãos, primo e tio –, crentes em verdades que não passavam de erros. Recordou a enganosa crença do tio Sabino numa divindade que não passava de uma estátua, inventada pelos homens. Sentiu pena de todos e rezou pelas suas almas ao Deus que lhe alumiava o caminho, em especial pela da mãe que, apesar da suas exóticas crenças, fora um templo de virtude. Os outros ainda estavam a tempo de serem convertidos e ele encarregar-se-ia, pessoalmente, de lhes apontar o caminho da verdade. *Mas, e Priscila, a mãe que tanto amava, apesar da distância do tempo e da memória, que seria dela na eternidade?*, pensava, incomodado.

Entendeu igualmente o sonho que o habitou quando chegara a Burdigala: a eternidade cristã era uma reta infinita e ilimitada; melhor, uma semirreta, pois que o tempo tivera um início determinado por Deus. E percebia agora o sentido do que o mestre incógnito lhe ensinara durante o sono no mar: era a antecipação da revelação cristã que Burdigala lhe ofereceria.

Quando, finalmente, depois de tantas horas de vigília, o cansaço o venceu, teve uma nova visão que o tocou profundamente. Priscila apareceu-lhe, resplandecente, com um eterno sorriso, a apontar-lhe a direção do sol.

– *Segue a direção do teu coração! Converte a tua alma que eu te espero no mesmo lugar que combinámos, quando eras pequenino, e onde ainda repouso, para que me leves ao colo de Deus a fim de me redimir dos meus enganos* – dizia-lhe a figura etérea de Priscila.

– *Tão bela e sábia que estás, minha mãe. Tenho tantas saudades tuas!*

Voou para o seu regaço, para lhe contar todos os segredos, os medos e as inquietações que o afligiam. Para lhe agradecer a bênção maternal pela decisão que o coração o chamava a tomar.

Mas acordou, num repente, suado e agitado. Correu para a janela e acalmou o espírito no caminho de estrelas que formava a Via Láctea. O atalho celeste que, tempos mais tarde, o levaria espiritualmente até Egéria, no ritual magnético da Villa Varatedo, conectava-o agora com um mausoléu especial: erguia-se no *compositum tellus* da Villa Aseconia, onde Priscila, serena, o esperava para a eternidade.

– Obrigado, minha mãe, agora estou certo do meu caminho! – murmurou para o céu pintalgado de minúsculos pontos de luz. – Sinto-me tão leve como o vento, tão feliz como um pássaro livre!

Viu então a pedrinha de quartzo rosa em cima da mesa e acercou o pensamento de Egéria. Naquele momento, ainda não havia recebido a carta da amada. Tomou-se de uma impetuosa vontade de lhe escrever a contar as novidades. Aproximou a pedra do coração e disse baixinho:

– Ah, Egéria, vais ficar tão feliz quando souberes das novidades! – concluiu, com os olhos húmidos de comoção.

Prisciliano foi então batizado pelo próprio Delfídio, numa manhã soalheira de domingo, na sua *villa*, uma vez chegado o mês de novembro. Pretendia participar nos rituais do grupo antes da Epifania, nos inícios de 372. Assistiram à iniciação os amigos secretos do conventículo que se reunia em sessões noturnas de oração e interpretação das Escrituras.

– Eurípides, na sua obra denominada *Hipólito*, contou a lenda de Orfeu. E disse: *Não me é lícito, de facto, depositar o olhar sobre os mortos, nem contaminar a vista com as exalações dos moribundos* – preambulou Delfídio, para logo esclarecer: – Como estava Eurípides tão enganado! A morte não é mais o perpétuo rompimento entre os vivos e os mortos! A morte é a fonte de vida, desde que levemos uma existência isenta de pecado! – concluiu, acreditando estar imbuído do múnus concedido por Deus para ministrar o mais importante dos sacramentos.

Prisciliano, vestido com a túnica branca e talar, manteve-se quieto, junto a uma tina com água, que existia na abside da *villa*, transformada em oratório. Delfídio prosseguia, cerimoniosamente, o ritual purificatório.

– Ninguém será apanhado desprevenido no Juízo Final se estiver plenamente vigilante. Mas, primeiro, é necessário purgar a mancha do pecado original, lavando-o com a água do batismo – anunciou, com ar compenetrado. – É de tua livre vontade abandonares a idolatria e ingressares na Igreja do verdadeiro Deus, anunciado pelo seu Filho, o Deus que se fez homem para nos salvar?

– Sim, é essa a minha vontade! É tudo o que mais desejo, mestre Delfídio!

– Então, entra e purifica-te!

Penetrou no pequeno tanque, onde mergulhou devagar, até todo o corpo ficar submerso. Os curtos momentos debaixo da água fria foram interiormente explosivos. Abandonava um passado manchado pelo pecado original. Despedia-se do homem velho, lavado pelas águas límpidas e purificadoras, para emergir num homem novo, tocado pela centelha divina. Quando voltou a aspirar o ar puro, Prisciliano estremeceu. Arrepiado por fora, ardia-lhe por dentro um intenso fogo espiritual que o transmutava num ser especial, um soldado de Deus preparado para a batalha da sua salvação pessoal e de todos aqueles em cujos corações se alojasse a espada divina do Seu verbo. Inflamou o peito e pressentiu a alma soltar-se e viajar pelas estrelas do imenso céu, agachar-se no regaço de Deus. A alma de um novo filho, precário, humano, mas em eterna comunhão mística com o Inominado.

– Acabaste de morrer e renascer! És um homem novo! Renasceste em Cristo pela água batismal! Agora estás revestido com a armadura do Espírito Santo! Estás impelido a respeitar os Seus mandamentos, a renunciar ao Diabo e a todas as suas formas e manifestações: à carne, ao engano, à gula, ao prazer desenfreado e a tudo o que te desvie da lucidez e da contenção!

Contudo, Prisciliano não estava totalmente satisfeito. O coração ansiava por um segundo batismo, aquele que apenas os ascetas poderiam alcançar, expurgando não só o pecado original, mas todos aqueles em que vivera ao longo da vida. E, para isso, sabia que haveria de subir a Escada Espiritual, através da *Imitatio Christi*, fugindo de todas as tentações do mundo, tal como Antão o fizera: libertando o ouvido das falas doces e tentadoras do Demónio, acautelando a fala do veneno da traição, evitando a vista das múltiplas tentações do Diabo e até mesmo a incontinência luxuriosa.

Ao mesmo tempo que participava animado nas reuniões secretas, Prisciliano prosseguia com afã no estudo das Sagradas Escrituras e de todos os pergaminhos que Elpídio guardava na biblioteca do quarto, distinguindo-se como um aluno de excelência na academia de Burdigala. Ultimamente, andava encantado com certos textos secretos, como o de Esdras, o Evangelho de Tomé, o Livro de Enoch e a Carta de Jesus a Agbar, que o ajudavam a compreender todos os ângulos de perspetiva do Deus que acabara de se lhe revelar. Não que os lesse como fontes da verdade absoluta, mas porque Delfídio ensinara que a verdade deveria ser perscrutada com estudo pessoal, intensa reflexão e divina inspiração. Para isso, era necessário um aturado percurso catequético, até se atingir o estado do pleno discernimento.

– Mas tu tens um dom, Prisciliano! – dissera Delfídio, em privado, ao esbraseado aluno. – Tu és um eleito, um escolhido! Estás destinado a evangelizar porque possuis uma raridade: o carisma dos primeiros cristãos.

O jovem galaico vivia inflamado com os fulgurantes acontecimentos, quando recebeu a carta de Egéria. Por isso, urgia responder-lhe. Matutara alguns dias no que haveria de dizer-lhe e como o fazer. O amor que nutria por ela continuava ardente, mas com tonalidades agora mais subtis, e só poderia ser entendido por quem ama desprendido da concupiscência. Egéria era um desses seres especiais, mas era urgente informá-la dos prodígios operados no seu coração e deixar, para quando a encontrasse, uma conversa amadurecida quanto ao futuro, pois nem Prisciliano sabia ao certo como seria o seu destino. E, na verdade, vivia todos os dias dividido entre a espiritualidade que descobrira em si, a nova vocação que lhe ardia no peito, e a aceitação por que tanto esperara: casar com Egéria!

Querida Egéria,

A tua carta encheu-me a alma de felicidade. Ansiava tanto por notícias tuas, como o esfomeado por um naco de pão. A minha fome era por te saber feliz, em comunhão com o Uno. Mas ansiava igualmente por te contar uma outra novidade: Ele operou o milagre! Estou convertido à Sua fé! O Espírito Santo recaiu sobre mim, em línguas de fogo como aos apóstolos, e iluminou--me o coração.

Finalmente, Egéria, o buscador encontrou um destino. Não o destino, mas um destino. Porque um buscador, como um peregrino, não esgota a viagem no primeiro destino. Enche-se de felicidade quando chega ao Seu templo, mas continuará a ser sempre um peregrino, independentemente do lugar santo que peregrine. O maravilhoso milagre que a minha alma vislumbrou é a primeira etapa. Vivo no meio de uma comunidade insuflada pelo espírito dos primeiros crentes. É uma alegria imensa acordar todos os dias e encontrar novas revelações nas Escrituras ou nas palavras sábias daqueles que nos ensinam os fundamentos da nossa fé. Vivo na imensa ansiedade de poder partilhar contigo todas as minhas alegrias.

Prisciliano alongou-se em vários pormenores da sua experiência aquitana, sabendo antecipadamente do júbilo que encheria o coração da amada, em Bracara Augusta.

Embora ninguém falasse publicamente dos encontros noturnos, no dia em que foi a Burdigala levar ao correio imperial a carta para Egéria, Prisciliano ouviu sem querer, na latrina pública, conversas ciciadas entre jovens da cidade. Pressentiu um ambiente estranho, terra fértil para a semente da inveja, maledicência e calúnia. Pôs-se à escuta e assustou-se: a aleivosia e a perfídia neles instalados levaram-nos ao ponto de rumorejarem as palavras proibidas: heresia e *maleficium*… E não teve dúvidas de que era o seu grupo que queriam atingir.

Sentia-se ainda permanentemente vigiado quando circulava nas apertadas ruas de Burdigala, sozinho ou com os amigos. E não podia estar mais certo!

21

Varatedo (Vayres, perto de Bordéus)
Burdigala (Bordéus)

Os pingos transformavam-se em chuva e a chuva em tempestade. Os relâmpagos zurziam no ar, abrindo fendas luminosas a que se seguiam estrondos reboantes, como se as forças da natureza quisessem afastar aquele grupo do templo: o bosque no cume do monte. Só Túlio tiritava, de medo ou de frio, ninguém sabia ao certo. O resto do grupo estava habituado às reações da natureza, que, sendo obra de Deus, fazia parte da criação. Túlio encostou-se perto do tronco de um carvalho, buscando proteção. Recebera no monte a hóstia consagrada que Elpídio trouxera para ser distribuída, naquele domingo, aos fiéis reunidos. Seria o único alimento do dia. Mas também seria ali que cumpriria a sua missão, vendo e ouvindo tudo o que acontecesse.

Marcos de Mênfis chegara, entretanto, à Aquitânia, a convite de Elpídio, quando soube que este empreendera uma viagem ao ocidente. Foi um momento de grande alegria para Prisciliano rever o misterioso homem alexandrino, franzino e com os olhos claros, de duas cores. Depois de apresentado a Delfídio, este desafiou-o a predicar ao grupo a sua sabedoria. A voz de Marcos elevou-se, entrecortada pelos trovões, nas cerimónias da Epifania, chamada de *apparitio*, a mais importante do calendário dos crentes:

– *Ergue-te, Jerusalém, e sê iluminada, que a tua luz desponta e a glória do Senhor está sobre ti!* Agora, combinem este versículo com o que João, no Evangelho, nos diz: *O Verbo era a verdadeira luz que, vindo ao mundo, ilumina todo o homem.*

Era a primeira vez que Túlio frequentava o conventículo do mestre Delfídio, depois de pedir insistentemente a interceção de Elpídio para a admissão no restrito círculo dos iniciados do mestre. Não podia defraudar aquele que o convocara para a secreta missão, sob pena de ser duramente castigado e até abandonado. Delfídio torcera o nariz a Elpídio. Conhecia o jovem como estudante preguiçoso, mas acabou por lhe conceder o benefício da dúvida, sabendo-o um cristão e não vislumbrando o perigo.

– A nossa missão, como a dos primeiros cristãos, é a de anunciar o Evangelho; a nossa missão é sermos vasos sagrados onde se guarda a fé; a nossa missão é sermos os pastores que vão à frente do rebanho; a nossa missão é rezar, para manter o permanente contacto com Ele; a nossa missão é ajudar os necessitados; a nossa missão...

Marcos enunciou, com a voz inflamada, uma torrente de ideais que acertavam, como setas, nos corações da assistência. Falou de um Deus que buscava alguns homens, novos apóstolos que se deixassem contagiar pelo desassossego dos primeiros. De buscadores e profetas da Palavra. Debaixo de uma chuva diluviana, que apagara os archotes e transformara o lugar num imenso breu, apenas iluminado pela luz dos relâmpagos, quem improvavelmente por ali passasse julgaria que os membros do conventículo seriam uma confraria de fantasmas, alheios aos rigores cósmicos que se abatiam sobre aquele pedaço de mundo.

– A missão dos apóstolos – bradou, sobre os elementos – é acolher a inquietação de Deus pelo homem e levar o próprio Deus aos homens. A vossa missão é a mesma: tornar-vos santos! Se estais aqui, é porque também seguiste uma estrela: a estrela de Jesus Cristo. Como Ele disse: *Ide por todo o mundo e pregai o Evangelho a toda a criatura!*

As últimas palavras de Marcos provocaram em Prisciliano uma nova explosão interior. Experimentou uma intraduzível iluminação, que nunca sentira até àquele momento, mesmo quando Deus o tocara com a graça da conversão.

Quando o sol substituiu a tempestade e anunciou os primeiros alvores daquele dia 6 de janeiro de 373, o jovem galaico era um homem novo, caminhando integrado numa improvável procissão de espetros da floresta, em circunspeto silêncio, de volta à *villa*. Cantaram os últimos salmos, madrugada alta. Como que por encanto, a chuva desaparecera com as nuvens do firmamento. Não sentia frio, humidade, fome ou sono. Começava a habituar-se, com alegria, ao espírito do asceta, daquele que se alimenta do espírito e se vai desprendendo das amarras do corpo. Dentro de si levava a luz. A luz que recebera das palavras de Marcos, que o incendiavam de uma determinação contra a qual já não poderia resistir. No caminho de regresso a Villa Varatedo, Prisciliano fechou os olhos e perscrutou a natureza do fogo que não parava de lhe arder. Descobriu-se um destinado. Destinado a ser, também ele, um profeta, um apóstolo dos novos tempos.

Finda a Epifania, a primeira de Prisciliano, todos os membros do conventículo voltaram à vida quotidiana. Os mestres e os alunos ao *auditorium*, as mulheres aos seus labores, os comerciantes às lojas, os proprietários às terras, os funcionários públicos aos serviços, todos com um remoinho de alento a afoguear-lhe as almas.

Mas, em Burdigala, germinava um outro torvelinho. Túlio fez o relato integral daquilo a que assistira. O barbudo esfregava as mãos de contentamento. Não tardou a que um tempestuoso rumor passasse de boca em boca, nas esquinas, nas tabernas, na academia e até mesmo na basílica onde, afinal, havia começado. Nos dias seguintes, o torvelinho transformava-se num perigoso furacão. A meio de janeiro, Delfídio recebeu uma carta assinada pelo bispo da cidade:

Caríssimo irmão,
Esperando encontrar-te na graça de Deus, rogo-te a gentileza de vires à minha residência amanhã, à hora nona. Preciso de falar-te de um assunto importante.
Delphino, bispo de Burdigala

A basílica situava-se no ângulo sudoeste do contorno amuralhado da cidade, junto a um cemitério cristão. Fora construída durante o reinado de Constâncio Cloro. Delfídio fez o caminho ao longo da muralha. Seguia em passos firmes, mas sem pressa, enquanto pensava nas razões que levariam o bispo a convocá-lo para uma reunião à hora da sua aula.

Reparou nas pedras que compunham os silhares e o envasamento do amuralhado. Eram enormes, desiguais, tão pesadas que nem sequer havia argamassa a consolidá-las. Aqueles blocos foram retirados dos edifícios, templos e teatros da cidade antiga. A muralha compunha-se, assim, por uma confusão de velhos frisos, jazigos, estátuas, colunas e capitéis. Delfídio parou. Nunca lhe tinha ocorrido a ideia daquela metáfora: a glória e o esplendor de outros tempos eram a defesa do tempo em que vivia!

– Obrigado por teres vindo, Delfídio!
– O pedido de um bispo é uma ordem! – respondeu, lisonjeiro, mas cauteloso. – Então, o que te preocupa?
– Vamos para a minha sala privada! Ficaremos mais à vontade!
O bispo era um homem forte, de nariz adunco e precocemente calvo, mas uns bons quinze anos mais novo que o *retor*. Parecia, no entanto, mais velho, fruto das carnes que lhe pendiam do pescoço e das que lhe tornavam o ventre singularmente proeminente. Comentava-se em Burdigala, sobretudo entre os pagãos, que o bispo Delphino fora empenhado pela deusa da gula. Ofereceu uma cadeira ao mestre e sentou-se à sua frente, separados por uma mesa, onde repousavam pergaminhos com os Evangelhos com que preparava missas e homilias. Atrás de si, havia um quadro de pássaros esvoaçando entre os galhos de uma árvore, a simbolizar o paraíso celeste. O prelado ficara voltado para uma porta entreaberta, que dava para outro dos aposentos privados.
– Delfídio, tenho ouvido coisas acerca das práticas na tua *villa*...
– Se ouvires a verdade, não há motivo para te preocupares. Eu e os meus convidados apenas nos dedicamos ao estudo das Escrituras e à vivência da espiritualidade ensinada por Jesus Cristo.
– Sim, mas em conciliábulos noturnos, com a presença de mulheres... Fala-se por aí que se despem e praticam orgias ao luar, como os antigos pagãos...
O mestre sorriu. Contemplou sem pressa o rosto do bispo. Enquanto advogado de longas práticas, o mais famoso das Gálias, apesar de retirado do ofício, vislumbrou os olhos fugidios e o dedo que não parava de coçar a base do nariz, como se, debaixo da pele, se tivesse alojado um exército de formigas.
– A imaginação humana é muito fértil, meu irmão. É verdade que assistem mulheres. Não vejo que diferença façam elas de mim ou de ti no milagre da criação. Não nos diz o Livro do Génesis que *Deus criou*

o homem à Sua imagem; criou-o à imagem de Deus, criou o homem e a mulher? E a única coisa que tiramos é o calçado. Sim, ficamos descalços! – E, apontando para o maço de pergaminhos sobre a mesa, avançou: – Abre o Evangelho de Mateus e lê o versículo 10 do capítulo 10, ou o de Lucas, versículo 4 do capítulo 10!

– *Jesus enviou os apóstolos em missão e recomendou-lhes que não levassem calçado* – leu o bispo, com um pingo de suor a brilhar-lhe nas têmporas.

– Caro bispo, os cultos antigos estão enterrados, como as pedras dos templos e altares na base das muralhas de Burdigala. – Delfídio entreviu um gozo interior por recorrer à imagem que o acompanhara na vinda à basílica. – Mas as maleitas da condição humana, como a maledicência e a inveja dos apoucados espíritos, continuam a frequentar os corações dos fiéis desta basílica, como nos velhos tempos…

O bispo Delphino corou. Entendeu a tirada como uma ofensa a si e aos que o mantinham a par dos acontecimentos. Tal como o dono do par de orelhas atentas que se escondia atrás da porta entreaberta, no aposento do lado. Esse também enrubesceu, cerrou os punhos e os dentes, coçou a barba ruiva e traçou o plano final.

Quando se deslocou para o *auditorium*, o mestre seguiu pelas ruas apertadas da cidade, onde pairava um odor misto de maresia e de bicho morto. Uma estranha sensação atormentava-o. A experiência e intuição que desenvolvera ao longo da vida logo o certificaram de que estava a ser perseguido durante o percurso, ao mesmo tempo que a gentalha que se encostava às paredes lhe espetava os olhos como espadas afiadas. Dobrada a esquina de uma rua onde jazia uma estátua com corpo de homem e cabeça de leão, que integrara o *Mithraeum* acabado de destruir pelo zelo à nova fé, alguns rapazolas gritaram por entre a turba, onde se diluíram como o esgoto no rio:

– Herege! Maldito herege! Danado! Bruxo!

Ao entrar ofegante na academia, pairava um ar denso sobre os rostos preocupados dos alunos. As notícias correram depressa. O burburinho inicial tornara-se num zumbido levado de boca em boca aos cidadãos de Burdigala.

Prisciliano pressentiu a tensão. Sentado na cadeira, ouvia o mestre falar com especial loquacidade sobre todos os esconsos lugares da condição humana, mesmo os mais inimagináveis e recônditos. Notava-lhe um especial frémito na voz, tocado certamente pelas acusações que pairavam no ar frio do inverno. Mas aquela tensão alimentava o espírito do aluno. Estava cada vez mais certo da sua vocação.

Até que chegou a Quaresma. Ocorreu uma nova *fuga mundi*, um novo retiro de quarenta dias, tantos como os que o Mestre levara para o deserto. Um remanso espiritual nas mesmas clareiras dos bosques circundantes da Villa Varatedo e que integravam os seus domínios, pois desertos não havia na Aquitânia. Mas a solitude do deserto, a iluminação interior, a frémita batalha contra todas as tentações, o encontro consigo e com o Uno, podia dar-se em qualquer lugar, longe do bulício das cidades, dos vícios e ócios urbanos, das línguas viperinas e corações empardecidos de gentes de fraco espírito.

Marcos de Mênfis mantinha-se na Villa Varatedo, desde a Epifania. Instruía Eucrócia, Prócula, Ágape e Urbica na interpretação das Escrituras. Elpídio não se importara, até porque fazia visitas semanais à Villa Fozera para pôr a conversa em dia. Colaborou, assim, com Delfídio nas orientações no período quaresmal, embora, durante o dia, cada membro do grupo se isolasse em covas e outros lugares escondidos, mais adequados à meditação. À noite acontecia o ágape espiritual, no encontro de todo o grupo com a natureza nua, crua, fria, agreste, para se cantarem salmos. A uma semana da Páscoa, a noite trouxe um pequeno alvoroço. Túlio não aparecera para a celebração.

– Fugiu! Foi embora! – informou Prócula, muito mais delgada e pálida que quando Prisciliano a conhecera. – Ouvi-o falar sozinho, dizendo que não aguentava mais esta farsa. E foi-se…

– Talvez não suportasse os rigores do jejum – alvitrou Latroniano.

– Talvez… – ouviram-se algumas vozes.

Sob o plúmbeo luar, só Prisciliano entreviu um trejeito nos lábios do mestre, enquanto os olhos lhe mirravam, sinal de que o pensamento estava ocupado por alguma sorte de preocupações, o sentimento menos apreciado naquele sagrado tempo de reflexão sobre o mistério pascal.

– Vi-o ontem à noite a olhar libidinosamente para mim e algumas de nós, quando dançávamos descalças, apenas com as túnicas sobre a pele, ao som dos vossos cânticos – rematou Prócula, para espanto geral.

A primeira Páscoa de Prisciliano chegara, finalmente. Com ela, também o fim das mortificações e o reforço da espiritualidade. Logo a seguir, retornariam à Villa Fozera, à cidade e aos estudos.

Mas o destino tomou outro rumo. Dias depois, Prisciliano era um homem extremamente angustiado. Recolheu ao quarto e escreveu apressadamente uma carta a Egéria, prevenindo-a de que chegaria rapidamente à Galécia, muito mais cedo do que o previsto. Coisas terríveis e inimagináveis haviam acontecido em Burdigala e não havia tempo a perder. Corria sério perigo de vida!

22

Aseconia (Santiago de Compostela)
[Burdigala (Bordéus)]
[Varatedo (Vayres, perto de Bordéus)]
[Asturica Augusta (Astorga)]
Iria Flavia (Padrón)
Bracara Augusta (Braga)
Marecus (Marecos – Penafiel)

Voltar a casa era sempre reconfortante para o espírito. Prisciliano sentira-o em outras ocasiões, mas aquela era especial. O seu principal destino era a Villa Aseconia. Queria muito estar com Egéria, mas não podia deixar de visitar a família para a informar da sua chegada e dos acontecimentos. Acompanhavam-no Latroniano, Tiberiano, Elpídio e Ágape, condiscípulos de Burdigala.

O reencontro com o lar foi emocionante. Com o coração palpitante, Prisciliano percorreu os espaços da casa, reconheceu os cheiros de criança em cada recanto, os lugares onde brincou e cresceu devagar. Os quartos já não lhe pareciam tão grandes, os corredores eram mais estreitos. Quando vislumbrou a porta do seu antigo quarto, hesitou. Do outro lado encontrava-se o baú de tantas memórias. Era ali que a mãe lhe contava histórias de encantar antes de adormecer, onde sonhava conhecer tantos mundos, onde refletia depois das sábias lições do velho Lívio, onde descobrira a virilidade, primeiro sozinho, depois debaixo do fulgor da escrava.

A seguir correu para o túmulo da mãe. Agradeceu-lhe a onírica inspiração na numinosa noite de Burdigala!

– Obrigado, minha mãe, pela vida que me geraste, mas também pela nova vida que, em espírito, me anunciaste.

Prisciliano rezou em silêncio e sem pressa no mausoléu de Priscila, até que entrou em êxtase, desligando-se do corpo e vislumbrando o gáudio da comunhão com o espírito da mãe. No encontro de mãe e filho, batizou-a com a divina bênção e pediu-lhe autorização para construir um novo túmulo, com motivos cristãos a proteger o vaso das suas cinzas.

O pai vagueava pelos campos, certificando-se do bom andamento da produção agrícola, vigiando o trabalho de escravos e clientes. Prisciliano calcorreou a mesma terra onde, no passado, caminhara descalço, de mão dada com ele, em busca dos bons augúrios para as sementeiras. Comoveu-se, vendo Lucídio a cavalo em sua direção, com um sorriso rasgado.

– Meu filho! Estás um homem feito! – suspirou, abraçando-o longamente, depois de descer da montada. – Tanto tempo sem te ver... Mas estou muito feliz por voltares a casa.

– Meu pai, estou tão contente por te rever de saúde e feliz! – O jovem sorria, contagiado.

– E eu ansioso por ouvir tudo sobre esses tempos em Burdigala. Vou mandar chamar a tua irmã, que está fora.

– Sim, temos muito que falar, meu pai... – respondeu, pensando na forma como abordar o núcleo fundamental da sua vida, a sua família.

Numa das noites seguintes, depois da chegada de Lucídia, reuniram-se todos no amplo salão da *villa*. Com paciência, Prisciliano explicou que era um homem novo, tocado por uma nova fé e espiritualidade. Detalhou os motivos da conversão, como se sentia insuflado por uma alma renovada que o impelia para uma irresistível missão, a mais importante da sua vida: levar a palavra de Cristo a todos os recantos da Hispânia. E o primeiro dos que urgia evangelizar era precisamente a sua *villa*, onde habitavam familiares, colonos e trabalhadores. Todos viviam sob a égide das trevas, uns acreditando nos velhos ídolos, outros nas ancestrais práticas da Galécia, que existiam desde muito antes da chegada dos romanos.

Foi trabalho duro para Prisciliano, que se prolongou por vários meses, até ao fim do verão. Elpídio e Ágape ajudaram-no na missão, infundidos da alegria do lavrador que semeia o campo, no início da primavera, para colher, mais tarde, os frutos. O pai fora o mais renitente. Achava-se velho de mais para aderir a uma nova religião. Mas as sábias palavras do filho tocaram-no profundamente. E depois de se render ao seu apelo, tornou--se mais fácil acordar o coração dos rústicos que habitavam a *villa*.

– Arménio, quero-te ao meu lado! Quando eu sair de Villa Aseconia, caber-te-á a orientação espiritual desta gente.

Arménio estava bem colocado. Mantivera-se o único cristão da casa. Não que o seu Cristianismo atingisse o grau de depuração daqueles que beberam diretamente da fonte de bons mestres, como Marcos e Delfídio. À míngua de um bispo, presbítero ou diácono por perto que o norteasse, estudava sozinho as Escrituras que lhe chegavam às mãos ou que herdara do pai, em especial as traduções latinas hispânicas, a que se usou chamar *Vetus Latina Hispana*. Quando viajava com Lucídio a alguma cidade da Galécia, aproveitava para entrar na basílica local e assistir aos ofícios, saber notícias sobre os avanços da comunidade cristã, ainda muito urbana, e aperfeiçoar-se na doutrina. Porém, para Arménio, a chegada de Prisciliano fora uma caudalosa torrente de emoções. Encontrava no filho de Lucídio uma aura santa, uma chama ardente, um verbo fácil, para além de modos, ao mesmo tempo, elegantes, suaves e determinados. Quem o ouvisse não podia ficar indiferente à força da sua mensagem!

Como prémio da sua dedicação aos Danígicos, Arménio tornara-se o responsável pela organização da *villa*. Ocupava o cargo que um dia pertencera a Flaviano, o homem de má memória.

– Lembras-te de Flaviano?
– Como poderia esquecer esse homem, Prisciliano?
– Sabes o que ele faz agora?

Arménio comprimiu-se. A pergunta apanhara-o de surpresa. A mesma surpresa que se estampara no rosto de Prisciliano quando o vira a comandar um exército de jovens arruaceiros que recebeu, em Burdigala, os membros do conventículo de Delfídio, depois da Páscoa.

– Flaviano deve ter sabido que eu estava a caminho de Burdigala – explicou ao mal recomposto Arménio. – Esperou-me à chegada e vigiou--me todos os passos. Obteve autorização do bispo da cidade para infiltrar no nosso grupo um jovem chamado Túlio. Deturpou todas as informações que este lhe trouxe e contaminou o coração do bispo burdigalense.

A sombra da tristeza povoava o rosto de Prisciliano, com a memória dos funestos acontecimentos que o obrigaram a fugir apressadamente da cidade onde fora estudar.

– Pobre Delfídio! – dizia para si mesmo. – Bateram-lhe tanto e deixaram-no muito maltratado. Deus o abençoe e o ajude a recuperar rapidamente...

A turba liderada por Flaviano incendiara Burdigala contra o grupo de ascetas, a quem apelidavam de bruxos e hereges, acusando-os de práticas mágicas e orgias noturnas. Entre falsidades e verdades que não mereciam castigo, foram escorraçados da cidade, à força de pedras e varapaus. Na sequência das manipulações do bispo, Delfídio viu ainda uma terrível acusação ser-lhe anunciada pelos responsáveis da academia. Não podendo puni-lo por questões de natureza religiosa, enviaram-lhe uma comunicação com o seguinte teor:

A Átio Tiro Delfídio, retor,
Na sequência de um conjunto de queixas formuladas por alguns alunos, alegando que ficaram privados das suas lições por longos períodos de tempo, por injustificada ausência do mestre, foi decidido suspender a atividade de Átio Tiro Delfídio como retor *desta academia.*

Recolheram-se, à pressa, a Villa Varatedo, assustados. Mas o mestre deu-lhes a última lição:

– Quando David se fez passar por louco perante Abimaleque, disse: *Os olhos do Senhor estão sobre os justos e os Seus ouvidos atentos às suas orações.* Por isso, não vos intimideis! Acham-nos loucos, mas nós sabemos onde está a Verdade.

A silente consternação começava a ser abanada pela serenidade e eloquência do mestre. Prisciliano não sabia o que fazer, mas não demorou a que tudo se tornasse claro no espírito desconcertado.

– Esta é a nossa última reunião, mas sei que estais preparados! Quer com os ensinamentos que vos ministrei na academia, quer com a doutrina que aprendemos juntos, com a preciosa ajuda do irmão Marcos de Mênfis. Agora, ide! Ide semear os vossos campos com a boa semente! – prosseguiu Delfídio, contagiando os corações que o ouviam, em especial os dos jovens hispânicos.

Naquele momento, Prisciliano lembrou-se vagamente de uma conversa havida com o pai, em criança, sobre a importância da sementeira, sobretudo na regeneração, no eterno renascimento a que estão votados os homens e a natureza.

– Segui o caminho das vossas almas! Sede exemplos de vida e agentes de perfeição! A Hispânia é um imenso campo a precisar da boa semente!

A viagem de regresso fora feita ao longo da Via *ab Asturicam Burdigalam* que, através de Oiasso, ligava Burdigala a Asturica. Nesta cidade, Tiberiano despediu-se dos amigos e dirigiu-se a Corduba, via Emerita Augusta. Latroniano fez o mesmo, enveredando diretamente para Aeminium, através da estrada que o faria passar por Bracara. Prisciliano e os restantes fugitivos seguiram pela estrada de Lucus, em direção à Villa Aseconia. Ao longo do caminho, cruzando as várias cidades, *vici, castra* e *mansiones*, deixando cada marco miliário para trás em direção ao lar, Prisciliano entrava com os olhos e o coração céu adentro. O firmamento que, através da Via Láctea, o conduzia, mesmo que estrada não houvesse, à sua *finis terrae*. Decidira que, tal como o faziam aqueles que em criança via calcorrear a estrada que lhe passava à porta, visitaria o fim da terra mais ocidental. Haveria também de alcançar o lugar onde o sol se põe, tomar o perfume do mar, rezando em solidão ao Deus infinito e agradecer-lhe a graça de ter nascido naquela abençoada terra galaica, a última do império, mas a primeira onde poderia semear a nova espiritualidade.

Em Asturica, e antes das despedidas, rezaram por Marcos que, tendo subido o Garumna, faria a viagem de regresso, aproveitando os rios aquitanos e narbonenses para alcançar Massilia e, dali, embarcar para Alexandria. Mas fizeram uma outra jura: haveriam de voltar a reencontrar-se naquela mesma cidade de Asturica, para iniciarem um plano secreto que foram aperfeiçoando ao longo das várias jornadas do caminho: evangelizar a Hispânia na fé que defendiam.

– Sabes, Arménio: Deus escreve direito por linhas tortas! Flaviano, que julgávamos assaltar gente nas estradas e aldeias do império, num qualquer bando de bagaúdos, é, afinal, cristão como nós. Nada mais nada menos que um diácono ao serviço do bispo de Burdigala!

*

Fora Elpídio que o revelara, quando um estonteado Prisciliano lhe apontara o dedo trémulo, ao mesmo tempo que dizia: *É aquele! É aquele o homem que eu vi quando cheguei e que me tem andado a perseguir!*

– Como nós, não! Ele diz-se cristão. Mas não acredito que verdadeiramente o seja. Caso contrário, não tinha feito o que fez, sobretudo sabendo quem tu eras e o que sabes do seu passado. Acho, sinceramente, que outras razões se ajuntaram...

– Quais, Arménio? – questionou Prisciliano, na ânsia de ouvir o que já sabia, mas que nunca partilhara com os companheiros, para não lhes despertar os demónios do ressentimento.

– Tu eras um empecilho muito grande para um homem cheio de vaidades e vontade de poder. Conheço-o bem, Prisciliano! Ele sabia que, se o reconhecesses, e isso poderia acontecer a qualquer momento, denunciarias os crimes que cometeu. Por isso, infiltrou Túlio no vosso grupo e fê-lo dizer ao bispo o que ele não viu. Dito por outra pessoa, de quem o bispo certamente não desconfiava, o plano tornar-se-ia perfeito...

– Parece-me razoável essa apreciação. Túlio, embora pouco dado aos estudos, era um acólito muito chegado ao bispo de Burdigala...

A próxima etapa era Bracara Augusta. Prisciliano ansiava por chegar à capital. Não aguentava mais sem ver, abraçar, amar com todas as forças do espírito aquela por quem o coração suspirava. As notícias do regresso haviam chegado a Sabino e a Felicíssimo. Mas ainda não se haviam encontrado pessoalmente. Foi no caminho para a capital da Galécia que Prisciliano, Elpídio e Ágape passaram por Iria Flavia. Acercaram-se do mar a meio da tarde, no lugar onde, em tempos, se dizia que os antepassados mantinham a *Ara Solis*, o altar de sagração ao sol. Mantiveram-se em silêncio acompanhando o caminho vagaroso que o sol percorre, pé ante pé, até se aninhar, nas longínquas águas do Além, adquirir os tons rosáceos, avermelhados e alaranjados do final do estio, no momento em que se deita na cama líquida, fechando os olhos e adormecendo, a encerrar o ciclo de um dia. O recolhimento às profundezas do incerto ocidente trouxera uma noite de plenilúnio. A noite perfeita para os três meditarem, rezarem e louvarem o Uno com cânticos de alegria pela sua missão.

O sabor do mar trouxe-lhe a imagem de Egéria. Intensa, bravia, impetuosa, vencedora e, ao mesmo tempo, serena, sábia, tranquilizadora, cristalina. Voltou à estrada com a imagem a abrir-lhe o sorriso de contagiante saudade, enquanto aquecia na mão a pedrinha que os ligava.

O reencontro com Felicíssimo foi emocionante. Abraçaram-se tempos infinitos, como se houvesse a separá-los uma eternidade.

– Conheceste muitas raparigas em Burdigala, primo? – perguntou, com uma palmada nas costas.

Prisciliano sorriu e não hesitou:

– Sim, muitas, querido Felicíssimo! E não imaginas como me fizeram feliz!

– Tens de me contar tudo!

– Tudo! Haverei de contar-te muitas histórias extraordinárias, priminho – piscou-lhe o olho, enquanto lhe entrelaçava o braço. – Coisas que nem sonhas poderem existir… dentro de nós…

Felicíssimo estranhou o ar misterioso de Prisciliano, que logo derivou a conversa.

– Ah, primo, até me esqueci de te apresentar os amigos que me acompanharam de Burdigala: Elpídio e Ágape! Elpídio já conhecias de nome. Lembras-te de ter falado dele, após a viagem a Alexandria?

– Sim, claro que sim! Muito prazer em conhecer-vos. Aposto que pertenceis à esfomeada confraria de Prisciliano, assim tão delgados e descorados – gracejou Felicíssimo, apontando para os corpos esbeltos dos dois aquitanos e depois para o de Prisciliano. – E tu… quem te viu e quem te vê! Pelo menos, manténs o porte. Pareces um atleta cansado.

– Ora, primo! Estou muito bem assim. Ao contrário do que possas imaginar, estou em plena forma física. Consigo percorrer milhas atrás de milhas sem me cansar, como passar noites e noites sem dormir. O sono, o cansaço, como todos os vícios do corpo, perdi-os para sempre em Burdigala…

– Ai quando o tio Sabino te vir… e te ouvir…

– Por falar no tio… O que é feito dele?! Quero dar-lhe um abraço.

– E eu também – acrescentou Elpídio, sorrindo, lembrando-se da simpática figura do tio pagão de Prisciliano.

– Ah… ele retirou-se para a Villa Marecus. Continua acometido das maleitas de sempre, que lhe voltam quando parece estar bom e menos espera. Diz que lá fica mais perto do santuário de Serápis e que isso o faz sentir mais seguro.

– Pois… haverei de ter uma conversa muito séria com ele a esse propósito! – asseverou Prisciliano, vendo que o tio continuava imerso na idolatria dos falsos deuses e lembrando-se da vez a que assistira ao ritual sacrificial do santuário de Serápis e que, alegoria do destino, fora o que o levara até Alexandria, até Marcos, Elpídio, Burdigala, Delfídio… até Jesus Cristo.

– Felicíssimo, tens visto Egéria? – perguntou, estranhando que o primo lhe não tivesse falado dela.

– Não! – respondeu, sorridente. – Vejo que a filha de Décio Frutuoso ainda te tira o sono!

– Temos mantido contacto. Estamos em comunhão. Mas ando preocupado. Antes de sair de Burdigala mandei-lhe uma carta a preveni-la da minha viagem. Pensei que te tivesse procurado… Para saber notícias minhas…

– Coitadinho do priminho – Felicíssimo deu uma gargalhada. – Vá, a última vez que a vi, estava um pouco magra… Primo, conheci umas raparigas que acabaram de chegar à cidade…

– Chega! Não me entendes mesmo.

No dia seguinte, dirigiu-se à *domus* de Décio Frutuoso. Mas ainda mais apreensivo ficou. Os senhores estavam para fora e os criados não tinham instruções para prestar qualquer informação sobre o local onde se encontravam, muito menos as filhas. Prisciliano dormiu mal, apreensivo com a ausência de notícias da amada!

Alguns dias depois, um ofegante cavaleiro chegava a Bracara com uma triste notícia: o tio Sabino acabara de morrer. Só tiveram tempo de montar nos cavalos da casa e porem-se na estrada para lhe prestar as últimas homenagens. Não eram clérigos, mas, embora laicos, leram, à cabeça do defunto, várias passagens das Escrituras, nomeadamente as bem-aventuranças de Cristo, aquando do sermão da montanha.

– *Bem-aventurados os puros de coração porque verão a Deus!* – leu em voz alta o sobrinho, acreditando que, apesar das crenças em que viveu, Sabino era um homem bom, como muitos pagãos que conheceu ao longo da vida. – Tenho a certeza que, chegasse eu a tempo, guiaria a tua alma pelo caminho mais curto para a salvação. Os Seus desígnios assim não o determinaram. Por isso, oremos ao Senhor para que lhe acolha a alma no Seu seio e a lave de todos os pecados.

Todos rezaram por Sabino, que foi enterrado na necrópole da Villa Marecus. Todos não, porque Felicíssimo ainda vivia desconcertado com as radicais mudanças na vida do primo, sobretudo no que cabia à forma intensa com que se entregava a uma espiritualidade que sempre rejeitara, da qual zombara, à qual nunca quisera aderir, mesmo que isso o tivesse, durante tanto tempo, afugentado do desejado amor com Egéria.

Até então, Prisciliano evitara voltar a falar no seu nome, esperando o momento certo para a descobrir. Haveria de o fazer, tinha de o fazer. O coração ardia por novas de Egéria. Porém, aprendera a dominar as emoções. Pensava ainda na forma como transmitir-lhe as mudanças operadas em si e como lhe falar do casamento. Amava-a agora de uma forma diferente, mas mais intensamente. Numa paixão mística. Com o coração e não com as vísceras. Amava-a com o espírito e não com o corpo, contaminado de vícios inconsequentes e definhadores da condição humana.

Enquanto não a encontrava, convertia os habitantes da *villa* do tio Sabino e explicava os motivos da sua fé a Felicíssimo, ainda desnorteado. Com Elpídio e Ágape, ensinou, em dias e serões seguidos de doutrinação. Os três acompanhavam as populações rurais na lida dos campos e levavam-lhes uma lição que lhes fazia estremecer os pobres corações:

– Em Jesus Cristo, nós somos todos iguais! Homens e mulheres, ricos e pobres, proprietários, colonos ou escravos… Ninguém é mais que ninguém aos olhos do Senhor.

Os rústicos abriam os olhos de espanto, tal como acontecera na Villa Aseconia. Questionavam-se entre si como era possível que os ricos senhores se rebaixassem ao ponto de se humilharem a amanhar a terra com eles, descalços, suados e sujos? Como era possível que os acompanhassem nos rituais propiciatórios para as boas colheitas, afirmando que, em vez das ancestrais blasfémias que acreditavam despertar o ventre generoso da mãe terra, deveriam rezar a uma espécie de deusa chamada Maria, tão poderosa como Ísis, e que era mãe de um Deus maior, chamado Jesus Cristo? Que era, ao mesmo tempo, filho e pai dele próprio? E que os dois eram um, juntamente com um terceiro a que chamavam Espírito Santo, mas que não entendiam se era avô ou primo, afastado que fosse, dos outros todos? Como era possível que eles, escravos, habituados às duras penas do trabalho braçal e de sobrevivência, passassem, num passe de magia, à condição de iguais, de irmãos, daqueles ricos e poderosos senhores?

À estupefação evidenciada nos rostos dos pobres *pagi*, destinados a refugo da sociedade romana, os três respondiam, pacientes e determinados. O melhor estímulo era a alegria interior em que viviam. A paz consigo e com Deus. Aprenderam que a melhor forma de converter os rústicos gentios era conhecer-lhes os costumes e adoçá-los à verdadeira fé, transmutá-los no ouro da salvação.

As primeiras a aderirem eram, quase sempre, as mulheres. As palavras de Prisciliano levavam uma força magnética que lhes aquietava os corações e as levavam, com urgência, a converterem-se à religião anunciada por alguém que lhes conferia o mesmo estatuto dos homens, na terra e nos céus. E isso constatava-se. Ágape passou a ser fundamental, reunindo-se com elas em privado, catequisando-as e demostrando-lhes que tinham o mesmo direito, tal como ela, a participar nas cerimónias litúrgicas que, às noites, se faziam na *villa*, cada vez com mais entusiásticas adesões. Prisciliano ensinou-as a cantar alguns salmos e, em algumas ocasiões, dançavam também, como era tradição do *pagi*.

– Converteste-me, Prisciliano! Aceita o meu humilde contributo na tua missão! Quero conhecer melhor a tua fé, entregar-me, o melhor que souber, à tua causa, à minha salvação e à dos gentios!

– Abraça-me, Felicíssimo! Hoje é um dia de grande alegria! – Agarraram-se, durante largo tempo, emocionados. – Agora, preciso de saber outra coisa: onde está Egéria?

23

Asturica Augusta (Astorga)
[Bunili (Boelhe – Penafiel)]

– Pedimos para ser atendidos pelo bispo Simpósio...
– E quem lhes quer falar?
– Prisciliano de Aseconia e alguns companheiros...
Dictínio, o jovem que recebia tão imprevista comitiva na basílica de Asturica, transformou-se numa estátua de olhos azuis, muito brilhantes. Só os cabelos louros bailavam de vida, na base do pescoço. Recostou-se ao umbral da porta do templo com os olhos esbugalhados de quem estava a mirar, pela primeira vez, seis admiráveis seres. Da sua boca não saiu palavra, nem ar parecia que entrasse. O rapaz, já homem feito, a desfazer a curva do tempo que esgota a segunda década de vida, só saiu da letargia quando um homem mais maduro, de barba rala e o dobro da idade, lhe surgiu pelas costas.
– Dictínio, esperava-te na sacristia, com as partículas de pão para a missa...
– Meu pai, estão aqui estes senhores...
– Sim, eu vejo-os. Quem são e o que pretendem?
– Não sei o que pretendem. Ou melhor, sei... Falar consigo, meu pai.
Simpósio mirou-os de cima a baixo. Cinco homens, uma mulher. Todos eles vestidos com túnicas brancas e simples. Eram magros, mas o bispo lia-lhes nos rostos traços de energia, vigor e determinação. Pareciam saudáveis e, apesar de parados em semicírculo, Simpósio poderia

apostar as delícias do paraíso em como se tratava de gente culta e da alta estirpe senatorial romana.

– Se vêm na paz do Senhor, façam o favor de entrar! A casa d'Ele é a vossa casa.

Prisciliano agradeceu, com cortesia, e entrou, sem pressa, na basílica construída pela generosidade da comunidade cristã local, seguido dos amigos. Dictínio, junto ao pai, seguia-os com os olhos, com uma indisfarçável curiosidade estampada no rosto. Prisciliano, Elpídio, Ágape, Latroniano, Tiberiano e Felicíssimo. Foi esta a sequência, mas os nomes dos últimos cinco só os ouviu da boca de cada um, quando, sentados numa dependência da basílica, faziam as apresentações.

– Com que então, és tu o famoso Prisciliano? – perguntou o bispo, depois de lhe ouvir o nome da própria boca, muito embora o filho já lho tivesse segredado ao ouvido, ainda fora das portas, após a entrada de Felicíssimo.

– Isso é simpatia tua, meu irmão! Não me parece que seja famoso, nem é fama o que busco.

– Sim, acredito que assim seja. Mas a fama não é algo que possas controlar. Ela depende dos nossos atos e, sobretudo, de quem os observa, ouve, comenta e faz passar de boca em boca. Quando os factos extravasam a normalidade das vidas do comum dos mortais, atravessam montanhas, aldeias e cidades e chegam bem longe, isso é a fama. Ela é boa ou má, conforme os atos de cada um ou do rigor e instintos de quem os transmite. E, como sabes, nestes tempos, as notícias correm depressa… – Simpósio passou os olhos por todo o grupo e parou novamente em Prisciliano, para concluir: – Por isso, meu irmão, aqui na Galécia, a tua fama precede-te!

Ele estremeceu. A tristeza anunciou-se no semblante perante as memórias que aquela afirmação lhe trazia. Foram precisamente aquelas palavras que escutara da boca de Egéria, quando a encontrou na sua *villa*, no refúgio de sempre, perto da foz do Tamaca: *A tua fama precede-te, Prisco.* Por isso, naqueles curtos segundos cabia todo um feixe de emoções experimentadas no momento do reencontro.

Prisciliano fora sozinho, a cavalo, descobrir finalmente o paradeiro de Egéria, depois de obter algumas informações. Encontrou-a a passear nos jardins da Villa Bunili, com uma criada. Quando o vulto se aproximou e o perfil difuso do ginete se foi moldando nos seus olhos à figura do rapaz que conhecia desde criança, mandou a escrava recolher-se e ficou a vê-lo aproximar-se, petrificada pelo fogo emocional.

– Bem-vindo! – recebeu-o, de sorriso aberto.

O cavaleiro desceu, em silêncio. Tomou-lhe as mãos e, frente a frente, olhos com olhos, comprimiu os lábios para suprimir toda e qualquer palavra que pudesse ser desadequada ao momento. Comunicaram com o coração inflamado. A imensa alegria transbordava em fios de sal que temperavam a comoção e a condimentavam com o tão esperado sabor do reencontro. Amansaram o torvelinho de emoções intensas, estranhas, desejadas, perdidas, adiadas, encontradas, num apertado e demorado abraço que os fundiu num único espírito. Ao redor, a natureza irrompia, abrupta, montes acima, até ao cume, campos abaixo, até ao rio que seguia o eterno caminho para o eterno destino: o Durius. A natureza abraçava--os também, através da brisa suave que descia dos céus e os envolvia no enlace que não terminava.

Dentro da *villa*, Gala observava a cena, cochichando com a escrava palavras de estupefação e esta abria os olhos de escândalo. Nunca tinham visto Egéria chorar em silêncio, tanto tempo, abraçada a um homem. Mas eles não se importaram, aquele abraço era tudo o que precisavam. O fim e o princípio. O princípio e o fim. A união de almas que se buscam e não encontram. A fusão dos corpos até então unidos pelo pensamento e meditação.

– Sabia que me encontrarias, meu amor!

– Vejo que tens dons de clarividência, Egéria! – Prisciliano falava-lhe ao ouvido, com carinho.

– Não tenho qualquer dom, exceto o da esperança e o da paciência.

– Mas recebeste a minha carta, em que dizia que voltava mais depressa do que o previsto, certo?

– Não! Tenho estado aqui, não contava contigo e senti necessidade de me retirar, enquanto os meus pais foram a Roma. Não aguentava mais o bulício de Bracara... E sabes como é, há sempre homens a querer saber de mim...

– Como assim?!

Egéria suspirou e refletiu.

– Sabes... a uma mulher solteira e rica não faltam pretendentes... E recebi uma carta de Ithacio Claro a dizer que vinha à cidade e que gostava de me ver.

– Maldito… – blasfemou. – Agora entendo…

– Bem sabes que estamos incógnitas, o correio não chega aqui. A carta deve estar em Bracara – elucidou Egéria, nos braços do amado. – Mas eu sabia que estavas de volta e me encontrarias.

– Como assim?

– Sempre me voltaste! E sempre me encontraste! És como a lua: sempre apareces e desapareces! – gracejou, apertando mais o amado.

– Como digo, tens o dom da clarividência. Olha que isso pode ser mal interpretado por uma mente mais perversa. Ainda te acusam de *maleficium* ou de práticas divinatórias – brincou.

– Dom tens tu: o supremo dom de transmutar as almas para a reta direção…

– Que sabes tu sobre isso, Egéria?!

– A tua fama precede-te, Prisco…

Todo aquele momento mágico viveu-o Prisciliano intensamente na minúscula fração de tempo a seguir às boas-vindas de Simpósio, na sala do templo de Asturica. Mas o que mais tocou o jovem asceta foi a lembrança das palavras que o levaram a uma intensa comoção, quando a amada lhe disse ao ouvido, ainda dentro do abraço:

– Mas tens outro dom especial: o de me teres, mesmo sem estares; o de me habitares, mesmo sem entrares; o de seres, mesmo sem seres visto. Amo-te muito, querido Prisco.

Prisciliano emocionou-se.

– Eu também… Cada vez mais, minha querida!

Apertaram-se, numa intensa mistura de afetos. Egéria chorava, comovida pelas transformações de Prisciliano e pelo fascinante mundo novo que se lhe abria, ao lado do amado. Quando o largou, enxugou os olhos e continuou, mais serena:

– Não imaginas como fiquei tão feliz quando li a tua carta a relatar-me a conversão! Passei dias e dias a agradecer a Deus…

Os dois confidenciavam num bosque. Caminhavam de mãos dadas por uma senda aberta entre carvalhos, pinheiros e arbustos. Mas a lua não era a única testemunha das revelações que faziam reciprocamente sobre as experiências nos dias de ausência.

– Agora sim, podemos casar! Estou ansiosa por viver contigo e termos muitos filhos.

Prisciliano sentiu um aperto no coração. Era chegada a hora de contar a verdade. Mas foram subitamente interrompidos.

– Quem está aí?! – perguntou Prisciliano, depois de ouvir alguns arbustos a remexerem-se.

– Ah... sou eu, Gala! – respondeu a irmã de Egéria. – Estava preocupada com a vossa ausência...

Trocaram olhares surpresos.

– Gala... Que bom ver-te. Não reparei em ti quando cheguei.

Prisciliano voltou ao templo de Asturica. Inspirou fundo e agradeceu as palavras do bispo Simpósio. O jovem Dictínio continuava enfeitiçado a olhar para os recém-chegados, cujos ideais de rompimento com os grilhões da sociedade o atraíam sem mesura. Mas nunca imaginara ver os seus heróis, frente a frente, assim tão cedo.

– E que me quereis? – interrogou o bispo.

– Simpósio, sabemos que és um homem bom! Que te entregaste a Deus de corpo e alma, que conduzes com retidão e justiça a comunidade cristã desta importante cidade, sede de um dos três *conventus* da Galécia.

Dictínio acompanhava a intervenção de Prisciliano, abanando continuamente a cabeça, em sinal de concordância. Em tempo de juventude, Simpósio casara e, depois de nascer aquele filho, outro estivera a caminho. Desafortunadamente, o novo rebento morrera durante o parto. Apesar de a morte, em tais circunstâncias, ser tão frequente, pai e mãe acometeram-se de profunda tristeza e consternação. Convictos cristãos que eram, decidiram consagrar-se à vida espiritual e à Igreja. Os méritos de Simpósio foram rapidamente reconhecidos pela comunidade cristã de Asturica que, em assembleia, o elegeu bispo da cidade. Dictínio passou a acompanhá-lo nos seus afazeres, também ele tocado pelo sopro espiritual.

– Vimos explicar-te os nossos propósitos de prosseguirmos na Galécia e em outras partes da Hispânia a experiência da via ascética e levá-la a todos os recantos desta terra...

– Já ouvi falar das vossas conversões. Mas não sois clérigos, não estais dentro da Igreja de forma institucional. Por isso, não sei se...

– Sim, somos todos laicos! – interrompeu Prisciliano. – Mas isso não importa. Queremos viver a fé como os primeiros cristãos, pela via carismática e kerigmática. A nossa ideia não é fundar comunidades ou grupos submetidos a regras ou hierarquias. Antes, e apenas, aproximarmo-nos do Deus dos primeiros cristãos que O seguiram, quando foi homem, e imbuídos da sua fé…

– Consideram que a Igreja não é importante e não cumpre esse papel?

– Claro que a Igreja é importante. Não queremos substituí-la! Mas consideramos que há partes da Igreja nas quais não nos revemos. Talvez ela precise de ser reformada…

– Como assim, meus irmãos?

Simpósio seguia com atenção a argumentação de Prisciliano e Elpídio. Os outros escutavam, tal como o louro e sardento Dictínio, que não perdia uma palavra da conversa. Explicaram que, desde que deixou de ser perseguida, o Estado se foi introduzindo, aos poucos, na Igreja e que isso a contaminava com vícios que consideravam impensáveis. Com efeito, muitas das novas vocações advinham do antigo colégio curial, gente poderosa, que não queria perder os pergaminhos sociais. Ao mesmo tempo, a Igreja passou a administrar importantes valores económicos, oriundos de generosas doações do Estado, homens e mulheres ricos, especialmente viúvas, que distribuíam, a título de despesas do culto e do apoio social, mas que nem sempre chegavam a esse fim. Acrescia que os funcionários eclesiásticos iam ficando eximidos dos impostos denominados *munera curalia*, ao mesmo tempo que adquiriam jurisdição religiosa específica e parte da civil, o que lhes permitia gerir o património eclesiástico e colaborar no governo local, nomeadamente na ajuda à manutenção da ordem imperial, conjuntamente com a autoridade espiritual.

Simpósio, embora homem de boa-fé e de coração generoso, sabia que o propósito daquele grupo de ascetas poderia trazer-lhes alguns dissabores. Sobretudo por se tratar de gente abastada e instruída, dispondo de bens próprios para ajudar os mais carenciados e podendo colocar em causa, com a sua capacidade de persuasão, a liderança espiritual da Igreja convencional. Como a prudência sempre lhe fora boa conselheira, o bispo de Asturica escolheu este campo mais seguro.

– … por isso, gostaríamos de te convidar a participar num dos nossos retiros e a autorizares que instruamos os gentios dos *pagi* e das *villae* onde nos deixarem entrar.

– Quero dizer-vos que comungo muito desse espírito. A vivência em Cristo pode, na verdade, ser alcançada de muitas formas. Também eu li a *Vida de Santo Antão*. Aliás, eu próprio fui laico, tenho esposa e filho, – respondeu apontando para Dictínio. – Não me oporei a que levem o Evangelho às almas que vivem na escuridão. Mas não participarei nas vossas experiências ascéticas.

Com pena, resignaram-se à decisão de Simpósio. Não era a esperada, pois o grupo havia-se determinado a um secreto propósito: trazer para o seio do seu movimento espiritual todos os bispos da Hispânia, começando pela parte mais ocidental – Galécia, Lusitânia e Bética. Onde isso não fosse possível, esperariam que eles partissem para o Senhor, para os substituírem por clérigos capazes de interpretar corretamente o verdadeiro espírito do movimento liderado por Prisciliano. Esse segredo não podia ser divulgado, pois poderia assustar bispos e clérigos já instalados, nomeadamente os que comiam e bebiam à mesa de um generoso orçamento clerical e se dedicavam a exercer o poder e a viver como se a Igreja fosse apenas um instrumento de ascensão social. A primeira tentativa com Simpósio, que incarnava o adequado espírito virtuoso, fracassara. Mas, pelo menos, autorizava-lhes o anúncio evangélico no seu território. *Já não é mau*, pensava Prisciliano, quando se levantava para as despedidas. Mas logo foi surpreendido:
– Eu gostava muito de ter esta experiência, meu pai! – A voz de Dictínio ecoou na sala como um vulcão, agarrando-se com a força da lava às almas presentes.

24

Bunili (Boelhe – Penafiel)
Aseconia (Santiago de Compostela)
Bracara Augusta (Braga)
Ossonoba (Faro)

Os meses seguintes foram passados em contínua missão nas *villae*, *vici*, *castri*, *pagi*, onde houvesse alma humana a precisar de Evangelho. Com o passar do tempo, a fama de Prisciliano percorreu a Galécia, disseminando-se pelos quatro ventos. Penetrava nos corações dos aristocratas e dos gentios, como a seta de Cupido no coração dos apaixonados. Com uma brilhante capacidade de oratória, gestos delicados, rituais de cânticos e orações magnéticas, o galaico pregava o amor de Deus pelos homens, a igualdade entre os humanos, que ia para além das barreiras da condição social e do sexo.

As mulheres rendiam-se, arrebatadas, ao encanto da mensagem deixada por aquele homem da classe aristocrática, de família rica, educado e bem-apessoado, que lhes oferecia a maior das prendas: a dignidade de serem iguais. Iguais à face de Deus e, por consequência, perante os homens. Iguais na missão. Com os mesmos direitos de aprender, ensinar e participar, em conjunto com eles, nas cerimónias litúrgicas e noturnas.

Todas, exceto Egéria. Não passava um dia em que ele não se lembrasse dela e da despedida na Villa Bunili. A filha de Décio Frutuoso, tão devota e intrépida na conversão de Prisciliano, enrubescera de desilusão quando percebeu que a sua transformação fora para além dos limites que previra.

Preservara-se de todos os assédios, lutara contra a vontade dos pais, esperara pela mudança interior de Prisciliano, e ele dizia-lhe agora que não queria casar com ela, pois tornara-se asceta!

– Como fui tão inocente?! E pensava eu ter muitos filhos contigo!

– Egéria… é uma vocação, um chamamento…

– Esqueces-te que me desonraste, antes de partires para Burdigala. Desde esse dia que me sinto prisioneira de ti… que te espero para o casamento, como me prometeste, naquele momento…

– Não me entendes… Podemos sentir-nos e vivermos como casados… Um casamento místico. O meu amor por ti é insubstituível.

– Estou envergonhada. Vai embora! Não te quero ver mais…

Fugiu para dentro de casa, aos soluços, de nada valendo as insistências para lhe falar. Só Gala lhe apareceu à porta, algum tempo depois. Abraçou-o demoradamente e chorou-lhe nos ombros.

– O que se passa?!

– Nada… nada. Tu não nos entendes. Nem a Egéria, nem a mim. Ela pediu-me para te entregar isto!

Prisciliano viu a pedra de quartzo e comoveu-se de uma intraduzível tristeza.

A perda de Egéria fora um duro golpe para o líder do grupo, a que já apelidavam de *os priscilianistas*. Com uma ferida aberta no coração, procurou resignar-se o melhor que pode, mas esperava que um dia ela entendesse a sua decisão e a ela aderisse. Para evitar soçobrar na missão a que se determinara, dirigia pessoalmente a conversão nos territórios mais difíceis. Em especial junto dos rústicos, habituados aos ancestrais cultos que, embora favorecessem a fecundação da mãe terra, não lhes garantiam a salvação e a ressurreição da carne no final dos tempos. Levava-os a aderirem, deslumbrados, à nova doutrina que os tornava iguais aos seus senhores, aos poderosos, à face de Deus. E sentiam-se confortados com a ancestral identidade cultural, através da prática dos rituais e cânticos propostos por Prisciliano, no meio de clareiras bordejadas de carvalhos, montes, bosques, da natureza que, desde tempos imemoriais, lhes aquietava o espírito.

Tudo isto resultava de uma permanente busca da *imitatio Christi*, d'Aquele que escandalizou a sociedade do tempo, acolhendo mulheres e doentes no seu círculo, que se mostrava solidário com os discriminados, que se dirigia ao *povo da terra* depreciado pelos fariseus, por força da incapacidade de cumprir o código de pureza e de pagar os dízimos sobre o que produziam.

– *Eu não vim para chamar os justos, mas os pecadores* – clamava Prisciliano as palavras do Ungido, pelos quatro cantos da Galécia. – Para Jesus, as regras que impediam o contacto com as mulheres, os doentes e os marginalizados eram contrárias ao perdão que Deus oferecia aos homens. Por isso, Ele tomava refeições com os desclassificados da sociedade, antecipando o banquete destinado a todos os que pertencem ao Seu Reino, no final dos tempos.

Aos poucos, o fogo espiritual que começara em Aseconia lavrava por toda a Hispânia. Prisciliano intuiu-o, captou a essência do seu tempo e a urgência da missão. Na verdade, quando os cinco amigos regressaram de Burdigala, e antes de se despedirem, combinaram reunir-se para celebrar o Advento seguinte na Villa Aseconia. Foi na sequência da ascese de três semanas que, sentindo um assomo de lucidez e inspiração divina, anunciou a todos o que lhe queimava na alma:

– Meus irmãos, está escrito e é da tradição cristã que os apóstolos espalharam a Palavra do Senhor pelo Império Romano, em especial pela parte oriental. Tiago Zebedeu pregou na Judeia e em Jerusalém. Nessa cidade, foi mártir, por decapitação, às ordens de Herodes Agripa I, cerca de dez anos depois da Ressurreição de Cristo. Este querido apóstolo, Tiago Zebedeu, está sepultado na cidade onde morreu, em Jerusalém. Paz à sua alma!

Prisciliano explicava aos amigos as chamadas *sortes apostolicae*. Cada apóstolo assumira a sua missão, espalhando, até à graça do martírio, a semente de Cristo.

– São Paulo foi, talvez, o mais pródigo no espírito evangelizador. Escolheu as capitais das províncias e as cidades que se encontravam nos principais nós viários. A rede missionária seguia da célula mais pequena – a *oikos*, a comunidade familiar – para a maior, que é a cidade.

Paulo, o apóstolo que apenas conheceu Cristo espiritualmente, fora a inspiração da conversão de Prisciliano, a cujos escritos dedicava muitas horas de estudo. Por isso, explicou a forma como o judeu de Tarso criou e organizou as células de disseminação do Cristianismo primitivo: utilizando as rotas comerciais estabelecidas para circular e, sobretudo, as redes pessoais para levar o Evangelho às personalidades mais notáveis das cidades.

– Assim, os primeiros cristãos reuniam-se numa *oikos* ou numa morada mais espaçosa de um notável, que convidava vizinhos e amigos para assistirem às prédicas e às orações. Eles tinham as suas *oikos*, nós temos as nossas *villae*...

Tais palavras caíam em cada coração como chuva no rio. Por isso, os corações daquele inverno de 373 transbordavam de fervor, animavam-se do espírito dos cristãos primitivos, ansiavam por tornar-se os apóstolos dos verdadeiros ensinamentos de Cristo, na Hispânia. Sobretudo quando Prisciliano lhes anunciou uma surpreendente novidade:

– Nenhum dos apóstolos evangelizou a Hispânia! Mas houve um que o pretendeu muito, no final da sua vida. Foi precisamente Paulo de Tarso.

Prisciliano leu, de seguida, uma parte da sua Epístola aos Romanos, onde ele anunciava essa frustrada intenção.

– Ora, infelizmente, São Paulo foi decapitado em Roma, nos tempos de Nero. Por isso, não cumpriu a missão que tanto desejara.

Todos o escutavam com muita atenção, adivinhando no pensamento de Prisciliano aquilo que solicitaria a seguir:

– Cabe-nos a nós, irmãos, prosseguir o que São Paulo quis e não alcançou. Por isso, a Hispânia continua tão pouco cristianizada. Iluminados pelos ensinamentos de São Paulo, nós seremos os discípulos de Cristo na nossa própria terra!

Asturica Augusta fora o primeiro dos objetivos. Situava-se no cruzamento de várias vias e Simpósio pareceu-lhes o homem certo. Não o conseguiram, mas trouxeram Dictínio. Depois de todos intervirem na primeira missão, à semelhança dos apóstolos, separar-se-iam, cada um para o seu destino. Prisciliano visitá-los-ia, à medida das possibilidades, para acompanhar o labor e encontrar-se-iam, sempre que necessário.

Assim, Latroniano seguiu para Aeminium, a sua cidade, tendo como especial objetivo trazer para o movimento o primo Salviano, bispo da vizinha Conímbriga. A Tiberiano coube evangelizar a Bética e, se possível, Emerita Augusta, que, sendo capital da Lusitânia, não distava muito da sua natal Colonia Patrícia Corduba. Elpídio e Ágape seguiram com Prisciliano até Salmantica, com o propósito de visitar Instâncio, o bispo local, famoso pelo seu desprendimento, mas também pelo temperamento impetuoso, e que Elpídio conhecera numa das viagens. Dali, os dois aquitanos regressariam a sua casa, pois havia notícias de que passara a tempestade em Burdigala. Felicíssimo acompanharia Prisciliano até se sentir seguro na doutrina e, depois, seguiria para evangelizar Lucus Augusti. A Dictínio, o novo e imprevisto aliado, caberia, mais tarde, instruir Asturica Augusta, depois de devidamente iniciado no pensamento que Prisciliano liderava cada vez com mais carisma.

Entretanto, chegavam à Galécia notícias frescas do império. Depois de várias pelejas com os Alamanos, o imperador cristão niceno Valentiniano firmara um tratado de paz com estes bárbaros. Corria o ano de 374. Mas o imperador panónio não pôde gozar por muito tempo essas delícias, pois morreria, inesperadamente, em 17 de novembro de 375. O ocidente ficaria dividido em duas partes: a Itália, o Ilírico e África couberam, por influência da arianista Justina, viúva do imperador, a Valentiniano II, ainda criança, e a Graciano, o filho que tivera de Marina Severa, que era então o césar das Gálias e que fora educado pelo grande mestre burdigalense Ausónio, professante da fé nicena, tocou a governação da parte restante, onde se incluía a Hispânia, tutelando ainda a governação do meio-irmão. No oriente, governava Valente, o tio dos dois imperadores ocidentais, embora professando a fé dos arianistas e perseguindo os bispos nicenos.

Prisciliano não poderia sequer augurar como aqueles acontecimentos haveriam de ter uma tão grande importância no futuro. Na verdade, nem sequer prestava grande atenção aos assuntos políticos. Vivia a felicidade de ter conseguido integrar no movimento os bispos Instâncio e Salviano. Já lhes haviam chegado rumores da ação do galaico, com as quais estavam em profundo acordo. Assim, o fogo inicial foi-se propagando da Galécia para a Lusitânia, a Bética, a Cartaginense, a Tarraconense e a Aquitânia. Nesse momento, já não era um fogo, nem um conjunto de fogos. Era um vertiginoso incêndio espiritual que lavrava na Península Hispânica e Aquitânia, que entrava com entusiasmo nos peitos de muita gente, de todas as classes e ambos os sexos.

Quando voltavam de Asturica, um criado veio receber Prisciliano às portas da *villa*.

– Mestre, está uma pessoa à tua espera…

– Uma pessoa?! Quem é?

– Não sei, desconheço… Está com um ar triste, quase a desfalecer… Já chegou há alguns dias. Temos tentado que coma alguma coisa, mas de pouco mais se alimenta que pão e água.

Prisciliano sentiu um golpe no estômago. Não precisava de ser adivinho para descobrir de quem se tratava. Correu para a alcova onde a hospedaram, junto às cavalariças.

– Egéria?!

Um vulto estava deitado sobre um catre. Ao lado, um recipiente de vidro com água, ainda cheio de pão bolorento. Não reagiu ao chamamento. Aproximou-se da mulher e abanou-a. Uma, duas, três vezes.

– Egéria!

Ela virou-se então, devagar.

– Prisco…

– Meu Deus… Como tu estás! O que se passou, minha querida?

A mulher sentou-se à ilharga, com a ajuda de Prisciliano.

– Estás muito debilitada, meu amor.

– Abraça-me…

Assim ficaram durante um tempo infinito, em profundo silêncio, apenas cortado por soluços misturados.

– Não consigo viver sem ti…

Ele colocou-a em frente a si, segurando-lhe o queixo e o olhar molhado.

– Eu também não consigo viver sem ti. Sempre te disse que eras a minha amada e no meu coração não há lugar para outra Egéria… senão tu.

– Meu amor…

– Aceita-me como eu sou agora… Aceita a nossa comunhão mística, o nosso amor eterno, tran sparente, cristalino, imaculado… seremos marido e mulher hoje e para a eternidade, tão-só pelo puro sentimento que nos une.

– Eu entendo-te agora… Sei do que me falavas e dos teus propósitos…. Só quero estar junto a ti para ser a tua verdadeira esposa, a mulher que nunca sairá do teu lado para o combate que tens pela frente.

– Oh, meu amor! Não imaginas como me fazes tão feliz. Tenho pensado tanto em ti…

– Eu também… Não posso contrariar os Seus desígnios e os do meu coração…

– E tens-me feito tanta falta! Preciso de uma mulher sábia como tu para me ajudar no meu labor.

Abraçaram-se novamente, profundamente emocionados.

– Vá, agora precisas de alimentar-te. Temos muito trabalho pela frente. Verás como, juntos, seremos muito felizes nesta missão!

Egéria sorriu. Prisciliano apertou-a mais contra si, pleno de afeto. Segurou-lhe novamente o queixo e beijou-a. Tirou da bolsa uma pedra de quartzo rosada e mostrou-lha, com um largo sorriso.

– Toma! É a tua pedra. Volta a ficar com ela e eu com a minha.

– Nem a morte nos haverá de separar… – respondeu ela, pegando-a, afagando-a e beijando-a, cheia de enlevo e paixão.

O reencontro com Egéria serviu de maior alento ao guia espiritual do grupo. Animou-se ainda mais a estudar, a ensinar, visitar, orar, transformando-se, dia após dia, mês após mês, ano após ano, sempre com a ajuda da amada, num líder religioso carismático, pela força da fé, pela forma revolucionária como a vivia, pela mística paixão que gerava nos seguidores. Sendo ele um laico, estes começaram naturalmente a reconhecê-lo como mestre, *doctor*, pela sabedoria como interpretava as Escrituras e as ensinava aos fiéis.

No final do verão de 378, chegaram perturbadoras notícias ao canto mais ocidental do império Romano. Em Adrianópolis, tão perto de Constantinopla, os bárbaros tervingos haviam infligido uma humilhante derrota a Valente. As informações eram esparsas e confusas, transmitidas por viajantes, soldados e carregadores da posta imperial. Até que, no início do outono, um comerciante que acabara de chegar a Bracara Augusta, vindo de Antioquia, Alexandria e Massilia, trazia as informações que comoviam o império. No fórum, vários cidadãos reuniam-se em seu redor para ouvir as perturbantes notícias, que ele só contou, depois de concluído o comércio:

– Foi uma derrota totalmente inesperada do imperador do oriente! Ninguém tem uma explicação segura para o sucedido! Morreu uma terça parte do exército romano, com muitos oficiais. Nem sequer o corpo de

Valente apareceu. Dizem que morreu consumido pelo fogo que devorou a tenda para onde foi trasladado, depois de ferido...

– Valente sofreu o castigo de Deus... – dizia um jovem, mais acirrado. – Era um arianista, dos que não acreditam que Cristo e Deus são de igual essência divina.

– Calma! – aconselhou Felicíssimo, a fim de evitar controvérsias entre os cristãos. – Deus não se mete nessas coisas... Valente, para além do mais, era romano, como nós... E, pelo que vejo, os germanos que o mataram também eram arianistas.

– A derrota foi provocada pelos velhos deuses que os romanos abandonaram. Ainda está impune o assassinato do imperador Juliano, morto pelos cristãos, na batalha contra os persas...

A última intervenção, de um jovem pagão, provocou uma acesa troca de argumentos entre cristãos nicenos, arianistas e pagãos, que chegaram a vias de facto. Foi necessária a intervenção das forças públicas para refrear os exaltados ânimos. A morte do imperador do oriente transtornara o império e abrira um conjunto de questões, não só as de natureza religiosa, mas sobretudo quanto ao futuro da civilização romana.

Entretanto, em Ossonoba, o bispo da cidade comia com dois diáconos, deitados no *triclinium*.

– Tendes a certeza do que estais a dizer? – resfolegava, com um brilho nos olhos.

A ascensão social e religiosa de Ithacio Claro fora vertiginosa. O poder do pai e a vacatura da sé rapidamente o fizeram bispo.

– Sim, um familiar de Bracara que chegou à cidade contou-nos. E também soubemos que um tal Tiberiano de Corduba anda a pregar essas doutrinas cá pelo sul. Parece que a intenção deles é correrem com todos os bispos que não adiram à seita.

– Ah! Ah! Ah! – Ithacio riu tanto que se engasgou com a coxa de galo. – Eu conheço esse Prisciliano... – Tossiu e bebeu uma taça de vinho, até se recompor. – Era um mulherengo e um idólatra da pior espécie. Aposto que, agora, quer aproveitar-se da religião para seduzir mais mulheres.

De repente, ficou mais sério. Na memória eclodiu a humilhação que sofrera em Bracara Augusta com a maldita cabeçada. A recusa de Egéria tinha um culpado: Prisciliano. Nem a distância do tempo e do espaço curara a ferida dos vexames. Lembrara-se bem do dia em que, furibundo e de cabeça perdida, deu dois estalos na escrava de Egéria que o mantinha informado, por lhe trazer a má notícia da fuga da patroa para a Villa Bunili, e logo decidiu visitá-la. Não podia vingar-se na própria, vingou-se na mensageira. E quando voltou a Bracara, chamou novamente a escrava e, em vez de moedas, violou-a selvaticamente. Reboavam-lhe as palavras de então, enquanto a imobilizava e a deitava de costas: *Vais dizer à tua patroa o que ela está a perder!*

– Grande cabrão, esse Prisciliano! As voltas que o mundo dá! Jurei-lhe vingança e ele está a pôr-se a jeito.

– Conhece-lo, Ithacio?

– Esqueces-te que vivi na capital da Galécia?

De repente, teve uma ideia. Dentro de dias, faria uma visita a Corduba para tratar de uns negócios de família. Aproveitaria para visitar Higino, o bispo local. Era um homem de provecta idade, muito estimado na comunidade religiosa hispânica. Ninguém se atreveria a pôr em causa uma denúncia vinda de Higino. Sorriu para os amigos e propôs um brinde.

– À nossa saúde e à erradicação de todas as heresias! Esse Prisciliano não imagina o que o espera!

Alguns meses depois, a entrada no ano de 379 trazia duas novidades. Em primeiro lugar, Graciano, o jovem imperador do ocidente, surpreendia ao nomear Teodósio como seu consorte para o oriente; tratava-se de um hispânico, natural de Cauca, na fronteira leste da Galécia, filho de um famoso general, assassinado no tempo de Valentiniano. O substituto de Valente foi aclamado no dia 19 de janeiro, em Sirmium. Teodósio iniciava uma fulgurante e marcante carreira para a romanidade e para a consolidação da cristandade nicena, a partir de Constantinopla. Em segundo lugar, um surpreendente acontecimento tocou o coração de Prisciliano, ao mesmo tempo que chegavam à Galécia aquelas notícias.

– Simpósio, não imaginas a felicidade que vai dentro de mim, por ter-te no nosso retiro quaresmal!

– Não podia resistir mais aos apelos de Dictínio – respondeu, coçando a barba rala. – E vim para te dizer que tenho acompanhado a tua missão e te admiro em coragem e determinação. Nunca imaginei que fosses capaz de transformar tanta pedra em areia fina. Fizeste um extraordinário trabalho na Hispânia!

– Não só eu... Todos nós!

Prisciliano apontou para os amigos. Os mais antigos e muitos novos, que se foram juntando ao movimento, de coração aberto, ao longo dos últimos tempos. Faltavam Elpídio e Ágape, apóstolos na Aquitânia, e Tiberiano, que deveria chegar nos dias seguintes. O mestre terminou, apontando para Dictínio, o que impeliu Simpósio a voltar à palavra:

– Estou muito orgulhoso dos ensinamentos que transmitiste ao meu filho! Não imaginas o quanto ele me ajuda na pastoral!

Aquela foi mais uma noite numinosa, num ermo bosque de um monte galaico, de ascese e estudo das Sagradas Escrituras. Prisciliano era um homem feliz, em paz consigo e com Deus. Crente nos frutos da sua missão. E tantos anos teria pela frente para levar a luz ainda a mais corações!

O dia seguinte acordou com nevoeiro. Foi o dia em que chegou Tiberiano, da Bética, ofegante e alvoroçado, depois de atravessar toda a Lusitânia. E as notícias que trazia da capital não eram auspiciosas. Eram, na verdade, até muito perturbadoras. E o que informou era tão grave que desinquietou fortemente os amigos.

Antes de adormecer, Egéria levou uma infusão de camomila a Prisciliano.

– Vejo-te muito preocupado... O que se passa?!

– Egéria... A nossa missão corre um grande perigo. Há gente que nos quer destruir.

– A sério, Prisco?!

– Sim, minha querida. Pressinto que algo de muito grave esteja a engendrar-se contra nós. Vamos precisar de estar alerta e muito unidos, a partir de agora.

A mulher chegou-se mais perto e abraçou-o.

– Podes contar comigo... Ninguém nos poderá destruir, Ele está connosco!

25

Aseconia (Santiago de Compostela)

– Instâncio, o que achas que devemos fazer? – perguntara Prisciliano, ainda mal recomposto.

Instâncio e Salviano debruçavam-se, com um aperto no fundo da barriga, sobre o texto que estava sobre a mesa. Tiberiano andava nervosamente para trás e para a frente. E o caso não era para menos! Este conseguira uma cópia da carta incendiária remetida pelo bispo de Corduba ao metropolita de Emerita Augusta, extremamente perigosa para os priscilianistas. Tiberiano vivia com os remorsos de ter cometido alguma imprudência. Não imaginava que Higino fosse capaz de tamanho atrevimento. Andara a doutrinar por alguns dos lugares mais remotos da Bética, pela Cartaginense e pela Lusitânia, onde conseguira trazer para o movimento alguns presbíteros da capital hispânica, os que lhe haviam copiado a carta de Higino. Assustava-o a ideia de os amigos lhe censurarem a diligência. Mas estes não pensavam nisso, tão perplexos com o teor do escrito que devoravam, com ansiedade.

– Não sei… – remoía Instâncio, ainda não refeito do choque. – Nunca imaginei… o nosso amado Higino fazer uma coisa destas?! – O semblante do bispo espelhava desilusão.

– São acusações gravíssimas, amigo. A seguir a isto, já sei o que nos espera: incompreensão e, quem sabe, perseguições…

Prisciliano pediu aos companheiros para ler a missiva com mais calma.

De Higino para Hidácio:

Amado irmão em Cristo,

Desde há alguns anos que anda pregando nas nossas terras um grupo de laicos. Chegaram à Hispânia inspirados pelos ensinamentos de um egípcio, discípulo de Manes, chamado Marcos de Mênfis, cujo líder, um tal Prisciliano de Aseconia, conheceu em Alexandria. O seu propósito é mudar a religião, combatendo os bispos que não estejam de acordo com os seus pensamentos. Sabem os Evangelhos de cor e interpretam-nos à sua maneira, em desacordo com o que prescreve o cânone. Nos seus sermões e pregações, introduzem sub-repticiamente um sem-fim de textos apócrifos, fazendo crer aos incautos fiéis que são textos da Fé.

Abandonam o conforto das suas villae, *desprezam as riquezas, andam descalços, abstendo-se de comer carne e bebendo apenas água.*

Vão à basílica, mas levam a hóstia consagrada consigo. Juntam-se com mulheres e, imbuídos do espírito da lascívia, organizam cerimoniais mágicos e secretos, no meio dos montes, fazendo dos bosques os templos e das pedras os seus altares, como fazem os bruxos. Dizem às multidões, que os seguem cada vez em maior número, que ninguém tem bens próprios, que tudo o que existe pertence a todos.

Vê tu, querido irmão, que incitam os servos a desobedecer aos amos e advogam o fim da escravidão, como se isso algum dia fosse possível!

Enquanto lia a carta de Higino, Prisciliano refletia no seu percurso e perguntava-se como podiam ser tão mal interpretados os seus propósitos.

Pregam uma moral, segundo a qual se deve evitar o casamento, a convivência carnal, vivendo em grande austeridade. Apregoam que o clero está contaminado pela intemperança e vaidade, pelo apego aos bens do mundo e libertina incontinência, e que descuidam as almas dos crentes. Na forma ascética como vivem e pensam, lutando obsessivamente contra os desejos do corpo, a matéria e o ilusório, mais parecem cínicos que cristãos.

Mas o mais grave é que procuram convencer o povo de que muitos dos bispos, presbíteros e diáconos que habitam nas nossas basílicas são uma perigosa casta que apenas pretende viver na opulência e subserviência ao Estado.

Como és o bispo metropolitano da Hispânia, de tudo isto te dou conhecimento para que tomes as providências mais adequadas, tal como o ouvi contar da boca de um destacado membro do clero que, segundo afirmou, conhece pessoalmente esse Prisciliano, homem de refinada inteligência, mas determinado a destruir as bases da nossa Igreja para instalar na Hispânia e, depois, no mundo, o seu herético pensamento.

Despeço-me, desejando-te longa vida em Cristo Salvador,
Higino cordubense

– Estão a querer tramar-nos, amigos. Isto vai ficar muito feio… – concluiu, com a testa carregada.

– Conheço bem o velho Higino! Tinha-o como um homem de coração generoso… – respondeu Instâncio, ainda arquejante. – O que achas que pode ter acontecido, Tiberiano?

– Não sei… Nunca imaginei esta situação. Acabava de chegar de uma viagem ao sul da Lusitânia, à zona da Ossonoba, onde passei alguns proveitosos meses e, de lá, segui para Emerita, para visitar os nossos amigos. Foi quando recebi esta triste notícia…

O ambiente continuava carregado pelo temor das consequências do escrito. Era a primeira vez que sentiam tão forte oposição ao minucioso labor de evangelização, depois dos acontecimentos distantes de Burdigala.

– É verdade que Higino não é homem de tomar enérgicas decisões… Mas também não é de querer ficar com o ferro quente a arder-lhe nas mãos… – pensou alto o bispo Salviano, o mais velho do grupo, entrado nos sessenta anos. – É também muito estranha esta referência a outro clérigo que ele diz ser destacado e que contou ao bispo mais importante da Bética. E que este o tenha reportado, tão subserviente, ao de Emerita…

– O pior é Hidácio! – Tiberiano estava mais sereno, ninguém parecia ajuizar mal das suas ações, apesar de estar de consciência tranquila. – O bispo de Emerita não inspira confiança. E vai sentir-se atingido por algumas coisas que aí se dizem.

– Vá… Isto é um chorrilho de mentiras misturadas com algumas incontestáveis verdades – sentenciou Prisciliano.

– Sim, mas desconheces que Hidácio, para além daquilo que já sabemos dele, teve recentemente um filho de uma catecúmena… Tudo abafado em santo segredo.

– Hummm… assim, o assunto pode ficar ainda mais complicado. Que te disseram os nossos amigos de Emerita?

– Como sabes, eles estão fartos da governação do bispo. Acham que ele é o exemplo da Igreja que nós queremos renovar. Mas é muito forte! Tem o apoio dos acólitos que se sentam na sua mesa farta e manipulam as massas. Só depois da sua morte, ou com uma destituição por causa grave, poderemos conseguir substituí-lo. Temos a nossa gente preparada…

Prisciliano escutou as palavras do amigo com atenção. Tiberiano era um excelente companheiro, brilhante aluno de retórica nas aulas de Delfídio e uma peça de vital importância na doutrinação do sul da Hispânia. Teve, no entanto, de corrigir um ou outro ponto nos seus escritos doutrinários, como fizera com Asarvo, o líder da comunidade de Tongobriga. Mas percebera os seus receios, via-se que falava com prudência. Já não tanto assim a conclusão de Instâncio, homem mais inflamado e sempre pronto para entrar em ação.

– Se ele se sentou num monte de palha que não lhe acendesse o fogo! Que mal nos fará se o rabo lhe arder?!

– Calma, Salviano! Muita calma e serenidade! Nós estamos com a verdade! Se nos atirarem com mentiras, deitamos-lhe azeite, para que ela apareça límpida e transparente!

Os dias seguintes foram tristes. Todos se recolheram à meditação e oração, temperando os corações do primeiro impacto das notícias e refletindo na melhor forma de lidar com o problema. Numa noite em branco, Prisciliano tomou a decisão. No final da tarde seguinte, convidou Egéria para um passeio no bosque. Caminharam de mãos dadas um longo período.

– Como estão as tuas comunidades?

Egéria fundara e dirigia duas comunidades de sorores, uma na sua Villa Bunili, junto ao Tamaca, e outra, mais recente, junto a uma ilha situada na ria, entre Vicus Spacorum e Ad Duos Pontes.

– Temos feito um trabalho bonito aos olhos do Senhor! Os retiros têm sido muito proveitosos. No final, voltaremos aos nossos lares, mas sempre iluminadas pelo fogo divino.

– Gostava de visitar as irmãs da ilha, antes de partir para Emerita Augusta.

– Vais a Emerita, Prisco?! – perguntou, aflita. – Pode ser muito perigoso... Meu Deus, pensaste bem nos riscos que corres?!

– Sim, querida. Não te preocupes. Vai correr tudo bem. Mais tarde, explico-te os pormenores – confortou-a.

– Sabes que és sempre muito bem-vindo. As sorores perguntam-me várias vezes quando lá vais predicar-lhes – respondeu, ainda com uma névoa de preocupação.

– E como está Gala?

– Tem altos e baixos. Gala é uma mulher determinada, mas, de vez em quando, torna-se triste e melancólica. Não sei o que lhe vai no coração...

Prisciliano parou um pouco a pensar naquelas palavras. E voltou às perguntas:

– E Amantia?

As mulheres eram cada vez mais importantes na causa priscilianista. Quando Amantia aderiu ao movimento, um burburinho eclodiu da Galécia à Lusitânia. Os inimigos do mestre blasfemaram quando se soube que a jovem viúva rica da aristocracia de Lucus Augusti se acercara dele. Depois de o receber na sua *villa*, durante uma semana, e de o ouvir, caiu-lhe aos pés e consagrou-se à sua causa. Tomou o véu das mãos do mestre, na ilha onde se reuniam periodicamente, em tempos de maior simbolismo religioso. Amantia passou a ser uma generosa contribuinte da causa priscilianista, entregando, ainda, abundantes donativos aos mais necessitados, em especial aos rústicos *pagi* da sua região.

– Amantia é um poço de virtudes. Quando não estou é ela quem orienta o grupo.

A noite de névoa primaveril caiu devagar. Os dois sentaram-se no chão, descalços, de pernas cruzadas, apenas vestidos com uma túnica ocre. Haviam aproveitado o dia para lerem alguns apócrifos. Prisciliano entendia que, embora fora do cânone, todo o cristão devia conhecer os escritos que falavam de Cristo, embora apenas devessem guardar para si o que julgassem adequado ao conhecimento da vida do Mestre galileu. E, escrevera, inclusive, um texto sobre a temática, a que chamara *Liber de fide et de Apochryphis,* para distribuir pela comunidade priscilianista, através do qual explicitava os fundamentos da fé e justificava a leitura dos escritos cuja canonicidade não era reconhecida pela Igreja. Naquele dia, os estudos recaíram sobre o Livro de Enoch e a Carta de Jesus a Agbar, recolhida por

Eusébio de Cesareia, que O reconhecia como filho de Deus e lhe pedia que o visitasse e curasse, dando-lhe asilo contra os que o perseguiam.

Depois de analisar o texto, Prisciliano fechara os olhos e pedira a Deus inspiração para saber como reagir à grave ofensa ao seu nome e aos dos que o seguiam. Considerava-a injusta e urgia reagir. Como não era bispo, concluiu que deveria chamar, quanto antes, Salviano e Instâncio para conferenciar e tomar decisões, como assim o fez.

– Prisciliano!

– Sim, Egéria! – respondeu, sobressaltado.

– Há muito que anseio viajar ao oriente, passar por todas as terras que foram percorridas por Jesus. Ver a forma como vivem e rezam os cristãos dessas terras distantes, a quem foi concedida a graça de habitarem mais perto dos santos lugares.

Prisciliano sorriu. Ele já conhecia Alexandria e Burdigala. Mas nada mais a oriente da Hispânia.

– Quem sabe um dia Deus te concederá essa graça…

Leram, de seguida, um salmo e rezaram em silêncio, durante várias horas. No fim, Prisciliano levantou-se e tirou a sua túnica, devagar. Completamente nu, deu alguns passos em frente, em direção ao centro do círculo de árvores que os recebia. A pele envolvia um corpo magro, mas contornado e pleno de vigor físico. Era o fruto da alimentação frugal e vegetariana, como das imensas caminhadas. Brilhava como um espetro, apesar do denso nevoeiro. Ergueu os braços aos céus. O corpo como que bailava dentro de nuvens, em plena viagem espiritual. Despojava-se, uma vez mais, da aura negativa que o contaminava, apresentando-se ao Criador como nasceu. Sentou-se depois sobre as pernas, endireitou as costas e meditou, em transe. Algum tempo depois, Egéria aproximou-se devagar e abraçou-o por trás. Assim ficaram, juntos, em contemplação do momento mágico que os unia. No fim, Prisciliano rodou para ela, ficando cara com cara. Sentou-a sobre as coxas, abraçou-a com o olhar e depois envolveu-a com os braços e apertou-a contra si. Ela estremeceu. Recordou o momento em que se amaram no balneário da sua *domus*. Fechou os olhos, adivinhando o beijo arrebatado que recebeu. Sem qualquer outro movimento, ficaram abraçados, tomados um pelo outro. À volta, deixou de haver espaço, tempo, movimento. Apenas os dois diáfanos seres acariciados pelo nevoeiro cada vez mais denso. Entraram de seguida em meditação conjunta. Do bosque nasciam sons, que eram a voz da natureza, gemidos do ventre da terra. Gemidos que se foram misturando com os das duas criaturas cujas almas se fundiam e elevavam. A etérea união transformou a carne em fogo, chama que lhes brotou no coração ligando as almas arrebatadas, perdendo-se de si e alcançando ao mesmo tempo uma secreta morada celeste.

– Os nossos corpos encontram-se para cumprirem um desígnio divino, o da junção das nossas almas ao Uno. É Deus que nos beija um ao outro, com tanto amor – murmurou-lhe Prisciliano, no final, ao ouvido.

– Prisciliano... – respondeu Egéria, ainda ofegante. – Senti um gozo igual ao do momento em que os nossos corpos se uniram... naquele dia... antes de ires para Burdigala. Não sei explicar... Estaremos a pecar, meu amor?

– Não, querida...

Prisciliano levantou-se, pegou nos rolos de pergaminhos que sempre o acompanhavam, aproximou-os dos olhos e leu-os:

– *Arrebataste-me o coração, minha irmã, minha noiva; arrebataste-me o coração com um só dos teus olhares...*

– Quem escreveu isso?

– Espera... foi o que me aconteceu contigo... Ouve agora:

Como é belo o teu amor, ó minha irmã, noiva minha! É melhor o teu amor do que o vinho, e o aroma dos teus perfumes supera todos os aromas.

Os teus lábios, minha noiva, são favo que destilam o mel; sob a tua língua há leite e mel, e a fragrância das tuas vestes é como o perfume do Líbano.

És um jardim fechado, minha irmã, noiva minha, manancial aprisionado, fonte selada.

Os teus gomos são um pomar de romãs, com frutos excelentes: a hena e o nardo...

És fonte dos jardins, poço das águas vivas, torrentes que correm no Líbano!

– Quem escreveu esses poemas tão lindos? Diz-me... Foste tu?

– Não... foi Deus...

– Deus?!

– Sim... Lê tu, agora:

– *Eu durmo, mas o meu coração vigia; eis a voz do meu amado a bater: abre-me, minha irmã, minha amada, pomba minha, minha imaculada, pois minha cabeça está cheia de orvalho e os meus cabelos do sereno da noite...*

A voz de Egéria tremia de emoção, contagiada pela força das palavras que Prisciliano lhe dera a ler.

– *Já despi a minha túnica; vou vesti-la de novo? Lavei os pés; vou tornar a sujá-los?*

O meu amado desliza a mão pela abertura e o meu ventre na hora estremece.

– Em profundo enlevo, Egéria continuava a tragar cada palavra da Escritura: – *Eu sou para o meu amado, o meu amado é para mim, ele que apascenta entre os lírios do campo...*

Deixou cair o rolo, com as lágrimas a deslizarem em bica, comovida pela imagem refletida, como um espelho, do amor casto e místico que viviam.

– Sim, foi Ele, através do Rei Salomão. É o "Cântico dos Cânticos"... leva-o e lê-o na íntegra, quando puderes.

Egéria não perdeu tempo. Era um texto curto. Sorveu-o num fôlego, ali mesmo, em êxtase, chorando do princípio ao fim. Quando terminou, ficou abraçada a Prisciliano até a aurora dar luz à madrugada.

Na manhã seguinte, regressou o alvoroço. Soube-se que todos os bispos da Hispânia estavam a receber uma perturbante missiva:

Amados irmãos no episcopado da Província da Hispânia,

Esperando encontrar-vos na graça de Jesus Cristo, informo que, depois de receber a denúncia do nosso amado irmão Higino de Corduba, cuja gravidade poderão comprovar na cópia anexa a esta carta, e depois de me concertar com o nosso querido irmão bispo Valério de Caesaraugusta, a todos vos convoco para a celebração de um concílio episcopal, a realizar naquela cidade, a partir do próximo dia 4 de outubro deste ano de 380.

Nesse concílio, procuraremos harmonizar a fé dentro do santo cânone da Igreja, impedindo que lavrem perigosas heresias na nossa seara, pelo que me senti na obrigação de dar conhecimento das ditas denúncias ao nosso amadíssimo irmão Dâmaso, bispo de Roma.

Hidacio emeritense

26

Asturica Augusta (Astorga)
Caesaraugusta (Saragoça)

– Simpósio! Já de volta?!

– Sim, só assisti aos trabalhos do primeiro dia! Aquilo não passou de um sínodo de sacristia!

O bispo chegara abatido, mas os rigores do tempo e a lonjura do percurso não eram, seguramente, os únicos causadores das sombras de desânimo que lhe habitavam o rosto.

– Um sínodo de sacristia?!

– Sim, cabíamos todos na sacristia da basílica de Caesaraugusta! Não passávamos de uma dúzia de bispos, quatro dos quais oriundos da Aquitânia.

– Vá, conta-nos tudo! Não te esperávamos assim tão cedo. Nem sequer temos comida preparada, mas arranja-se qualquer coisa.

– Isso mesmo! Estou com muita fome! Já não tenho a tua idade, Prisciliano! Nem consigo passar, como tu, tantos dias sem comer, beber e dormir, sempre com a mesma lucidez!

Prisciliano colocou uma sopa de legumes a aquecer na lareira e preparou um tabuleiro com pão, queijo, uvas e ainda um jarro de água. Estava ansioso por saber notícias do conclave e, agora, ainda mais preocupado, por ver Simpósio tão desalentado. Ter saído dos trabalhos logo no primeiro dia não era propriamente um bom augúrio. Intuía que o amigo trazia notícias graves no alforge. Desde que ele partira para Caesaraugusta, passara os dias a rezar, sobretudo pelo futuro daqueles que, ao longo de quase uma década, se juntaram ao movimento que liderava e frutificava em vários pontos da Hispânia. O "priscilianismo" transformara-se numa fortíssima energia espiritual que varria a Península de lés a lés e, se as coisas não fossem corretamente tratadas, poderiam surgir problemas incontroláveis.

Por prevenção, Prisciliano desenhou minuciosamente toda a estratégia para lidar com aquele imprevisto, antes de Simpósio sair para o concílio. Convencera o bispo de Asturica a remeter uma carta para Corduba, dando nota a Higino da falsidade das acusações que este fizera chegar a Emerita. E também a pedir-lhe um encontro em Conimbriga, a meio do caminho entre ambos os bispados, na residência de Salviano. Higino, que nutria uma grande amizade por Simpósio, acedeu, antes da data aprazada para o concílio. Prisciliano acompanhou-o, assim como Tiberiano e Latroniano. Queria conhecer pessoalmente o bispo de Corduba.

– Como vês, nenhuma heresia há nesta forma de viver a fé. Disciplina, rigor, espiritualidade, ascese, sim! Heresia não! O que está em causa são outros interesses, e tu sabe-lo muito bem!

– Ai que incauto fui! Perdoa-me, irmão Prisciliano, por vos ter metido nestes trabalhos. Garanto-te que também simpatizo com a tua espiritualidade e que é nesses princípios que procuro viver. E, tu, Tiberiano, meu filho, continua o teu labor na Bética e aparece pela minha basílica, que serás muito bem-vindo.

Higino era um homem frágil, mas de uma extrema sensibilidade. Rapidamente se cativara com o verbo e a aura espiritual de Prisciliano. Tocaram-no igualmente a cortesia, os bons modos, o olhar profundo que colocava quando falava, com uma fascinante sabedoria, sobre os fundamentos da fé, a forma de a viver mais perto do verdadeiro Cristo e dos primeiros cristãos e ainda sobre a sua visão das Escrituras. Também aos olhos de Higino, ele era um génio, uma pérola para a cristandade ocidental, que necessitava com urgência de sábios capazes de interpretar as Escrituras, tal como o faziam alguns padres do oriente. E Prisciliano fazia-o com uma simplicidade desconcertante, usando belas alegorias, que seduziam o bispo de Corduba.

– Perdoa-me a blasfémia, mas deixa-me que o diga: – Higino não resistiu a tirar para fora a pedra que lhe tapava a garganta. – Maldito Ithacio por me ter contaminado com tantas mentiras! Ai como sofre o meu débil coração!

– Quem?! – perguntou Prisciliano, impelido por uma impetuosa erupção, oriunda das mais escondidas profundezas da sua consciência. – Ithacio Claro?! Como é esse homem?

– É gordo, presunçoso, pouco letrado, amante da boa vida e, é claro, de todas as riquezas materiais que o mundo lhe pode oferecer. Pudera, o pai já era tão ardiloso e ganante como ele a cobrar impostos... – Higino retorcia os lábios e o nariz, enquanto falava. – Porém, é, desde há algum tempo, bispo de Ossonoba, no sul da Lusitânia. Um velho traste, mas ainda influente, esse pai de Ithacio Claro...

Prisciliano tropeçou na cadeira quando se levantava, desconcertado com a notícia.

– Vamos ter um problema mais sério do que eu imaginava! Ai vamos, vamos...

– Tu conheces Ithacio Claro?! – questionaram, em uníssono, Simpósio, Salviano e Tiberiano.

Depois do encontro de Conimbriga, prosseguiram com a estratégia definida. Prisciliano, agora mais consciente das acusações e do verdadeiro acusador, só via um caminho: escrever uma carta a todos os prelados que se haveriam de reunir em Caesaraugusta, evidenciando o erro que minava os seus propósitos. Mas, para isso, era fundamental que algum dos bispos da sua causa acudisse à chamada de Hidácio de Emerita, participando no concílio caesaraugustano.

– Não me parece prudente que Instâncio e Salviano apareçam. É muito perigoso para eles pois estão pessoalmente implicados por Ithacio – Prisciliano cirandava ao redor da mesa onde se encontravam sentados os amigos. – Temos, por exemplo, Vegetino de Aquae Celenis, mas é ainda muito jovem. Devemos enviar alguém com peso moral e cuja ação e idade sejam respeitadas pelos pares, não achas, Simpósio? – concluiu com o brilho no olhar e o dedo apontado para o experimentado bispo.

O asturicense sorriu. Entendeu à primeira e não lhe poderia negar um pedido daqueles. Seria uma dura viagem e aquele outono começara bastante cruel, com ventos fortes, frio e chuvas torrenciais. Mas Simpósio, se bem que prudente, não era homem de virar a cara à luta, sobretudo quando desembainhava a espada em nome da justiça. Ele que simpatizava cada vez mais com a causa priscilianista e que era testemunha fiel dos progressos de Dictínio, quer em conduta moral, quer em sabedoria.

– Toma cuidado com Ithacio! Conheço-o desde criança e não olha a meios para atingir os fins! – aconselhou Prisciliano na despedida, abraçando-o longamente e com muito afeto, enquanto murmurava: – Onde irá isto parar? Ele é um bispo! Não posso acreditar!

À noite, procurou Egéria. Vira-a sorumbática e melancólica durante o dia, depois de tomar conhecimento das notícias, e precisava de animá-la.

– Quem diria, Prisciliano! Ithacio Claro, bispo! Onde o mundo chegou...

– Tens razão, querida. Nem a mim me passava pela cabeça que um impostor e corrupto daquela estirpe fosse bispo. Coitados das irmãos de Ossonoba.

Egéria olhou o horizonte escuro, rememorando tempos passados, e estremeceu.

– Prisco, estou com muito medo!

– Então?

– Quando estavas em Alexandria, Ithacio Claro procurou-me na Villa Bunili e jurou-me na cara que haveria de vingar-se de ti. Eu conheço-o, querido. Ele fará tudo para cumprir essa maldita promessa.

– Sim, eu sei de quem se trata. Não tenho dúvidas dos seus propósitos. Temos de redobrar a atenção – respirou fundo e concluiu com um abraço aconchegador: – Agora, rezemos pelo sucesso da missão de Simpósio em Caesaraugusta.

Simpósio fora o último a dobrar o umbral das portas da sacristia de Caesaraugusta. Mandou os seus diáconos à frente para identificarem previamente a assistência. Logo voltaram à *villa* de um amigo, onde se instalara a comitiva asturicense, muito ofegantes:

– Só chegaram onze bispos! Para além de ti, desistiram de esperar pelos outros. Ithacio de Ossonoba blasfema pelos cantos da sacristia, Valério, o bispo de Caesaraugusta, está muito nervoso e Hidácio está furioso com tão pouca assistência, mas principalmente por Higino ter faltado.

– Imagino... Os falcões queriam devorar a pomba! E quem são os presentes, para além desses? – Simpósio media as forças antes da luta e urgia conhecer os joelhos que se dobraram aos argumentos do colega emeritense.

– Estão Delphino de Burdigala, Fitadio de Aginnum e ainda Eutício e Ampélio, todos aquitanos. Da Hispânia, além de ti e dos outros três, apenas vimos Lucio de Tarraco e Audêncio de Toletum, mas disseram-nos que estavam também Esplendonio e Cartério.

– Hummm... – Simpósio conjeturava sozinho a imagem que tinha de cada um deles. – Hidácio, Ithacio e Delphino são os mais perigosos... mas logo veremos! Como disse Júlio César: *alea jacta est!*

A estratégia estava traçada. A experiência de Simpósio já não o perturbava perante a incerteza. Chamou o carro e dirigiu-se, de imediato, à sacristia da basílica caesaraugustana. Enquanto atravessava a ponte de pedra sobre o Hiberus, por onde passavam os tubos que abasteciam a cidade de água potável, a partir do vizinho rio Gallicus, revia mentalmente as virtudes e fraquezas dos colegas que ia encontrar. Cruzou a muralha pela Porta Norte, penetrou na urbe através do cardo até alcançar o fórum, à sua esquerda. Apesar dos visíveis sinais da decadência de algumas cidades, ali simbolizada pelas termas abandonadas e por monumentos públicos degradados, a cidade romana renascida a seguir às guerras cântabras sobre a velha Salduie, a antiga urbe ibera sedetana, Caesaraugusta ainda ostentava a imponência de outrora. Uma vez alcançado o cruzamento das principais artérias da cidade, local onde se juntavam vendedores de farrapos, artesanato e produtos da terra, virou à direita. A basílica erguia-se, imponente, logo adiante, do lado direito.

– Bem-vindo, irmão. Não começaríamos os trabalhos sem ti...

Valério recebeu-o à porta, com pressa, alívio e deferência. Abraçou-o e beijou-lhe a face. Simpósio não perdera o prestígio na cristandade hispânica e era preciso tratá-lo bem, até porque era o único bispo galaico que aceitara o convite de Hidácio. Mas não perdera igualmente a intuição que sempre o guiara nos caminhos do medo. Pressentiu os demónios que o anfitrião carregava nos ombros.

– Sabes, Valério, a minha idade não é muito adequada a grandes viagens... e o tempo... Olha como chove...!

– Lá isso é verdade, mas sabes que é uma honra muito grande termos a companhia de um companheiro tão ilustre como tu. Há alguns anos que não nos víamos, Simpósio...

– É verdade, meu irmão. E ponderei muito se haveria de vir aqui ou não. Mas por consideração a ti...

Valério sorriu, com o peito apertado por uma dor invisível. Simpósio prosseguiu:

– Amigo, basta olhar para ti para perceber que algo de grave te consome. Não te deixes perturbar pelas aparências. Mantém a serenidade e a sabedoria. Ah, e defende o bom nome da tua basílica...

Valério respondeu-lhe com um sorriso tímido e agradecimento de circunstância:

– Obrigado, meu bom amigo.

Foi Hidácio quem presidiu à assembleia sinodal. E não perdeu tempo a elencar o rol de acusações a que, segundo o seu juízo, era preciso pôr cobro, sob pena de a heresia que crescia em número de adeptos de dia para dia dividir os crentes da Hispânia e da Aquitânia. Jactante e grave, leu a carta que Higino lhe enviara tempos antes e que espoletara aquela magna reunião. Simpósio ouviu-o lamentar publicamente que o cordubense não estivesse presente, bem como outros ilustres bispos, alegando tratar-se de questão importante de mais para ser ignorada, sobretudo por quem denunciara tamanhas ofensas do credo niceno.

– Como bispo metropolitano, não admitirei hereges em qualquer recanto da Hispânia, sobretudo, de ascetas radicais, místicos, adeptos do maniqueísmo e praticantes de artes mágicas e supersticiosas. – A voz ecoava, cáustica, nas paredes de ladrilho da sacristia.

Simpósio escutava-o, com atenção. Mais que a forma, preocupava-se sobretudo com o enfoque que o metropolita dava às terríveis acusações de maniqueísmo – por si só motivo de excomunhão – e de magia negra, que o Estado poderia usar para levar à morte do acusado. Percebeu, de imediato, os propósitos de Hidácio. Tinha de reconhecer que as coisas se revelavam mais graves do que imaginava. O coração acelerou-lhe e pressentiu um invisível temor que o impedia de parar de abanar a perna.

– Ai, Prisciliano, isto está mau... – murmurou, nervoso.

Acompanharam com o olhar o ufano Hidácio até ao seu lugar. Um discreto brilho nos olhos de águia denunciava a satisfação que lhe adornava o espírito. Simpósio captou-o, enquanto o via ordenar com o queixo a Valério que se levantasse e, como anfitrião, tomasse a palavra.

Embora não estivesse calor, Valério limpou duas vezes o suor da testa, antes de chegar ao púlpito. As palavras não lhe saíam fluidas, como das outras vezes. Parecia agastado e era notório que os afiados arados da preocupação lhe lavravam na alma. Os olhos pestanejavam intermitentemente e a voz não parava de ser amiúde aclarada. Saudou os presentes, desejou as boas estadias no bispado que dirigia, fez considerações gerais sobre o papel da Igreja na sociedade e, antes de fazer votos de que o sínodo ficasse na história da Igreja hispânica por boas razões – talvez imaginasse Valério, e esse fosse o motivo da sua preocupação, que isso poderia não acontecer –, comunicou à assistência o teor de uma carta que lhe enviara o Papa Dâmaso, na qualidade de bispo anfitrião.

– ... por isso, e em jeito de conclusão, o nosso irmão, bispo de Roma, um hispânico como nós, nascido na bela cidade de Bracara Augusta, exorta-nos, segundo os princípios evangélicos, a não condenarmos qualquer cristão que não esteja presente para se defender.

Simpósio aquietou-se um pouco mais. Embora o bispo de Roma não detivesse a autoridade máxima sobre a Igreja, não deixava de ser o titular da capital do império. E parecia-lhe sensata a missiva de Dâmaso. Conhecera-o bem, na infância. Era filho de um sacerdote, amigo de seu pai. Mas emigrara jovem para Roma e ali ascendeu vertiginosamente até ao pináculo da Igreja, não sem antes ter entrado em conflitos pouco edificantes com Ursino, um bispo apoiado por uma fação contrária à sua.

Seguiu-se Ithacio Claro, o ossonubense. As faces luziam de escarlate e as carnes bailavam debaixo das vestes. Movia-se pesadamente, até alcançar o púlpito. O gordo Ithacio ardia por dentro e por fora e isso fez-se ressentir nas paredes da sacristia. A voz trovejava tanto como a natureza, no exterior.

– Eu não venho a Caesaraugusta para passear! Há uma heresia à solta na Hispânia e na Aquitânia. Essa heresia é como a peste: se não extirparmos o mal que a provoca, contaminará aqueles que contactarem os infetados – arfou, guloso com as suas palavras, e procurando alguém na assistência, com os olhos. – Ainda há pouco Delphino de Burdigala me informava de como ela começou a germinar na sua terra. Querem ser pobres, dizem eles! Como se a *res publica* pudesse viver sem consumo, sem vestes, sem comidas... – Ithacio olhava agora em volta, buscando a concordância da assembleia, para lançar a estocada final. – E quem são esses discípulos de um tal Marcos de Mênfis, um perigoso maniqueu, que veio do Egito contaminar o ocidente com as suas gnósticas heresias? Os bois têm os seus nomes, não há como fugir à questão!

Simpósio olhava para o opulento bispo e recordava o que Prisciliano lhe contara, da infância e juventude, em Bracara Augusta. Ithacio Claro era o arquétipo do que a Igreja não precisava. Estava convencido de que se tratava, antes de tudo, de um ajuste de contas com o filho de Lucídio Danígico Tácito. Nem o Papa queria respeitar. E o homem continuava, esbracejante, iracundo e frenético:

– Em primeiro lugar – prosseguia – Prisciliano, um laico asceta, o líder desta perigosa seita! Conheço-o bem desde criança: um presunçoso pagão da pior espécie! E agora até se intitula doutor! Imagine-se! Como se um laico pudesse ser doutor em matéria de interpretação das Escrituras! Como se não bastasse, heresia das heresias, mistura-se com catervas de mulheres, em conciliábulos noturnos. E tudo isto aduba com a falsa doutrina de Manes e a prática da *superstitio* dos *pagi*, andando com eles, descalço, nos campos, a fazer conjuros propiciatórios.

Quando o orador se embebeda nas próprias palavras, dificilmente descobre a chave da adega. Por isso, continuou a abrir ânforas atrás de ânforas de verbo delirante e enraivecido.

– E, ainda por cima – prosseguia, na sua ébria e arrebatada glosa –, desvia tanto clero para a sua heresia: presbíteros, diáconos e, meus irmãos, bispos como nós! Vejam o caso de Salviano e de Instâncio, duas ovelhas tresmalhadas que ignoraram ostensivamente este concílio. Mas não só: olhem também os aquitanos Elpídio e Ágape, que tantas preocupações têm trazido a Delphino e a Fitádio, companheiros que não deixaram de aqui estar presentes. Por isso, meus bons irmãos, este concílio tem obrigatoriamente de tomar providências, e fortes, contra essa seita de hereges!

Era aquele o tempo de Simpósio. Não podia deixar alastrar a oratória para o campo da demagogia e da deturpação. Pediu a palavra e subiu, sem pressa, à tribuna. Ao passar junto de Valério, ofereceu-lhe um olhar penetrante e avisador, antecipando-lhe a responsabilidade no desfecho da reunião.

Com palavras bem entoadas, começou por ilustrar a sua intervenção com as orientações de Dâmaso. Que não se devia acusar alguém que não estivesse presente para se defender. E isso era uma regra de ouro e bom senso, com a qual o bispo de Roma, fraternalmente, participava no sínodo. Tomar uma decisão contrária às suas indicações seria uma grave afronta e podia, isso sim, mostrar sinais divisionistas da Igreja da Hispânia.

– Conheço pessoalmente as pessoas que aqui invocaste, meu irmão. – O asturicense orientava a intervenção para Ithacio Claro, que considerava o gérmen de todo o mal que ali se emulava. – E posso assegurar, com o peso da minha idade, que não tomei conhecimento de um único dito ou ato herético, por parte de qualquer deles. Antes pelo contrário, têm feito um trabalho notável de evangelização, sobretudo nas áreas rurais e pouco romanizadas, onde vivem os *pagi*.

A assistência remexia-se nas cadeiras. Um nervoso miudinho perpassava, como uma brisa, nas cabeças dos prelados. Não contavam com tão férrea defesa dos priscilianistas. Apenas Valério adivinhara, em segredo, que tal pudesse acontecer. Chegaram-lhe informações sobre Dictínio. E Valério sabia que, como depositário da carta de Dâmaso e anfitrião, tinha um papel importante: o de fiel da balança.

– Aliás, a pedido de Prisciliano, e como sinal do voluntário interesse em contribuir para o mais justo julgamento dos atos e pensamentos, vou ler-vos um texto dirigido a todos nós, redigido pelo próprio punho:

Ainda que a nossa fé esteja livre de qualquer impedimento da vida e ordenação católica, sempre nos esforçamos no seguro caminho para Deus. Contudo, face às diabólicas difamações de que temos sido alvo, como não nos pesa a consciência, julgámos importante, beatíssimos sacerdotes, e apesar de termos já exposto a nossa fé e condenado os dogmas de todos os hereges em vários textos que escrevemos...

Simpósio parou para tomar um pouco de água e continuar, devagar, a leitura, perante a petrificada assistência.

Também agora, porque assim pretendeis, não nos queremos calar! Tal como está escrito: estamos preparados para a confissão perante todos os que a pedirem; não queremos calar a fé e a esperança que há em nós, da forma que desejais...

Os rostos dos bispos informavam que eram apanhados em completa surpresa. Prisciliano pensara em tudo e preparara uma defesa muito consistente da ortodoxia do grupo e de si mesmo, enquanto líder. A sageza, inteligência e conhecimento que demonstrava das Escrituras, e de como as usar em favor do seu pensamento, iam enterrando, aos poucos, os bispos no seu pedaço de chão. Valério ia anotando mentalmente as reações de cada um. Hidácio resmungava; Ithacio tinha o vermelho ainda mais aceso no rosto pintalgado de duas manchas aquosas de saliva nos cantos da boca; Delphino tirava algumas notas, com a face tensa e fria. Ao final da prolongada leitura da vibrante apologia de Prisciliano, Simpósio parou para bebericar o que restava da taça de água que tinha ao lado, olhou para os colegas, um a um, e concluiu a prosa do amigo:

E, por isso, beatíssimos sacerdotes, se considerais que, condenadas as heresias e os dogmas, e exposta a afirmação da nossa fé, dei satisfação a Deus e a Vós, absolvei-nos! Assim, prestareis o testemunho da verdade, pondo os vossos irmãos a par da inveja e da difamação malevolente, de forma a serem curadas as vexações feitas pelas palavras dos maledicentes, já que o fruto da vida é ser estimado por aqueles que procuram a fé e a verdade e não por aqueles que, sob o nome de religiosos, perseguem inimizades pessoais!

Assim terminado, sempre sem pressa, recolheu o pergaminho. Enquanto despachava os passos debaixo da túnica até ao lugar, imaginava as flechas que lhe zurziam nas costas, lançadas pelos mercenários que habitavam os olhos dos colegas. O silêncio que se seguiu foi mais trovejante e ensurdecedor que todas as tempestades à face da terra. Mas quando a letargia passou, viram-se os efeitos devastadores do temporal provocado por Prisciliano em Caesaraugusta.

– E então, Simpósio, o que se seguiu?!

Tiberiano estava ansioso por saber o resultado de tudo aquilo. Latroniano, Felicíssimo, Asarvo, Dictínio e Arménio, quase sem fôlego, ouviam atentamente a pormenorizada descrição dos acontecimentos. Também eles aguardavam pelo final da história, a razão por que Simpósio abandonara o concílio, ainda durante o primeiro dia dos trabalhos.

Prisciliano levantou-se e dirigiu-se, pensativo, à janela que deitava para o peristilo da *villa*. Egéria seguiu-o e abraçou-o, por trás.

– Por onde viaja o teu pensamento?

Sentindo o calor da mulher que o coração amava, aconchegou-se. Fazia-lhe bem Egéria por perto. Transmitia-lhe a calma e o discernimento de que tantas vezes necessitava, sobretudo quando posto à prova. As cogitações levavam-no para muito longe, outros tempos, para outras gentes que lhe povoavam as memórias.

– Viajo de Canopo para Alexandria, querida!

Ela largou-o, devagar, e colocou-se à sua frente, obrigando-o a olhá-la diretamente para dentro das pupilas bordadas por uma intensa luz esverdeada.

– E o que vês nessa viagem?

– Borbulham-me as palavras de Antonino, um sábio pagão, no momento da despedida: *Tu levarás de Alexandria uma semente que florescerá intensamente nesses teus campos e montes da Galécia! Os seus frutos chegarão aos corações da Hispânia, da Gália e até desta África! Serás um Orígenes para o teu povo… E não te esqueças, Prisciliano, que Orígenes foi amado, e odiado, pelas suas gentes.*

Egéria abraçou-o, emocionada, e assim ficaram, em comunhão, antes de voltarem ao convívio dos amigos, murmurando:

– Como esse sábio tinha razão, Prisciliano!

– Sabes o que ele disse mais?

– O quê?

– Que está destinada uma missão especial no mundo a quem consegue ver rosas azuis, mesmo quando elas são de outra cor…

– E tu consegues?

– Sim, Egéria.

– E que significam as rosas azuis?

– O tio Sabino, Deus o guarde, disse-me, meio a sério meio a brincar, que significavam algo misterioso e aparentemente impossível de ser alcançado. Entretanto, descobri que, para além disso, manifestam igualmente um amor tão raro, singular e eterno, incapaz de se deixar abalar, por mais forte que seja a contrariedade.

– Como eu gostava de ver uma rosa azul, meu amor!

27

Tongobriga (Freixo – Marco de Canaveses)
Bunili (Boelhe – Penafiel)
Danegia (Mozinho – Penafiel)
[Caesaraugusta (Saragoça)]
Norba Caesarina (Cáceres)
Emerita Augusta (Mérida)

Os cavalos espumavam de cansaço, mas não podiam desistir. Urgia continuar na estrada, antes que se fizesse noite, mesmo com Salviano a escorrer de sangue e quase moribundo. Haviam passado Oculis Calidarum e também estavam suficientemente distantes de Magnetum para voltarem para trás, pelo que não havia solução senão continuar até Tongobriga. Era ali que poderiam encontrar o fraternal aconchego de Asarvo e tratar convenientemente o bispo ferido. No horizonte, o sol esvanecia-se em fios rosáceos alaranjados, quando cruzaram o vau do Tamaca. Havia apenas uma última montanha para vencer.

– Achas que te aguentas, querido Salviano?

– Não te preocupes, doem mais as feridas da alma. O corpo aguenta os sacrifícios…

Prisciliano continuava apreensivo, desde que saíra de Bracara Augusta. Como se não bastasse a delicadeza da missão que empreenderam até Emerita, surgira aquele feio contratempo. A ferida na cabeça de Salviano estava tapada por um pano encharcado de sangue, o braço direito esfacelado, mas do que se queixava mais era das costas. Um exército de flechas espetava-lhe o corpo de cada vez que o cavalo dava um passo, lembrando-lhe que levava, pelo menos, duas costelas partidas ou deslocadas. Por isso, mais importante que a missão era o amigo, já que quer Instâncio quer Prisciliano apenas exibiam golpes e feridas, facilmente tratáveis.

– Já falta pouco! Asarvo aguarda-nos e haveremos de cuidar de ti! – O mais importante era curar Salviano, mas havia também de compreender a razão da emboscada.

A noite alçada pela lua caiu sobre o caminho de terra. Apenas a luz plúmbea ensinava aos cavalos a direção certa. Até que um pequeno clarão se começou a divisar no topo de uma colina. Os fachos que ardiam em Tongobriga, aguardando a chegada do mestre, viam-se de longe. A pequena cidade guardava não mais de duas mil almas, fiéis seguidoras da espiritualidade ensinada pelo homem que comandava o grupo de cavaleiros. Asarvo, o guia espiritual local, esforçava-se, com êxito, por alimentar o povo com as novas crenças. O labor do discípulo era tal que praticamente todos rezavam ao Crucificado, entusiasmados pela doutrina redentora de Prisciliano, a quem chamavam *O Santo*.

Ao subir a ladeira, o mestre recordava o dia em que ali chegara, pela primeira vez. Fora no início de uma tarde de verão, num dos venturosos anos anteriores. Acompanharam-no, nessa missão, Felicíssimo e Arménio. A memória trazia-lhe a lembrança do esforço por convencer os residentes pagãos a juntarem-se no fórum, para os ouvirem. Naquele tempo, os tongobricenses julgaram tratar-se de um trio de vagabundos, andrajosos pedintes ou até mesmo vendedores da banha da cobra. Porém, quando se aperceberam que se tratava do sobrinho de Sabino, as palavras murmuraram-se em surdina. Aos poucos, as partes laterais do fórum foram-se transformando num amontoado de curiosos por verem até que ponto de loucura chegara um jovem rico, que se apresentava naquele *vicus*, em modos tão desadequados.

Uma imponente colunata de granito do lado sul, coberta por um telhado de duas águas, servia de amparo ao sol escaldante do dia. As tabernas matavam a sede e albergavam as animadas cavaqueiras dos residentes. Os sapateiros, canteiros, carpinteiros, ferreiros e artesãos que moldavam peças a partir de fémures e omoplatas de animais fecharam as suas lojas para assistirem ao inusitado acontecimento. Na verdade, passara muito tempo sem haver jogos ou festa, pelo que aquele homem tão andrajoso como rico e aristocrata era motivo de atração, até porque circulavam rumores por toda a baixa Galécia sobre a sua fama de feiticeiro.

Prisciliano observara-os, em silêncio. Colocara-se a nascente, virado de frente para o vetusto e imponente templo pagão. A cidade romana, construída sobre um antigo castro, obedecia às boas regras de implantação urbanística, baseada no *actus quadratus*, enquanto a qualidade dos projetos dos edifícios assentava no *passus*.

Asarvo viera até junto dele, com uma expressão desafiante no rosto. Era filho da principal família local, pagão e profundamente desconfiado dos cristãos que conhecia. Rico, instruído e de espírito inquieto, acercara-se para liderar a disputa de argumentos com Prisciliano, em plena praça pública, à frente dos seus concidadãos.

– Um Danígico devia envergonhar-se de aparecer nesses modos aos cidadãos romanos.

– Um Danígico é apenas um filho de Deus! Nasceu rico para os homens, mas pobre aos olhos do Senhor. – Olhou-o de frente, mas sem sobranceria. – A verdadeira riqueza só a alcançará quando percorrer o caminho da alma em direção à salvação.

– Ora! Os nossos deuses têm solução para as tuas angústias! O Império Romano ergueu-se sobre os seus auspícios e não se deu mal!

Aos poucos, o povo fora-se aproximando. Já não importava o calor. A troca de argumentos desenhara um círculo humano ao redor dos dois jovens. E a magia do verbo de Prisciliano ecoara como um vulcão adormecido no coração de cada pessoa, homem ou mulher, rico ou pobre, escravo ou liberto de Tongobriga. O tom da voz, levemente rouca, mas forte e penetrante, gerara um especial magnetismo na assistência que, sem perceber, ia abrindo os corações inicialmente cicatrizados pelos deuses das velhas religiões, contaminando-lhes o espírito com a mensagem nova, fascinante e sedutora, de um homem que vivera na Judeia, nos confins orientais do império, afinal, um romano como eles.

– Ficai, pois, assim, como estais! Virai as costas aos ídolos! – Prisciliano apontara, com vigor, para o templo pagão, nas costas da assistência – e vinde até mim abraçar o caminho da salvação! – O indicador virou-se para a abóbada celeste de intenso azul, sobre si.

O povo recolheu-se, no final, uns em silêncio, outros murmurando. Torciam o pescoço para o templo e logo o voltavam para o refinado vagabundo, despedindo-se com expressões de estranhamento. Prisciliano habituara-se àquelas reações. Era sempre assim que se acendia o tição que varria a Hispânia com a nova espiritualidade. A semente estava lançada e a terra era fértil.

Faltava ainda ganhar o coração de Asarvo, que declarara publicamente não estar convencido dos argumentos de Prisciliano. De toda a forma, o seu estatuto não admitiria que o fizesse à frente das suas gentes. Mas o fogo também lhe ardia. Convidou os forasteiros a ficar em sua casa. Afinal, dois deles eram filhos de ilustríssimas famílias da Galécia.

– Vejo que tens muitos dotes de oratória… Ninguém o diria, com esse aspeto de pedinte de beira de estrada… – Asarvo não podia negar estar impressionado com a força da comunicação que acabara de ouvir e com o desassossego que causara aos ouvintes. – Então, aquela representação final de colocar o povo de costas para o que dizes serem os ídolos e de frente para ti, como se fosses tu o verdadeiro deus… Vergo-me perante tanta imaginação!

Prisciliano aceitara a ironia e, com paciência, foi entrando de mansinho no coração de Asarvo e de toda a família.

As lembranças dos dias felizes da primeira missão em Tongobriga, tão distantes da carta de Higino a Hidácio, foram o melhor tónico para aquele final de jornada, reforçado por um profundo abraço do amigo. Mas o dia ainda haveria de ser mais feliz, com a receção que os tongobricenses ofereceram aos viajantes. Tal como em muitas cidades e pequenos lugares galaicos onde se dirigisse, o povo recebia-o em júbilo e de braços abertos. Esperava-o um tapete com vários motivos cristãos desenhados com flores silvestres e folhas de todas as cores. O mestre emocionou-se, agradeceu à multidão e, com ela, noite dentro, rezou uma comunitária ação de graças e de louvor a Deus. No final, dirigiu-se ao amigo que orientava a comunidade dos crentes.

– O que é aquilo, Asarvo?

– Estou a iniciar a construção da basílica de Tongobriga. Não te faz lembrar nada?

– Não estou a ver…

– Foi precisamente naquele local que tu nos pregaste, pela primeira vez – respondeu com um sorriso, perante a estupefação do mestre. – E que nos convidaste a ir até ti, para abraçarmos o caminho da salvação. Esse pedaço de terra é sagrado para todos nós. Por isso, foi unanimemente escolhido para ali se erguer o nosso templo.

Prisciliano comoveu-se. Abraçou longamente o amigo e não conseguiu reprimir que os olhos marejassem. Limpou-os com as costas dos dedos e logo foi anunciando:

– Já lá vai tanto tempo... – murmurou, comovido. – Bem, agora temos de tratar de Salviano – determinou, erguendo a voz.

– O que lhe aconteceu?! Parece muito debilitado...

– Algumas milhas depois de Magnetum sofremos uma emboscada.

– De quem?! Bagaúdos?!

– Não sei ao certo, irmão. Sei que era eu o verdadeiro alvo. Salviano percebeu as intenções dos bandidos e meteu-se à frente. Deixaram-no neste estado!

– Quantos eram?

– Cinco cavaleiros! Tivemos sorte, porque circulava, em sentido contrário, um amigo de Bracara Augusta, com escolta e escravos. Um dos assaltantes morreu na luta.

– E os outros?

– Fugiram! Mas não me parece que queiram aparecer tão cedo... Foram bem marcados pelas armas dos nossos salvadores.

– E conseguiram identificá-los?

– Era impossível, Asarvo. Ninguém os conhecia. Pareciam gente pobre, mas sem escrúpulos. Rezámos pela alma do falecido, demos-lhe sepultura cristã e continuámos viagem, nestas condições.

Foi Prisciliano quem mandou buscar as ervas de que necessitava para o curativo. Enquanto isso, enfiou-lhe as mãos nas costas e, com os dedos, descobriu a posição dos ossos que martirizavam Salviano. Em dois movimentos rápidos, e depois de outros tantos gritos reprimidos, voltou a repor as costelas, apenas deslocadas, no devido lugar. Tiveram de esperar duas semanas até que Salviano se recompusesse para enfrentar as milhas que ainda tinham pela frente até Emerita Augusta.

Durante alguns dias da paragem, o chefe do grupo aproveitou para visitar as sorores de Egéria, em Villa Bunili. Egéria estava fora. Catequisava no *vicus* de Danegia e deixara a comunidade a cargo de Gala. As priscilianistas ouviram, com alegria, os ensinamentos do mestre e, com ele, cantaram salmos de louvor a Deus. Foram dois dias de corações transbordantes para as ascetas de Egéria. E para Prisciliano também. Precisava de estar só, encontrar-se consigo e com o Criador, para que o inspirasse nas importantes decisões que precisava tomar naquela viagem.

Instâncio não parava de o assediar para um tremendo desafio, que não lhe saía do pensamento. Mas não estava assim tão certo da razão do amigo. Decidiu não decidir, por enquanto. Antes, admirar a beleza do crepúsculo que flutuava sobre a encosta do Tamaca e entregar-se à noite pintada de estrelas. Fixado na Via Látea, vislumbrou o êxtase numa nova viagem mística de nua meditação, impassível ao frio, à ausência de alimentação e ao sono, alcançando sozinho, em transe, o gozo da última morada. Ao longe, discreta, Gala assistira a tudo. Sempre que podia, observava Prisciliano, o que fazia, o que dizia, como ele era. Desde os tempos juvenis de Bracara que sempre assim acontecera.

Como Danegia não era longe de Bunili, Prisciliano decidiu procurar Egéria. Não tinha muito tempo, mas não podia deixar de a abraçar, estando ela tão perto. Passou entretanto na Villa Marecus, a propriedade do falecido tio Sabino, onde visitou os parentes afastados, e subiu ao monte. Várias famílias viviam ainda dentro do traçado urbano do antigo *vicus*, com cerca de quatro séculos de ocupação, e outras, em redor, em casas rurais. Mas mais parecia que os residentes se aglomeravam todos na casa que ficava junto a uma oficina de tratamento de cereais, e que tinha uma padaria acoplada. Era a que abastecia de pão o povoado e as povoações dos arredores.

O semblante dos residentes era de consternação e alguns deles correram para Prisciliano mal o viram, como se de um enviado divino se tratasse.

– Ainda bem que chegas. Precisamos que confortes esta família.

– O que aconteceu?

– O filho mais novo caiu a um poço e morreu. O pai tentou salvá-lo e morreu também.

O poço bordado a pedra granítica e com quase seis passos de profundidade fora uma construção recente e constituíra um acontecimento importante para o *vicus*. Falava-se disso nas terras vizinhas, já que permitia a autonomia de água para o povoado, evitando a dependência da chuva ou as deslocações a nascentes distantes para recolher água e acarretá-la. De dentro da casa de pedra onde vivia a família enlutada, coberta por telhas produzidas na oficina de cerâmica existente no sopé do monte, onde também se fabricavam tijolos e *dolia*, saiu Egéria, uma mulher consternada.

– Querida, vim visitar-te, mas não imaginava esta aura de tristeza.

– É uma família cristã que convertemos, há tempos. A viúva ficou sozinha, com seis filhos a cargo. Uma verdadeira tragédia.

– Fica com este dinheiro e entrega-lho. Será um contributo nosso para os ajudar.

– Prisciliano, esse não é o dinheiro que precisas para a viagem a Emerita?

– Deus providenciará o necessário. Este dinheiro é dos que dele precisam… Vou celebrar as exéquias e pedir aos crentes que protejam a viúva e os filhos.

Depois de confortar a viúva, os filhos, os familiares e amigos, Prisciliano desceu até á necrópole, à frente de um cortejo fúnebre, através de uma rua ladeada de casas modestas, embora uma ou outra procurasse imitar a disposição das grandes casas do império, com pátio central e divisões à volta.

O cemitério de inumação situava-se perto do antigo pagão de incineração, que subsistia como preservação da memória dos antepassados. A cerimónia, muito comovente, foi feita a partir de uma pequena construção que servia de templo, construída junto à muralha defronte da necrópole, onde se colocaram os dois ataúdes, antes de descerem à terra.

No final, Egéria agradeceu a Prisciliano todos os cuidados para com a família desolada, moendo-lhe na alma um outro assunto.

– Prisciliano, estou tão preocupada com essa viagem a Emerita. Algo me diz que é um erro.

– Não te apoquentes, querida. Há de correr bem. Temos os nossos amigos na cidade e o povo tem sido muito generoso connosco.

– Não sei… O meu coração não costuma enganar-me… Já quando me contaste em Aseconia a tua intenção de lá ir, antes de recebermos a carta de Hidácio a convocar o concílio de Caesaraugusta, tive o mesmo pressentimento. Lembras-te?

– Sim, lembro. Mas Instâncio anda cá com umas ideias… E quando as mete na cabeça, já sabes que ninguém lhas tira!

– Que ideias, Prisciliano?!

Depois de cruzar o Durius, o trio seguiu em direção a Vissaium. O mestre levava a memória da felicidade dos dias passados com o povo fiel de Tongobriga, que se esmerara em orações pela rápida recuperação de Salviano, mas também a inquietação das palavras que Asarvo lhe segredou ao ouvido, no momento da partida.

– Já sei quem vos atacou!

– Como assim?!

– Tenho os meus informadores. Toma cuidado que é gente de Emerita, ao serviço do bispo. Parece que já estão em casa e não deverão aparecer para não serem identificados e associados aos mandantes. Mas, mesmo assim, toma muito cuidado! As estradas da Hispânia nem sempre são seguras...

– Nem os nossos irmãos são de fiar, Asarvo! Não sei o que te diga!

No dia seguinte, cruzando os Montes Hermínios, os cavaleiros alcançaram Civitas Igaeditanorum, o que significava que distavam apenas cento e vinte milhas do destino.

Todavia, por tantas razões, o caminho para Emerita não era de felicidade, como o fora em outros tempos. Prisciliano sabia-o e rememorava os acontecimentos, para que nenhum pormenor lhe escapasse. E não só os recentes, que lhe roubaram duas semanas de viagem e causaram um grande susto, também os de Caesaraugusta.

Simpósio saíra apressadamente do malfadado sínodo, desiludido com uma plateia inundada pelo dilúvio de Hidácio e Ithacio. Decidira virar o tabuleiro do jogo, numa jogada de grande risco, para salvar o que ainda lhe parecia ser possível, quando ouviu o próprio Delphino de Burdigala fazer tábua rasa da sua intervenção e invetivar violentamente contra Prisciliano e Elpídio. No final da intervenção do bispo aquitano, Ithacio Claro voltara a pedir a palavra e subiu ao púlpito sagrado para atirar mais resina à fogueira que ali queimava vertiginosamente, como um monte seco em dias de cálido estio.

– Perante o que acabo de ouvir, não me resta outra opção senão ausentar-me, de imediato, desta farsa! Não pactuarei com encenações, muito menos com condenações sem que os réus estejam presentes! Acabais de ouvir da minha boca a profissão de fé daqueles a quem chamais hereges priscilianistas, redigido pelo punho do líder. E, mesmo assim, perseverais em condená-los, a despeito das orientações do bispo Dâmaso.

Foi com estrondo que Simpósio bateu a porta da sacristia, na cara dos onze colegas. Entregava-lhes a consciência da decisão. Valério virou os olhos ao chão de pedra. Eles não alumiavam um solo tão seguro para o final do concílio. Sentiu os ombros pesarem-lhe sob o fardo da responsabilidade. Entendera perfeitamente a mensagem escondida nas lancinantes palavras com que Simpósio se despedira do sínodo, fixando cada um dos prelados diretamente nos olhos, antes de deixar um recado no ouvido do bispo local: *Valério, não manches a tua basílica de sangue cristão! Como te disse à chegada, mantém a serenidade e a sabedoria e defende o teu bom nome...*

Só restava Valério para salvar a honra do concílio e não sabia como. Hidácio, Ithacio Claro e Delphino faiscavam. Furiosos, quais animais acossados no seu habitat, propuseram a imediata votação de uma condenação por heresia e consequente excomunhão de Prisciliano, Elpídio, Instâncio e Salviano.

Valério era, pois, um homem angustiado, aturdido entre a raiva dos colegas e as palavras de Simpósio, que lhe abrasavam o peito. E mais transtornado se achou quando ouviu Hidácio acrescentar à lista dos excomungáveis um prestigiado ancião daquelas distantes terras do império: o seu velho e querido amigo Higino de Corduba.

Enquanto Prisciliano matutava nos funestos acontecimentos de Caesaraugusta, o trio cruzava a majestosa ponte sobre o Tagus, protegida por uma pequena guarnição de soldados. Desceram ao rio, para dar de beber aos animais e admirar a magistral obra da arquitetura romana da Hispânia, erguida no tempo de Trajano.

– Quanto falta para Norba Caesarina?

Aquele destino significava descanso, antes da última etapa, Emerita Augusta, a cidade onde a sua presença era necessária para matar pela raiz todas as maldades praticadas em Caesaraugusta.

Nem tudo ficara perdido. A atitude de Simpósio afetara suficientemente o pobre coração de Valério. A custo de muitas negociações e compromissos, o anfitrião conseguira evitar as condenações nominais dos acusados, trazendo para essa perspetiva quatro dos bispos presentes, já que Fitadio se uniu aos acusadores.

– *Que as mulheres fiéis não se misturem em grupos de outros homens que não sejam seus maridos!* – lera Instâncio para Prisciliano, Salviano e Egéria o primeiro cânone conciliar, através de uma cópia conseguida discretamente por um membro do grupo, do arquivo de Caesaraugusta. – *Que todas as mulheres da Igreja e batizadas não assistam a lições e reuniões de outros homens que não sejam seus maridos. E que elas não se juntem entre si com o objetivo de aprender ou ensinar, porque assim o ordena o apóstolo. Todos os bispos disseram: seja anátema todo aquele que não observe esta prescrição do concílio!*

– Esses bispos são uns insensatos! – comentara Egéria, desapontada. – Não conhecem os verdadeiros ensinamentos de Cristo, que não aparta as mulheres dos homens à face de Deus.

– Acalma-te, irmã! Vamos ouvir as restantes sentenças! Continua, Instâncio!

– *Que ninguém jejue aos domingos nem se ausente da basílica em tempo de Quaresma!* – Era o segundo cânone que o inflamado bispo lia. – *Ninguém jejue ao domingo em atenção ao dia ou por persuasão de outro, ou por superstição, e na Quaresma não falte à basílica. Nem se escondam no mais recôndito da sua casa ou dos montes aqueles que perseverarem nestas crenças, mas antes sigam o exemplo dos bispos e não acorram a* villae *alheias para celebrar reuniões. Todos os bispos disseram: seja anátema quem isto fizer!*

– Confundem jejum, ascese e mortificação com superstição! – refletira o cabisbaixo Salviano.

– *Que ninguém falte à basílica nas três semanas que precedem a Epifania* – prosseguia Instâncio. – *Nos vinte e um dias que há entre o 17 de dezembro até à Epifania, que é a 6 de janeiro, ninguém se ausente da basílica durante todo o dia, nem se oculte na sua casa, nem se dirija aos montes, nem ande descalço, mas que assista à basílica. E os admitidos que não o fizerem assim sejam anatemizados para sempre: Todos os bispos disseram: seja anátema!*

Os cânones não visaram pessoalmente qualquer membro da causa priscilianista, mas pareciam feitos à medida das suas práticas e atitudes.

– *Que ninguém se chame* doctor *sem ter esse título* – Instâncio olhou para Prisciliano, com um trejeito no canto dos lábios. – *Que ninguém se atribua o título de* doctor, *exceto aquelas pessoas a quem foi conferido, segundo o disposto. Todos os bispos disseram: faça-se assim!*

O bispo de Salmantica enunciou os demais cânones aprovados em Caesaraugusta, que se mostravam genéricos, condenando determinadas práticas, sempre em abstrato. Mas Prisciliano sabia que, muito embora não tivesse sido visado diretamente, aquelas diretivas eram flechas venenosas dirigidas a si e aos seus. Havia, pois, que tocar a rebate e munir--se de prudências e cautelas. Qualquer ato em falso poderia provocar consequências devastadoras para a causa que liderava com tanto amor e apaixonada adesão entre os corações hispânicos, até onde a sua palavra chegara. Por isso, a ideia sugerida por Instâncio de irem a Emerita não deixava de ser muito perigosa.

A poucas milhas de Norba Caesarina, saíram da via principal e entraram pelos campos adentro até alcançarem a *villa* de um rico latifundiário. Pertencia aos pais de Fulgêncio, que os acolheu com muito afeto. Depois de um frugal, mas retemperador *jentaculum*, rezaram em conjunto, tomaram um banho de água fria e foram descansar.

– Como estão as coisas por aqui, Fulgêncio?

A aura matinal do presbítero não era de confiança, antes de preocupação.

– Prisciliano, não estou certo de que devas entrar em Emerita… O bispo está a atacar com uma ferocidade nunca vista! Consta que, desde que soube que vais a caminho da cidade, contratou mercenários para o seu serviço. Amedronta as pessoas e não para de exortar, nos púlpitos das basílicas, ao combate aos hereges, apelidando-te de Anticristo, o rosto de Satanás…

– Oh… Hidácio não está bom da cabeça! É preciso falar-lhe para convencê-lo de que o queremos ajudar a sair desta embrulhada em que ele próprio se meteu… E só vejo uma solução para ele: resignar! – reagiu o irrequieto Instâncio. – Temos de te fazer bispo de Emerita, Prisciliano! Estou farto de to dizer! Já sabes que contas com o apoio de Simpósio e de Higino. E tens o nosso e os dos presbíteros que não pactuam com Hidácio.

– Esse é o nosso maior desejo, irmãos… – correspondeu Fulgêncio.

Prisciliano viajava com aquela preocupação lacrada na alma. Instâncio defendia essa tese, desde que soube dos cânones aprovados em Caesaraugusta:

– É a única forma de deixarem de te atacar, por seres laico! Como bispo, acabam os argumentos. E já que Hidácio tresmalhou, matamos dois coelhos com uma só cajadada: afastamo-lo e tornamos-te bispo metropolita da Hispânia. Assim, acaba o cisma, Prisciliano, e o caminho ficará completamente aberto para a nossa causa!

– Não necessariamente eu... não tenho sede de me tornar bispo... Haveremos de encontrar outra solução.

O sonho de Prisciliano não era o estatuto do bispado. Antes o laicado carismático, desprovido dos deveres e obrigações de um bispo. Ser um homem livre para pensar, ensinar, evangelizar, mobilizar. O que desejava mesmo era que os bispos e clérigos vivessem a espiritualidade priscilianista, aderissem à forma de vida simples e desprovida dos interesses mundanos, que ele anunciava com tanto vigor. Por isso, resistia às invetivas de Instâncio, muito embora reconhecesse pertinência nas questões que colocava.

– Não há outro caminho! Não viste o que decretaram em Caesaraugusta? O cânone que proíbe os laicos de se assumirem como *doctores* e de poderem interpretar as Escrituras?! Não te vão deixar em paz, olha o que te digo!

A insinuação de Instâncio pairava-lhe permanentemente na consciência. Assim era desde que estalara o escândalo em Emerita e que começou a minar a credibilidade de Hidácio. Revoltado, e mal terminara o concílio, Fulgêncio deu voz ao que todos comentavam à boca pequena: acusou publicamente o metropolita de manter uma relação incestuosa com uma sobrinha, sua catecúmena, que desaparecera da cidade, em condições mal esclarecidas, logo que se descobriu a gravidez. Por isso, quando Instâncio recebeu a carta do presbítero emeritense a contar o sucedido, vislumbrou a grande oportunidade de cortar o mal pela raiz: desacreditar Hidácio, levá-lo a sair pelo próprio pé ou ser apeado pelo povo crente.

– Não tinhas dito que os cristãos estavam escandalizados, Fulgêncio?! – persistiu Instâncio.

– Os bons cristãos estão muito revoltados, meu irmão! Só que, nos últimos dias, têm-me chegado sinais de fortes ameaças e de retaliação...

– E as autoridades locais?

– Parece que o *vicarius* Mariniano é sério! Detesta Hidácio, por achá-lo oportunista e de mau caráter. Mas não me parece ser homem para se meter em questões religiosas...

– Irmãos, escutem-me! – Prisciliano levantou-se para se dirigir aos amigos. – Não viemos até aqui em vão. Proponho irmos à residência do bispo na paz de Cristo para o ajudarmos a encontrar forma de evitar maior escândalo para a Igreja. Quanto a quem o poderá substituir, Deus nos inspirará nessa decisão, quando a tivermos de tomar...

A capital da Hispânia mantinha os pergaminhos de outrora. Erguida sobre a margem direita do rio Anas e aproveitando as encostas, assim como o espaço existente entre as colinas, era circundada por uma muralha que alcançava os cumes e seguia paralela ao curso de água. Entrar em Emerita Augusta era igual a entrar em qualquer outra cidade romana. Prisciliano sabia que não haveria como se enganar. Tantas cidades visitara e todas obedeciam ao mesmo padrão: uma estrutura em retícula que fazia com que qualquer romano se sentisse em casa.

Primeiro que tudo, havia que reconhecer as ruas principais que se cruzavam entre si. O resto já se sabia que vinha por acréscimo: o fórum e as termas, as zonas de jogos e espetáculos, as estátuas de imperadores e templos dos velhos deuses. Vestígios da ancestral glória do império, ainda que com claras marcas do abandono e desuso e, naturalmente, com os sinais dos novos tempos: as primeiras basílicas que os cristãos se empenhavam em construir. A *ecclesia senior* de Emerita estava situada junto ao peristilo do velho teatro, cada vez mais reduzido e raramente utilizado.

Prisciliano, Instâncio e Salviano entraram pela porta norte. Cruzaram o pequeno rio Barraeca, tal como o imponente aqueduto que penetrava na cidade para a abastecer com a água pura captada nas serranias vizinhas. Nas margens da estrada viam-se ruínas de oficinas, bem como várias sepulturas, desde as sóbrias da gente humilde aos imponentes mausoléus, com as marcas dos cultos pagãos gravadas nas lápides. Prisciliano rezou pelas almas daquelas gentes que não conheceram o Salvador. Quando cruzava a porta da muralha, com um grande arco de acesso para os carros e dois outros mais pequenos, de ambos os lados, para os peões, pensou em Fulgêncio. Pedira-lhe para ficar na *villa* de gente amiga das imediações da cidade, apesar dos veementes protestos do presbítero emeritense.

– Estou na vossa causa, irmãos! Para o melhor e para o pior! Por isso, quero muito acompanhar-vos!

Porém, não foi. Fulgêncio era um homem que assumia frontalmente as suas causas. Tanto que não se inibiu de acusar publicamente os pecados do bispo. Prisciliano julgou mais prudente não o levar consigo, para não soltar os maus espíritos que viviam em Hidácio. E também por outra razão que guardava no íntimo: poderia ser necessário que aparecesse com a sua gente e ser aclamado o novo bispo de Emerita.

Estava transposta a muralha. Os cavalos resfolegavam e batiam as patas com força, mas a passo lento, na calçada empedrada do cardo. Viram três mendigos a quem Salviano abençoou e Prisciliano ofereceu o pão que trazia no alforge. Perguntou-lhes onde se encontrava o *martyrium* de Santa Eulália. Era sua intenção, antes de pedir audiência ao bispo, rezar junto ao corpo e às relíquias da santa mártir, um exemplo das virtudes cristãs do século anterior, morta às mãos dos soldados romanos, por defender sem temor a sua fé. Apontaram-lhe o cruzamento do decumano máximo, onde deveriam virar à esquerda, em direção à porta da estrada para Metellinum.

– O que se passa nesta cidade?! Tão pouca gente nas ruas!

O mendigo encolheu os ombros e fez uma careta.

– São os cristãos! Eles dizem que andam demónios à solta. São uns tontos esses cristãos! E vós quem sois, assim trajados pobremente como nós, mas tão bem montados?

Prisciliano não pôde deixar de sorrir, antes de lhe responder:

– Somos os demónios! Mas uns demónios que vos trazem pão.

Os mendigos abriram os olhos de espanto. Depois, impelidos pela curiosidade, cirandaram à volta dos cavalos, como se buscassem a marca do inferno. O olhar parou-lhes num objeto que pendia das montadas de Salviano e Instâncio.

– São mesmo eles, os demónios! – Dois dos pedintes correram, aos gritos, pelas estreitas ruas secundárias.

Intrigado, Instâncio perguntou ao que ficara:

– Que diabo viram os teus amigos?!

O homem não mostrara intenção de fugir, mas também não o podia fazer porque lhe faltava uma perna e segurava-se num tosco madeiro. Com um sorriso enigmático, apontou para as duas conchas de vieira, com que aqueles bispos batizavam os neófitos fiéis na cabeça, depois de mergulharem na tina.

– Se quiseres, fugimos nós de ti, para não ficares junto de três perigosos demónios...

– Não precisam! Desde que perdi esta perna numa batalha junto ao Rhenus, nunca mais me adiantou fugir... – respondeu, coçando uma verruga no queixo.

– Andaste na guerra?

– Ando em muitas guerras e em muitas pazes, há muito tempo... – respondeu, enigmático.

– Como assim?

– Depende da época... Mas quando sei que sou preciso, apareço, sem avisar.

Instâncio sorriu e murmurou para o lado:

– Este não bate bem da cabeça!

– Os teus amigos têm medo de conchas?! – perguntou Prisciliano.

– Alguém lhes disse que as conchas de vieira são as marcas do Diabo... Mas eu não acredito nessa história. Trata-se de mais uma patranha inventada pelo bispo. Já não lhe chega comer e beber à fartazana, seduzir-se pelo poder do ouro e da prata, para não falar das alcovas das virgens donzelas da sua seita. Agora, deu-lhe para isto...

Os três cavaleiros engoliram em seco. As coisas estavam ainda mais graves do que imaginavam. Mesmo ditas por um mendigo com um discurso aparentemente demencial, com certeza que era o eco da *vox populi*.

– E onde está o povo?

– Uns dentro das casas, outros a trabalhar, outros a rezar ao Crucificado...

Os três deitaram os olhos às janelas das casas. Haviam crescido para o espaço público, através de colunas que seguravam alpendres. Nasceram residências por cima das novas construções, apertando-se ainda mais as ruas da cidade. Na parte inferior, abriram-se lojas comerciais para arrendar ou serem exploradas pelos donos.

– Tomem cuidado! Se fosse a vós, não ia. Está muita gente estranha na cidade... Vão fazer-vos mal...

Instâncio agradeceu-lhe e tocou a barriga da montada com os pés.

– Está louco, este!

Seguiram em frente e começaram a ver mais pessoas, dentro dos estabelecimentos comerciais e das tabernas que se densificavam à medida que caminhavam para o centro. Alguns funcionários seguiam absortos nos pensamentos ou em animadas conversas. Os escravos acompanhavam os petizes à escola, outros carregavam água, lenha e alimentos, alheios ao que secretamente se urdia em certas mentes de Emerita. A receção de tão ilustres figuras fora preparada ao pormenor no episcópio da cidade.

28

Emerita Augusta (Mérida)

– Maldito Hidácio! Deus me perdoe, mas esse homem é um perigoso fanático!

Instâncio refugiara-se numa habitação desconhecida, sem saber por onde andariam os amigos. Só se lembrava de ver sangue a jorrar da fronte de Prisciliano, depois da primeira paulada, e de Salviano estatelado no chão.

Uma mulher aproximara-se, assustada, ao ver o desconhecido colado à porta.

– Quem és tu?

– Chamo-me Instâncio e sou o bispo de Salmantica. Desculpe a intrusão, mas fugi para não me baterem.

A mulher convidou-o a sentar. Chamou um escravo e sussurrou-lhe ao ouvido palavras indecifráveis. Pouco tempo depois, apareceu outro criado com um copo de água.

– Os meus amigos... O que é feito deles?

– Já vi que és um dos hereges! – disse, num tom que Instâncio não percebeu se era jocoso ou sério.

– Herege?! Eu?! Nada disso... – O bispo suava, enquanto respirava sofregamente num remoinho de pensamentos desconexos. – Se achas que não sou digno da tua casa, põe-me fora, à mercê desses malfeitores...

A mulher sorriu, enigmaticamente. Por detrás dela, surgiu o primeiro escravo, com os olhos arregalados e urgentes. Ciciaram-se algo que escapou de novo a Instâncio.

– Os teus amigos estão em apuros… Vocês são uns insensatos… Meteram-se no covil do lobo!

– Quem és tu?

– Chamo-me Melânia. Não sou cristã, mas, se o fosse, não vinha assim tão desprotegida entregar-me aos sicários de Hidácio… E tu, que dizes ser bispo, não o conheces?! Não sabes do que ele é capaz?!

– Infelizmente, sei… Acabo de o descobrir na pele! A culpa é minha, que instiguei Prisciliano e Salviano a virem a Emerita. – Sentado num escabelo de madeira, Instâncio agarrava-se às pernas, desalentado, enquanto desviava a cabeça para que a anfitriã não se apercebesse da luz molhada que lhe nascia nos olhos.

Quando se acercaram da basílica, uma multidão de homens de negro, vindos não sabiam de onde, gritara palavras de ordem e cercara os três forasteiros.

– Fora daqui, hereges! Emerita não quer o demónio dentro das suas muralhas! Fora! Desapareçam! – vociferou, junto ao nariz de Prisciliano, aquele que parecia o líder.

– Nós não somos hereges, vimos em paz e só queremos falar com Hidácio!

– Hidácio não recebe perigosos maniqueus! Desandem imediatamente!

Prisciliano olhou ao redor. Eram dezenas, não sabia ao certo o número dos que continuavam a gritar em uníssono, recordando-lhe os tumultuosos acontecimentos passados em Burdigala:

– Hereges! Hereges! Malditos hereges! Fora daqui!

Ao longe, sem ser visto, o pedinte coxo acompanhava as movimentações, com redobrada atenção. O galaico olhou mais acima e viu um rosto a espreitar pela janela da residência bispal, onde bailava um sorriso cínico. Reconheceu aquele fátuo olhar e o coração apertou-se-lhe. Era o de Ithacio Claro, mais velho e ainda mais gordo. Salviano e Instâncio encontravam-se na retaguarda. Estavam atentos, mas receosos que algo de grave pudesse acontecer.

– Só queremos falar com o bispo! Somos cristãos e estes são os seus colegas de Salmantica e de Conimbriga! – insistiu Prisciliano, dando um passo em frente.

– Deixem-nos passar! – Uma voz desconhecida surgia da basílica e a turba obedeceu, contrariada.

Um homem baixo, com cara de rã, ventre enfolado e um cocuruto a brilhar ao sol indicou-lhes o caminho do presbitério. Ao baterem no chão granítico do templo, os passos faziam-se ecoar em todas as direções. Porém, no interior de cada um, troava uma grande tensão, depois da receção exterior. Prisciliano seguia de queixo erguido, com os amigos atrás. À frente, aguardavam-nos uma vintena de olhos frios e ácidos que alumiavam rostos hirtos em corpos de pé, quase estátuas. Os que chegavam saudaram os clérigos, com deferência, mas a resposta foi o espesso silêncio das pedras do templo. Não demorou a que entrasse o bispo de Emerita Augusta, de cara redonda e vermelha, um homem grave, dentro das largas vestes, que não disfarçavam a pança bem nutrida. Atrás de si, o homem que os observara da janela, com o mesmo sorriso nos lábios e uma dúzia de acólitos a fazerem procissão. Sentou-se, lenta e cerimoniosamente, na sua cadeira. Ordenou que os bispos e presbíteros se sentassem, mantendo os três forasteiros de pé, à sua frente.

– A que honra devo tão ilustres visitas?

– Hidácio, vimos em paz, prontos a encontrar, em conjunto, uma via para a reconciliação da Igreja – respondeu Salviano.

– Não há reconciliação possível com hereges maniqueus, gnósticos e falsos doutores que estudam e ensinam os erros dos escritos apócrifos – respondeu, com um tom de voz elevado, zurzindo flechas envenenadas pelos olhos pretos.

– Hidácio, a condição de metropolita não te dá o dom da verdade! – O aguerrido Instâncio respondera sem dar tempo ao anfitrião para terminar.

O pedinte coxo passara, entretanto, com dificuldade entre a multidão e entrou discretamente na basílica, até ao presbitério. Encostou-se à parede e nela se fundiu, aproveitando as sombras das colunas, e logo viu o bispo local apertar o punho direito com força e fazer discretos sinais com a cabeça ao homem com cara de batráquio. A testa de Hidácio suava, debaixo do chapéu escarlate. O repolhudo bispo de Ossonoba, de sorriso acerbo, sussurrava-lhe peçonha aos ouvidos.

– Irmão, nós viemos para te ajudar. Não para te julgar.

Prisciliano preparava-se para justificar a vinda a Emerita, mas não conseguiu. A tampa da paciência saltou a Hidácio, que, levantando-se, lhes apontou a porta da saída.

– Lá fora, de imediato! Se a verdade não reside na minha basílica, os senhores estão aqui a mais! Saiam imediatamente! E não preciso que me ajudem, sei muito bem tomar conta de mim!

– Hidácio!

Mas este já seguia, pesado, em direção aos aposentos. Atrás de si, Ithacio Claro, caminhava, altivo, de nariz no ar, inebriado com a satisfação do rápido desfecho do encontro. Por ele, nem sequer haveria a receção no presbitério. Sabia que, lá fora, havia gente adequada para o merecido acolhimento, face aos pergaminhos dos visitantes.

O mendigo aproveitou para sair do templo e, logo a seguir, os três forasteiros foram rodeados pelos silenciosos presbíteros que os conduziram até à porta da basílica. Ao mesmo tempo que o minúsculo homem que os recebera a fechava e trancava, um sorriso sarcástico rasgava-lhe o rosto.

No exterior, a turba ululou, ainda mais excitada, com as palavras de ordem na ponta da língua, conhecedora das sortes do presbitério. Mal deram os primeiros passos, e vindo de lugar incógnito, um pau zumbiu no ar, atingindo, com violência, o rosto de Prisciliano.

– Toma, maldito herege! Esta é pela morte do meu irmão, na estrada de Magnetum.

Prisciliano cambaleou, com as palmas das mãos agarradas à fronte, vertendo uma torrente de sangue dos lábios e nariz, por entre os dedos. Parecia-lhe que mil animais selvagens o apanhavam para o esquartejar. Os amigos tentaram ajudá-lo, mas os pontapés e as pauladas, ao ritmo da desordenada gritaria, atiraram-nos ao chão. As feridas de Salviano reabriram-se em carne viva, com a violência dos golpes. Com o sangue a cair em bica, Prisciliano era a imagem de um gladiador atacado por um leão. A multidão embriagada uivava e saboreava os violentos instintos, já que passara muito tempo sem circo na cidade. Instâncio, a soco e a pontapé, com as vestes rasgadas e ensanguentadas, conseguiu evadir-se até uma rua deserta. Lá se encontrava o mendigo, que lhe indicou uma *insula* com as portas abertas.

*

– Ajude-me, senhora! Preciso de saber dos meus irmãos!

Melânia saiu da sala. Pouco tempo depois, meia dúzia de escravos entraram. Carregavam, em duas padieiras de madeira, outros tantos corpos inanimados.

– Meu Deus! Mataram os meus amigos! Mataram Prisciliano!

Mariniano andava preocupado com as movimentações de Hidácio. Os seus informadores avisaram-no de que alguém, a mando do bispo, manipulara a escória da cidade e arredores, a quem oferecera sub-repticiamente algumas moedas de ouro, para receberem Prisciliano e os dois bispos cristãos. Por isso, quando leu a carta manuscrita por Melânia, arrependeu-se de não ter levado a sério os avisos dos possíveis tumultos entre os cristãos. Deu ordens para identificar os autores dos desacatos, montou o cavalo e galopou para a casa da viúva aristocrata.

– Este bispo não tem emenda! – respigou, ao ver o estado em que ficaram os três homens atacados.

– É verdade, Mariniano! Já te avisei que, não tarda nada, os bispos mandam mais que as autoridades civis.

O *vicarius* torceu o nariz. Logo chegou um oficial, com uma nota sobre a zaragata. Leu-a com atenção e voltou a franzir o cenho.

– Alegadamente, um grupo de fervorosos cristãos reuniu-se *motu próprio* para evitar que três hereges profanassem a basílica emeritense. Como eles insistissem, forçando a passagem, a turba perdeu o controlo sobre os acontecimentos e, à primeira vista, ninguém sabe quem atacou os forasteiros.

– Está visto que a tua polícia está catequisada, Mariniano! Toma cuidado!

O *vicarius* chamou o oficial à parte. Ninguém ouviu a conversa. Mas Melânia sabia que a direção da investigação havia mudado para mãos isentas.

Aos poucos, Prisciliano foi recuperando os sentidos. Sentia-se dorido, por todas as partes do corpo, em especial no rosto desfigurado pelas feridas e inchaços de tons purpúreos. Nunca soube o que acontecera na via pública. Muito menos que fora o coxo mendigo da verruga a chamar os soldados que puseram fim aos tumultos, salvando-lhe a vida, e que os informou onde se escondera o amigo que conseguira fugir a tempo.

Salviano era analisado por um médico, que lhe estancava o sangue das feridas e lhe palpava o pulso.

– Está vivo, mas inconsciente – deu de veredito.

Os dois amigos agradeceram a Deus. As feridas do bispo de Conimbriga foram tratadas durante o coma em que mergulhara, até que, por fim, o sono profundo terminou.

– Onde estou? Quem é esta gente?!

Mariniano aconselhou-os a sair da cidade o mais rapidamente possível, para lugar seguro. Descobriu o paradeiro dos cavalos e deu-lhes escolta segura até à *villa* onde se encontrava Fulgêncio, que já sabia dos acontecimentos e aguardava ansiosamente por notícias dos amigos. O *vicarius* dera indicações claras para não voltarem à estrada, sem prévia autorização.

Quando cruzaram as portas da cidade, lá estava o coxo. Ao vê-lo, Prisciliano acenou-lhe, com bonomia.

– Bem vos avisei… Acharam que era louco, não?

– Desculpa, devíamos ter-te dado mais atenção. Como te chamas?

Mas o chefe da escolta deu instruções para saírem rapidamente. Prisciliano já não lhe ouviu a resposta.

– Eu sou o tudo e o nada… Um espírito providencial que vive dentro do tempo e em qualquer espaço, homem ou animal.

Sob um céu límpido e um sol quente, à medida que via os cavaleiros afastarem-se das muralhas rutilantes de Emerita, o coxo mexia-se na sua direção falando sozinho.

– Não é a primeira nem será a última vez que nos veremos, Prisciliano. A mim chamam-me *O Cristo*. Vá lá saber-se porquê…

Alguns dias volvidos, enquanto eram interrogados os líderes da turba, sem denunciarem o mandante, vários escritos chegaram silenciosamente a muitas basílicas da Hispânia, denunciando atos iníquos, corrupção e a libertinagem do bispo de Emerita. Não iam assinados, mas a letra bem desenhada de Fulgêncio, furioso pela forma como os amigos foram recebidos na sua terra, fora levada pelos companheiros priscilianistas emeritenses. Vários laicos da cidade fizeram também circular um texto, demonstrando a indignação pelo sucedido.

Só ao final de duas semanas as feridas externas ficaram minimamente curadas e os três amigos prontos para partir. Mas foi necessário aguardar mais uma longa semana, até chegar a autorização de Mariniano e a escolta até à ponte sobre o Tagus, onde a presença da guarnição assegurava que não mais seriam perseguidos.

Os três viajantes aproveitaram esse precioso tempo para escrever, também eles, uma carta a vários bispos hispânicos, relatando os acontecimentos de que tinham sido vítimas, a reafirmarem a ortodoxia e a instarem pela deposição, por evidente indignidade, de Hidácio de Emerita. Reforçaram a sua posição, alegando que, ao contrário dos ascetas radicais, o grupo estava disponível para o *sacerdocium*, ou seja, para ocupar a sé de Emerita ou de qualquer outra cidade.

Mas a viagem de retorno foi sofrida nos espíritos e corpos dos cavaleiros. Salviano queixava-se frequentemente de dores no peito e na cabeça, pelo que tiverem de parar amiúde. Prisciliano procurava compreender o que acontecera. Passou uma noite em meditação, no cimo de um monte, procurando ausentar-se de todo e qualquer pensamento. Na manhã seguinte, a mente iluminou-se: tomaria a decisão que a consciência lhe ordenava!

– Instâncio, não foi uma ideia muito acertada termos ido a Emerita, assim, incautos e desprevenidos. Eu próprio avaliei mal o covil onde nos metemos.

– Tens razão, Prisciliano! Desculpa ter insistido. Mas estava convencido que conseguíamos apear o louco do Hidácio e que, na hora certa, aceitarias tornar-te o metropolita da Hispânia, com a ajuda dos nossos amigos. Acredito que, se tal acontecesse, a Igreja seria definitivamente renovada…

– Fulgêncio foi muito prudente… preveniu-nos. E até aquele mendigo que achaste ser demente. Mas há uma coisa que aprendi com esta viagem, amigos!

– O quê? – responderam, suspensos nas palavras do líder.

– Rendo-me aos teus argumentos… Se Hidácio quer acabar comigo, não mais será por eu ser laico! Preciso de lutar com todas as forças pela defesa do que é a minha crença mais profunda: a verdade! Aceitarei, por isso, com honra e humildade, tornar-me um bispo como vós… um bispo como ele!

29

Abula (Ávila)
Burbida (perto de Redondela)

O fogo espiritual que incendiava a Hispânia irrompeu em altas labaredas por entre as grossas muralhas de Abula. A população estava maioritariamente convertida. O bispo Apolónio, um bondoso ancião da causa priscilianista, acabara de falecer, na paz do Senhor. Acompanhado dos inseparáveis Instâncio e Salviano, Prisciliano entrou na cidade, num domingo de nevoeiro, animado e com o peito inchado de alegria. Viviam-se os primeiros dias da primavera de 381. Logo à porta, teve de descer a montada para abraçar os amigos e agradecer à multidão que o aguardava com cânticos que ele próprio ensinara, em missões e retiros anteriores.

Esperava-o mais um tapete de flores silvestres que o povo colocara, com fervor, no caminho até à basílica. Apanharam-nas nos bosques e jardins, juntamente com as folhas, compondo belos e delicados motivos cristãos que contagiavam o ar com um fresco e agradável aroma vegetal.

Prisciliano percorreu devagar o caminho, parando aqui e ali para perguntar por filhos, pais, esposos e outros familiares de conhecidos devotos que ia encontrando. A sua infindável memória gravava praticamente todos os rostos, nomes e especiais circunstâncias das pessoas com quem se ia cruzando ao longo da evangelização. Por isso, quando se dirigia a alguém pelo nome ou perguntava por um ente querido, mesmo depois de muito tempo passado, as almas dos tementes a Deus rejubilavam, como se tivessem sido tocadas pelo próprio Deus. Num ápice, formou-se, atrás de si, uma procissão interminável.

O mestre e os dois bispos dirigiram-se ao túmulo de Apolónio e rezaram pela sua alma. Depois, Salviano e Instâncio celebraram uma missa, entusiasticamente participada pela população crente, que não cabia no templo. As noites seguintes foram passadas extramuros, em vigílias e cânticos, em pleno contacto com a natureza. O povo vivia com ardor a fé e a espiritualidade ensinadas pelo mestre e não perdia qualquer momento em que pudesse partilhar a sua presença, desde que chegara à cidade, para a consagração. De resto, logo que correra a notícia de que Prisciliano se deslocava a Abula, disponível para assumir o báculo da sé vacante, os cristãos abulenses exultaram de júbilo e orgulho. Alguns ainda não acreditavam: *Prisciliano, bispo de Abula?*, perguntavam, entre si.

O domingo seguinte foi o da coroação. Instâncio e Salviano presidiram à santa celebração. O povo era tanto que todas as portas foram abertas para trás, onde se posicionaram alguns presbíteros que repetiam às massas que não puderam entrar tudo o que se dizia no interior.

– Aceitam Prisciliano como vosso bispo?

Um rugido ensurdecedor ecoou por todos os recantos do templo, como se tratasse do grito dos soldados antes de uma batalha. Os pássaros das redondezas esvoaçaram, assustados.

– Por ser inequívoca vontade dos fiéis abulenses que sejas o seu bispo, nós te investimos nesse sagrado múnus! Passarás, a partir deste momento, a ser o pastor e guia das almas desta cidade.

Porém, antes que terminassem as cerimónias, um cavaleiro solitário e inquieto, com cara de batráquio, cruzava, com muita urgência, a porta que se dirigia a um lugar especial: Emerita Augusta! No alforge, levava o relato completo da sua missão e que, pouco depois, seria lido, com raiva, por Hidácio e Ithacio Claro, na basílica metropolitana.

– Temos de reagir, Hidácio! Este pulha vai complicar-nos a vida!

– Estou a pensar, irmão… O que achas que ele pode fazer?

– Não te parece óbvio? Depois de todas as insinuações da seita sobre a tua vida pessoal, não vão ficar calados. Estou mesmo a vê-los a pedir um novo sínodo para nos perseguirem e a seita a tomar conta da Igreja da Hispânia. Imagina, uma heresia a dominar as consciências dos pobres cristãos! – Ithacio carregava todas as munições para persuadir Hidácio.

– Malditos…

– Não aprenderam com a porrada que levaram aqui…

– Pois não…

– Sempre avisei que os devíamos ter julgado e excomungado no sínodo de Caesaraugusta. Devias ter sido mais firme! Agora, olha o que está a acontecer. Vira-se o feitiço contra o feiticeiro!

– Tens razão, Ithacio. Mas sabes bem que não conseguimos maioria. Foi uma pena. Mas ainda vamos a tempo… – Uma estratégia começava a ganhar forma no seu pensamento. – Podemos recorrer a Dâmaso de Roma e a Ambrósio de Mediolanum. Com o apoio dessas duas sés, acabamos com eles.

Ithacio já havia pensado nisso e em muito mais. Por isso, sorriu. Estava convencido e era importante ter o metropolita do seu lado para destruir Prisciliano. O plano de vingança não podia agora falhar. Relatou-o com voz doce e aflautada:

– Não chega, irmão! Temos de escrever ao imperador Graciano! Ele é um fervoroso adepto da fé nicena. Mandamos-lhe uma carta acompanhada de uma generosa oferta ao questor do palácio. E o resto deixa comigo, conheço algumas pessoas que manobram bem em Mediolanum…

Prisciliano não passara muito tempo em Abula. Recebera uma carta de Gala a informar que Egéria adoecera gravemente na ilha junto a Burbida, para tristeza da comunidade das mulheres priscilianistas consagradas. Antes de sair, uma evanescente alegria tocou-lhe o coração com as cartas que chegavam dos bispos amigos das mais variadas cidades hispânicas, felicitando-o efusivamente pela ordenação. O mestre emocionou-se com a lealdade dos que o amavam. Chegara-lhe também a informação de que não encontravam nos cânones de Caesaraugusta qualquer óbice à sua ascensão ao episcopado, tanto mais que o próprio Ambrósio, o reputado titular da Sé de Mediolanum, depois de batizado, fora imediatamente ordenado bispo.

Mas uma outra notícia o enchera de esperança: todos estavam de acordo que fosse convocado um novo concílio para analisar os funestos acontecimentos de Emerita, assim como o comportamento de Hidácio. Estava, finalmente, aberto o caminho para que o movimento priscilianista pudesse vencer o último obstáculo com vista a reformar a *Ecclesia* de toda a Hispânia. E, nesse concílio, já Prisciliano poderia participar de pleno direito: era agora um bispo legítimo!

Mas tudo isto ficou para segundo plano logo que soube do estado de saúde da sua amada Egéria. Era para ela que todas as suas intenções se dirigiam agora.

Cavalgando ao longo das estradas que o levariam de novo à *finis terrae*, Prisciliano nem sequer reparava nas flores que enchiam os campos em inflorescências primaveris, sinal do ciclo eterno da natureza regenerante. O coração morava na ilha galaica, aconchegando a amiga adoecida. Levava um gorro na cabeça, para não ser reconhecido no trajeto. Rezava permanentemente pela saúde de Egéria. Apenas parou um dia em Asturica para saudar Simpósio e Dictínio, colocá-los a par dos mais recentes acontecimentos e descansar. Estava habituado a não dormir, não comer e não beber. Essa capacidade de resistência permitiu-lhe chegar rapidamente à ilha das virgens ascetas.

Ali chegado, correu para junto da enferma, com o coração apertado. Viu-a deitada num catre de madeira e protegida por algumas mantas de lã. As febres eram altas, segundo as informações das sorores. Ajoelhou-se e dobrou-se sobre Egéria, com a mão sobre a testa. Comoveu-se e agarrou-lhe a mão direita, ficando algum tempo em silêncio, rezando pela mulher que amava, sempre cheia de energia e agora tão debilitada.

– Tem piorado?

– Está neste estado há alguns dias! Estamos tão desesperadas que não sabemos o que fazer! – Gala era uma mulher profundamente angustiada.

– Uma de vós terá de atravessar a ria e colher as ervas de flor branca que se encontram debaixo do penedo, no topo daquela colina! – ordenou, apontando para a terra continental.

A doente estava muito enfraquecida e pálida. Respirava com dificuldade e abria os olhos a muito custo. Prisciliano ajoelhou-se de novo ao seu lado e murmurou-lhe ao ouvido:

– Sou eu, querida… Voltei para te curar. Fica tranquila, Ele está contigo.

As sorores haviam colocado ao lado de Egéria uma imagem que Prisciliano não identificou, com a luz mortiça.

– O que é isso, irmãs? – perguntou, apontando para o objeto. – Não me digam que é algum amuleto!

– Não! – apressou-se Gala. – Nada disso! É o símbolo de Simão Pedro, com as chaves cruzadas das portas do céu. Egéria não para de delirar. Ouvimo-la várias vezes chamar por ti... e por São Simão. Tu podias vir, ele não... Por isso lhe dissemos que São Simão estava ao seu lado. A partir daí, não parou de perguntar por ti... e ...

– ... e quê, Gala?!

A irmã mais velha de Egéria olhou para as águas calmas da ria que circundavam a ilha. Serpenteavam por entre as margens galaicas, como se se tratasse de um rio que nascia no mar. Eram elas que, separando aquele pedaço de natureza do resto do mundo, o transformavam no lugar ideal para fugir e rezar. Mas a chuva e as noites frias deixavam o seu recado. Por vezes mal nutridas, as virgens ascetas eram apanhadas pela doença, apesar das resistências que iam acumulando ao longo de uma vida de tantas privações.

– Egéria delira... Diz que está a fazer uma viagem à Terra Santa e que nos vai contar as descobertas ao longo do caminho. Que vai descobrir os lugares santos que Jesus Cristo e os profetas calcorrearam, pondo-se em contacto com a pureza e os primeiros passos da nossa religião e que, no fim, vai encontrar-se, frente a frente, com o rosto de um mártir.

– Delira... Os cristãos deixaram de ser perseguidos, por isso não haverá mais mártires.

Prisciliano estava admirado. Aquela ideia continuava latente no subconsciente de Egéria. *Como uma pessoa, naquele estado febril, mais próxima da morte do que imaginava, podia ser capaz de viajar através da imaginação, em rédea solta, através do seu mundo interior e, em onírica transmutação, chegar até junto de Cristo?*, pensava. Enquanto não chegavam as ervas que pedira, colocava-lhe, delicadamente, panos húmidos na testa, para baixar a temperatura e metia-lhe constantes goles de água na boca. Num momento, apenas com Gala por perto, abraçou-a e murmurou-lhe ao ouvido:

– Acorda, meu amor. Sou eu, o teu Prisco...

Egéria abriu os olhos por instantes e fixou-se no homem que lhe ciciava e a refrescava.

– Prisciliano, meu amor... Ao tempo que esperava pela nossa boda. Amo-te, com todas as minhas forças. Quero fazer as bodas contigo na Terra Santa...

Gala saiu discretamente do quarto do casebre de madeira, cobrindo-os com um olhar triste.

– Vá, minha querida! Estou aqui para te ajudar. O meu coração nunca te abandonará! Também te amo com todas as minhas forças… muito mesmo, Egéria!

O choque de ver a amada em tal estado, renovando-lhe o sagrado amor, mesmo delirante, detonou o coração de Prisciliano. Uma lágrima denunciou o medo de a perder, no auge da vida. Ela fechara os olhos de novo, mas respirava mais serenamente, com um semblante que pareceu de felicidade. Prisciliano receou ser a despedida, a ilusória recuperação que precede a morte dos enfermos. Rezou silenciosamente, com os olhos marejados.

A noite foi passada em claro. Uma parte, em solitária oração, junto à água do mar que beijava a ilha. Recordava os delírios de Egéria, a imensa afeição que nutriam um pelo outro. Não precisaram de casar para viverem em perfeita harmonia. Amavam-se verdadeiramente, como dois fiéis esposos. Esposos místicos que nem sempre viviam no mesmo local, mas que se comungavam através do espírito, pensamento, oração e da missão que os fortalecia. Ainda se recordava da última vez que a sua alma comungara com a de Egéria. Sentiu que elas se desejavam cada vez mais intensamente, cumprindo os corpos uma parte da ligação maior.

Em profunda meditação, Prisciliano analisou a sua vida. Uma vida intensa de avanços e recuos, aprendizagens e mudanças. Uma vida agora norteada por uma causa, a causa em que acreditava. Poderia ter escolhido um papel bem mais pacato, usar os conhecimentos que adquirira e a riqueza que herdara em favor de uma existência sossegada, feita dos pequenos e grandes prazeres que o império podia oferecer a alguém da sua casta. Poderia ter escolhido casar, como se haviam prometido. Ou desfrutar de outras delícias femininas, como ciosamente fruíra nos tempos da juventude, procriando e deixando geração para continuar a famosa estirpe dos Danígicos.

As cogitações trouxeram-lhe a nostalgia e a hesitação. *Teria tomado a decisão certa?* Já não havia tempo para a resposta. Egéria doente, às portas da morte! Ele acossado pelos máximos responsáveis da Igreja da Hispânia! Expunha-se ao perigo e levava consigo tantos bons amigos, crentes na força do seu verbo, no calor com que difundia a sua espiritualidade.

Com a mão direita, remexeu nas águas prateadas pela lua cheia. Começou, aos poucos, a ter medo de si próprio, da incerteza, do escuro que a vida lhe parecia. Um sentimento de remorsos e de arrependimento pelas escolhas que fizera começou a engendrar-se-lhe, como a teia de uma aranha, nos recônditos do coração. Tinha de fazer alguma coisa! Desaparecer? Voltar à pacatez da sua *villa*? Não sabia. Só lhe apetecia chorar. E chorou. Sozinho.

Ao longe, Gala observava-o, sem ser vista. Adivinhava o sofrimento do homem que, sendo seu guia espiritual, amava a irmã tão profundamente como ela a Prisciliano. Ajoelhou-se e mortificou-se, adivinhando dentro de si um sentimento vil, que havia muito tempo descobrira ser o ciúme. Prisciliano era um homem admirado e amado por tantas mulheres de todas as condições sociais, mas especialmente pelas aristocratas. Mas ela sentia que o Demónio a tentava, como em tantas ocasiões, levando-a a desejar aquele que, desde a infância em Bracara Augusta, a fizera esquecer todos os homens, mesmo o falecido marido, escolhido pelo pai.

Gala sentiu um frio no estômago e petrificou-se, colada a um carvalho, quando viu Prisciliano despir-se da túnica, da roupa interior e desatar as sandálias. Um homem moreno, atlético e bem adornado de músculos era alumiado pela lua. Os olhos da mulher não evitaram o centro do seu corpo, onde o abdómen termina para dar lugar às coxas. Com os olhos presos no membro masculino que baloiçava, generoso, mas mortiço, entre a penugem e dois gomos que pendiam entre a curva das pernas, viu-o entrar na ria, devagar, e fundir-se naquelas frias noturnas águas.

A mulher perturbou-se, enquanto o via nadar até à outra margem, alcançando terra firme. Entregara-se à virgindade consagrada depois de viúva. Conhecera as delícias do sexo, que decidira abandonar. Porém, aquela visão remexia-lhe velhas memórias da alcova. Não tendo amado o esposo, sempre se deliciava, em reprimido silêncio, com os prazeres da cama, fechando os olhos e pensando em Prisciliano. Naquele momento, Gala viu-se tentada, apercebendo-se do suave humedecer dos lábios que outrora lhe deram tanto prazer. A libido adormecida acordava da forma mais imprevista. A mão percorreu devagar as coxas, debaixo da túnica, até alcançar o suave orvalho do segredo de Vénus. Levou os dedos a bailar dentro dos lábios abertos em flor e deixou-se levar até ao êxtase. Quando o viu iniciar a viagem de regresso, caiu em si.

– É Satanás a tentar-me… – ciciou. – Perdoa-me, Senhor, porque pequei… – concluiu, levantando-se penosamente e indo velar a irmã.

Prisciliano chegou algum tempo depois, desconhecendo os olhares lascivos da Gala.

– Como está ela?

– Bem melhor, depois da bebida que lhe preparaste. As febres estão a baixar. Continuarei a rezar pela sua recuperação – respondeu, titubeante.

A noite escondia-lhe o rubor pelo que acabara de assistir, sentir e pensar. Prisciliano sorriu e corroborou, enquanto, com ternura, afagava o cabelo da enferma adormecida.

– Vai ficar bem! Tem de ficar bem!

A nua viagem pelas frias águas da ria ajudaram-no a afastar os demónios que o atacavam por todos os lados. Purificara-se, entregando-se ao esforço físico. Ao chegar à outra margem, era um homem apaziguado. Sentira-se novamente purgado das forças negativas. Despira os maus pensamentos. Revigorava-se de energia para continuar a caminhada. Talvez Egéria tivesse razão, no seu delírio febril! Talvez fosse a voz de Deus! Uma longa viagem ao encontro do Uno parecia-lhe uma excelente ideia. Quando Egéria recuperasse a anterior frescura física, haveria de discutir essa hipótese. Só era necessário resolver, previamente, as pendências com Hidácio e pacificar, de uma vez por todas, a Igreja da Hispânia na reta fé.

Os afetos e as infusões de Prisciliano transformaram-se num potente curativo. Passada uma semana, Egéria cantava, com alegria, belos hinos compostos pelo amado. E experimentara a torrencial vibração quando um dia lhe disse ao ouvido:

– Tenho pensado muito na possibilidade de te acompanhar à Terra Santa, Egéria.

Perfecionista como era, começara, de imediato, a programar todas as necessidades para tão longa viagem, imaginando os dias de felicidade, caso Prisciliano pudesse viajar com ela.

Porém, um dia, um cavaleiro chegou, esbaforido, à margem mais próxima da ilha. Vinha dos lados da *mansio* de Burbida, gritando por Prisciliano. Ele próprio remou a pequena embarcação que fazia as travessias.

– Felicíssimo! Tu por aqui?! O que se passa?! Pareces tão preocupado!

– Tens de vir rapidamente a Asturica! Espero que não leves a mal, mas convoquei todos os nossos líderes. Estão a acontecer coisas muito graves! Todos corremos perigo de vida e precisamos que nos orientes, Prisciliano!

– O que aconteceu, Felicíssimo?! – As sombras do desassossego tombaram sobre os corações de Egéria e Prisciliano.

30

Mediolanum (Milão)
Asturica Augusta (Astorga)
Burbida (perto de Redondela)
Elusa (Eauze)
Burdigala (Bordéus)

Longe da Galécia, no palácio de Mediolanum, o imperador Graciano despachava as várias solicitações que lhe chegavam dos quatros cantos do império.

– Temos mais uma petição vinda da Hispânia. É a última de hoje – anunciava o secretário pessoal, com a voz de falsete.

– Mais uma?! Vamos lá, tenho o bispo Ambrósio à espera. De quem é?

– De Hidácio de Emerita, o metropolita da diocese.

– E o que pretende?

– Faz um arrazoado à volta de uma heresia que anda à solta na Hispânia liderada por um tal Prisciliano. Diz que se trata de um falso bispo e que é maniqueu. Acrescenta ainda que vários bispos comungam dessa heresia e que se aproveitam do povo inculto para a disseminarem.

– Hummm… Só me faltava agora uma heresia no meu território – respondeu, irrequieto, sabendo ter importantes assuntos a tratar com o bispo da cidade.

– Espera, deixa-me perguntar a opinião a Ambrósio. Chama-o aqui, está na sala de espera!

Enquanto aguardava pelo prestigiado prelado, um homem que fora aclamado bispo pelo povo oito dias depois de se ter batizado, lia o pergaminho.

O bispo de Emerita referenciava o envolvimento dos bispos de Corduba, de Salmantica e de Conimbriga. Coçou a cabeça. O assunto parecia grave.

– Conheço essas acusações, Graciano – informara Ambrósio, depois das saudações e de se acomodar numa confortável cadeira da sala de audiências do palácio imperial. – Também as recebi e sei que foram igualmente remetidas a Dâmaso de Roma.

– E o que achas disto?

– Não sei… Mas, a ser verdade, pode colocar em causa a unidade da Igreja na Hispânia. Convém averiguares…

Depois de tratar com Ambrósio, Graciano preparava-se para ir à caça. O secretário insistiu:

– Majestade, falta despachar o assunto dos bispos hispânicos…

– Não tenho tempo… – respondeu, enquanto arrumava papiros e pergaminhos. – Ou melhor, tens razão: prepara um rescrito a ordenar ao *vicarius* da Hispânia para expulsar todos esses bispos das suas basílicas, mandando para o exílio todos os que considere hereges! Assim, não se perde mais tempo com este desagradável assunto!

O secretário abriu os olhos de espanto. Estava habituado a maior ponderação por parte do imperador. Mas a pressa e zelo com que defendia a fé nicena explicavam a decisão.

Quando Felicíssimo trouxe as terríveis notícias intercetadas por um membro do movimento em Emerita que trabalhava no palácio do *vicarius* Mariniano, Prisciliano despediu-se apressadamente de Egéria, prometendo voltar em breve. Pegou nos seus pertences e rumou a Asturica. Ali se encontravam Simpósio e Higino, que se refugiara em casa do amigo, logo que soube dos rumores. Não tardou a que chegassem Instâncio e Salviano.

Na manhã seguinte, o pobre bispo de Corduba lamentou-se profundamente por ter sido o espoletador de tudo o que de mau acontecia aos amigos.

– Ai, Prisciliano, como me arrependo!

– Meu bom Higino, não te martirizes com essas ideias!

Os outros bispos e amigos foram chegando. Simpósio a todos conduziu ao presbitério e dirigiu a reunião.

– Meus amigos, urge tomar providências perante a gravidade dos acontecimentos. Como sabem, vários de nós, como outros que aqui não se encontram, forçaram Hidácio, na qualidade de metropolita, a convocar um sínodo. Era a oportunidade de o confrontar com as acusações que lhe faz boa parte da comunidade emeritense. E também para explicar as agressões a Prisciliano, Instâncio e Salviano.

Simpósio evocou, com pormenor, todos os dados importantes da senda onde se viam envolvidos. Virando-se para Higino, concluiu:

– E quando viu a casa a arder, ainda deitou mais achas para a fogueira: recorreu ao imperador, a Ambrósio e a Dâmaso!

Os tempos para a causa priscilianista nunca estiveram tão graves e perigosos. Quando parecia que as águas acalmavam para frutuosas navegações, eis que voltava a tormenta, imprevista e cruel, como são os temporais de alto-mar. As ameaças subiam acima dos limites aceitáveis. A comunidade dos crentes hispânicos passou a viver em grande alvoroço. As cidades e comunidades animadas pela fé de Prisciliano foram avisadas, com a máxima discrição, dos perigos que corriam os líderes e aconselhadas a não fazerem vigílias noturnas até novas indicações, a esconderem qualquer texto apócrifo que tivessem em seu poder, a não jejuarem em conjunto, nem praticarem qualquer ato ascético passível de ser acusado de heresia. Os bispos e líderes locais refugiaram-se, disfarçaram-se ou esconderam-se. Dictínio ficou responsável por coordenar as ações de camuflagem e passagem à clandestinidade dos adeptos da causa priscilianista. No calor da sua entrega à missão, ia mesmo além das orientações de Prisciliano.

– Em nome da nossa causa, jura, perjura, mas não denuncies! – ensinava Dictínio sempre que via os fiéis preocupados.

Quando Prisciliano, Instâncio e Salviano voltaram à ilha galaica das sorores de Egéria, souberam que Hidácio remetera a todas as igrejas da Hispânia uma nova carta a acusar formalmente Higino e Prisciliano e todos os que considerava pertencerem à sua seita. A bem informada e atuante rede priscilianista retinha o mais que podia, em Emerita, a entrada em ação do *vicarius*, apenas dando nota de detenções para interrogatório de meia dúzia de vagabundos que se apresentavam pálidos e desnutridos, confundidos com ascetas.

O mês seguinte foi de intenso labor no seio do grupo. Duas viagens estavam a ser preparadas. Prisciliano, Instâncio e Salviano iriam a Roma apelar diretamente à intercessão do Papa Dâmaso. O mestre não encontrava outra solução senão acudir pessoalmente ao bispo titular da sede do império. O Édito de Tessalonica, promulgado por Teodósio, no ano anterior, passara a reconhecer formalmente a preponderância do bispo de Roma sobre os demais e, sendo ele galaico como os perseguidos por Hidácio e Ithacio, poderia usar o seu prestígio, assim o quisesse, junto da corte imperial, para anular o rescrito de Graciano que, por aqueles tempos, vivia em Mediolanum.

– Tu seguirás para a Terra Santa, Egéria, como sempre desejaste! É muito importante que recolhas tudo o que vires ou ouvires. Manda informações pela posta imperial, dirigidas às tuas sorores, para não levantarem suspeitas, ou a mim quando conseguires correio seguro. Temos de reunir todos os argumentos para combater quem nos agride. O combate vai ser de vida ou de morte, meu amor!

Egéria abraçou Prisciliano, emocionada. Mas uma agulha continuava a atormentá-la.

– Prisciliano, disseste-me que faríamos os dois a viagem à Terra Santa.

– Encontrar-me-ei contigo... Logo que resolva esta questão, irei ter contigo! Se correr bem, teremos a paz definitiva e ficarei livre para a minha peregrinação. Apanharei um barco e, em pouco tempo, estarei a fazer-te companhia. Quem sabe, seremos lá duas almas completas e felizes...

– E se correr mal?

– Se correr mal... Julgo que não poderei voltar à Hispânia, enquanto se mantiver esta ordem injusta do imperador, enquanto a Igreja que se diz ortodoxa continuar nesta postura de perseguição, laxismo, corrupção, vida mundana e ao serviço do século e do império. Essa Igreja não é a minha e não faz qualquer sentido dobrar os joelhos perante ela. Por isso, irei igualmente ter contigo à Terra Santa. Quem sabe, poderemos encontrar alguma comunidade que viva o mesmo espírito do nosso Cristianismo! Ouvi falar dos messalianitas da Mesopotâmia. Vê se os descobres e observas como praticam a fé... e também como podem ajudar a nossa causa...

Egéria sorriu. Vislumbrou uma brecha de felicidade. Agarrou-lhe o pescoço e, protegidos pelas sombras do bosque, beijou-o com paixão. A seguir, abraçou-o e assim ficou até adormecer.

A comitiva pôs-se em marcha em direção a Roma com a primeira alva da madrugada. Seguiam discretos e atentos a qualquer manobra. Prisciliano aquecia o coração com memórias recentes. Dias antes da partida, chegaram à ilha dezenas de cartas e declarações de apoio e justificação da ortodoxia do movimento priscilianista, quer dos bispos, quer de grupos laicos de fiéis, homens ou mulheres, ricos ou pobres, sublinhando o papel evangelizador da causa e o carisma do líder. O mestre ficou surpreendido, mas muito emocionado, com a generosidade dos seus. Saía animado, experimentando o calor espiritual de comunhão do povo e dos responsáveis religiosos que não se atemorizavam e, naquele momento difícil, continuavam com ele, com a lealdade dos verdadeiros amigos.

Seguiam pelas estradas imperiais vestidos de ricos proprietários e montados em cavalos bem ajaezados, para não darem nas vistas. Prisciliano reunira o dinheiro suficiente para a jornada de Egéria, escolheu alguns presbíteros da causa e recrutou trabalhadores da Villa Aseconia, bons e dedicados cristãos, para a acompanharem na dura viagem. Gala, a irmã mais velha, decidiu, à última da hora, que queria acompanhar a comitiva, muito embora não esclarecesse se viajaria aos lugares santos ou se voltaria com Prisciliano. Cavalgariam em conjunto até ao porto de Ostia, onde a peregrina da Terra Santa e respetivos ajudantes apanhariam o barco que cruzaria o *Mare Internum* até ao destino.

A viagem prolongou-se por várias jornadas, em direção a Pompaelo. Cruzaram os Pirenéus, com bastante dificuldade. Algumas montadas adoeceram, com a altitude ou o frio, e tiveram de comprar novos cavalos. Salviano também se ia queixando amiúde de dores na parte do corpo agredida durante a viagem a Emerita, especialmente no abdómen. Quando o sofrimento agudizava, toda a comitiva parava. E acontecia frequentemente, sobretudo por força dos movimentos bruscos dos animais.

Entraram finalmente na província da Novempopulana e sentiram-se reconfortados e livres dos ventos que sopravam de Emerita. Naquelas terras gaulesas, o *vicarius* da Hispânia já não tinha jurisdição. Desfizeram-se das roupas de luxo e vestiram as simples com que se caracterizavam.

Chegados à cidade de Elusa, numa manhã fria, dirigiram-se à basílica para rezarem pelo sucesso da missão. De repente, um burburinho gerou-se à sua volta.

– Por acaso, não és Prisciliano, o novo bispo de Abula?

Os membros da comitiva olharam o colocutor de cima a baixo, procurando interpretar os seus propósitos. Era um homem de meia-idade, magro, cara oblonga, com dois vivazes olhos castanhos a luzirem debaixo de um cabelo escuro, cortado muito curto. A túnica simples que vestia adivinhava a sua ligação ao clero.

– Sou Prisciliano de Abula! – respondeu, sem rodeios, como era seu timbre. – E o irmão, quem é?

O homem caiu de joelhos aos seus pés, como se estivesse perante um santo vivo. E era assim que o considerava.

– Meu santo irmão, foi a tua fé que me converteu! Eu era um pagão. Assisti à tua ordenação em Abula, por casualidade, quando lá me encontrava, como funcionário público. Foi emocionante ver a forma como falas de Deus e como os gentios, sedentos do conhecimento da Palavra e do caminho para a salvação, te aclamaram. Quando voltei, procurei o nosso bispo, que me batizou e hoje sou diácono da basílica de Elusa.

– Deus seja louvado...

Todos estavam felizes com o que acabavam de ouvir. Adriano, como se chamava o diácono, não tardou a informar o bispo das ilustres visitas e, rapidamente, a cidade tomou conhecimento da presença do famoso Prisciliano.

Dalmácio, o bispo local, havia sido ordenado recentemente, pelo que não era conhecido por Prisciliano, Instâncio e Salviano. Era um antigo soldado panónio, como muitos que abandonaram as armas para se dedicarem à vida religiosa. Admirador de Hilário de Limonum e de Martinho de Turones, conhecia a disciplina ascética e as virtudes pastorais do galaico bispo de Abula.

– É uma grande alegria receber-te na minha basílica, irmão!

– Obrigado, Dalmácio! Agradecemos-te a hospitalidade.

O bispo pediu-lhes para ficarem uma semana. O templo transbordava todos os dias de gente da cidade e da periferia, ávida dos ensinamentos do afamado forasteiro. As eucaristias eram concelebradas por quatro bispos, mas os sermões cabiam ao mestre que, com a habitual eloquência, interpretava a Palavra, usando belas alegorias, arrebatando os corações, enchendo as almas dos cristãos e até dos pagãos de Elusa.

– Meu Deus, Prisciliano! Também aqui o teu carisma chega com tanto entusiasmo – comentou Egéria, num momento a sós, após a oração da noite.

– Deus opera maravilhas nos corações puros! Esta seara é das mesmas sementes que encontramos em tantos lugares da Hispânia. Amanhã, antes de abalarmos, batizarei cem pessoas, simpatizantes da nossa causa. Depois partiremos, não podemos esperar mais tempo.

Mas os pedidos foram tantos que o brioso bispo teve necessidade de solicitar aos irmãos hispânicos que adiassem a partida por mais uma semana. Até Flávio Rufino, um alto funcionário da corte de Teodósio, em Constantinopla, que se dirigira à terra natal para cuidar dos pais enfermos, curioso pelos ensinamentos de Prisciliano, lhe pediu para ficar mais tempo, estupefacto com o poder espiritual do galaico sobre as massas populares, especialmente sobre os pais acamados que não prescindiram da sua bênção.

– Queira Deus que tudo corra bem! É comovente ver a forma como as pessoas te recebem, ouvem e aderem a Cristo, pela tua intercessão. Estou muito orgulhosa de ti, Prisco.

Ao ouvir o diminutivo que Egéria usava nos tempos da adolescência, Prisciliano estremeceu. Rememorou pedaços do passado. Era uma noite clareada pela lua em crescente, com a estrela do norte a brilhar intensamente. O bispo de Abula percorreu o firmamento e apontou para um ponto da abóbada celeste.

– Estás a ver aquele corredor de estrelas?

– Sim, é a Via Láctea.

– Exato! Quando vivi nestas terras gaulesas, passava noites em contacto com a Via Láctea para me ligar a casa, em especial à minha querida mãe. Que Deus a tenha consigo! E para me ligar contigo também, minha querida.

– É bonita, de facto – respondeu, com um sorriso.

– Com o tempo, passei a contemplá-la em todos os lugares que me encontro, à noite, nas minhas solitárias orações. A Via Láctea liga o oriente ao ocidente. O lugar onde Jesus nasceu ao local onde nasci... e tu também... a nossa bela Finisterra. Assim, passou a significar, com a sua presença noturna, a viagem de encontro comigo, a minha essência, a minha alma, o meu estado mais puro.

– Hoje fazemos a viagem contrária… Em direção a oriente… Assim sendo, à raiz da Via Láctea.

Prisciliano anuiu com a cabeça e continuou:

– Egéria, uma vez, o nosso querido Lívio disse-me que a Via Láctea simbolizava o caminho das almas para o outro mundo, que percorriam o mesmo sentido do sol.

– Oh, Lívio era um tonto. Um tonto doce. Vislumbrou a luz mas perseverava em andar pela sombra…

– Hoje tenho dúvidas sobre quem ele era, na realidade… – Prisciliano silenciou durante algum tempo, perscrutando as memórias. – Mas tenho rezado por ele… Era um homem bom e Deus haverá de o acolher no seu seio. Lívio não estaria muito errado. Na solidão da contemplação da Via Láctea, ela ajuda-me a descobrir o caminho da alma, ao encontro da salvação.

– Oh, Prisco… – Egéria aconchegou-se mais no seu regaço. – Às vezes, penso em nós… casados, com filhos, uma família cristã… como um dia sonhei. Espero que me entendas…

Prisciliano sorriu e apertou-a contra si.

– Claro que entendo. Sabes que esse era o nosso desígnio até descobrir a virtude na entrega total e sem reservas ao Uno, em busca da perfeição… No matrimónio não o conseguiríamos, muito embora seja igualmente viável a salvação dos cristãos que optem pelo casamento. Estás arrependida da tua opção?

– Não, não estou, meu amor! Assim, em vez de um, tenho dois homens a quem entreguei o coração…

– Dois??

– Sim…

– Egéria!…

– Sim? Um és tu, Prisciliano…·

– E o outro?!

– Tonto – respondeu, no meio de uma gargalhada. – O outro… tenta lá adivinhar…

Ambos se abraçaram e beijaram, com afeto. Amavam-se como os humanos se amam entre si, mas em enlevada cumplicidade, e os dois amavam, em simultâneo, o Uno.

Alguns dias mais tarde, a comitiva encontrava-se às portas de Burdigala. À medida que se aproximava da cidade, a estrada embrenhava-se entre os intermináveis vinhedos e trigais, torneava os rios aquitanos onde Prisciliano tantas vezes se banhara e em cujas margens se batizou. Foi naquelas suaves paisagens que abriu uma nova janela interior para o passado. Fora por ali que se formara a chispa que lhe incendiara o fogo espiritual. Que, com os aguardados amigos, propagara para a Galécia e, mais tarde, para toda a Hispânia. Recordava-os com saudade: Elpídio, Ágape e, claro, o seu mestre, Átio Tiro Delfídio, Eucrócia, sua esposa, e a filha, Prócula. A todos aproveitaria para visitar, com exceção de Elpídio e de Ágape, por cujas almas oraria no túmulo.

Imbuído de tais reminiscências, o emocionado bispo de Abula não quis entrar, de imediato, na cidade. No cimo de um monte e com as muralhas à vista, decidiu fazer uma última oração coletiva de louvor a Deus e de ação de graças, por ali terem chegado sem percalços e por ter voltado à terra que lhe abriu as portas do palácio divino.

– Rezemos ao Senhor para que nos ajude na nossa espinhosa missão.

Quando cantavam os salmos finais, foram abruptamente interrompidos. Um homem calvo, barbudo, obeso e com cara de poucos amigos estacou à sua frente. Atrás de si, uma dúzia de outros, com os mesmos ferinos olhares. Todos agarrados a grossos varapaus, com vontade de os usarem.

– Esta terra continua imune a hereges, Prisciliano!

31

Burdigala (Bordéus)
Varatedo (Vayres, perto de Bordéus)
Fozera (Libourne, perto de Bordéus)

– Não achas que é preciso muito atrevimento para voltares a Burdi-gala, Prisciliano?

O mestre olhou para o homem que entrava de rompante e parou no meio da sacristia apenas iluminada pela luz trémula de quatro velas. As paredes frias e nuas testemunhavam o reencontro. O galaico encostou-se ao móvel que guardava os paramentos.

– Meu irmão, a Terra não nos pertence. Nós somos de Deus. Não venho fazer-te qualquer tipo de sombra. Somos três bispos de passagem e não poderíamos passar na tua cidade sem te saudar, na paz de Cristo.

– A paz de Cristo só se alcança sem a vossa presença.

– Delphino, nós não somos os diabos que apregoam por aí. Os irmãos hispânicos com quem comungas empolaram as apreciações que fizeram. Por acaso, também censuras Martinho, o bispo de Turones?

– Martinho é um pouco exagerado, lá isso é verdade. No aspeto de andrajosos pedintes, sois muito parecidos, assim como nas ervas com que vos alimentais. Mas não consta que seja maniqueu, mulherengo, falso bispo, que leia os escritos não autorizados e pratique a magia.

– Ó Delphino... Quanta imaginação! Se quiseres, poderemos dis-cutir, sem reservas, estes pontos. Apesar de vivermos como ascetas, de vislumbrarmos o mal atraído pela carne, não professamos a doutrina de Manes; para nós, as mulheres têm os mesmos direitos que os homens, de acordo com o que ensinou o próprio Jesus. Aliás, Ele trouxe para o seu círculo muitas mulheres, algumas até de comportamento duvidoso. Acho que somos instruídos o suficiente para sabermos o que poderemos retirar como verdade dos textos que lemos, apócrifos que sejam; fazemos retiros noturnos, mas são de louvor a Deus; e não há falsos bispos entre nós...

Delphino lembrou-se vagamente da conversa com o mestre Delfídio, anos antes. Os argumentos mantinham-se. Por isso, prosseguiu:

– Tu foste ordenado apenas por dois bispos, quando o cânone exige, pelo menos, três. Para não dizer que são igualmente dois malditos hereges...

– Eh, Delphino, para aí! – respigou Instâncio, a ferver por dentro. – Vocês não condenaram ninguém de heresia em Caesaraugusta. Nem o poderiam fazer, sob pena de mentirem...

– Meu caro, esta cidade não quer mais problemas. Lembra-te, Prisciliano, do que te aconteceu há uns anos, quando participavas nos conventículos de Átio Tiro Delfídio. Hoje nem sequer o terás como advogado para te defender. Por isso...

– O que lhe aconteceu?! – perguntou o mestre com maus pressentimentos.

– Morreu há cerca de três meses. – E, continuando perante um ausente ouvinte, concluiu: – A purga serviu-lhe de lição. Passou a ser mais comedido na forma como viveu a fé.

Prisciliano saiu da sacristia e dirigiu-se, sozinho, para a zona do altar. Ajoelhou-se e rezou pela alma do seu mestre. Tanto desejara reencontrá-lo naquela viagem para o saudar, pedir-lhe conselho e contar-lhe todos os progressos na Hispânia. A notícia abalou-o profundamente. Perdera Elpídio, Ágape e, agora, também Delfídio.

O bispo local respeitou a oração de Prisciliano. Mas, quando voltou, foi muito claro:

– Amanhã de manhã, tereis de sair da cidade! Não me responsabilizo pelo que vos possa acontecer!

Não longe de si encontrava-se o homem que comandara o grupo que os cercara na noite anterior. Eram conhecidos de longa data, em vários capítulos das vidas de ambos: Flaviano, o assassino de Villa Aseconia!

Olhou-o, desapaixonado. Os protagonistas dos tristes acontecimentos da sua infância acompanhavam-no nos momentos críticos da vida adulta: Ithacio Claro, bispo na Hispânia; Flaviano, presbítero, em Burdigala.

– Vejo que continuas bem acompanhado no presbitério, Delphino… – deixou cair antes de sair apressadamente.

Enquanto atravessava a basílica com Salviano e Instâncio, o bispo de Abula remoía sobre os sinais do que poderia esperar em Burdigala, terra de experiências tão contraditórias. Encontrou-se, no adro, com a apreensiva Egéria e a restante comitiva e entrou no emaranhado da cidade. Perdeu pouco tempo a visitar o casco urbano, que se mantinha igual. A Fonte de Divona que continuava a alimentar-se das ancestrais águas sagradas, as ruas apertadas e labirínticas, as pessoas apressadas, agora desconhecidas. O chasqueio da plebe e criançada. Buscava a porta que abria para o vale do Duranius. Mas não iam sós: Flaviano e a trupe que lhe interrompeu a oração noturna seguiam mais atrás, escoltando-os e garantindo que saíam definitivamente de Burdigala.

Ao olhar o imenso estuário, Prisciliano teve saudades dos tempos idos. Recordou a primeira chegada, através do mar. No momento em que cruzava a porta da muralha, estalou-lhe a voz que surgira no sonho do barco, pouco antes de atracar no porto burdigalense, no auge da juventude. Egéria seguia ao lado, sorumbática e absorvida nos acontecimentos ainda verdes. Respeitava o silêncio de Prisciliano, pois sabia quanto lhe era importante. Mas o amado começou a falar-lhe das suas memórias:

– Quando aqui cheguei, tive um sonho. Um desconhecido apareceu-me e disse-me: *A cidade para onde te diriges acolherá o teu passado, transformará o teu presente e decidirá o teu futuro.* Achas que o que está a acontecer poderá transformar o nosso futuro?

– Na verdade, esta cidade mudou o teu presente enquanto cá estiveste. Mas o futuro que se lhe seguiu foi construído na Hispânia. Não estou a ver… Se Delphino não nos quer aqui, que passe muito bem! Nós também não viemos para visitar Burdigala.

– Sim, só precisamos de descansar um pouco. Dá dó ver o sacrifício de Salviano… – A ininterrupta viagem causava-lhe dores terríveis. – Mas a tua comitiva também não está tão preparada como eu e Instâncio. Nem tu, querida Egéria… Noto bem o teu cansaço.

– Ah, o cansaço passa! Já me habituei à estrada e aos rigores de uma longa viagem.

– É preciso que descansem… O meu mestre Átio Delfídio morreu há

pouco tempo. Visitaremos a sua *villa*, pode ser que ainda ali vivam Eucrócia e Prócula e nos deem guarida…

Já nas imediações dos Pilares da Tutela, Flaviano e os acompanhantes pararam. O barbudo ruivo cavalgou até junto do seu antigo senhor e
chamou-o à parte.

– Espero que nunca mais ponhas os pés nesta cidade, Prisciliano! Não
quero fantasmas à minha volta!

– Não te apoquentes, Flaviano! Ninguém apagará a tua história pessoal. Se Deus te perdoar, eu também te perdoarei. Priscila, minha mãe,
está em paz. Tiraste-me o bem mais precioso em Aseconia, mas felizmente que encontrei um outro nesta terra.

– Maldito, não sou um assassino!

– As contas da tua consciência dizem-te respeito… apenas a ti! Fugiste
para não seres julgado pelos homens, agora entende-te com Deus.

– Isso não é da tua conta… Desaparece e não voltes mais, porque uma
nova visita poderá ser-te fatal!

– É uma ameaça?!

– Aqui não são apreciados os hereges. Fica-te com isto. E não voltes
mais!

A Villa Varatedo continuava bem cuidada, debruada sobre o Duranius.
A vida prosseguia naquelas paragens. Mal se fez anunciar, duas mulheres
não esperaram que o mandassem entrar. Apressaram-se ao seu encontro.

– Querido Prisciliano…

– Eucrócia… Prócula… Que bom rever-vos! – Abraçou-as, beijou-
-lhes as faces com carinho e abençoou-as. – Já sei dos tristes acontecimentos. Deus tem-no consigo!

– Estamos certas disso, mas é uma dor tão grande. Sentimos tanto a
sua falta… – respondeu a viúva, com os olhos húmidos.

– Eu sei que sim. Eu próprio sinto um vazio, desde que soube da notícia,
em Burdigala. – sorria de ternura, abrandando a dor das amigas. – Agora,
deixem-me apresentar-vos os meus amigos…

Eucrócia instalou convenientemente todos os viajantes. O luto ainda
se vivia com comoção. Visitaram o *compositum* onde repousava o velho

mestre de retórica e, na cripta do mausoléu, os três bispos concelebraram uma missa pelo sufrágio da sua alma.

Apercebendo-se da debilidade emocional das duas mulheres, o bispo de Abula decidiu suspender a viagem a Roma, durante algum tempo.

– Prisciliano, estávamos sem rumo… Ainda bem que apareceste. És um enviado de Deus. Uma nova aura paira já sobre este lugar – afirmou Prócula, um pouco mais desoprimida. – Sabes que o meu pai se mantinha constantemente a par das tuas façanhas, na Hispânia. A sua rede de contactos era espantosa. Dizia sempre que és um génio, um homem singular que a humanidade haverá de recordar…

– Ó Prócula, o teu pai sempre foi muito generoso comigo. Conseguimos feitos notáveis na evangelização da Hispânia, mas olha que as coisas por lá estão agora muito confusas. É por isso que aqui estamos.

– Vá, conta-nos…

Os dias seguintes serviram para o descanso e fortalecimento dos espíritos. Prisciliano dirigiu as orações diurnas e noturnas. Voltou aos numinosos lugares onde se iniciara na fé. Às clareiras, margens do rio, bosques, às covas que tão belas memórias lhe traziam. Recordou os momentos áureos de espiritualidade e das fulminantes experiências místicas e ascéticas. Cantou salmos e hinos, como nos anos da juventude. Rezou pelos irmãos falecidos, aproximou-se, em paz e total sintonia com o divino espírito da natureza, com a essência do Criador.

O mestre galaico aproveitou também para montar a cavalo e levar Egéria a passear pelas estradas, campos, montes e vales que compunham uma bela parte do imaginário juvenil. Uma semana depois, visitou a Villa Fozera, para rezar por Elpídio e Ágape, ambos sepultados no mesmo local como esposos espirituais, precoces vítimas de um surto de peste. Pressentiu uma especial energia que ressoava da terra e se infundia no corpo até ao coração. Prisciliano saiu revigorado da visita ao mausoléu. Uma sensação nova acomodava-se-lhe no íntimo. Era como se os espíritos dos amigos desaparecidos tivessem vazado para dentro de si, fortalecendo-o de virtude, sabedoria e ânimo para continuar a luta.

Quando regressou a Villa Varatedo, chamou Instâncio e Salviano para uma reunião a três.

– Como já perceberam, passaremos algum tempo por estes lugares. Eucrócia e Prócula precisam do nosso conforto e não é a melhor altura para atravessarmos os Alpes.

– Sim, o tempo não está de feição. E viajar com neve pode ser fatal.

– Assim, proponho-vos que pensemos no teor de uma carta para Dâmaso, que deveria preceder a nossa chegada a Roma. Anunciaria os nossos propósitos e ajudá-lo-ia a discernir, com tempo, sobre a nossa questão.

– Parece-me uma excelente ideia… – sublinhou Instâncio.

Os dias seguintes foram de concentração no escrito. Debateram com profundidade os temas a incluir na mensagem e elaboraram vários rascunhos.

– É necessário justificar o uso dos apócrifos com o argumento de que é nossa convicção de que não há razão para serem censurados os textos onde constem os nomes de apóstolos, profetas ou bispos, e que estejam de acordo com os cânones das Escrituras e que proclamam Cristo como Deus – observou Prisciliano.

– É justo referir também que, no concílio de Caesaraugusta, nenhum de nós foi pessoalmente condenado, nem sequer houve interrogatórios acerca da nossa fé ou qualquer tipo de julgamento – assinalou Instâncio.

– É muito importante invocar a necessidade de que um julgamento sobre matérias religiosas deve caber aos tribunais religiosos e não aos civis. – Salviano, mais recomposto das tribulações da viagem, preocupava-se sobremaneira com este ponto. – E que não faz qualquer sentido que seja o imperador a ordenar o exílio de religiosos, quando nenhum sínodo foi convocado para analisar a ortodoxia ou heterodoxia dos pensamentos ou das práticas de bispos ou laicos cristãos. Julgo que Dâmaso será bem sensível a esta questão, já que os bispos reunidos no sínodo de Roma de 378 solicitaram ao imperador Graciano que não processasse o Papa num tribunal secular. E o caso era mais grave, pois ele era acusado de adultério.

– Claro, tens toda a razão, Salviano. Mas, se preferirem um tribunal secular, cá estaremos para nos defendermos, desde que nos deixem utilizar todas as provas – refletiu Prisciliano, para logo concluir: – Vá, o melhor é começarmos a redigir uma versão mais definitiva.

Trabalharam dias e noites até acertarem no texto a enviar a Roma.

– Lê-o de novo, Instâncio! Acho melhor referirmo-nos a Dâmaso como *a glória da sede apostólica*, por ser o primeiro dos bispos, herdeiro da autoridade de São Pedro.

– *Ainda que a fé católica procure mais a glória de crer do que a de falar, já que os frutos da verdade não necessitam do engenho da interpretação, mas perante a injúria do bispo Hidácio* – Instâncio lia, pausadamente, com Prisciliano a solicitar correções aqui e ali, por forma a tornar o texto mais consistente – *permitindo-nos expressar a nossa crença junto de ti, que és maior do que todos nós e que, nutrido pelas experiências da vida, chegaste, debaixo da exortação do bem-aventurado Pedro, à glória da sede apostólica...*

– Acho que devemos dar duas alternativas para Dâmaso lidar com Hidácio: ou o Papa remete as acusações contra nós a um concílio hispânico, como aliás sempre argumentamos, e onde possamos participar e defender-nos das vis acusações, ou, então, que chame Hidácio a Roma a fim de provar o que alega.

– Acho muito bem, Prisciliano! Vê assim: ... *e se Hidácio confia realmente que pode demonstrar o que afirmou, não deixará de se apresentar perante a coroa do sacerdócio eterno se deseja praticar o zelo do Senhor até ao fim...*

– Soa-me bem...

– ... *e ele que esqueça o receio de ser réu, já que nenhum de nós o acusa, pois estaremos dispostos a perdoar os seus pecados contra nós.*

– Sim, isso mesmo! Era, aliás, o que pretendíamos fazer aquando da viagem a Emerita Augusta.

– *Assim, provada a nossa fé e a nossa vida no texto que escrevemos contra os maniqueus, e com o testemunho dos sacerdotes participantes no concílio, lutaremos para que, durante o vosso consulado, não fiquem as basílicas católicas vazias de sacerdotes e os sacerdotes vazios de basílicas* – concluiu Instâncio, com um sorriso aberto.

– Bom – rematou Prisciliano –, acho que temos um texto inatacável. Se Dâmaso nos ouvir, teremos muitas provas para esgrimir: todas as cartas solidárias de inúmeros bispos e laicos, o seu testemunho presencial, pois temos já a maioria dos bispos na nossa causa, os documentos que escrevi a propósito da nossa fé, como a carta ao concílio de Caesaraugusta e o libelo contra os maniqueus. Enfim, só precisamos que nos conceda a pequena graça de nos escutar com atenção...

A carta foi enviada para Dâmaso pela posta imperial. Nesse dia, Eucrócia apareceu ofegante junto ao bispo de Abula.

– Prisciliano, acode-me, por favor! A minha filha está a passar muito mal! – suspirou com uma voz rouca e olhos suplicantes.

– Mas o que se passa?!

– Não sei, está com dores horríveis no baixo-ventre... Vomita sem parar e nada consegue engolir. Meu Deus, espero que não seja novamente a peste que matou Elpídio e Ágape.

– Vá, acalma-te, Eucrócia! Vamos vê-la!

Prócula mostrava-se muito debilitada. Não sendo médico, Prisciliano sempre aproveitou o contacto com a natureza e as gentes do campo para conhecer as propriedades das plantas e os seus poderes terapêuticos, que tantas curas já operara.

– Chama-me Urbica, por favor...

Urbica era uma mulher experimentada. Asceta dos primeiros tempos, vegetariana e conhecedora dos atributos das plantas. Alguns dos ensinamentos, aprendera-os também dela, na primeva passagem por Burdigala. Mas as plantas de que necessitava eram especiais, cujos efeitos lhe foram explicados pela velha parteira Valéria, nos tempos da infância na Villa Aseconia. Fora ele que as colhera para aplicar à mãe, numa situação similar.

– A caminho de Burdigala, há um castanheiro, junto ao miliário de Trajano. Dois passos para dentro, encontrarás uma planta de folhas fendidas ao lado de um roseiral bravio. Arranca dois ou três pés e traz-mos, por favor. E não te esqueças: com o caule incluído!

Urbica saiu a cavalo, em busca das plantas, acompanhada de um servo.

– Como sabes que existem essas plantas, naquele lugar, Prisciliano?

– Já as havia, quando estive aqui pela primeira vez. Lembrava-me sempre da minha mãe quando as via. Não perdi o hábito de olhar para elas. E lá estavam... – respondeu Prisciliano, com um sorriso leve, enquanto aplicava panos húmidos e quentes na testa de Prócula, recordando que sempre que olhava as rosas as via da cor azul.

Estranhamente, Urbica demorou mais do que o previsto. Eucrócia mandou o capataz em sua busca. Apareceram os dois, ao cair da noite, com Prócula praticamente desfalecida.

– O que se passou? – perguntou, aflita, a dona da casa.

– Eucrócia, não vais acreditar! Esta *villa* está a ser vigiada!...

– Vigiada?! Vigiada por quem?!

– É gente ligada ao bispo... Perseguiram-me sem me aperceber e, quando fui colher as plantas, cercaram-me e levaram-me para a cidade – respondeu o capataz, lívido como um morto.

– Deus Nosso Senhor Jesus Cristo... A que propósito?! – com as mãos no peito apertado, Eucrócia agitava-se ao redor do quarto.

Prisciliano seguia a conversa com especial atenção. Uma abelha zunia-lhe ininterruptamente por dentro.

– Queriam saber para quem eram as plantas... Quem estava doente... Quais os sintomas... Quem estava na *villa*... Enfim, tudo e mais alguma coisa.

– Que estranho!... – A viúva não entendia as razões que levaria gente a ficar tão inesperadamente interessada na saúde da filha. – E tu que disseste?!

– Eu expliquei tudo... A verdade... Não me apercebi de nada que pudesse temer. Só lhes dizia que era urgente que voltasse, por causa de Prócula.

– Não compreendo. Esta gente está louca.

– Bem me parece! Mesmo com o servo a confirmar tudo, não paravam o interrogatório – remoía o homem. – Imagina tu que os ouvi murmurar que Prócula devia estar grávida e que as plantas se destinavam ao aborto.

Os três entreolharam-se, com o espanto pintado no rosto. Prócula remexeu-se na cama. Eucrócia olhou para Prisciliano, aflita.

– Disparate! Os acólitos de Delphino estão a tramar mais alguma! Esta planta é, de facto, parecida com uma que tem propriedades semelhantes. Mas esta é para tratar desarranjos intestinais.

Porém, em Burdigala o rumor alastrou como uma epidemia. As mentes da maledicência e, depois, as bocas da bisbilhotice transformaram a doença em gravidez. Rapidamente se tornara verdade incontestável que Prócula ficara prenhe de Prisciliano e que abortara secretamente, na sua *villa*. O murmúrio que lavrava na cidade chegou aos ouvidos de Eucrócia, deixando-a profundamente destroçada.

Os tratamentos de Prisciliano recuperaram, entretanto, a saúde de Prócula. Por isso, quando ele ordenou à comitiva que iniciasse os preparativos para reiniciar a viagem, com o tempo de favor, Eucrócia chamou de novo o mestre aos seus aposentos, para uma conversa urgente. Recebeu-o com um ar grave, sério e extremamente agastado.

32

Arelate (Arles)
Roma
Ostia

A viagem até Roma tinha tudo para ser tranquila. Mas não o foi. O estado de saúde de Salviano agudizou-se e tornava-se necessário parar mais vezes para o descanso. Assim, demorou duas semanas mais que o previsto, pois tiveram de descansar em Arelate, junto à foz do Rodanus, o mais caudaloso rio romano a desaguar no *Mare Internum*. Egéria impressionou-se muito com a força do rio que, naquela cidade, se dividia em dois braços que vertiam para o mar, formando uma espécie de delta.

– Haveremos de fazer chegar a nossa causa a bom porto! Vamos conquistar Roma, amigos!

Era o próprio bispo de Conimbriga quem tratava de animar as hostes, brincando com as limitações de Salviano. Mas já nem as mezinhas de Prisciliano curavam o mais idoso viajante da comitiva.

– Primeiro a tua saúde, depois a nossa missão!

– Vá, Prisciliano! Já passei por bem pior com os jejuns que me serviste e todas as ervas daninhas com que me alimentaste. Isto não é nada!

Todos se riram com a boa disposição de Salviano.

A cidade eterna, a principal urbe do Cristianismo, foi finalmente alcançada. Embora o mito da *Roma Aeterna* fosse pagão, homens como Eusébio, bispo em Cesareia Maritima, nela haviam glorificado a nova romanidade cristã. Por força da proteção de Deus e da sua conversão, Constantino restabelecera a unidade do império e salvara a eternidade de Roma.

Uma larga comitiva composta por homens e mulheres cruzava a porta: três bispos hispânicos, Egéria, com os presbíteros e gente que a ajudaria na longa viagem ao oriente, Gala, Eucrócia, Prócula e Urbica. O primeiro sentimento que povoou Prisciliano foi de alívio. O alívio do peregrino quando alcança a meta. Haviam chegado à cidade maior, à velha capital. Apesar de os imperadores a terem abandonado como residência para ficarem próximos das zonas de conflito, nas fronteiras do império, de o senado ter perdido o prestígio e o poder de outrora – concentrando-se nos imperadores, nos césares e pessoal mais chegado ao palácio –, Roma não escondia a imponência do imaginário de qualquer romano. A comitiva comentava a magnificência da cidade, alimentada pelos contribuintes da romanidade, cheia de monumentos, estátuas, fontes, os sinais do fausto, do tempo áureo do paganismo e da idolatria, e dos velhos luzentes tempos da urbe mais importante da humanidade conhecida.

Ao cruzar o Coliseu, Prisciliano pediu uma oração por todos os cristãos que ali se entregaram a Deus, o exemplo maior da experiência da fé cristã, dando a vida, em oferecido martírio, como o Ungido na cruz. O tamanho imenso do edifício redondo impressionou o bispo de Abula. Enquanto rezava, questionava-se se seria capaz de dar a vida pelas suas convicções, dar a vida imitando o próprio Mestre da Sabedoria. Afastou os pensamentos, lembrando-se da vida espiritual e ascética que levava, que não deixava de ser também uma vida de privações. Terminada a oração, Eucrócia dirigiu-se-lhe, comovida:

– Estou muito contente por teres aceitado o meu pedido e nos teres acolhido no teu grupo. Sempre tive o propósito de conhecer os lugares sagrados dos mártires, em Roma. E estou, finalmente, a cumprir esse sonho.

– Não vos deixaria em Burdigala, naquela situação, Eucrócia! Ainda vos faziam mal...

– Não tenhas dúvidas! Nem eu nem Prócula aguentaríamos viver entre gente ordinária e alcoviteira. E agora que já não temos Delfídio, não fazia qualquer sentido ficarmos por lá.

– Todos são necessários para esta missão. Felizmente que a viagem correu bem e Prócula parece recuperada e cheia de energia.

– Tens razão... Prócula está muito feliz, com a tua proteção.

*

Chegaram finalmente à *Domus Dei*, a residência do bispo de Roma, junto à basílica construída dentro das muralhas da cidade. Fora fundada por Constantino, O Grande, para ser a principal Igreja de Roma, a *Omnium Urbis et Orbis Ecclesiarum Mater et Caput*, Mãe e Cabeça de Todas as Igrejas de Roma e do Mundo. Visitaram o belo batistério redondo, onde o imperador fora batizado, construído sobre um antigo ninfeu do palácio imperial. Voltaram à basílica e rezaram perante a imagem do Salvador, pelo sucesso da viagem que ali os trazia. No fim, solicitaram uma audiência pessoal ao sucessor de Pedro.

– Quem quer falar ao Papa?

– Três bispos da Hispânia: Prisciliano de Abula, Salviano de Conimbriga e Instâncio de Salmantica!

– E qual o objetivo da audiência? – perguntou, sem prestar grande atenção.

– Mandamos-lhe uma carta, há algumas semanas, de Burdigala. É sobre esse mesmo assunto.

– Ora deixem-me cá anotar: Prisciliano... Hummm... – O responsável das audiências revirou os olhos e mirou o bispo de Abula de cima a baixo. – Aviso-vos que a agenda de Dâmaso está muito preenchida e não concede audiências assim de repente... e a qualquer um...

– A qualquer um?! Nós somos três bispos cristãos... nicenos... trabalhamos pela Igreja!

– Sim, sim... Dâmaso anda meio adoentado...

– Muito bem, nós aguardamos! Fizemos uma longa viagem e o caso é sério para a Igreja da Hispânia e para a cristandade! – insistiu Prisciliano, determinado a não perder a oportunidade.

– Sim, chegaram-nos algumas notícias. Dâmaso gosta de estar informado.

– E quanto tempo achas que deveremos esperar? Não o ocuparemos em demasia. Apenas queremos que nos conheça, que nos olhe nos olhos e nos ouça!

– Vamos ver... não sei... Passem dentro de duas semanas a ver o que diz – respondeu, com ares de distância.

– Trago uma carta pessoal de Simpósio de Asturica. Entrega-lha, por favor. Julgo que se conheceram, na infância, em Bracara Augusta – insistiu o mestre.

O homem deitou os olhos ao pergaminho e mirou Prisciliano, de forma inexpressiva. Hesitou algum tempo, até que se decidiu pegar no escrito e virar costas, com um breve *Passem bem*!

– E agora? – perguntou Instâncio, muito incomodado com a receção.

– Agora vamos encontrar lugar onde pernoitar e comer – Prisciliano captou algo de estranho no ar, mas não quis inquietar os amigos.

– Isto não se faz a um bispo, Prisciliano! – Instâncio erguia a voz, cada vez mais exaltado, na rua frontal ao episcópio. – Há que ter um mínimo de respeito! Duas semanas de espera até se dignar receber três bispos que vêm a Roma de propósito?! Estou muito preocupado!

– Aguarda, Instâncio! Pode ser que a carta de Simpósio o convença a receber-nos rapidamente. Afinal, nós é que precisamos dele, não ele de nós...

Um rapaz desconhecido aproximou-se, entretanto, dos forasteiros.

– Ora viva! Vejo, pelo sotaque, que são hispânicos...

– Somos sim. Quem és tu?

– Sou Jerónimo... Jerónimo de Strido Dalmatiae – respondeu, com jovialidade.

– Prisciliano de Abula...

– Salviano de Conimbriga...

– Instâncio de Salmantica...

– Hummm... Prisciliano... de priscilianistas...

– Sim, que sabes tu disso?

– Todos os caminhos vão dar a Roma. Todas as notícias chegam à capital. E não vos são muito favoráveis... Parece que Hidácio está bem calçado por estas bandas...

– Nós vimos pela paz, pela justiça e pela Igreja. – Prisciliano procurou perceber o que sabia o jovem, que parecia bem informado.

– Oh, meu caro... Nem sempre essa equação é possível. Quando toca ao poder, nem Roma se salva. A competição é tão mais intensa quanto maior for o prémio. Toma Roma como exemplo: o que aqui aconteceu, recentemente...

Recordaram, de imediato, os rumores sobre as condições em que Dâmaso deitara a mão ao báculo de Roma. Quando o Papa Libério falecera, em 24 de setembro de 366, Ursino fora eleito para o suceder. Constava que Dâmaso, nada satisfeito com o resultado da eleição, contratara um grupo de sicários dos subúrbios que, com as moedas a tilintar, se lançou ferozmente sobre os apoiantes do eleito. Os tumultos entre ambas as fações rapidamente alastraram à cidade, fazendo um banho de sangue que tingiu o Tiberis de vermelho, com cadáveres a flutuar juntos às pontes, durante três dias. No dia 1 de outubro tomaram o controlo do palácio episcopal, expulsando Ursino de Roma, pelo preço de cento e trinta e sete vidas dos seus seguidores. A carnificina só terminou após a intervenção do prefeito Praetextus, que ordenou às tropas que expulsassem da cidade os apoiantes de Ursino que ainda controlavam algumas basílicas. E, assim, depois de renunciar à esposa e aos três filhos, Dâmaso fez-se eleger bispo de Roma, a mais importante sé da cristandade.

Prisciliano pensou então no que lhe sucedera em Emerita. A escala era diferente, assim como o foram as consequências, mas os métodos foram similares. *Quem sabe Hidácio e Ithacio não encontraram inspiração e legitimação na forma como Dâmaso chegara ao poder!*, pensava Instâncio.

O jovem barbudo, mal vestido, mas bem-educado e culto, que se dizia chamar Jerónimo despediu-se rapidamente dos três bispos e desapareceu entre os transeuntes, não sem antes avisar:

– Dâmaso tem muitos convívios por estes dias. Tem de agradar e agradecer aos seus admiradores, especialmente às admiradoras, os generosos donativos à Igreja…

O encontro com o rapaz não fora animador, mas Prisciliano não perdera a esperança. Contudo, com quinze dias de espera, tomara duas decisões. A primeira foi assistir à missa dominical, na expetativa de poder cruzar-se com Dâmaso. Mas ele não apareceu às massas. As missas eram privadas. A segunda foi mais dolorosa. Chegara o momento de se despedir de Egéria. Sabia que, mais tarde ou mais cedo, tal aconteceria, mas não podia atrasar o destino. Intuíra já que os propósitos da viagem se complicavam e que não levaria boas notícias de Roma. Assim, melhor seria concluir uma das missões: fazer chegar Egéria à Terra Santa! Naquela noite, chamou a amada.

– Querida, este é o momento certo para fazeres a tua viagem!

– Não queria abandonar-vos agora, Prisciliano – respondeu, com tristeza.

– Nós nos arranjaremos. Fica tranquila – animou-a, contrariando a vontade de a deixar.

– Ah, meu querido. Não vais levar a mal, mas nos últimos dias morro de dúvidas. Não tenho a certeza se devo ir…

O vislumbre da separação e o pressentimento de que as coisas estavam mal resolvidas para Prisciliano e para os priscilianistas afligiam a peregrina.

– Prisco, Gala disse-me também que não queria ir. Disse-me, há dias, que faz mais falta convosco e tem medo do mar.

– Preferia que te acompanhasse. Mas não te preocupes, nós cuidaremos dela, querida. E tu deves cumprir o teu destino…

Egéria olhou o amado nos olhos e viu espelhada a antecipação de uma saudade imensa.

– Querido, estou tão dividida. Queria tanto conhecer a Terra Santa, mas não consigo partir sabendo dos perigos que passas aqui.

– Não fiques assim… Já te disse que, em qualquer caso, nos encontraremos em breve – insistiu, tomando-lhe as duas mãos.

– Não sei, não sei, tenho maus pressentimentos…

– Não digas isso, minha querida. Vais cumprir o teu sonho, mas há algo igualmente importante. Não vou negar que as coisas não estão a correr como esperávamos. Por isso, é muito importante que, o mais rapidamente possível, recolhas todo o tipo de informações e ajudas para a nossa causa. Nunca se sabe se nos serão úteis…

Os lábios de Egéria tremelejaram e os olhos incharam. Abraçou Prisciliano, comovida. O silêncio apenas era cortado pelos difusos ruídos noturnos e pelos soluços femininos. Prisciliano continha as emoções, embora um torvelinho interior lhe gerasse fortes abalos. Sossegou a amada e convidou-a à meditação, como forma de comungarem as almas, naquele momento único e irrepetível. Fundidos num único enlaço, ela sentada no colo do amado, deixaram-se guiar por caminhos desconhecidos ao comum dos mortais. Na morada espiritual onde se encontravam, distantes do mundo físico, as almas arrebatadas encontraram o êxtase, o místico clímax que os fez estremecer interiormente. Quando terminaram o transe, pareceu-lhes ouvir um ruído no exterior. Com a imaginação de um animal noturno nas redondezas, adormeceram em paz e cumplicidade, agarrados um ao outro.

Os espíritos estavam mais calmos quando acordaram, ainda que, durante as orações matinais, trocassem profundos olhares. Com a compreensão de todos, passaram a aproveitar todos os pedaços que o tempo lhes permitia para reforçarem a sua comunhão. Assim, durante os dias que se seguiram até partirem para o porto, sempre se encontravam ao pôr do sol rememorando o passado, programando os passos futuros de cada um e trocando mimos como dois verdadeiros apaixonados.

Finalmente, chegou o dia de saírem de Roma em direção ao porto de Ostia. A sorte bateu-lhes à porta. Um barco partiria, no dia seguinte, para o oriente, e aceitava fazer o transporte.

– Prisco, não consigo apagar as saudades...

O mestre levou Egéria para um aposento que contratara ao dono da embarcação, para que a monja fizesse a viagem em privacidade, dada a sua condição feminina. Ali sentados, ficaram a sós.

– Eu também... Lembra-te que em breve estaremos juntos... algures num Santo Lugar!

– Oh, como gostava que viesses comigo. Haveríamos de aprender tantas coisas na companhia um do outro.

– Eu sei, querida. Tenho de ficar para defender os que acreditam em nós... – Mirou-a, com ternura. – Mas quero conhecer todos os teus passos. Vai-me dando conta do que vais vendo e por onde andas.

– Não me esquecerei! Agora, o que importa é que tudo corra bem, aqui em Roma. Estou com um aperto no coração.

– Vai correr tudo como desejamos! Verás que sim! – respondeu, para a confortar.

Puxou-a, de seguida, para um longo abraço. A comoção apoderou-se novamente dos seres que se amavam. Não repugnavam a sua humanidade, muito menos as paixões imanentes à sua natureza, canalizando os recíprocos afetos para uma esfera incorporal das existências, vivendo intensamente a chama da recíproca admiração, do comum destino espiritual. Isso permitia-lhes dominar os excessos e buscarem a plena sintonia, na presença e na ausência. Mas, por muito que a paixão ascética os seduzisse para um ideal de vida radical, as contingências daquela separação afetavam ambos os corações. A incerteza do futuro pairava na atmosfera e essa era a pior coisa que lhes podia acontecer, na partida. Prisciliano procurou captar a essência do momento.

– Repara como este mundo é tão imperfeito: levamos a nossa fé ao estado mais cristalino. A nossa vida é uma contínua regressão, pela via da ascese, à essência do Uno, buscando Cristo. E agora querem obrigar-nos a conhecer um Cristo que não existiu, muito menos ensinou os princípios desta Igreja...

– Como observará o nosso comportamento o Cristo-Deus, a esta distância da Sua passagem pela Terra?

– Não sei... Haverá de orgulhar-se de tantos homens que alcançaram a perfeição e a salvação na Sua palavra redentora, como nos mártires que, alegremente e sem hesitar, deram a vida por Ele, como Ele a deu por nós.

– Mas estou a vê-lo de cabelos em pé perante tanta injustiça que em Seu nome se pratica...

Prisciliano sorriu com a imagem e incentivou a amada à viagem.

– Vai, Egéria. Acho que a tua viagem será muito importante para a nossa causa. A minha intuição diz que vou precisar muito de ti...

– Deus te ajude a alcançar a paz, querido Prisco! Mas não desistas! Estás no caminho certo, nunca o duvides!

– Sim, estou plenamente consciente disso... A oração e a meditação são os meus principais reforços anímicos.

– Promete-me que levas esta causa até às últimas consequências! Não deixes que a Igreja se contamine com erros que lhe poderão ser fatais.

– Tens a minha palavra! Não sou de torcer. A minha honra, a minha fé, valem mais do que a minha vida neste mundo. Nós pertencemos a um outro plano.

– Então, leva a nossa pedrinha de quartzo para te lembrares disso e de mim, nas horas difíceis. Eu levo a minha com a mesma finalidade.

Ambos apertaram-se com força. Um abraço que podia ser o último ou o primeiro de uma vida nova. Não sabiam. Mas um abraço em que se fundia a energia das mútuas convicções, o alento para uma nova e sinuosa etapa, a força da espiritualidade vivida com o vigor de quem está infundido da chama divina.

– Amo-te, Egéria!

– Amo-te, Prisco!

As duas bocas, que eram o selo físico do místico amor, uniram-se para o beijo eterno, como o dos amantes que o são para lá do corpo e do tempo.

O retorno a Roma foi feito no mais íntegro silêncio. As saudades da amada apertavam-lhe o coração. Mas rezava por ela e pelos seus, por tantas almas que acreditavam na sua palavra, ensinamentos e vivências espirituais. Tudo estava dependente do sucesso da missão que ali o trazia. O beijo de Egéria animara-o muito. O Deus em que acreditava era Justiça. E se os homens não a soubessem interpretar haveria de levar a sua causa até ao fim.

– Instâncio, há novidades por aqui?

– Nenhuma! Ou melhor, uma que não é muito agradável: Salviano teve um novo ataque de dores abdominais! Urbica preparou-lhe várias infusões de ervas, mas não surtiram efeito. Tem vomitado muito, sangue, inclusive. Eucrócia achou melhor chamar um médico.

– Fez bem… Coitado… E onde está ele, agora?

– A dormir…

Prisciliano suspirou, com o sobrolho franzido. Foi visitar o amigo, sem perder mais tempo. Sentou-se na beira do catre e observou-o, com admiração. Era homem de idade avançada, com longos cabelos brancos, testa alta e nariz fino. As narinas mantinham-se em respiração arquejante. O rosto contrito era o retrato do sofrimento. Mas, mesmo idoso e doente, Salviano corria as estradas romanas, da Finisterra à Cidade Eterna, em busca de um ideal, da salvação e de todos os que viviam a experiência priscilianista da fé.

– Obrigado, Salviano! – disse baixinho, para não o acordar. – És um extraordinário exemplo de como a fé move montanhas. Esta viagem é a tua redenção, o teu martírio, a tua peregrinação, a tua ascese.

O amigo pôs-lhe a mão na testa. Estava febril.

– Não sei se te aguentas… – suspirou, com tristeza.

– Não te preocupes comigo! – O bispo de Abula levantou automaticamente a mão, assustado, não contando que o amigo lhe ouvisse o murmúrio. – Eu sou um homem feliz. Em Roma morreram muitos mártires. Se não passar daqui, ficarei na graça dos perseguidos, na de São Pedro e de São Paulo, na graça de Deus.

– Oh, Salviano! Nada disso, vais ficar curado e voltar connosco a casa!

Completadas as duas semanas, Prisciliano e Instâncio dirigiram-se de novo ao episcópio, mas sem sucesso. O homem que os atendera da primeira vez acompanhava Dâmaso a uma visita a uma viúva, numa *villa* da periferia de Roma.

– Deixou algum recado?

– Não, não tenho nenhum recado a dar – informou secamente o porteiro.

Voltaram alguns dias mais tarde. Mas o prelado prosseguia outros sagrados ofícios. Quando regressaram ao albergue, encontraram de novo Jerónimo. Parecera-lhes pouco casual o encontro.

– Então, já conseguiram chegar à fala com o bispo de Roma?

– Não, meu caro. Entre visitas a viúvas e tarefas divinas, não encontrou tempo para nos receber. Nem sequer a pessoa que nos atendeu da primeira vez parece disponível para nos explicar se vamos ou não ser recebidos.

– Vá, sentem-se aí! Vou explicar-vos uma coisa!

Os três abeiraram-se da margem do Tiberis. Agacharam-se debaixo de uma árvore, protegendo-se do sol e beneficiando de uma leve brisa apaziguadora do calor do início da tarde.

– Dâmaso tem sido um férreo defensor da fé nicena. Mas as suas preocupações, de momento, não passam por dar atenção a um grupo de bispos que aqui chegam com fama de hereges e acompanhados de mulheres, por muito virgens e castas que sejam.

– Porque dizes isso, Jerónimo?! – perguntou Instâncio, furioso.

– Oh, não sabes?! Dâmaso está ainda na refrega do concílio que aqui se realizou há quatro anos. Os quarenta bispos tiveram de dar a volta às tripas para o ilibar de adultério. E ainda teve de se livrar da acusação de um tal Isaac, um judeu convertido que pertencera à seita de Ursino, que jurava que Dâmaso tinha sido visto a fornicar com a filha de catorze anos.

– Como? Não posso acreditar… – respondeu Prisciliano, procurando perceber as intenções de Jerónimo. – Contudo, mesmo assim, foi a Igreja que o julgou… Teve a oportunidade de se defender!

– Sim, é verdade, mas até a água fria afugenta um gato escaldado… Não estou a vê-lo a querer meter-se em mais confusões.

Jerónimo tinha razão. O jovem de Strido Dalmatiae lutava por moralizar os costumes da Igreja, aconselhando as mulheres a não se aproximarem da clerezia romana, criticando Dâmaso por se rodear de uma corte de jovens sacerdotes imberbes que controlavam as virgens castas, viúvas e mulheres cristãs do círculo do bispo de Roma.

– Alguns deles pavoneiam-se de cabelo frisado, anéis nos dedos e túnicas perfumadas e passam o tempo a visitar viúvas e jovens solteiras! – assegurou, para logo rematar: – E vós, que sois bispos, que fazeis com esse séquito de mulheres ricas e bonitas à vossa volta?

– Vá, Jerónimo! Não confundas a nuvem por Juno! – contestou Instâncio, de imediato.

– Juno já passou de moda. E olha que quem anda à chuva molha-se, mesmo que use uma dalmática…

No dia seguinte, chegou a notícia fatal.

– Prisciliano! Vem cá, rápido!

O rosto era o de um homem sereno: encontrara a paz e parecia feliz. Prisciliano tomou-lhe o pulso e confirmou o veredito.

– Partiu para o Senhor… Salviano já não está entre nós…

Os dois bispos ajoelharam-se junto ao corpo sem vida e rezaram, muito emocionados, pela sua alma.

O amigo far-lhes-ia muita falta para a difícil jornada que tinham pela frente, mas estavam certos da sua santidade, pelo exemplo de virtude em que transformara a sua vida.

O dia foi passado em vigília e oração. Ao início da noite leram-se as passagens do Evangelho onde Cristo prometeu a salvação dos justos. Prisciliano não duvidava que Salviano estava talhado para os altares, o prémio que alcançara com a vida que Deus lhe concedera viver e ele soubera aproveitar. Por isso, os sentimentos que experimentava eram difusos e contraditórios. A perda e a felicidade. As penas que passara na Terra e o encontro com a face do Senhor. O bem e o mal.

Durante a noite, a vigília foi feita no compenetrado silêncio dos ascetas, a última homenagem a Salviano.

– Como nós sabemos: Deus é silêncio! E o silêncio é a voz de Deus nos nossos corações!

O corpo foi colocado num ataúde de madeira e inumado, depois das exéquias fúnebres presididas por Prisciliano e Instâncio numa necrópole, onde, como seria do seu agrado, se encontravam também enterrados os restos mortais de vários mártires sucumbidos pelas garras de leões esfaimados.

– Tenho a certeza de que Salviano ficará ainda mais feliz neste lugar!

– Olha que curioso: Salviano entre os mártires, nós entre os leões!

A passagem dos dias não alterou a situação em que desaguaram nas margens do Tiberis. Dâmaso não dava sinal de si. Nem a carta de Simpósio o sensibilizara, o que chocava Prisciliano por se tratar de uma falta de respeito por um respeitável bispo da Hispânia, amigo que fora do sacerdote pai do Papa. O impasse entristecia a comitiva, ainda afetada com a morte do amigo. O bispo de Abula temia o fracasso da missão, o desânimo total das suas gentes. Precisava de pensar.

Naquela noite, sentiu um apelo interior e dirigiu-se sozinho a uma colina menos povoada de Roma. Buscava a solidão de outros tempos, o discernimento e a clarividência que a noite lhe trazia. Aquele local não era propriamente semelhante. Ao contrário dos montes da Galécia, onde o numinoso encontro com o Uno se fazia mergulhado no estado puro da natureza, dali observava-se o bulício da grande urbe, mesmo de madrugada, o único momento em que as autoridades locais deixavam entrar carros e carretas na cidade para evitarem o caos total nas ruas. Ardiam archotes, ouviam-se cães a ladrar, ruídos imprecisos de uma cidade efervescente. Mas o domínio sobre si permanecia intacto. Prisciliano abstraiu-se, rezou, fugiu por algum tempo do mundo… Na sua meditação, visitou o corpo de Egéria. Tinha a certeza de que o apelo fora dela, para se amarem, em perfeita sintonia, tomando, ao mesmo tempo, o conjunto de estrelas que formam a Via Láctea, o caminho que lhe unia as almas. Ali pousados, beijaram-se, entregando-se um ao outro, como ao longo de tantos anos.

Quando a aurora abriu as portas do oriente, renovando o mundo dos primeiros fios de luz, Prisciliano apercebeu-se de que havia um cachorro aninhado ao seu lado. Não dormia. Olhava-o com um ar de quem o conhecia há muito, como se estivesse profundamente preocupado com o seu dono. O bispo de Abula sorriu e afagou-lhe a cabeça. O cão fechou os olhos e abanou a cauda, mostrando a sua alegria.

– Em tempos, conheci um cão que era a tua cara! Até na cor do pelo!

O cachorro meneou a cabeça debaixo da mão de Prisciliano, balançando a cauda ainda com mais velocidade.

– Chamava-se Diógenes.

O cão levantou a pata e Prisciliano estremeceu. Tinha uma cicatriz em cada uma das patas dianteiras, como o do sábio de Canopo. O pensamento transportou-o para o encontro com o mestre alexandrino. Tempos houve em que acreditou no seu dom da clarividência, na sua capacidade de previsão do futuro. Mas, olhando para a encruzilhada em que se encontrava, parecia-lhe agora que havia sido apenas um adivinho mais a somar aos que analisavam vísceras de animais, voos de pássaros, não fosse ele um ilustre pagão.

Levantou-se e iniciou o caminho em direção ao albergue onde pernoitavam os amigos. O cão fez o mesmo. Caminhou, obediente, atrás de Prisciliano, como se fosse um hábito antigo.

Ao passarem pela basílica de Roma, o galaico dirigiu-se novamente à porta, em busca de informações sobre o pedido de audiência. Invariavelmente, não havia quem lhe soubesse dar uma resposta. Quando voltou à rua, lá estava o cão, discreto companheiro da manhã. O animal dirigiu-se a uma das esquinas do templo, alçou a perna e descarregou os líquidos acumulados de muito tempo. No final, deu um latido virado para norte. Um guarda correu para o enxotar mas não o conseguiu alcançar. Prisciliano não deixou de sorrir com a cena, enquanto se dirigia ao destino. Logo três ruas à frente, o cão acompanhou-o de novo, marchando ao seu lado, imperturbável, até ao albergue.

– Amigos, apresento-vos Diógenes. Acaba de me transmitir que devemos fazer as malas para viajarmos até Mediolanum.

33

Mediolanum (Milão)

– Achas que Ambrósio nos ouvirá, Prisciliano?

Instâncio era um homem revoltado e descrente, face aos insucessos de Roma.

– Não sei, todos dizem que é um homem reto. Como sabes, tornou-se bispo quase ao mesmo tempo em que se batizou e goza de grande prestígio na cristandade. Repara que Hidácio até para Ambrósio escreveu a vilipendiar-nos.

– Sim, nisso tens razão... – respondeu, mais animado.

– E não te esqueças, Instâncio, que ele tem grande proximidade com os imperadores, quer com Graciano, quer com Valentiniano. Mesmo sendo este da causa arianista, por influência de Justina, a sua mãe...

Enquanto os cavalos venciam as primeiras milhas que separavam Roma de Mediolanum, o bispo de Abula reparou que o rafeiro que o acompanhara na noite anterior corria atrás da comitiva. A língua de fora e a baba adivinhavam-lhe o cansaço.

– Instâncio, já reparaste no cachorro?!

– Sim... Vem atrás de nós. Se calhar, não tem dono.

Prisciliano contou a história do cão alexandrino, enquanto parava a marcha para colocar o animal numa pequena alcofa e o fazer subir para a montada.

– Oh, olha como está contente! Não para de te lamber...

Eucrócia, Prócula, Urbica e Gala riam-se muito e afagavam a cabeça do bicho, feliz com tantas atenções e por ter alcançado o que pretendia.

Foi desta forma que Diógenes de Alexandria, como passaram a chamar-lhe, passou a fazer parte do grupo, uma agradável companhia de todos, ao longo da viagem.

Mediolanum era uma grande cidade que beneficiava da estratégica localização, entre a península itálica e as fronteiras renodanubianas. Situava-se a meio caminho entre as partes oriental e ocidental do império. O nome adivinhava-lhe essa condição de centralidade geográfica, mas também religiosa, como o fora desde os primeiros habitantes, os Celtas Insubri. Beneficiava de um clima ameno, exceto durante o inverno, quando chegavam os ventos com os frios humores da neve alpina. Cem anos antes, Diocleciano transformara-a numa das capitais do Império Romano do Ocidente.

A estrada de Roma entrava diretamente no amuralhado de Mediolanum através de um majestoso arco honorífico e uma monumental via porticada, acabada de construir por Graciano. Era um imponente cenário de ligação à Urbe, a poderosa comunhão simbólica com a capital do império da qual Mediolanum passava, então, a assumir o papel de herdeira.

Depois de cruzarem o arco honorário, entraram num imenso corredor pavimentado de pouco mais de três estádios de comprimento. Flanqueavam-no dois edifícios contínuos de cada lado, ornados com estátuas de mármore. Ao longo do corredor, sucediam-se os amplos pórticos de tijolo, decorados com estuque vermelho, amarelo e verde, e em cujos recuados se alojavam comerciantes de toda a espécie, interpelando os viajantes com as qualidades e preços dos produtos. Havia vendedores de tecidos, materiais de uso doméstico de osso e madeira, calçado, lápides funerárias, brinquedos... nada faltava no corredor coberto que anunciava a chegada à grande cidade. Assim como o cheiro a carne assada que saía das tabernas.

A meio da via, do lado direito, não havia estabelecimentos comerciais mas um espaço em construção. Mestres de obras e pedreiros suados descarregavam materiais para a edificação da basílica dos apóstolos, já com os alicerces colocados. Fora ordenada por Ambrósio, que pretendia trazer de Roma algumas relíquias de São Pedro e de São Paulo, com o objetivo de sublinhar a ligação simbólica e religiosa de Mediolanum à capital do império.

Depois de passarem o fosso, deixando, à direita, o movimento das pequenas embarcações no porto cingido à muralha, cruzaram a porta e entraram no frenesim urbano. Instâncio e as mulheres procuraram um albergue nas imediações do episcópio, enquanto Prisciliano fazia um reconhecimento à cidade. Descobriu, à semelhança de Roma, imponentes edifícios e magníficos espaços públicos, como o fórum e as termas de Hércules. Passou igualmente nas imediações dos majestosos edifícios que compunham o complexo do Circo Máximo e do Palácio Imperial.

Recordou ter sido naquele palácio que Constantino e Licínio, em 313, haviam assinado o *Edictum Mediolanense*, o primeiro passo para o Cristianismo se transformar em religião do império, o que acabava de ser definitivamente confirmado por Teodósio, em Tessalonica. Mas fora, igualmente, naquele Palácio que se redigiu o rescrito que tantas dores de cabeça causava a Prisciliano, o motivo daquela longa viagem. E era ali também que poderia estar a solução que tanto buscava para os seus problemas.

Quando voltou, ao entardecer, o bispo de Salmantica aguardava-o em frente às justapostas *Basilica Vetus* e *Basilica Minor*, onde haviam combinado encontrar-se.

– Temos dormida assegurada num albergue no terceiro andar de uma *insula*. É modesto e mal cheiroso, mas garante-nos estadia pelo tempo de que necessitarmos – anunciou, com um sorriso nos lábios. – As mulheres estão a descansar.

– Bem, Diógenes não precisa de descansar…

– Não me largou. Aposto que sabia que vinha ter contigo, Prisciliano… – Sorriram e continuaram em direção à porta principal da basílica. Nas imediações, deambulavam alguns mendigos. Dois ou três clérigos entraram apressados, fugindo da noite ou procurando chegar a tempo das Vésperas. As grossas portas do templo já se encontravam fechadas. Não era momento para encontrar Ambrósio.

Para descontraírem, deram um passeio até ao fórum, o grande centro da vida pública, onde se concentravam as funções políticas, administrativas e, até algum tempo antes, as religiosas. Era também o mais importante polo comercial, com estabelecimentos colocados atrás dos pórticos laterais.

Prisciliano matutava nas notícias difusas que chegavam por mercadores sobre perseguições de hereges na Hispânia. Tinha de resolver rapidamente a questão, sob pena de se criar um grave cisma religioso e de tantos fiéis amigos serem votados ao ostracismo.

Enquanto descobria, ao fundo, um monumental edifício, sede do senado municipal, as zonas administrativas e jurídicas e o capitólio, cujos deuses que guardava – Júpiter, Juno e Minerva – perdiam devotos todos os dias, pensava se devia ou não partilhar essa informação com o companheiro. Caminhou, absorto, nos pensamentos, até chegar junto ao mercado e à casa da moeda.

– Vamos embora, está a ficar frio e quase não há gente na rua! – quebrou o silêncio, decidindo não apoquentar Instâncio com os rumores.

Voltaram ao albergue. As mulheres haviam preparado uma retemperadora sopa de legumes, pão e fruta, que os aqueceu e alimentou com o estritamente necessário para recuperarem as energias despendidas com a viagem e manterem o vigor físico. Rezaram, em conjunto, as últimas orações do dia, agradecendo a Deus a boa viagem e pedindo-Lhe sucesso para a ação em Mediolanum.

Já no quarto, Prisciliano refletia, como sempre fazia, sobre o dia que terminava e preparava o seguinte. O espírito seguiu vertiginosamente mar adentro. Viajava algures numa embarcação a caminho de Jerusalém, colado ao coração de Egéria. Suspirou e contraiu-se, quando percebeu que um sentimento que se determinara a dominar o apanhava desprevenido. Abria-lhe um vácuo no estômago, um aperto na alma, um zumbido no pensamento: tinha cada vez mais saudades da mulher que partira.

Enquanto elucubrava em tais divagações, a escutar os primeiros acordes do sono, sobressaltou-se, com barulhos estranhos. Alguém abria a porta, em silêncio. Retesou os músculos e colocou-se em estado defensivo. Lamentou ter deixado Diógenes no jardim da hospedaria. *Quem entrava assim furtivamente no quarto?*, pensou.

Uma miríade de pensamentos fulminou-o, sem cessar. O vulto começava a definir-se, mas a noite escura não o deixava adivinhar. Estava dentro do quarto. Pela segunda vez, Prisciliano temeu pela vida. A voz embargara-se-lhe. Só poderia tratar-se de algum malfeitor, ou de vários, provavelmente a mando de um inimigo, dos muitos que percebia que acumulava, por força das palavras maliciosas de Hidácio, chegadas ao coração do império e ao próprio imperador.

Lembrou-se que o único instrumento que podia ser usado em sua defesa era um bacio metálico, que usava para as necessidades. Mas até esse estava meio cheio. Não se importou: era melhor que nada! Agarrou-o pela pega e, cheio de coragem, destravou a língua.

– Quem está aí?

O dia seguinte não foi um dia feliz. Foram ao episcópio, onde residia Ambrósio, mas informaram-nos que o bispo saíra para acompanhar a construção de uma basílica fora da muralha, imediatamente atrás do Circo Máximo, entre as portas Ticinensis e Vercellina. Ao passarem perto do teatro, em direção a esta última entrada, Instâncio reparou que Prisciliano estava diferente. Era um homem macambúzio.

– Que tens hoje, irmão? Passaste mal a noite ou estás com maus pressentimentos para a jornada?

Atrás de ambos, Diógenes latiu, como se tivesse algo a dizer sobre o estado de alma do dono ou então a mostrar-se solidário com a sua melancolia.

– Nada, meu amigo! Já passa! Os dias não são iguais, muito menos as noites. Hoje não preguei olho...

Às primeiras horas da manhã, na zona da catedral vivia-se um autêntico frenesim urbano. Chegavam os agricultores com os produtos hortícolas, pão e animais domésticos para venderem nas esquinas e nos mercados. Relinchavam os cavalos de alguns senhores ricamente adornados. Cruzavam-se diáconos, presbíteros, com homens e mulheres de vários escalões sociais, escravos que comandavam bestas de carga ou transportavam água, leite e outras necessidades, alguns acompanhando crianças e os seus senhores. Uma multidão de operários suava no labor de uma construção que, com dois ou três anos de trabalho, ia a meio. Os muros, onde foram aplicados materiais reutilizados de obras demolidas, deixavam adivinhar uma grande basílica retangular, subdividida em três naves separadas por duas colunatas, terminando numa abside semicircular. No exterior, via-se uma necrópole cristã e o mausoléu de São Vítor. Dizia-se que Ambrósio construía aquela basílica para nela repousar para a eternidade.

– O bispo Ambrósio está por aqui? – perguntaram ao mestre de obras.

– Acabou de sair. Vai celebrar missa na *Basílica Nova*.

Correram novamente para dentro do amuralhado, pela Porta Ticinensis, já que o complexo episcopal se situava no centro da cidade, depois do fórum.

A *Basílica Nova*, dedicada a Santa Tecla, encontrava-se frente a dois templos gémeos, havendo um outro templo no interlúdio, a *Basilica Baptisterii*.

O sino tocou e os que eram cristãos entraram e encheram rapidamente a basílica. Pairava um cheiro a velas e círios queimados. Algumas vozes murmuravam no interior, rezando ou comentando frivolidades quotidianas. Diógenes sentara-se à porta, no exterior, sem que alguém lhe desse qualquer ordem para ali ficar, ou entrar. Colocaram-se a meio, de onde poderiam ver todo o ambiente. O templo mostrava-se rigorosamente decorado com a iconografia da fé nicena, uma simbologia até mesmo ostensivamente antiarianista, para romper com o anterior episcopado de Auxentius, prelado que incendiara a cidade com a doutrina de Ário.

Ambrósio foi o último a entrar, de uma comitiva de meia dúzia de clérigos, dirigindo-se para o altar, na abside. Era um homem magro, elegante, alto e calvo na zona do cocuruto. Nascera em Augusta Treverorum e, tal como Prisciliano, numa família da aristocracia romana, filho de um prefeito do pretório. Com a morte do pai, a mãe convertera-se fervorosamente ao Cristianismo e a irmã mais velha, Marcelina, tornara-se virgem consagrada. Ambrósio ascendera fulgurantemente na carreira administrativa, tornando-se governador da Ligúria, para se batizar e ser imediatamente consagrado bispo de Mediolanum, na sequência de uma aclamação popular. Era aquele o homem que caminhava sem pressa e movimentava os braços, com gestos suaves. A voz era forte, ampliando-se através das paredes do templo. Acompanharam a missa atentos às palavras de um dos mais reputados bispos do império, sobre o qual não pesavam os murmurados pecados de Dâmaso. Não que Prisciliano levasse muito em conta o que se dizia sobre a vida privada do bispo de Roma, pois sabia melhor que ninguém que quem conta um conto acrescenta um ponto e dali até à verdade podia ir um passo de gigante.

Era justamente no que refletia, enquanto Ambrósio discorria, com sabedoria, sobre o modo de estar na vida das mulheres cristãs. Por muito que tentasse, não conseguia afugentar do espírito os acontecimentos da noite anterior. Eram demónios que o atacavam a todo o momento, parecendo-lhe que tudo naquele dia vinha a propósito para lhos lembrar: as perguntas de Instâncio, o latido de Diógenes, os pensamentos sobre Dâmaso, a homilia de Ambrósio... e, novamente, a memória do insólito encontro da madrugada que lhe tirara o sono e tanto o constrangia.

Com efeito, na tolhida noite anterior, a resposta à pergunta de Prisciliano, de bacio de urina fria erguido no ar, não viera logo. Chegara suave e quase impercetível, para que mais ninguém ouvisse.

– Acalma-te, Prisco. Sou eu...

Era uma voz feminina que lhe entrava no quarto, sem autorização, e o tratava pelo diminutivo.

– Egéria?!

Um silêncio pesado ecoou no cubículo e mais ainda no coração de Prisciliano.

– Não... Ela está longe...

– Quem és e o que fazes aqui?!

O vulto aproximou-se do catre e sentou-se à ilharga. Já não sentia medo. Outro estranho sentimento lhe ocupava a razão. A mão feminina deslizara-lhe sobre o braço até à mão, descobrira o bacio e colocara-o no chão. De seguida, percorreu novamente os músculos tesos do braço e aninhou-se no peito do homem deitado.

– Estou com muitas insónias. Não consigo dormir!

Fez-se-lhe luz, finalmente.

– Que se passa contigo, irmã? – perguntou, à cautela.

– Não sei! Perdi o sono e não páro de pensar em ti... – A voz derretia sensualidade.

– Mas... estás bem?! Está tudo bem contigo?!

– Prisco, Egéria partiu. Já não tens com quem partilhar as tuas noites... – sussurrou-lhe aos ouvidos.

No escuro, a mão feminina continuou a deslizar devagar sob o cobertor, percorrendo, pedaço a pedaço, o corpo atlético e bem definido de Prisciliano. Quando ela mudou ligeiramente de posição para poder alcançar o objeto da investida, um pequeno fio de luz que entrava pela frincha da janela descobriu-lhe o corpo nu. Os seios voluptuosos balançavam, inchados de excitação, com dois bicos hipnotizantes mesmo à frente dos olhos de Prisciliano. Este não resistiu olhar mais para baixo e percorrer as lascivas formas curvilíneas. De repente, viu-se como que transportado para os dias da juventude, os tempos em que usufruía, com intensidade, das delícias de tantas mulheres jovens e bonitas. Os dias penitenciados assomaram-lhe o Vesúvio há muito adormecido e que, um dia, sem que ninguém o esperasse, vomitou goles de lava capaz de submergir as cidades de Pompeia e Herculano. A pele morena de Prisciliano arrepiou-se, como a de uma galinha depenada. Deu um grito abafado quando a mulher lhe agarrou com força o membro grosso e intumescido que guardara, tanto tempo inerte, no meio das coxas.

Enquanto ouvia Ambrósio, Prisciliano caiu de joelhos, contraindo-se sobre si mesmo.

– Está tudo bem, irmão? – perguntou-lhe Instâncio ao ouvido, depois de se baixar.

Respondeu afirmativamente com a cabeça e resignou-se. Cogitava que talvez Prisciliano estivesse a meio de uma fervorosa oração e, nesse caso, não o deveria interromper.

– O homem virtuoso é aquele que resiste aos próprios impulsos... – pregava Ambrósio a doutrina que o galaico tão bem conhecia. – Tal como Jesus, que era impassível, por ter nascido sem ter sido concebido como os homens; tal como Maria, que gerou sem mácula, resguardando a virgindade, sem ato sexual; numa palavra, sem pecado.

Ambrósio zurziu, de seguida, contra os arianistas, que acusavam Maria de não ser a mãe de Deus e, por conseguinte, não simbolizar a virgindade perfeita, questionando as suas virtudes.

– A virgindade é um dom de Deus, através do qual as virgens contraem matrimónio místico com Cristo – prosseguia o bispo local. – Deus fez-se carne na virgindade de Maria para que a carne do homem se fizesse Deus...

Prisciliano sofria, mortificava-se e rezava com fervor pelo perdão dos pecados da última noite. Ao escutar Ambrósio, entrevia os mesmos princípios que também divulgava na sua ascese. Aos poucos, a alma foi serenando. Concentrou-se nas coisas importantes que havia para tratar em favor da causa comum que a todos ali trouxera. Acompanharia com mais cuidado a irmã que caíra em tentação, na penumbra noturna que não lhe saía da lembrança. O pensamento escapou-lhe novamente para o quarto.

– Para, irmã! Para de imediato!

Um trovão ressoou-lhe do interior, no momento capital. Agarrou o braço da mulher e, com força, retirou-o do membro que, num instante, se esvaiu de vergonha.

– Prisco... Porque me fazes isso? Estou apaixonada por ti há tanto tempo... Aceitaste a minha irmã e não me aceitas a mim, porquê? Não a verás tão cedo...

– Gala, por favor! O que te passa pela cabeça?! – perguntou, tão envergonhado como determinado.

– Achas que não sei?! – a voz dela endurecera.

– O que sabes tu!? Entre mim e Egéria há uma relação espiritual!

– Mentes... Tantas vezes vos observei unidos fisicamente, em pleno gozo...

– Não! Estás equivocada! Os nossos afetos são diferentes. Os nossos corpos apenas se encontravam para acenderem a chama mística... as almas é que se fundiam em sagrado êxtase... porque nos amamos sem a urgência do corpo!

– Prisciliano... Eu... eu...

Se fosse dia, ter-se-ia visto o imenso rubor que abrasava as faces de Gala. Os seios recaíram, os bicos esconderam-se. Prisciliano vestiu a túnica a uma mulher perturbada.

– Não sei... não sei o que se passa comigo...

Gala sentou-se no chão, soluçando. Ele deixou-a chorar o tempo de que precisou, observando-a, com a janela ligeiramente destapada, para entrar um fio de luz da lua. Ao fim de algum tempo, ela própria encontrou o caminho que ele, serenamente, aguardava.

– Prisciliano, desculpa, foi o Demónio que me tentou... Acreditava que tu e Egéria mantinham uma intensa relação física e, algumas noites, o Diabo visitava-me dizendo-me que também eu me poderia unir ao corpo do meu mestre. Até que, um dia, te vi nu, a tomar banho e, a partir daí, ele tem-me visitado em noites de insónia... Hoje trouxe-me até ti...

– Vá, acalma-te! Agora sabemos quem é o nosso inimigo e, juntos, haveremos de o dominar!

– Estou tão envergonhada... Que vai ser de mim?!

– Não te envergonhes, minha irmã. Penitencia-te e purifica-te. Atrás da montanha há sempre um vale. Deus te salvará do pecado se te arrependeres e dominares os impulsos.

Mas a consciência de Prisciliano pesava. Não logrou controlar-se a tempo de se ver tomado pelos instintos mais básicos e deixar crescer a lascívia entre as coxas. Na primeira oportunidade, haveria de voltar ao monte, para duas ou três semanas de ascese e oração. Agora, pedia perdão para si e para Gala. Mais distante dos acontecimentos, acreditava ter-se tratado de um impulso favorecido pelo Demónio, após o cansaço da longa viagem e sem resultados à vista. Felizmente que ninguém se apercebera e o assunto morreria por ali.

No final da celebração, pediram audiência a Ambrósio. Não os recebeu, por ter sido chamado ao palácio pela mãe do pequeno imperador Valentiniano. Voltaram num dos dias seguintes mas também não o conseguiram. Dessa vez, fora contratar um novo arquiteto, pois havia falecido o que o acompanhava. Prisciliano e Instâncio ardiam de preocupação. Deixaram-lhe cartas desesperadas explicando quem eram e ao que vinham. Mas Ambrósio insistia em não dar sinais de receber os viajantes.

Duas semanas depois, taparam o caminho ao secretário pessoal que tentava esgueirar-se deles entre a multidão:

– Irmão, como sabes, aguardamos uma resposta de Ambrósio...

– Ambrósio saiu... Foi ver as obras da *Basilica Apostolurum*, junto à estrada de Roma... – respondeu, apressado.

– E não deixou recado?

– Sabem, ele esteve a rever os cânones do concílio de Elvira... – continuou, desinteressado.

– Sim, e que tem o concílio de Elvira que ver com o nosso pedido de audiência?

O secretário do bispo olhou-o de soslaio, antes de responder, procurando furar a barreira humana.

– Parece que lá se advertem os bispos para não se imiscuírem em assuntos de outros bispados. Vá, deixem-me passar!

– Mas, se assim fosse, não estaríamos aqui. Por esse ponto de vista,

Hidácio também se imiscuiu nos assuntos dos nossos territórios... – insistiu Prisciliano, percebendo a iminência de perder o salvador.

Vários transeuntes acompanhavam curiosos o debate em plena via pública. Até que o secretário parou e fixou Prisciliano nos olhos, apontando-lhe o dedo ao peito.

– Pois, mas Ambrósio recebeu uma carta do metropolita Hidácio a dizer que vos excomungou. Não é seu costume implicar-se em assuntos relacionados com processos de excomunhão que lhe são estranhos. Agora, passem bem, que eu vou à minha vida!

Os dois bispos esbugalharam os olhos. O mundo desabou aos seus pés. Acabavam de experimentar a maior das desilusões que a vida lhes poderia oferecer.

– Espera! Não podes fazer isso connosco! Não somos hereges, estamos em comunhão com a Igreja.

– Não é isso que o metropolita da Hispânia nos transmitiu. Vá, não vos posso ser mais útil!

De repente, o cão latiu e pôs-se em fuga.

– Maldito cão! Desapareçam com esse rafeiro!

Diógenes acabava de urinar nas pernas do secretário de Ambrósio e a sua cauda anunciava que caminhava alegremente em direção ao albergue. Os dois amigos observaram-no, bamboleante, olhando de vez em quando para trás como que a convidá-los a seguirem-no.

A sorte dos homens nem sempre é aquela que parece à primeira vista. E a de Prisciliano mudou, de forma imprevista e radical, com a ajuda de Diógenes de Alexandria.

34

Burdigala (Bordéus)
Mediolanum (Milão)
Aseconia (Santiago de Compostela)
Aelia Capitolina (Jerusalém)
Abula (Ávila)

– Ai se Egéria pudesse partilhar este momento de felicidade! Seria tão bom ter uma carta dela quando chegarmos à Galécia... E poder explicar-lhe todos os prodigiosos acontecimentos que Ele, na sua admirável bondade, nos concedeu em Mediolanum.

Prisciliano suspirava no mesmo bosque aquitano onde se iniciara com o mestre Delfídio, cerca de dez anos antes, com a pedrinha de quartzo na mão. Foi o último momento da escala de Burdigala, rápida e secreta, para não chamar a atenção do bispo, de Flaviano ou de qualquer um dos seus espiões.

Despediram-se com alegria de Eucrócia, Prócula e Urbica, três extraordinárias mulheres, fundamentais para o sucesso da viagem ao berço do império, e retomaram o caminho de muitas milhas até à Galécia. As mulheres aquitanas não foram as únicas imprescindíveis coadjuvantes nos êxitos de Mediolanum, houve também Diógenes, claro! Ele sim, merecedor de toda a glória. Prisciliano guardava a memória do cão brutalmente assassinado, como se de um humano se tratasse, tão fiel companheiro fora nos vertiginosos acontecimentos que acabara de viver.

*

Quando deixava a Aquitânia e entrava, de novo, na Hispânia, Prisciliano acariciou o saco de pele que levava a tiracolo, certificando-se que o indispensável documento seguia com ele, no momento em que voltava à terra que o excomungara. À sua frente, cavalgava Instâncio e, a encabeçar o trio de cavaleiros, seguia Gala. Prisciliano sempre assegurava, com discreta casualidade, que a irmã de Egéria se mantivesse na frente do grupo, quando não seguiam os três a par. O incidente da noite de Mediolanum parecia-lhe ultrapassado, mas achava melhor prevenir. Tivera uma conversa séria com Gala, explicando-lhe a natureza e a forma dos afetos que nutria por Egéria, bem como as virtudes das mulheres consagradas. Gala reafirmara o momento de fraqueza que, de súbito, a seduzira para o campo magnético que aureolava Prisciliano e que o Demónio lhe turvara a vista e o pensamento.

Ao longo da viagem, Prisciliano aproveitou para rememorar, sem pressa, os êxitos que alcançaram e que lhe permitiriam reflorescer o movimento priscilianista em todos os cantos da Hispânia.

– O questor Próculo Gregório vai receber-vos…

Perante a recusa dos homens da Igreja, Prisciliano e Instâncio perceberam que só lhes restava recorrer ao mesmo poder secular que, sem fundamento, os havia julgado, no intuito de anular o rescrito imperial. Pareceu-lhes que o questor, dadas as suas tarefas e grande proximidade com o imperador, era a pessoa certa. Toda a comitiva se dirigiu, então, ao palácio, incluindo as mulheres, animadas com o vislumbre do sucesso. Não se tratava propriamente de um edifício, mas um complexo de edificações de tijolo com diferentes funções: ala de habitações, onde vivia o imperador com a corte, a zona de serviço, de banho, bem como o setor oficial e de representação, local onde o imperador e os dignitários exerciam as funções administrativas. Foi nesta última área que foram recebidos. Diógenes ficara do lado de fora, pois não era permitido às visitas fazerem-se acompanhar de animais.

– Então, qual é o vosso problema?

Explicaram pacientemente a questão e voltaram muito satisfeitos com o acolhimento do questor, que parecia plenamente convencido da razão dos suplicantes. Os tempos seguintes foram passados em impaciente satisfação.

Porém, os dias escoavam-se nas noites e a resposta tardava. Uma vez mais, o desânimo acinzentou as horas de espera e o desalento insidiou-se como veneno nos corações dos membros da comitiva.

– Antes de desistirmos, acho que devemos fazer uma derradeira tentativa... Há algo de muito estranho nisto tudo... – dizia Prisciliano para os amigos, muito desconfiado e a pensar como haveria de tirar o movimento daquele beco sem saída.

Manhã cedo, apontaram às portas do palácio. Esperaram que Próculo Gregório saísse e abordaram-no, sem reservas.

– Caríssimo questor, voltamos, de novo, em busca de notícias... ou de uma resposta à nossa petição...

O homem olhou-os, mal-humorado.

– Isto é forma de abordar um questor?! Aqui no meio da rua?!

– Desculpe... Vínhamos solicitar nova audiência... Mas, como o vimos, pensámos...

– Isto tem regras! Onde já se viu tanta falta de respeito? – E, sacudindo o pé, gritou, furibundo: – Aahhh, maldito cão!

Num ápice, a lâmina de uma espada zumbiu no ar abatendo-se com um estalo seco sobre o pescoço de Diógenes. Não tardou a que a cabeça rebolasse pela calçada inclinada, enquanto um jato de sangue chapiscava a toga do questor. Um diligente soldado acabava de vingar a afronta do animal que urinara sobre as nobres sandálias do ilustre romano.

– Maldição! Esse cão é vosso?!

– É! – respondeu, Prisciliano, com firmeza. – É um dos nossos!

– Então, levai daqui o corpo e não me apareçais mais à frente, se não querem que vos aconteça o mesmo que a esse rafeiro!

– Prisciliano, acho que deveríamos dar um enterro condigno a um verdadeiro amigo – dissera o consternando Instâncio, naquela crítica noite de Mediolanum.

– Sim, há animais que nos surpreendem... Que parecem saber mais de virtudes humanas do que muitos homens... – retorquira o líder, entristecido e, ao mesmo tempo, orgulhoso.

Os sete viajantes deslocaram-se então a um bosque nas proximidades da cidade, encontraram uma clareira junto a uma velha oliveira. Prisciliano e Instâncio cavaram o buraco e depositaram o corpo inerte do cachorro, que parecia exalar uma expressão de secreta satisfação, no momento em que fora barbaramente morto às ordens de Próculo Gregório, o questor do palácio do imperador Graciano. A alegria de Diógenes só poderia ser a mesma que inundava as almas dos amigos que, naquele emocionante momento, dele se despediram. Passaram a noite no ermo, rezando e cantando salmos, como nos bons velhos tempos. Auspiciosos tempos que estavam finalmente de volta.

No dia seguinte, Instâncio gravara uma pequena lápide em pedra, com os dizeres: *Aqui jaz Diógenes, um fiel amigo!* Quando a colocaram, todos guardaram silêncio, espelho da tristeza pela perda do cão cuja companhia já não dispensavam, e pelo buraco onde, novamente, se encontravam. No final, Eucrócia dirigiu-se a Prisciliano e falou-lhe ao ouvido.

– Preciso de ter uma conversa a sós contigo...

Sentaram-se numa pedra, de onde podiam ver a muralha de Mediolanum e parte da cidade, enquanto os amigos dormitavam.

– Devo partilhar contigo uma informação relevante, irmão!

– O que se passa, Eucrócia?

– Enquanto esperavas pelas infrutíferas diligências do questor, apercebi-me que conheço uma pessoa nesta cidade que detém um campo de manobra excelente no palácio e que está disponível para nos ajudar...

– Quem?! – perguntou Prisciliano, com os sentidos alerta.

– Macedónio!

– O *magister officiorum*?!

– Esse mesmo! Hoje, antes de virmos para cá, soube que voltou à cidade, depois de algumas jornadas fora.

– Não posso acreditar! Mas ele é pagão! – Os olhos do mestre abriam-se até trás.

Ao *magister officiorum* cabia dirigir a administração da corte e regular os contactos com as legações. Era, por isso, um homem de imenso poder.

– Acredita! Apesar de pagão, tem bom coração. Foi aluno do meu marido, que Deus o tenha! E chegou onde chegou com a ajuda de Delfídio e do nosso amigo Ausónio.

Era conhecida a fama de Ausónio de Burdigala, ilustre aristocrata, poeta, cristão, mas com forte educação clássica e pagã. Em tempos, Valentiniano chamara-o ao palácio, tornando-o precetor do filho Graciano. Quando se tornou imperador, Graciano elevara-o à categoria de prefeito do pretório e de cônsul. Era, assim, natural que o poeta aquitano exercesse influência sobre o jovem soberano, o mesmo que havia decretado o rescrito que dramaticamente pendia sobre as cabeças dos viajantes galaicos e lusitanos.

– Deus seja louvado! – Prisciliano entrevia um novo fio de luz, depois de tantos insucessos.

– À cautela, enviei uma carta a Ausónio a explicar-lhe genericamente a nossa questão e a pedir-lhe os bons ofícios junto de Graciano em favor das nossas razões.

– Eucrócia, se não for desta, não sei mais que fazer... – respondera, sem certezas do sucesso da ação de Eucrócia, depois de tantas tentativas infrutíferas.

– Macedónio receber-nos-á mais logo, a seguir ao *prandium*.

Enquanto acariciava o rescrito que trazia a tiracolo, Prisciliano recordava todos os acontecimentos. *Deus providenciara que Eucrócia os acompanhasse a Itália e com que sucesso!*, pensava Prisciliano. Macedónio desfizera-se em simpatias e disponibilidades.

– Delfídio fez-me homem. Tenho-o como a um pai. Com Ausónio ascendi na corte! Por isso, Eucrócia, enquanto for vivo, não esquecerei o dever de gratidão. Conheço-te bem e à vossa ilustre família: se defendes esta causa, ela só pode ser justa!

No dia seguinte, Eucrócia dirigiu-se ao palácio e, ao final de algumas horas, voltou com um extraordinário rescrito de Graciano através do qual Prisciliano, Instâncio e todos os companheiros ficavam restabelecidos como bispos.

Estava consumado o sucesso da viagem, tudo o que não imaginavam ser possível! A justiça dos homens e de Deus repunha a ordem natural das coisas, de onde não deveriam ter sido deslocadas, pelas infâmias e injúrias de Hidácio e Ithacio Claro.

– Ai... Como deve estar feliz o nosso Salviano! – regozijou-se Instâncio. – Também o seu nome está agora reabilitado!

Prisciliano sorriu e louvou a Deus pelas maravilhas que acabara de operar e pediu a todos uma oração pelo falecido amigo.

– Este sucesso, dedicamo-lo a Salviano... Ele merece estar tão feliz como nós.

Mas as decisões de Graciano não ficaram por ali. Macedónio diligenciou para que seguissem ordens concretas para Volvêncio, o procônsul da Lusitânia, no sentido de averiguar com urgência, e em sede judicial, os atos praticados por Ithacio Claro, bispo de Ossonoba, nomeadamente quanto à prática do crime de calúnia, severamente castigado pela jurisdição romana. Ithacio ficaria rapidamente fora de cena. O priscilianismo encontrava, finalmente, um campo livre para medrar nos corações das gentes hispânicas!

– Hidácio e Ithacio serão colocados no devido lugar, a paz voltará às basílicas da Hispânia e o nosso plano de evangelização continuará sem mais percalços.

A felicidade com que Prisciliano comunicava as novas à assembleia, que reunira na Villa Aseconia, era imensa. Estavam lá todos os que se esconderam, durante tantos meses, na capa da clandestinidade. Informara Simpósio e Dictínio, na passagem por Asturica, e enviara uma carta a Higino, que lhe assentou no coração como a mais preciosa bênção que poderia ser dada a um homem justo, no final da vida. Higino estava, finalmente, reconciliado com a própria consciência.

Aos poucos, foram-se restabelecendo as redes priscilianistas, nos campos e cidades da Galécia, da Lusitânia, da Bética, da Cartaginense e da Tarraconense. Na Aquitânia, Eucrócia e as amigas contactariam os irmãos para que, com discrição, recuperassem as células, pois o perigo parecia estar afastado e o bispo de Burdigala não se atreveria a atacar, conhecendo as decisões de Macedónio e do imperador.

Prisciliano visitou várias cidades e *villae*, onde foi recebido em apoteose, como se de um herói se tratasse. Novamente, uma onda de euforia em torno do carismático atleta espiritual varria a Hispânia de lés a lés. As conversões sucediam-se, o povo aclamava-o como santo vivo, recorrendo a si para as mais variadas questões da vida, fossem de ordem espiritual, material ou até mesmo relacionadas com problemas ligados aos ciclos agrários, secas ou calamidades. Prisciliano, com sageza e paciência, a todos ouvia e ajudava, procurando levar os *pagi*, em cujo subconsciente coletivo viviam os ancestrais hábitos rústicos, os ritos, os medos e os receios de que as colheitas, o seu pão, pudessem não vingar por força das adversidades da natureza. Com subtileza, transferia os mistérios da salvação cristã para o povo simples, ajudando-o a redirecionar as preces para o Deus bom, a quem se pedia *o pão nosso de cada dia*, origem e fim de todas as coisas.

Algum tempo depois, andava Prisciliano na doutrinação dos *pagi* abulenses, quando divisou três vultos a cavalo, na sua direção. Decidira passar uma boa temporada no seu bispado de Abula, estabelecendo o objetivo de se encontrar pessoalmente com todos os pagãos, para lhes levar a Boa Nova, ao mesmo tempo que nas basílicas e *villae* fortalecia a fé dos crentes, através de novas interpretações para as Escrituras e salmos. Apesar do mau tempo que se fazia sentir na Meseta ibérica, foi um período profícuo, pois a paz de espírito iluminou-o para produzir novos textos, a maior parte deles difundidos por todos os templos da Hispânia. Escrevera um tratado sobre a Páscoa, outro sobre os Génesis, outro ainda sobre o Êxodo, todos muito procurados e apreciados pelas suas comunidades. Tinha prontos tratados e textos sobre alguns salmos e cartas dirigidas ao seu povo, para além de um escrito que denominou "Bênção dos Fiéis". Sentia-se um eleito, imbuído de um especial dom, de um torrencial carisma que lhe afogueava a alma e incitava a solidificar a missão. Inspirava-se em São Paulo, o seu verdadeiro herói, que não conhecera Cristo, já que apenas O vislumbrara numa visão. Nunca O vira pessoalmente, nunca Lhe escutara a voz. Mas isso não impediu que o santo de Tarso da Cilícia se tornasse um verdadeiro apóstolo, quiçá o mais importante evangelizador que a cristandade conhecera. E isso legitimava Prisciliano. Também ele não conhecera Cristo fisicamente, mas entendia-O, sentia-O muito próximo do coração. Escutava-Lhe a voz através dos Escritos que lia, sentia-se inspirado nas alegorias que criava para transmitir a Palavra aos fiéis. Ninguém mais poderia parar o fogo da Hispânia!

Determinara-se a embelezar o interior da basílica abulense com refrescados motivos cristãos. Os melhores artistas da comunidade ofereceram-se para o delicado trabalho. Primeiro, atuaram os rebocadores, que colocavam três camadas de reboco. A primeira destinava-se a colar e a isolar a humidade. Aplicava-se diretamente um chapisco de areia pouco peneirada sobre a parede, traçando na superfície uma série de incisões parecidas com uma espinha de peixe, que permitia a aderência de uma segunda camada de chapisco de areia já mais peneirada. A última camada, a que receberia a pintura, era a mais fina e, por isso, realizada com cal pura misturada com pó de mármore.

Chegara, depois, a vez dos estucadores que remataram a parede com uma cornija. Finalmente, os *pictores*: os *pictores parietarii,* que se dedicavam à pintura geral da parede, e os mais refinados *pictores imaginarii,* especialistas na pintura de cenas bíblicas e motivos cristãos. Prisciliano escolhera um peixe e uma concha de vieira.

Quando Instâncio, Felicíssimo e Arménio lhe apareceram de rompante, ofegantes e com um estranho ar de preocupação, sob um sol falso e enganador, que intercalava a chuva de tantos dias, Prisciliano pensava em Egéria. Tinha recebido, finalmente, na semana anterior, a primeira das cartas que a amada lhe fez chegar pela posta imperial através das irmãs galaicas. As notícias do oriente não podiam ser mais auspiciosas.

Irmãs minhas muito amadas de Deus e minha Afeição, esperando encontrar-vos de boa saúde e na paz do Senhor, informo que cheguei segura e feliz, guiada por Nosso Senhor Jesus Cristo, às terras santas que Ele percorreu nos dias em que nos anunciou o caminho da salvação, expiando os nossos pecados na cruz...

Depois de receber a carta, Prisciliano celebrou a eucaristia mais feliz e demorada dos últimos tempos. Não que tivesse durado mais do que o habitual, mas porque o coração lhe fazia permanentemente lembrar que a carta aguardava por si na sacristia. Atendeu, com o afeto de sempre, os irmãos e irmãs que, no final, lhe apareciam a pedir conselhos e, tudo terminado, pegou na missiva, montou a cavalo e fugiu para o cimo de um monte, para estar sozinho... acompanhado de Egéria.

Lera o texto integralmente, mas muito devagar, saboreando cada pedaço de escrita, procurando encontrar em cada palavra ou expressão traços subtis das informações que pretendia obter do oriente. Estava claro que Egéria mantinha intacta a vontade intrépida de prosseguir a sua singular experiência, partilhando, com o encanto do viajante que descobre lugares incomuns, a sua impressionante curiosidade por todos os pormenores de natureza religiosa. Tudo isto fazia as delícias de Prisciliano, que começava a vislumbrar as afinidades que acreditava ainda existirem na Terra de Cristo com aquilo que apregoava. Mas também as duras penalidades de uma viagem cheia de imprevistas armadilhas e dificuldades.

... acreditem que não só no martírio e na ascese se poderá encontrar a Deus e a nós próprios. A peregrinação, acompanhada de leitura, oração e de silêncio, é, igualmente, um extraordinário caminho para o Uno e para o nosso interior. É esta, em especial, a via que me leva a reviver e experimentar o conhecimento que nos é transmitido pelas Escrituras do Antigo e do Novo Testamento. Acreditem que vivo um momento de grande felicidade e que a única coisa que me pesa é a imensa saudade de não vos ter agora ao meu lado.

Prisciliano ficara sem palavras e sem vontade de fazer o que quer que fosse naquele dia a não ser manter-se no seu silêncio, perscrutando o sagrado mistério divino através do encontro místico com Egéria. Fechou os olhos e deixou-se transportar pelo atalho da imaginação até aos lugares santos, ajudando a amada a vencer obstáculos, alguns bem cruéis para uma mulher, a partilhar as alegrias da redenção, o encontro com o Uno. A nostalgia levou-o pela noite dentro, limpa e escura. Abriu os olhos sob a velha conhecida Via Láctea. Tomou-a, de ponta a ponta, correu através da sua senda luminosa e beijou Egéria na longínqua Palestina. Encontrou-a a dormir, delicada e formosa como sempre, na cama de um desconhecido albergue de Aelia Capitolina, Jerusalém do tempo de Jesus Cristo. O seu espírito fê-la acordar, levantar-se e dirigir-se ao túmulo de Santiago, o filho de Zebedeu.

Ali chegada, Egéria rezou. Era uma mulher feliz e completa. Cumprira o sonho de uma vida, fazia a viagem que qualquer cristão do longínquo ocidente ansiava. Relembrou a história da vida do apóstolo, o único cuja morte estava relatada nas Sagradas Escrituras. Ele que, juntamente com o irmão João e Pedro, foram os primeiros a abandonar tudo para O seguirem. Ele, tão íntimo de Jesus, que O acompanhou na Transfiguração no Monte Tabor, durante a ressurreição da filha de Jairo e também no Jardim das Oliveiras, pouco antes da Sua prisão. O túmulo de Santiago, da oriental Aelia Capitolina, inspirou Egéria a pensar na distante Finisterra.

A sua felicidade só era turbada por desconhecer a sorte das diligências de Prisciliano, na Itália. Tantos deixaram tudo para o seguirem, acreditando na força da sua mensagem, e dele se despediram ainda perdidos na missão. Pensava nas semelhanças da vida de Prisciliano e de Jesus. Rezou pelo amado e pelos amigos. Acreditava que Deus, na Sua infinita bondade, os ajudava. Ajoelhada no túmulo do apóstolo, sentiu uma intensa saudade. Compenetrada, deixou-se transportar pelos limites da consciência, embrenhando-se algures no tempo e no espaço com o pensamento em Prisciliano, agarrada à sua pedrinha mágica.

Por sua vez, na viagem pela delicada faixa de luz, pelo disco repleto de estrelas, pela ilha perdida que atravessava os céus, Prisciliano pressentiu, no contacto espiritual com a amada, o decisivo apelo interior. Tomara uma decisão que o enchia de alegria: faria a longa peregrinação até Egéria, em busca do calor do seu coração e de mais uma face de Deus. Não faltaria quem pudesse dirigir as várias comunidades que floresciam por todo o lado.

– Bons olhos vos vejam, queridos irmãos.
– Prisciliano, precisamos de falar-te, com urgência!
Instâncio, Felicíssimo e Arménio chegaram uma semana depois da carta de Egéria.
– Também eu preciso de falar-vos sobre as decisões que tomei recentemente.
– Que decisões, meu irmão?
– Partirei, em breve, para a Terra Santa. Agora que temos notícias de Egéria e que a vida se acalmou na Hispânia e nas nossas basílicas... Instâncio, tu poderás liderar espiritualmente a nossa causa, durante a minha viagem. Estás mais do que preparado...
– Amigo, receio bem que não possas fazer essa viagem – informou, com o rosto enevoado de tristeza.
– Como assim?! – Prisciliano pressentiu as dores de alma de outros tempos.
– Aconteceram novamente coisas terríveis...
– Não posso crer! Vá, sentem-se e contem-me tudo!

35

Abula (Ávila)

As nuvens plúmbeas que moldavam os céus de Abula estavam prestes a rebentar, como se o cosmos fosse capaz de sofrer em perfeita osmose com as afetações humanas. Prisciliano perscrutava um sinal divino que lhe conferisse suficiente discernimento para compreender o sentido da vida. Do tempo e do espaço que lhe fora concedido viver, que escolhera como ato de entrega total e radical, em nome das convicções mais profundas e no conhecimento que tomou do mundo, em especial, do espiritual.

Enquanto acompanhava o movimento das nuvens fustigadas pelo vento, matutava no tempo e na sua história, desde que tinha consciência de si próprio enquanto ser vivente. Tal como Cristo, dobrara os trinta anos de vida e lutara com força e energia pelos seus valores. *Seus?* Afinal, os valores que partilhava com tantos que, no seu tempo, refletiam sobre a frágil condição humana. Via-se herdeiro de Tertuliano, Orígenes e de outros Padres da Igreja que buscavam nos textos antigos e nos mais recônditos lugares do intelecto os pilares para uma religião pura. Acreditara ser um homem espiritual, estar imbuído de um especial carisma, defendendo com a força da fé o dever que incumbia a todo o cristão eleito de ensinar e transmitir às gentes a verdadeira revelação. *Mas será que tinha esse carisma, capaz de discernir entre o falso e o verdadeiro, e de o transmitir corretamente aos fiéis, ou lavrava em pleno erro, como pretendiam aqueles que o afrontavam e lhe desejavam a excomunhão e, quiçá, algo bem pior?*, meditava, apreensivo.

Fortalecido pela vertiginosa espiral de reflexão que lhe ocupava a mente, enquanto contemplava os céus grávidos de Abula, via-se imbuído da maior energia que algum homem poderia alcançar para levar por diante, sem medos e reservas, o seu destino: a força das suas convicções. Habituara-se a relativizar as más notícias.

Mas a informação que o bispo Instâncio e os sacerdotes Felicíssimo e Arménio lhe traziam, montados nos cavalos cansados da longa viagem, eram uma rutura completa com tudo o que até ao momento lhe havia acontecido.

O tempo colocara-o perante algumas provas de Hércules: os desacatos e perseguições de Burdigala, o concílio de Caesaraugusta, as maquinações de Hidácio e Ithacio, as agressões de Emerita Augusta, o primeiro rescrito de Graciano, que o levara a Roma e a Mediolanum, e até o segundo rescrito, cuja notícia recebera de Latroniano, numa jornada de missão na Lusitânia. Para não falar na coleção de calúnias e infâmias a seu respeito. Ainda se recordava das palavras preocupadas do poeta lusitano e das diligências que, rápida e eficazmente, tomaram.

– Prisciliano, lembras-te de me teres falado de um tal Próculo Gregório, questor de Mediolanum? – perguntara-lhe Latroniano.

– Claro que me lembro! Como poderia esquecer o assassino moral de Diógenes?

– Pois acabei de saber, em Emerita, que foi elevado à categoria de prefeito de pretório e que mandou um pedido a Graciano a solicitar duras ações contra ti – comentou o poeta, angustiado.

– A que propósito?! Não lhe fizemos mal algum! – Prisciliano punha-se em estado defensivo.

– Acredito que não. Mas talvez não saibas que Ithacio Claro conseguiu ludibriar a justiça. Como os poderosos sempre conseguem...

– Não digas!? – As sombras de preocupação agitavam-se-lhe no rosto.

– É verdade! O procônsul Volvêncio está uma fera! Diz-se que Ithacio subornou os soldados que o guardavam e fugiu para Augusta Treverorum. Precisamente para a cidade onde vive agora esse Gregório...

Um estafeta partira, de imediato, para Burdigala com uma carta para Eucrócia a contar o sucedido e a pedir de novo os bons ofícios junto de Macedónio. A resposta não tardou. O *magister officiorum* não atirava ao lixo as lealdades, muito menos as convicções. Não podia eliminar a decisão de Graciano, que parecia navegar à vista, mas poderia fazer uma outra coisa: que o interrogatório dos priscilianistas fosse remetido para Mariniano, o *vicarius* da Hispânia. Conhecia-lhe a sensatez e a pouca admiração que nutria pelos delatores e caluniadores Hidácio e Ithacio Claro. Descobrira que Mariniano era um galaico de Limia e simpatizava com as doutrinas de Fulgêncio de Emerita. Protegera-o discretamente quando este se apartou da comunhão com Hidácio, após o concílio de Caesaraugusta.

Tudo isto relatara Eucrócia detalhadamente numa carta enviada a Prisciliano, acrescentando uma outra informação muito útil: Ithacio receberia ordens para ser conduzido a Emerita por uma companhia de soldados para ser julgado, como estava inicialmente determinado.

Mas isso era passado que Prisciliano esquecera. Desculpara, entretanto, todos os que lhe haviam causado danos morais e físicos. Se fosse chamado a Emerita para depor no julgamento de Ithacio Claro, declararia o seu perdão, em nome da pacificação da Igreja. Até porque Mariniano lhe fizera saber que, das averiguações que encetara, não entrevia matéria para prosseguir qualquer causa contra Prisciliano e os seus irmãos.

– Então, contem lá o que vos traz a Abula, tão apreensivos, meus irmãos? – interpelou, logo que os amigos se acomodaram.

– Ainda não sabes das notícias?! – sondou Instâncio, antes de avançar.

– Receio que não...

– O imperador Graciano foi assassinado – respondeu, sem hesitar.

– Mataram-no?! Soube que Magno Máximo se havia rebelado, mas não imaginava que fosse capaz... – comentou, lembrando-se dos funestos e depois auspiciosos acontecimentos que o imperador provocara no movimento priscilianista. – Paz à sua alma!

Magno Máximo era um oficial hispânico, batizado e adepto da fé nicena, que servira às ordens do velho general Teodósio, pai do imperador do oriente. Tal como muitos caçadores de fortuna, procurou na milícia romana a ascensão social, alcançando o cargo de *Dux Britanniae*. Prisciliano sabia que, nos inícios daquele ano de 383, os soldados o haviam proclamado imperador, na sequência de uma vitória sobre os pictos e os escotos, na fronteira setentrional da ilha da Britannia.

– O homem não deve estar bom da cabeça! – prosseguiu Prisciliano, procurando entender a razão das coisas. – Graciano era um imperador cristão e niceno e foi ele quem escolheu o poderoso Teodósio para governar em Constantinopla. Pode sair-lhe cara a aventura! Mas como é que isso aconteceu?

– Ao que consta, Graciano pôs-se a jeito. A juventude toldou-lhe a lucidez de respeitar as velhas tradições da caserna. Parece que os soldados odiavam que se vestisse em público como os guerreiros alanos. A simpatia pelos bárbaros afetou a moral da soldadesca, que não tolerou a falta de respeito e consideração – explicou Felicíssimo.

– Sim, mas ninguém apostaria que conseguisse derrotar Graciano. Pensava-se que a insurreição seria rapidamente aniquilada... – Prisciliano continuava espantado com o sucedido.

– É verdade, ninguém consegue justificar o sucedido. Todo o império está admirado com os acontecimentos... – lamentava-se Arménio.

Quando soube que as tropas de Máximo cruzaram o canal e invadiram as Gálias, Graciano abandonou a guerra na Raetia, mobilizando, sem perda de tempo, o exército contra o usurpador. Contava aniquilá-lo, nas imediações de Lutetia. Após as primeiras escaramuças, várias unidades mudaram de partido e foram-se juntando, surpreendentemente, a Magno Máximo. Até a poderosa cavalaria mauritana havia mudado de senhor. Graciano abandonou o campo de batalha e procurou refúgio no sul, acompanhado de pouco mais de trezentos ginetes, que se lhe mantinham leais, mas sem retaguarda. Máximo havia infiltrado agentes nas várias cidades gaulesas, que fechavam as portas ao legítimo imperador. Graciano determinou-se a cruzar os Alpes, buscando proteção no território itálico do meio-irmão Valentiniano. Mas o general Andragatio, seguindo as ordens do usurpador, alcançou-o, depois de uma feroz perseguição, perto de Lugdunum, quando se preparava para atravessar o Rodanus. Vivia a humanidade o dia 25 de agosto de 383.

– Diz-se que o general mandado pelo usurpador lhe prometeu imunidade, jurando solenemente sobre o Evangelho, caso Graciano se entregasse voluntariamente... – Instâncio voltou a dirigir as explicações.

– E entregou-se?

– Sim, acreditou em Andragatio. Mas nunca se deve acreditar num usurpador...

– O que aconteceu?!

– Embriagado pelo sucesso da operação, Andragatio deu a Graciano o mesmo ignominioso tratamento que os imperadores legítimos costumam dar aos usurpadores: cortou-lhe a cabeça e expô-la em público, para que o povo pudesse comprovar a derrota, com os próprios olhos!

– Meu Deus, a traição, o perjúrio e a maldade abundam no coração dos homens que se dizem de Deus.

Prisciliano rezou pela alma de Graciano. Apesar de titubeante, o jovem imperador evitara a tempo um ato iníquo e injusto sobre a causa priscilianista. E não conheciam sinais de que apoiasse Próculo Gregório na sua vingança pessoal contra o bispo de Abula.

– Mas qual é a vossa preocupação, irmãos?! Acham que o usurpador nos poderá prejudicar?

Os três amigos entreolharam-se. Chegara a hora das piores notícias. Mas não havia tempo a perder.

– Prisciliano, mal o gérmen da revolta estalou, Ithacio Claro percebeu que mudara a sua sorte. Movimentou-se rapidamente em Augusta Treverorum. Subornou os soldados escalados para o escoltar até Emerita e refugiou-se em casa de Britto, o bispo da cidade. Ao que parece, é um homem da mesma laia do nosso compatriota de Ossonoba – explicou, com cuidado, Felicíssimo.

– Não digas?! Ithacio Claro continua no seu melhor. Aposto que não tardará a transformar-se num grande apoiante do usurpador e a conspirar contra nós… o típico dos bajuladores. São os que mantêm as sandálias de quem detém o poder bem lustradas, para rapidamente passarem a lamber as dos que o sucedem, com o mesmo afã.

– Primo, ele não vai tardar… Ele já fez isso! Vamos todos ser julgados, rapidamente, em Burdigala!

– Em Burdigala?!!!! – Os olhos de Prisciliano arregalaram-se, o coração pulou.

– Sim, prepara-te para viajares… mas com forte escolta militar!

36

Burdigala (Bordéus)
Varatedo (Vayres, perto de Bordéus)

Corria o mês de abril de 384 quando, pela terceira vez, Prisciliano entrava na cidade que lhe revelara a face do Uno. Mas, naquela ocasião, não pisava solo aquitano por sua vontade. A ordem viera direta e precisa de Magno Máximo, o usurpador, através das missivas escritas ao prefeito do pretório e ao delegado das províncias hispânicas: levar a Burdigala os principais líderes do movimento priscilianista para os julgar num sínodo.

A passagem da cerrada comitiva ao longo das estradas e cidades hispânicas foi acompanhada por muita gente simples que se abeirava dos viajantes, vestida de branco e com flores na mão. A notícia da convocatória do imperador correra veloz como o vento entre as redes priscilianistas. Apesar do frio e das chuvas da primavera, veio povo dos quatro cantos da Península assistir ao cortejo do mestre e seus companheiros. Ajoelhavam-se em pungente silêncio, à passagem de Prisciliano, rezando fervorosamente pela sua sorte. Os soldados que os acompanhavam não permitiam que houvesse diálogos com o povo, receando atrapalhar a viagem, para além de que poderia servir de ignição a um levantamento popular de imprevistas consequências.

Prisciliano cavalgava, de rosto seráfico e imperturbável. Erguia a mão para saudar e dar a bênção aos fiéis. Sobretudo quando encontrava mulheres, crianças e velhos, que choravam copiosamente à passagem da comitiva.

Instâncio, o poeta Latroniano e os clérigos Felicíssimo e Arménio olhavam o povo com ternura, mas também com receio pelo futuro da espiritualidade de tanta gente que os amava.

Subitamente, o cortejo parou. No meio da via, encontrava-se um coxo andrajoso.

– Sai da estrada, velho! Não vês que queremos passar? – ordenou o comandante.

Como o homem se mantinha quieto, um soldado desceu da montada e, à sua frente, ordenou:

– Para além de coxo, és surdo?! Ou cego?! Não te ordenaram que saísses?

Perante o silêncio, e a uma ordem do comandante, o soldado desembainhou a espada.

– Sais a bem ou sais a mal?!

Prisciliano olhou mais detalhadamente o indigente e sobressaltou-se.

– Deixa-me falar com esse homem! – peticionou, com humildade.

– Estás proibido de falar com quem quer que seja!

– É um homem só… manco e velho. Não faz mal a ninguém…

O soldado parou por um instante e olhou para o chefe. Este viu que, naquele inóspito local, não havia mais ninguém nas redondezas. Só aquele solitário andrajoso, sem uma perna, o que não oferecia qualquer perigo.

– Conhece-lo?!

– Acho que sim… – respondeu, com uma forte intuição de quem se tratava.

– Então, despacha-te e convence-o a sair da estrada! – ordenou secamente.

Prisciliano desceu da montada e dirigiu-se a ele, até ficar a dois palmos da sua cara. Reparou na verruga no queixo e na serenidade do seu olhar.

– Que fazes tão longe de Emerita?! – perguntou quando se certificou que se tratava do mesmo pedinte que o recebera às portas daquela cidade.

– Vim para te ver… – respondeu, com uma misteriosa doçura.

Uma subtil centelha de luz trouxe ao mestre memórias difusas. Achava que conhecia aquele homem de outros lugares, de outros tempos. Que aquela voz lhe aparecia em momentos importantes da vida, mas não sabia ao certo quando e onde.

– Quem és tu? Há algo estranho em ti…

– Eu sou o tudo e o nada. Moro em vários lugares e em nenhum ao certo... Sou o homem e a natureza, talvez o espírito do tempo – respondeu no mesmo tom desconcertante.

O soldado, por perto, ouvia a conversa.

– É mais um louco da seita! Põe-no a mexer, imediatamente!

– Está na hora de partires... Lembra-te que alguém te disse um dia que a História não apagará o teu nome, nem quando te encontrares com *O Cristo* e ele te tapar o olhar para sempre, na capital do império.

Dito isto, com a ajuda do bordão, pôs-se a caminho, na mesma direção dos viajantes. Prisciliano deu dois passos e apanhou-o, por trás.

– Quem és tu?! – perguntou novamente, com o coração aos pulos.

– Eu sou *O Cristo*... Toma esta rosa e segue o teu caminho...

Pé ante pau, o homem caminhava devagar. Rapidamente foi ultrapassado pelos cavalos e a sua imagem transformou-se num ínfimo ponto da estrada até desaparecer na linha do horizonte. Prisciliano cavalgava, em convulsão interior. Uma torrente de pensamentos desconexos transportava-o para inúmeros tempos e lugares, provocada pelos comentários do velho coxo da verruga, e procurava lembrar-se quem lhe havia dito as palavras que ele recordou. Olhou para a rosa que só ele via ser azul. Pensou em Lívio, em Diógenes, em Marcos de Menfis. *Que terão eles em comum com aquele homem?*, pensava, perturbado. – *E porque diz que se chama* O Cristo? *Ele também conhece a cor desta rosa, senão não ma tinha oferecido...*

Alcançaram uma Aquitânia com as vinhas a despontarem os primeiros galhos que haveriam de dar o fruto tão afamado naquelas terras. A escolta permitiu que se hospedassem na *villa* da viúva Eucrócia, que já os esperava, com ansiedade.

– Vindes cansados, amigos! Preparei-vos uma refeição e estão prontos os banhos quentes e os quartos de dormir. Mereceis um bom repouso.

– Obrigado, querida amiga! É sempre bom voltar a tua casa – respondeu Prisciliano, abraçando demoradamente a viúva de Delfídio, para logo depois saudar igualmente Prócula e Urbica; esta, sabendo da chegada dos hispânicos, dirigiu-se, de imediato, à Villa Varatedo, para os receber.

– Vá, esta casa é a tua casa. Mas, desta vez, não prevejo que tenhas tempo para fruir das suas delícias.

– Não vim para fruir as delícias da Aquitânia. À força, é certo, mas vim em busca de justiça.

– Toma cuidado, Prisciliano. Esta gente não é de confiança. Ouvi dizer que está cá Ithacio Claro para o sínodo e que tem sido visto em animadas cavaqueiras com bispos de várias proveniências.

A noite foi de descanso. Mas não para Prisciliano. Apesar do frio cortante que fazia no exterior, precisava de sair e respirar o ar da madrugada. Quem o visse deambular por entre a névoa noturna em direção ao bosque pensaria tratar-se de uma qualquer alma penada, uma visão, talvez um fantasma de túnica branca esgueirando-se entre a penumbra da noite e as silhuetas dos carvalhos. Entrou na clareira que conhecia de outros tempos, ajoelhou-se e sentou-se sobre os calcanhares. Fixou os olhos num ponto de luz algures no céu, esvaziou o pensamento e deixou-se meditar sobre o nada, a inexistência, o branco total. Emergiu da letargia uma hora depois. A temperatura desceu mais e as folhas das árvores pingavam orvalho. Mas o frio inexistia para Prisciliano. Havia muito que o corpo vencera o frio, o calor, a fome, o sono. O pensamento dominava o corpo e habituara-o às situações extremas da existência.

Situado no presente, voou novamente para o céu. Perscrutou a Via Láctea e fez-se viajar até ao extremo oriental do império, à Terra Santa. E se Prisciliano tivesse o dom da ubiquidade, ou pudesse viajar ao mesmo tempo que o seu pensamento, encontraria uma Egéria feliz com as surpreendentes descobertas que ia fazendo.

Rememorou a sua última carta, recebida poucos dias antes de sair da Hispânia. O manuscrito tinha o potente dom de tornar a amada presente, ou de transportá-lo ao distante oriente. Desdobrou-a com cuidado e buscou um ponto onde a luz do plenilúnio alumiava com mais intensidade a clareira.

Minha Luz,

Espero encontrar-te bem de saúde e em paz com o mundo e com o Senhor. Fico muito feliz por a justiça de Deus ter, finalmente, imperado na Hispânia, por a nossa missão continuar a evangelizar a nossa terra com renovado fervor. Não tardará muito e todos se renderão à tua imensa generosidade e sabedoria.

Prisciliano parou a leitura e respirou fundo.

– Agora já não é assim, minha querida Egéria! O mundo surpreende-nos em cada esquina do tempo. O que vemos hoje não é igual ao que será amanhã – murmurou para a noite, antes de prosseguir a leitura.

Depois de todas as terras cujas visitas te relatei, preparo-me para chegar à morada de Deus: ao Monte Sinai. Já me contaram que na montanha sagrada dos cristãos, onde Ele se manifestou a Moisés, existem centenas de eremitérios, celas de ascetas e anacoretas, igrejas e mosteiros. Tanta é a gente que quer partilhar a experiência espiritual da proximidade com Deus! Havias de gostar de viver ali, luz da minha alma!

A partir de lá, espero viajar durante meio ano, antes de voltar a casa, caso não te decidas, entretanto, a vir ter comigo.

Eu continuo muito feliz. As duras penas passadas nas estradas e as subidas aos montes são apenas imprevistos percalços na alegria tão imensa como inexplicável em que vivo, talvez apenas comparável à felicidade absoluta que experimentamos quando nos é concedida a Revelação.

Depois do Monte Sinai, sempre com as Sagradas Escrituras na mão para reconhecer os lugares e os momentos sagrados neles vividos, visitarei o Monte Nebo, onde Moisés foi sepultado, e o país de Ausítis, para conhecer e rezar no túmulo do bem-aventurado Job. Igualmente Salém, a cidade de Melquisedeque, e Ennon, lá perto, lugar onde foi batizado São João Batista; Tesbé, a cidade do profeta Elias, e ainda a Mesopotâmia e a Síria. O meu coração anseia também por visitar o túmulo do apóstolo Tomé, em Edessa, onde viveu o rei Agbar, que trocou correspondência com Cristo. Mas também Tarso e Seléucia de Isáuria, onde se encontra o famoso túmulo de Santa Tecla, que qualquer peregrino não pode deixar de visitar, pois, como se lê nos Atos de Paulo e Tecla, esta foi a diletíssima companheira daquele apóstolo que tanto amamos.

Prisciliano parou novamente a leitura, imaginando os lugares que preenchiam os dias de Egéria. Como compreendia os afortunados raios que iluminavam cada palavra da peregrina.

Aqueles eram tempos singulares para o Cristianismo que se autodescobria, depois da liberdade de culto. A Terra Santa passara a ser invadida por peregrinos de todos os quadrantes do mundo romano. Jerusalém e os Santos Lugares transformaram-se no ponto-chave da história da Salvação, no *axis mundi*, o lugar tocado por Deus, onde o homem crente mergulhava num banho de fecunda renovação espiritual. Por isso, passou a atrair aqueles que podiam deslocar-se, mesmo de pontos tão distantes como a Galécia de Egéria, e que guardavam dentro de si um inadiável desejo de tocar, e ver com os próprios olhos, o cenário onde se desenrolara todo o processo de construção do edifício da fé cristã. Os peregrinos não iam em busca da redenção dos pecados, mas sim movidos pela crença de que a história da Salvação não era apenas uma vaga ideia, antes, pelo contrário, que os seus olhos e corpo tocavam a essência da Criação.

Como vês, luz que todos os dias me ilumina, tenho trabalhos para, pelo menos, mais meio ano e, como sabes, não desaproveitei estes dois anos e meio que ando em viagem.

Avisa as minhas irmãs que lhes escreverei, no final, como prometi, a relatar pormenorizadamente tudo o que vi nesta visita a Cristo. Vou-te mantendo informado de tudo o que precisas. Logo que possa, detalharei todas as informações que pediste, as que já possuo e as que ainda descobrirei, tudo através de posta segura. Nunca se sabe se serão necessárias!

Termino renovando-te a imensa afeição que o meu coração te guarda. Deus quis que vivêssemos o tempo da Terra em devota paixão. Ainda bem que ela nos conduz a esta extrema felicidade e nos fará viver o paraíso após os breves instantes da passagem terrena, onde prolongaremos a nossa felicidade para a eternidade.

Desde que os cristãos deixaram de ser perseguidos, o martírio deixou de ser o caminho mais direto para Deus. Nós temos a felicidade de experimentar as outras duas vias: a ascese e a peregrinação aos lugares santos.

Fica na paz do Senhor e beija a pedra gémea da que tenho comigo!
Tua,
Egéria

Prisciliano terminou a leitura, beijou o quartzo com ternura e colocou-se na posição de meditação inicial, sentado sobre os calcanhares. Refletia sobre o futuro. *O que fazer? Responder às acusações que lhe seriam dirigidas no sínodo burdigalense? Remeter-se ao silêncio? Recorrer a uma outra instância? Rumar à Terra Santa e ali viver até ao fim dos seus dias com Egéria e com quem quisesse acompanhá-los? Ou...? Ou...?* Procurou novamente o manuscrito de Egéria e estremeceu com o cenário que lhe afogueou o pensamento. Uma imagem iluminava-se com nitidez: descobrira, finalmente, que a frase do mendigo da estrada fora proferida por Antonino, o sábio alexandrino. *Que ligação haveria entre o seu oráculo e o aparecimento do pedinte?* Uma nova vaga de perturbação tomou conta si. *E com a gente e os animais especiais, como Diógenes, que apareciam em momentos cruciais da sua vida e logo desapareciam?*

Duas semanas depois da chegada de Prisciliano a Burdigala, deu-se início ao sínodo convocado pelo usurpador. Delphino, o bispo local, a quem coube presidir, mandou chamar, em primeiro lugar, Instâncio para depor e defender-se das acusações.

Durante a ausência do amigo, Prisciliano celebrou uma missa na capela da *villa* de Eucrócia. Não mostrava sinais de ansiedade, antes de serenidade. Parecia que um qualquer secreto plano se engendrava dentro de si, sobretudo quando usou a homilia para meditar sobre o texto das Escrituras que escolheu para ser lido. Era a passagem da chegada de Jesus a Jerusalém…

– Então, Instâncio, como correu a audiência?! – questionou, expectante.

O salmantino saíra na primeira hora do dia e só regressara ao crepúsculo. Fora uma jornada penosa para Instâncio, que deixara a Villa Varatedo como bispo e chegara completamente despojado do múnus episcopal.

– Já não sou bispo, Prisciliano – respondeu, triste e cabisbaixo.

– Como assim?! O que te fizeram, irmão?!

– Não estiveram com meias medidas. Argumentei todas as nossas razões, mas não ouviram ou não quiseram ouvir.

Urbica chegou com uma infusão de ervas calmantes que entregou a Instâncio. As mãos da mulher tremiam, emocionada com o relato do amigo. Trouxe outra infusão para Prisciliano, mas não a entregou. O copo de barro caiu-lhe das mãos e partiu-se no chão em mil pedaços, salpicando água quente em todas as direções.

– Vá, Urbica! Acalma-te! Pareces muito nervosa!

Eucrócia e Prisciliano levantaram-se imediatamente para sossegar a amiga.

– Vai deitar-te, irmã! – aconselhou-a o mestre. – Nós assistiremos Instâncio...

– Não me conformo com a maldade que vos estão a fazer! Amanhã vou à cidade pedir satisfações a esses que se dizem cristãos. – Urbica era uma mulher irritada, fora de si.

– Não vás! Descansa e deixa isso connosco!

Urbica saiu, inquieta, da sala e Instâncio prosseguiu a narração dos acontecimentos.

– Estão verdadeiramente furiosos connosco. À exceção de Martinho de Turones e mais um ou outro discreto bispo, mais parecem uma manada de esfomeados animais selvagens em busca da presa. E a presa és tu, Prisciliano! – asseverou, abatido.

– Eu sei – respondeu, mais calmo, o mestre. – Tenho estado a pensar nisso...

– Querem-te lá, daqui a três dias. Vão tratar previamente não sei de que assuntos e preparar a tua audiência. E olha que não me despediram sem deixar claro que têm provas de que, da última vez que por aqui passámos a caminho de Roma, engravidaste a jovem Prócula e que as plantas que Urbica colheu na margem da estrada se destinaram ao abortamento.

– Malditos bispos! – A voz de Urbica estrondeou, pois que, não se tendo recolhido, ouvira as palavras de Instâncio, atrás da porta. – Amanhã estarei à primeira hora em frente à basílica para ter um conversinha com esses senhores!

– Vai deitar-te, Urbica, e sossega! Toma uma infusão para te acalmares! – insistiu Eucrócia, que se levantou e conduziu a amiga até ao seu *cubiculum*.

Instâncio continuou o relato dos acontecimentos na basílica da capital da Aquitânia. Prisciliano escutava com atenção e procurava no íntimo uma inspiração para sair daquela perigosa situação. A parte final do escrito de Egéria continuava a ecoar-lhe com força no coração.

– Imagina que estão até dispostos a acusar-te de teres participado em orgias noturnas nesta *villa*, aquando da tua primeira estadia – continuou o destituído, antes que chegasse a dona da casa. – E não faltarão certamente testemunhas, as que tu imaginas, é claro, e que estão sedentas de te humilharem...

– Sim, lembro-me bem das últimas palavras de Flaviano, quando passámos por aqui, em direção a Roma... – recordou Prisciliano, com ar distante.

– Mas o propósito final deles é provarem que és um maniqueu. Não o disseram frontalmente, mas percebi-o nas entrelinhas – concluiu Instâncio, abraçando com força o amigo.

A Villa Varatedo acordou em alvoroço, na manhã seguinte. Ninguém sabia de Urbica. Eucrócia deu instruções a todos os criados para a procurarem dentro da casa, nos campos e no bosque. O sol ia alto quando reconheceram que não valia mais a pena buscarem dentro da propriedade.

– Temos de ir a Burdigala, Eucrócia! Com certeza que Urbica cumpriu o que prometeu.

Engoliram uma sopa de legumes à pressa e partiram a galope para a cidade. A intuição de Prisciliano fora certeira. Quando dobraram as portas, ouviu-se uma vozearia anormal, para os lados da basílica. Gente corria em várias direções, especialmente para o lugar de onde soavam ecos de algazarra. Uma amiga de Eucrócia viu-a, hesitante, e dirigiu-se-lhe, com ar aflito.

– Urbica está em apuros…

Golpearam a barriga dos cavalos e seguiram em direção ao foco da gritaria. Ao dobrarem a esquina, puxaram as rédeas, fazendo-os parar. O alvoroço era geral. Uma horda de homens uivava palavras de ordem para um círculo. Prisciliano apurou o ouvido para as distinguir.

– Meu Deus, não posso acreditar! Instâncio e Felicíssimo, levem Eucrócia e Prócula para casa, de imediato!

– Como?! O que se passa, Prisciliano? – perguntou Prócula, sem entender, mas muito receosa.

– Vocês não podem ficar aqui! Vão depressa para casa! Arménio, vem comigo!

Os dois desceram dos cavalos, que ficaram à ordem de um criado da viúva.

– Diz-me o que se passa, Prisciliano – pediu Arménio, ainda atordoado.

– Ouve com atenção e já vais perceber. Vamos rapidamente à basílica!

Correram para uma entrada lateral do templo, às portas do qual a turba enfurecida exorcizava os demónios coletivos. Entraram na nave principal, mas não se via vivalma.

– Embora! Vamos a casa do bispo! É ali ao lado!

Arménio olhou de novo para a multidão e quase lhe parava o coração. A turba lançava pedras enquanto gritava furiosamente *Matem a bruxa!*

Teve vontade de correr em direção ao frenesim, mas Prisciliano deitou-lhe a mão.

– Não te adianta! Só há um homem que pode pôr cobro a isto! Vamos, rápido!

Quando chegaram à porta da residência episcopal, foram barrados por um guarda.

– O que procuram neste lugar?

– Quero falar com urgência ao bispo Delphino!

– Quem o procura? – perguntou, sem pressa.

– Prisciliano, bispo…

– Um momento!

Algum tempo depois, voltou, acompanhado, à porta. Mas não era o bispo de Burdigala que chegava.

– Olha quem anda por aqui! Vieste cedo! A tua audiência não está marcada para hoje!

– Cala-te com isso e chama o bispo, de imediato… antes que seja tarde de mais!

– Tarde de mais?! Oh, Prisciliano, não tenhas pressa que a tua hora há de chegar, mas no momento certo.

– Para com as ameaças, Flaviano! Vejo que os velhos instintos continuam a correr-te nas veias! Chama lá o bispo! – ordenou, desesperado.

– Que pena! Delphino não está hoje… – respondeu Flaviano, com desdém.

– Como não está?! Não brinques comigo! Há uma mulher a ser assassinada às portas da basílica, à frente do nariz de todos os bispos que integram esta farsa!

– Prisciliano colocara-se a um palmo do nariz do velho conhecido, elevando o tom de voz.

– Estás a falar de uma bruxa e mulher de vida que apareceu por aí de manhã a insultar os bispos, a Igreja e o próprio Nosso Senhor Jesus Cristo?! – Os olhos de Flaviano brilhavam de desprezo. – Sabes tão bem que a bruxaria não tem perdão. Seria condenada, de qualquer forma!

– Maldito! És tão criminoso como eles! Onde está Delphino?

Os ouvidos conseguiam discernir os gritos lancinantes de Urbica, de cada vez que lhe acertava uma pedra dos verdugos que a rodeavam.

– Estás a perder a paciência, Prisciliano! – respondeu, com um sorriso sardónico. – Como hoje é dia de descanso do sínodo, Delphino convidou todos os colegas a passar uma tranquila jornada na sua *villa*, nas margens do Duranius. Só voltam amanhã à noite, na véspera da tua audiência. Ontem foi um dia muito cansativo para os bispos. Como sabes, muitos deles vieram de longe e tiveram pouco tempo para descansar – concluiu, entoando a canção do sarcasmo.

A expressão dos olhares dos dois amigos ia da fúria à incredulidade. Viraram as costas e dirigiram-se ao maralhal.

– Ah, senhor bispo... de Abula! Da próxima vez, não te esqueças de trazer as vestes de bispo, senão ainda te confundem com um pedinte – Prisciliano adivinhou a cor do cinismo no rosto de Flaviano. – E, já agora, informo-te que está cá o teu melhor amigo: Ithacio Claro, de Ossonoba! Aquele que te esbofeteou em Bracara Augusta, quando eras um fedelho. E que te ofereceu um festim de porrada por andares a meter-te com Egéria, essa mulher que desviaste para a má vida! Trata-o bem, que será um bom advogado da tua causa. E bem precisarás de um bom advogado...

– Vai para o Inferno! – respondeu Prisciliano, furioso e sem olhar para trás.

Os dois tentaram, à força, fazer parar os homens que apedrejavam Urbica, mas era tarefa inglória. Foram imediatamente agarrados e encostados a uma parede por seis rapazes musculados. À volta, nem guarda nem assistência. Parecia que mais ninguém queria ser testemunha do crime coletivo que ali se cometia.

Espernearam, gritaram, amaldiçoaram, mas só foram libertos quando o bando desapareceu, num ápice, como vespas a voltar ao ninho. À sua frente o espetáculo não podia ser mais dramático e comovente. Urbica jazia, exangue, sem vida, num manto vermelho de sangue, deformada pelas pedras que se amontoavam em redor. Até ao fim, o sinal da sua fé: as palmas das mãos coladas, morrendo em oração.

37

Augusta Treverorum (Tréveris)
[Varatedo (Vayres, perto de Bordéus)]

– Com que então Valentiniano é que é o príncipe... o césar, o imperador?! Maldito!

Evódio, um homem pequeno e de nariz adunco, espumava de raiva, circulando à volta de Prisciliano, com passos nervosos. O prefeito do pretório de Magno Máximo coçava a barbilha de alguns dias que, com o cabelo cortado quase junto ao crânio, lhe conferia um ar severo, de homem sem escrúpulos ou remorsos.

– Abre lá essa boca, herege! Não penses que vieste a Augusta Treverorum em passeio! Tu e a corja de maniqueus que chefias na Hispânia! – insurgiu, com a proverbial aspereza de modos.

O mestre mantinha-se de pé, de queixo erguido, olhando o infinito. No pensamento habitava uma pessoa em especial. Rememorava os trágicos acontecimentos que o haviam trazido, com escolta bem armada, até ao palácio imperial. Com ele, vieram os irmãos hispânicos e Eucrócia, igualmente intimada a apresentar-se na capital imperial do ocidente. Prócula tivera outra sorte. Encontrava-se em viagem à Hispânia, a fim de entregar uma carta ao homem de contacto de Prisciliano, para a fazer chegar com segurança a Egéria, relatando os últimos episódios e pedindo-lhe que voltasse com urgência com todas as provas que tivesse reunido. E por lá se ficou, escondida entre os amigos priscilianistas, quando soube dos funestos acontecimentos de Burdigala.

O mestre tinha recebido a última carta de Egéria, no momento em que preparava uma nova viagem a Mediolanum, em busca de ajuda. Mas a carta da amada peregrina fora apreendida, juntamente com todos os haveres de Prisciliano, quando chegaram os soldados a Villa Varatedo, com ordens precisas do usurpador: todos deveriam ser conduzidos à força ao palácio imperial.

Foi em estado de choque que o galaico ouviu Evódio ler em voz alta a missiva da amada. Não imaginara que um escravo desleal de Eucrócia soubesse onde a escondia e que a fosse entregar a Flaviano.

Luz da minha vida,

Espero encontrar-te na paz do Senhor e animado na tua missão de salvar as almas puras da Hispânia. Não imaginas o quanto te agradeço os ensinamentos que me confiaste sobre o Antigo Testamento. Ainda me lembro quando nos amámos de puro amor, nus na noite nossa, em pleno bosque, até renascermos com as primícias da aurora, lendo o "Cântico dos Cânticos". Recordo tantas vezes esses momentos! É tanta a alegria de descobrir cada pedaço de terra, cada lugar onde se passou o mistério bíblico e onde os nossos santos prepararam a vinda de Jesus!

Mas venho ao teu encontro para te trazer notícias sobre os costumes destas terras. Florescem por aqui muitas comunidades ascéticas de homens e mulheres que, como nós, vivem a pureza da verdadeira religião, buscando na entrega radical dos corpos e almas o sentido da vida, a imitação de Cristo. Que não te condenem por jejuarmos aos sábados e domingos, assim como no período quaresmal, pois que por cá também se pratica esse costume. Também se celebra o nascimento de Cristo no dia 6 de janeiro, o dia da Epifania do Senhor, que nós preparamos em retiros espirituais nos montes, quatro semanas antes da Sua vinda. Fica sabendo, meu amado, que também nestes lugares encontrei comunidades que, como as nossas, levam a hóstia consagrada para casa, para a tomarem recolhidos nas suas orações, e ouvi até dizer que assim o faziam alguns fiéis do Egito.

E não te espantes com o que vou contar de seguida: não somos apenas nós que nos descalçamos nas celebrações noturnas. Também os monges destas terras e os egípcios se descalçam para comungar. Perguntei-lhes porque o faziam e responderam-me que seguiam o exemplo de Moisés, que, perante a sarça-ardente, se descalçou, assim como o de Isaías, que andou descalço durante três anos.

Mas, minha luz, vou agora relatar-te o que verdadeiramente querias saber sobre os monges messalianitas que vivem para lá do Eufrates, na Mesopotâmia da Síria. São ascetas muito devotos, que, tal como nós, levam uma vida religiosa muito séria, rigorosa e profunda. Por outro lado, também eles leem e estudam os Atos dos apóstolos e os Evangelhos apócrifos. Mas há mais emocionantes semelhanças deste movimento evangélico com as nossas práticas: os messalianitas fazem votos de voluntária pobreza, só comem vegetais, jejuam na quaresma, aos sábados e aos domingos e integram nas suas comunidades numerosos grupos de mulheres. É claro que não falta quem os acuse de libertinagem, tal como por aí.

Bom, mas a minha maior alegria foi ter conhecido Edessa, como uma vez pressagiaste, ter contactado diretamente com os lugares onde o apóstolo Tomé foi enviado por Jesus ao rei Agbar. Levo-te cópias das cartas que trocaram, que me ofereceu Eulógio, o santo bispo da cidade, pois que, embora as tenhamos na nossa pátria, talvez os textos nos tenham chegado menos completos às mãos.

Agora parto para Constantinopla. Se não receber notícias tuas, voltarei a casa, com pena de não poder partilhar contigo a felicidade da peregrinação e da vida nestes lugares tão sagrados. Mas estão a acabar os meios para prosseguirmos.

Fica na paz do Senhor!

Tua, para a eternidade,

Egéria

– Explica-me lá o teor desta carta, maldito bispo!

Evódio espumava de raiva. Fizera uma leitura vagarosa, como se procurasse humilhar o galaico, ao mesmo tempo que compreender o sentido de tudo o que vinha escrito. Prisciliano não conseguia perceber como a carta fora parar às mãos erradas.

– Então, diz lá! Ouvi dizer que eras muito palavroso, muito escorreito a levar o povo iletrado para o teu covil de demónios e de bruxas!

– Não sabes o que dizes! Isso é pessoal, só a mim diz respeito – respondeu, direito e com o queixo erguido.

– Não sei o que digo?! Só a ti diz respeito?! – O prefeito do pretório, o homem mais poderoso, a seguir ao imperador, quase se engasgava nas gargalhadas que ecoaram no amplo salão construído em tijolos de barro, como, aliás, todo o palácio. – Isso é o que veremos… se sei ou não o que digo! – Ergueu, de seguida, a mão direita. – Guardas!

Prisciliano foi levado para uma das câmaras destinadas aos escravos do palácio, onde já se encontravam os amigos.

– Então, o que aconteceu?!

– Querem amedrontar-nos… Parece que é isso. Temos de nos mostrar firmes na fé e nas convicções. Só com uma deturpação muito grande dos nossos atos e pensamentos conseguirão culpar-nos de violação à lei de Deus e dos homens – respondeu, animando-os.

– Não tivemos sorte com o estafeta que mandámos a Mediolanum – lamentou-se Instâncio.

Prisciliano isolou-se, ensimesmado, num recanto escuro da ampla sala que lhe servia de prisão. Eucrócia aproximou-se, devagar.

– O que se passa contigo? Pareces muito preocupado e, pelo que te conheço, não é pelo que está a passar-se aqui…

Logo após o assassinato de Urbica, Prisciliano havia reunido as suas gentes na Villa Varatedo e tomou a decisão que a todos surpreendeu:

– Não comparecerei na audiência deste sínodo!

Depois de um demorado silêncio, Instâncio perguntou, inquieto:

– O que te está a passar pela cabeça, irmão?

– Isto é uma farsa completa! Delphino há muito que provou o ódio que nos tem e com certeza que, no meio das suculentas refeições regadas pelos vinhos das suas propriedades, convenceu a maioria dos conciliares a traçar a minha sentença – respondeu, com os olhos no horizonte.

Um novo silêncio abalroou a sala da *villa*. Eucrócia ordenou aos criados que saíssem. Mas um deles ficou atrás da porta a ouvir o plano, com a maior discrição.

– O que pensas fazer? – perguntou a dona da casa, depois de ver a porta fechar-se.

– Teremos de recorrer a outra instância!

– Mas já vimos que os bispos de Roma e de Mediolanum se calam perante os nossos pedidos.

– Só nos resta mesmo o imperador!

– O imperador?! Estás louco, Prisciliano! – Instâncio assustou-se com a ideia, trazendo à tona o espírito inflamado. – Este sínodo foi convocado por ordens de Magno Máximo. E para onde?! Precisamente para Burdigala, onde está previamente assegurado um ambiente hostil e onde nos atacarão sobre os boatos que criaram à volta da alegada gravidez de Prócula e dos antigos conciliábulos noturnos nesta *villa*.

– Instâncio tem razão! – aquiesceu Eucrócia.

Latroniano também apoiou o bispo deposto. O poeta era de poucas palavras, vivendo dentro dos seus mundos interiores e comunicando, sobretudo, com os poemas sublimes que lhe davam grande fama por toda a Hispânia. Latroniano era, principalmente, conhecido pela sua probidade e ponderação.

– Acho um risco enorme recorrermos a uma instância secular. Como sempre defendemos, as questões religiosas devem ser tratadas dentro da Igreja.

– Tens razão, Latroniano. Mas se o sínodo foi convocado por ordens de um imperador, que é um usurpador, temos de recorrer a outro, legítimo no seu trono, para decretar a nulidade de tudo quanto aqui se decidir – insistiu Prisciliano, com um olhar pensativo.

– Não estás a pensar…?!

– Sim, isso mesmo! – respondeu ao bispo de Salmantia que já lhe adivinhara os pensamentos.

– Meu Deus, é a única salvação, mas é um risco imenso. Sabes bem que Valentiniano não tem jurisdição nas Gálias! – Instâncio imaginava a guerra que podia gerar uma decisão do imperador de Mediolanum sobre a do usurpador de Trevereroum.

– Mas tem legitimidade… E isso pode ajudar-nos! Durante a noite, escreverei uma carta ao imperador Valentiniano a solicitar o apoio de que precisamos. E tu, Eucrócia, julgo que deverias preparar igualmente uma outra para Macedónio, o amigo que nos ajudou em Mediolanum.

– E depois?! – perguntou, ainda descrente, Instâncio.

– O estafeta partirá à frente, logo pela primeira hora da manhã, com as missivas e nós partiremos discretamente, o mais rapidamente que pudermos, dando tempo a que os destinatários tomem conhecimento dos nossos pedidos.

*

Valentiniano II, o meio-irmão do falecido Graciano, governava na parte intermédia do império – Itália, África e Ilírico. Apesar de mais jovem na idade, nunca reconhecera Magno Máximo como imperador, tendo-o como usurpador e assassino moral de Graciano. Também o poderoso Teodósio, o hispânico que Graciano escolhera em tempos para governar o oriente, não reconhecera Máximo e, a qualquer momento, poderia marchar para o destituir, logo que resolvesse os confrontos com os godos. Valentiniano e Macedónio eram, assim, a derradeira instância.

Mas a condição humana é capaz das mais imprevistas surpresas. Eucrócia desconhecia que, em Mediolanum, a queda de Graciano tivera implicações subversivas. No calor das notícias, o pagão Macedónio fora perseguido por aqueles que o odiavam. Desesperado, não hesitou em buscar refúgio numa basílica, mas foi preso antes que dobrasse a ombreira da porta. A carta de Eucrócia, mesmo que chegasse a bom porto, encontrá--lo-ia nos calabouços, sem qualquer competência ou dignidade.

Mas a carta de Eucrócia não chegou, assim como não chegou a Mediolanum a súplica de Prisciliano. Uma vez mais, devido às fraquezas humanas. Um escravo que servia Eucrócia, enraivecido com a dona por esta ter tomado partido contra si numa disputa doméstica com um semelhante, passara-se para o partido de Delphino, a quem mantinha bem informado sobre o que acontecia na *villa*. Atrás da porta, ouvira detalhadamente todos os planos traçados naquela noite e que não tardaram, nessa mesma madrugada, a chegar aos ouvidos do bispo de Burdigala. Na manhã seguinte, o cavalo do estafeta não teve tempo para se cansar. Cavalo e cavaleiro foram encurralados numa emboscada, ainda perto da cidade.

Enquanto, em profunda consternação e revolta, davam digna sepultura cristã a Urbica, rezavam as cerimónias fúnebres da despedida e encomendavam a sua alma a Deus, as cartas intercetadas seguiam como uma flecha para Treverorum, para as mãos de Magno Máximo. O sínodo de Burdigala já não continuou. Martinho de Turones reprovou a atitude de Delphino, mas não a conseguiu evitar. A maior parte dos bispos não protestou por Prisciliano recusar ser julgado em sede conciliar. Quem visse o sorriso escarninho pintado na cara bolachuda de Ithacio Claro quando tomou conhecimento da recusa de Prisciliano e do conteúdo das cartas apreendidas, e ainda a arrotar o cabrito assado e o vinho tinto das opíparas refeições oferecidas pelo amigo Delphino, com certeza que adivinharia o regozijo que lhe ia na alma, pois o estômago estava já bem nutrido.

– Agora não me escapas, maldito Prisciliano! – soltou, entredentes, ao mesmo tempo que lavava os lábios com a língua da gordura de um torresmo que comera ao pequeno-almoço. Com que então "minha luz", "meu amado"! Já não nos enganas mais, maldito herege! Sedutor das virgens ingénuas que acreditam nas tuas cantilenas!

Quando Prisciliano e a comitiva de espetros entristecidos atravessavam a ponte de pilares de pedra sustida sobre o Mosella não pensavam na bela cidade rodeada por uma encantadora paisagem de montanhas de média altura, onde viviam cerca de 80 000 almas, entre as quais o imperador Magno Máximo. Não pensava sequer na dignidade e prestígio daquela privilegiada urbe romana, por ali ter vivido o imperador Constantino o Grande e sua santa mãe Helena. Em Treverorum, a que os residentes chamavam com orgulho a *Roma Secunda*, residia o poder que se estendia da fronteira renodanubiana do império às muralhas de Adriano, na Britânia, e à África Tingitana. A metrópole do Mosella era também ufana dos seus vinhos, afamados desde tempos sem memória. Mas não era tema que ocupasse os pensamentos do mestre galaico e das suas gentes.

Ao atravessar a imponente porta, que mais parecia um ameaçante fortim militar, construída em grossos blocos de pedra arenisca clara, levava tão-só uma inquietação no pensamento. Entrou no decumano, deixando à direita as termas locais, que se dizia serem as segundas maiores de todo o império, à esquerda o semiabandonado Templo de Esculápio, e seguiu em direção ao fórum, que se abria, imponente, logo a seguir a dois palácios que o bordejavam.

A cidade fervilhava de vida, especialmente de soldados, clérigos e comerciantes de todos os negócios que se faziam numa capital. Mas ninguém prestava grande atenção a Prisciliano, nem aos acompanhantes. A Augusta Treveroum, mais uma cidade fundada por Augusto, pouco antes do nascimento de Jesus Cristo, chegava e partia diariamente muita gente desconhecida. Era um quotidiano a que todos estavam habituados, desde ricos a pobres, soldados, comerciantes, sobretudo cativos escoltados pelas tropas imperiais. Alguns deles até de alta estirpe, como os reis francos e os nobres germânicos capturados nas constantes batalhas no *limes* renodanubiano.

Depois de cruzarem o fórum, os galaicos deram de frente com as soberbas termas imperiais, situadas na parte sul do palácio imperial, mas inacabadas, desde que Constantino se transferira para Constantinopla e que os recursos públicos foram mobilizados para o esforço de guerra. Ali, viraram à esquerda, em direção ao seu destino.

Sozinho e sem direito a descanso, Prisciliano foi imediatamente levado à presença de Evódio, mal entrou no palácio imperial. Porém, o seu pensamento não se desviava da sua principal preocupação.

Na verdade, logo que recebeu a última carta de Egéria, trazida às escondidas por um correligionário hispânico, imediatamente redigiu a resposta que o mesmo transportou para chegar rapidamente ao destino, por correio seguro.

Luz da minha alma,

Fico muito feliz pelo sucesso da tua peregrinação. Estou certo da tua força espiritual e da capacidade de resistência a todos os vendavais com que o século te fustigue. Não tenho dúvidas que, se eu mais não pudesse, tu serias a pessoa certa para continuar a nossa missão, porque estás tocada pela sabedoria divina e visitaste os lugares tocados pelo Uno.

Por aqui, as coisas mudaram. Os vendilhões do templo continuam a infernizar-nos os dias, agora com o apoio do imperador que usurpou o poder ao estimado Graciano.

Estamos em Burdigala, para onde se convocou um concílio que visa julgar o que dizem serem as nossas heresias. Mas sabes bem quem está por detrás disto tudo: o do costume, Ithacio Claro, o homem que, desde a nossa infância em Bracara Augusta, sempre me brindou com um ódio feroz e mortal.

Preciso de ti ao meu lado! Acho que as provas que trazes nos poderão ajudar, caso o ambiente aqueça. Volta rápido para o meu regaço. Preciso de ti para me ajudares a apascentar o rebanho!

Queremos voltar a casa, o mais brevemente possível. Os nossos amigos mandam-te fraternos abraços e rezarão por ti e pela boa viagem de regresso.

Teu, para sempre,

Prisciliano

A carta fora escrita antes da audiência de Instâncio. Contudo, rapidamente, as personagens mudaram o cenário do palco das suas vidas. Quando Evódio fazia as primeiras perguntas ao bispo de Abula, o seu espírito vogava pelas terras onde se operou o milagre sagrado. A preocupação era uma só: Egéria! Que seria dela se vissem aquela carta?!

Mas quando foi apanhado em total surpresa com a leitura da carta de Egéria, que estava a milhas de imaginar estar em seu poder, o receio duplicou. O que poderiam fazer-lhe quando regressasse da viagem?! Na verdade, quer a sua missiva chegasse ou não a Egéria, o mais provável era ela voltar nos próximos tempos e logo ser apanhada pelos algozes.

E piores notícias não poderiam habitar o coração de Prisciliano, que engendrava um plano para o futuro: um plano tão glorioso como radical.

38

Augusta Treverorum (Tréveris)
Constantinopla (Istambul)

– Higino, meu pobre de Deus, tu por aqui?!

A porta da câmara rangeu para deixar entrar um velho esquálido, de longas neves na cabeça e no rosto. Os olhos mortiços e os cílios inchados adivinhavam a extenuação. Inclinava-se sobre um bordão de carvalho e arrastava os pés com dificuldade, com dores pelo corpo todo. O soldado que o acompanhou ficou a guardar a porta, do lado de fora.

Prisciliano e Higino abraçaram-se longamente, emocionados e extenuados. Os restantes companheiros levantaram-se dos seus catres e abraçaram igualmente o ancião. Durante algum tempo, a sala respirou uma comovente comunhão. Eucrócia chorava copiosamente e as lágrimas que verteu contagiaram os condiscípulos, que precisaram de tempo para se recompor.

– Não imaginava encontrar-te por estes lados, meu bom irmão! – exclamou, emocionado.

– A vontade de Deus fez-me chegar aqui – afirmou, com resignação e pesar.

– Conta-me o que se está a passar, irmão! Estamos há mais de um mês fechados, sem que nos expliquem ou digam alguma coisa.

– Amigos, ninguém poderá prever o que vos espera... Nem eu sei, ao certo, depois do que se tem passado nesta terra.

– Conta-nos, Higino! – persistiu Instâncio.

– Fui transportado a Treverorum, debaixo de ordens do próprio imperador. – Higino olhou à volta, certificando-se de que não era ouvido;

mesmo assim, não deixou de baixar o tom. – Quando cheguei, já tinha começado o concílio.

– Um novo concílio?! Mas para quê?!

– Bem, não é um concílio formal, porque não foi convocado por nenhum bispo, muito menos se tem falado abertamente nas palavras sínodo ou concílio durante as reuniões.

– Então, o que é?! – Instâncio dava voz às angústias coletivas.

– Magno Máximo chamou os bispos que se reuniram em Burdigala. Estão quase todos, incluindo Hidácio e Ithacio Claro, e ainda um ou outro dos que não puderam deslocar-se à Aquitânia. A mim mandaram-me buscar à força...

– E do que estão a tratar?!

– Da vossa condenação... – e, franzindo os sobrolho de preocupação, continuou: – Desconfio que da minha também. – Silenciou durante algum tempo e ninguém ousou interromper a sua consternação. – As coisas já não estão tão inflamadas como quando cheguei. Mas Ithacio Claro e Britto, o bispo desta cidade, estão determinados em provar que somos um grupo de hereges.

Prisciliano analisou as palavras do ancião e perguntou:

– E porque não estás preso, como nós, Higino?

– Porque sou bispo – respondeu, erguendo-lhe os olhos tristes.

– Também eu! – respondeu, de imediato, Prisciliano.

O bispo de Corduba abanou levemente a cabeça, em sinal negativo.

– Ithacio defende à saciedade que não és bispo... porque não foste instituído por três bispos. Não sai disso. E Instâncio, como sabeis, foi destituído em Burdigala.

– E o que querem de ti? – insistiu o mestre.

– Já vos conto! Agora deixem-me explicar-vos algumas partes a que assisti e o que me contaram que por aqui aconteceu nos últimos tempos.

Quando Higino tomou assento junto dos prelados reunidos em Treverorum, a discussão estava no auge. Martinho de Turones enfrentava uma turba de bispos ansiosa por agradar ao imperador. Aliás, Magno Máximo tudo fazia por isso, mantendo-os à custa do erário público em luxuosas residências e oferecendo, no palácio imperial, opíparos banquetes, a que presidia sempre que podia. Apenas Martinho recusara o alojamento e os festins de final de dia. Hospedara-se, com a sua pequena comitiva, em casa de uma família de amigos ascetas, com quem partilhava as refeições, dentro da habitual temperança.

Higino contara aos amigos que, nos últimos dias, a cidade fora contagiada com um rumor sobre os famosos poderes taumatúrgicos do bispo de Turones, que lhe aumentara a admiração e o respeito. Dizia-se que uma jovem se encontrava acamada, quase morta, e que os parentes acompanhavam a sua irremediável viagem para a morte. Sabendo da presença de Martinho na cidade, o pai procurou-o na basílica, onde concelebrava a missa matinal. Perante o incrédulo olhar do povo e dos bispos, ajoelhou-se e abraçou-se às suas pernas e, com o desespero plantado no rosto, suplicara-lhe:

"Bispo, a minha filha está a morrer de uma doença terrível. Dizem que está presa por uma pequena réstia de vida… até a carne parece morta…" – O homem carpia, como uma criança. – "Por favor, vai a minha casa, Martinho, e abençoa-a! Só um milagre a pode salvar."

"Só Deus faz milagres, meu filho! E eu não sou digno de que Ele me conceda essas virtudes", respondera o prelado, com serenidade.

Contudo, o desesperado pai perseverava, chorando compulsivamente, prostrado no chão, aos seus pés. Havia gente que também chorava, emocionada. Ouviram-se então algumas vozes a pedir-lhe que abençoasse a infeliz. A missa teve de ser adiada, porque todos os fiéis saíram em procissão atrás de Martinho, deixando os restantes bispos sem assistência.

– A rapariga salvou-se?! – perguntou Eucrócia, sensibilizada com a história que Higino lhes contava.

– Está curada! Não imaginas a repercussão que este caso teve! Magno Máximo não parou de insistir com Martinho para que aceitasse comer à sua mesa, como os outros bispos. Percebeu ser de extrema importância tê-lo do seu lado, tal é a popularidade que granjeia entre o povo, que saiu mais reforçada depois deste episódio.

– E Martinho aceitou o convite? – questionou Instâncio, receoso que tal acontecesse ao bispo, o único que parecia sóbrio no meio do ajuntamento dos bispos aduladores.

– Sim, aceitou! – respondeu, sem hesitar.

– Ohhh!!!

Uma aura de tristeza pairou na sala. Instâncio resmungou algo sobre desilusão.

– Esperem, deixem-me contar o que aconteceu nesse jantar. O imperador aproveitou para oferecer uma festa e convidar ilustres personalidades: Evódio, os condes investidos dos mais altos poderes, os bispos mais importantes e ainda o irmão e o tio.

Higino explicou que Magno Máximo convidara Martinho a sentar-se junto de si, procurando mostrar publicamente a adesão do bispo à sua política. Martinho aceitou, mas fez sentar ao seu lado o presbítero que o acompanhava a Treverorum. A meio do banquete, um criado, como de costume, ofereceu uma taça ao imperador. Este ordenou que a dessem ao convidado de honra, esperando, como era da praxe, receber de volta a taça da sua mão. Contudo, depois de beber, Martinho entregou a taça ao seu presbítero, tendo para si que ninguém era mais digno de beber depois dele.

– Bem, isso deve ter enfurecido o imperador! – concluiu Instâncio, satisfeito com a atitude de Martinho, mas ansioso por saber mais. – Mas, afinal, onde queres chegar com essas informações sobre Martinho de Turones? Em que parte dessa peça entramos nós?

– Calma, agora vou contar-te o que aconteceu ontem: Magno Máximo solicitou a Martinho uma audiência a sós.

– A sós?! O imperador quase só recebe audiências em consistório, na basílica, sempre fartamente acompanhado.

– E o que aconteceu?

Entretanto, em Constantinopla, algum tempo depois de ter chegado a carta de Prisciliano, Egéria recebeu uma informação breve das irmãs a noticiar os perigos que ele e os amigos corriam em Treverorum. A peregrina afligiu-se muito e determinou-se a terminar rapidamente a viagem e preparar-se para ir ter com o amado. Urgia estar com ele, ajudá-lo na maior prova da sua vida.

Isolara-se num bosque, na zona da Acrópole, com vistas sobre o Mármara e a reentrância que dava abrigo ao porto da cidade. Observava o eterno movimento dos pequenos barcos que iam e vinham e o espelho de luz que formava o sol rutilando nas águas calmas. Do outro lado, a Bitínia, que cruzara antes de alcançar a Trácia, através do Mármara. Lembrava-se dos dias tristes que vivera em Nicomédia, quando morrera um dos ajudantes que a acompanhara desde a Galécia. As notícias não melhoravam agora que alcançara a capital oriental do império.

Pegou no cálamo, na tinta e no pergaminho que trouxera consigo e começou a redigir uma missiva para Prisciliano. Não podia transmitir-lhe a sua agonia, mas aproveitaria para lhe dizer que ia ter com ele o mais rapidamente que pudesse e lhe adiantaria, para o caso de necessitar de usar, tudo o que descobrira durante a viagem e que abonasse em favor da causa priscilianista.

Quanto terminou, beijou o pergaminho e rezou com fervor.

Em Treverorum, Higino continuava a relatar os acontecimentos entre Martinho e Magno Máximo. Este pedira ao bispo para se sentar comodamente numa sala refrescada, pois fazia bastante calor, no verão de 384, nas margens do Mosella. O palácio imperial era uma grande estrutura construída em blocos de tijolo de barro bem cozido, no centro de Treverorum. Até chegar aos aposentos da audiência privada, Martinho foi conduzido por um largo conjunto de corredores e escadas luxuosamente decorados, passando por uma caterva de escravos para todos os serviços que caminhavam em passo largo, sem olhar para o lado, com receio de falharem e, dessa forma, comprarem a ira do imperador ou do prefeito do pretório.

Um criado serviu água fresca e recebeu ordens para os deixar a sós. Fora da porta, apenas ficaram os dois soldados da guarda pretoriana que haviam conduzido o bispo.

– Agradeço-te teres aceitado o meu convite, Martinho! – o imperador apresentava-se com afabilidade.

– Disseste-me que era para vir em paz e fazer a paz – contestou Martinho, com cautelas, mas sem emoção.

– Sim, foi o que mandei dizer e essa é a minha vontade. Vá, toma um cálice de água! Deves estar com imenso calor!

O próprio imperador serviu o bispo, ofereceu-lhe o copo, mas, desta vez, não esperou que o devolvesse.

– Esse é mesmo para ti! – insistiu, com um sorriso nos lábios. – Nunca ninguém me desfeiteou como tu me fizeste no jantar, Martinho! – Máximo queria deixar claro quem mandava e quem detinha o poder de julgar e absolver.

– Não costumo jantar com imperadores, por isso desconheço as regras da etiqueta. Tomo as refeições com os meus diáconos, presbíteros e catecúmenos – escusou-se o bispo.

– Muito bem, já passou. Não foi por isso que te pedi esta conversa, mas por causa do bando de hispânicos guardado nas masmorras do palácio…

– Guardado?! Devias antes dizer: preso! – insinuou, sem reticências, Martinho.

– Como queiras! Não foram julgados ainda, pelo que não os considero formalmente presos. Tem-me chegado aos ouvidos que te manifestas ferozmente contra o seu julgamento por um tribunal secular.

– Vejo que as línguas afiadas de Ithacio Claro, Britto e Hidácio, para além de apreciarem os cabritos com que enchem a pança, as perdizes e os javalis que lhes ofereces, te mantêm a par do que se passa nas nossas reuniões.

– Vá, dispensa-me de cinismos! Sabes bem que os acusam de maniqueísmo, magia negra e outros crimes ofensivos para o Estado. E, assim sendo, é a mão secular que os deve julgar – avançou, cheio de cautelas.

– É precisamente nesse ponto que discordo frontalmente! O que está em causa é a existência de uma possível heresia e isso é assunto da Igreja. Deve ser julgada por bispos, não por juízes seculares. Sobretudo num caso em que os acusadores e fiscais são outros bispos e que pode chegar à pena capital, à morte dos acusados! – Martinho anunciava a sua reprovação, exaltado. – Meu caro Magno Máximo, eu não pactuo com os bispos que, com a mesma língua, pedem a morte do seu semelhante e pronunciam a bênção da eucaristia!

– Mas o que farias num caso destes? – Como exímio militar, Máximo observava-o, buscando uma brecha para o trazer para o seu campo.

– Se o sínodo de Burdigala já condenou o bispo Instâncio, o excomungou e destituiu da dignidade episcopal, basta que o poder secular assegure que não volta à sua basílica para que a ordem pública se preserve. Suponho ser esse o interesse do Estado.

Magno Máximo levantou-se, bebericou um pouco de água num copo de vidro ovalado na parte inferior e redondo na superior. Olhou-o com detalhe, enquanto pensava que poucos poderiam aspirar a possuir uma peça daquelas, símbolo do poder que ostentava. Estava ricamente adornado por um entrelaçado de círculos de ouro, que lhe permitiam segurar--se sobre a mesa. Magicava à volta das palavras de Martinho. Estava pouco ralado com a sorte do bando de hereges que viviam nos confins do império, com o facto de rezarem nus e se reunirem com mulheres. O que mais lhe interessava era ser reconhecido por todos como legítimo imperador, obviamente um cristianíssimo imperador. E, para isso, tinha de se mostrar o exemplo da ortodoxia perante o império. Ainda mais do que fora Graciano. Era importante também cativar a Igreja da Itália, mostrando-se cristão mais puro que Valentiniano II, o arianista que governava em Mediolanum. Afinal, quase todos os bispos das redondezas estavam na capital a prestar-lhe lealdade, mas, por outro lado, não podia, por nada, ter Martinho contra ele. Era um asceta moderado e a sua opinião era a mais respeitada pelo povo e pela intelectualidade cristã do seu lado do império. Uma palavra contra Magno Máximo podia levá-lo a perder tudo na aspiração de ser reconhecido em todos os recantos da romanidade. Sobretudo numa secreta ambição: invadir a Itália e subjugar Valentiniano II. Não fora a embaixada do bispo Ambrósio de Mediolanum, no outono passado, e talvez já tivesse cruzado os Alpes e submetido o adolescente que lá governava.

– Ah, consta que pretendes invadir Itália! – interrompeu Martinho, como que adivinhando os imperiais pensamentos.

Máximo virou-se para o bispo, corado como um vulcão aceso.

– Quem disse isso?!

– *Vox populi*, caríssimo imperador. Só o referi porque, caso pretendas, sairás vencedor…

– A sério?!

A face de Máximo transmutou-se numa imensa alegria. Sorriu e aproximou-se de Martinho, esperando mais informação. Mas o que recebeu foi apenas um caldeirão de água fria.

– Mas, depois, morrerás – concluiu, secamente.

– Oh, todos morreremos um dia, só não sabemos em qual…

A premonição de Martinho alegrou o coração do anfitrião, que nem prestou grande atenção ao resto da profecia.

– E já agora, Martinho, achas que Prisciliano e os amigos estarão dispostos a abdicar das suas sés, a desvincularem-se da Igreja por iniciativa própria, partindo em paz para as suas casas e acabando definitivamente com este cisma?

O bispo de Turones regressou aos aposentos ainda mais preocupado. A ganância do imperador tapava-lhe a lucidez. Tinha de tomar as providências adequadas, sob pena de se tornar cúmplice num sagrado assassinato da Igreja aos seus próprios fiéis, aproveitando-se da avidez de Máximo. Martinho refletiu sobre a última pergunta do imperador e não dormiu sossegado naquela noite, nem nas seguintes, em busca de um plano.

39

Augusta Treverorum (Tréveris)

Prisciliano tremia com a carta na mão. Higino, que lha entregara, adivinhava o furacão de emoções que moravam no amigo. Viu-o buscar melhor claridade, sentar-se de pernas cruzadas, como era hábito quando meditava ou procurava a serenidade de espírito, e mergulhar, depois, nas letras arredondadas da mulher amada.

Minha luz,

Recebi a tua carta, mas tomei conhecimento, através das nossas irmãs, que passas um grande perigo em Augusta Treverorum, juntamente com os nossos fiéis amigos.

Bem sei do risco que corro, caso as cartas sejam intercetadas, mas confio que esta não o seja, pois que segue em correio seguro até Itália e, dali até onde estás, pelas mãos de alguém de confiança.

Partirei de Constantinopla logo que consiga encontrar barco que a todos nos transporte de volta para porto seguro. Talvez para Ostia ou Massilia, o que mais rapidamente me levar a Mediolanum e a Augusta Treverorum. Certo é que irei para aí com a maior urgência, para te ajudar neste momento tão difícil para ti, para o nosso movimento, para a cristandade. Levo as melhores provas que poderás usar para demonstrar que somos tão ortodoxos na nossa práxis como tantos monges, ascetas, bispos, clérigos e fiéis que encontrei nestas sagradas terras orientais e que rezam sob a vigilância do cristianíssimo imperador Teodósio. São os apontamentos que recolhi sobre a forma como se pratica a liturgia na cidade santa de Jerusalém, mais os que anotei nas minhas viagens, bem como cartas de vários monges muito respeitados, assim como dos bispos de Jerusalém, Constantinopla, Edessa e Antioquia.

Muito embora saiba que estás preparado para entrar no reino dos céus e que a ascese espiritual, como os mártires de outrora, nos guia no caminho da perfeição, acredito piamente que, com estas provas, nenhum bispo, muito menos o imperador, poderá pôr em causa a forma como praticas e ensinas a pureza do Cristianismo, assim como não poderá entrar em conflito teológico com os bispos da corte do magnífico Teodósio que com grande sabedoria, governa em Constantinopla.

Continuarei a rezar por ti e por todos os que contigo se encontram. Fica na paz do Senhor que estará sempre ao nosso lado. Aliás, Ele foi o primeiro mártir da história da salvação, morto pelos correligionários da sua fé, os judeus, e está sentado no trono à direita do Pai.

Tua,
Egéria

– Como te chegou esta carta, Higino?! – perguntou Prisciliano, com os olhos magnetizados no pergaminho.

– Há dias, pelas mãos de um presbítero da nossa missão. Veio pessoalmente a Treverorum em busca de alguém de confiança que ta fizesse chegar. Soube que estava cá e pediu-me que, no caso de te poder visitar, ta entregasse.

Prisciliano estava como um trapezista no fio esticado. Entre a imensa alegria e o enorme receio. A carta de Egéria era uma bênção. Porém, e uma vez mais, fez-lhe soar outras campainhas adormecidas no processo de vivência espiritual. Haveria de refletir sobre elas mais tarde.

Aproximou-se de uma vela e deixou a comprometedora carta arder lentamente. Enquanto via o lume erguer-se para logo se esvair e deixar um lastro de cinza, Prisciliano pensava na amada que, distante e inconsciente dos dissabores que vivia na capital, continuava o labor pela causa que lhe confiara. Comoveu-se e remeteu-se ao silêncio para rezar e meditar até conseguir alcançar um estado místico de comunhão com a peregrina.

– Mas, afinal, Higino, porque vieste ter connosco?! Vais ficar aqui também? – perguntou mais tarde, quando regressou a si, olhando para a porta, trancada por fora e lembrando-se dos guardas que o trouxeram.

– Não, continuo com eles, nas reuniões… quando as há. Passam a maior parte do tempo em jantaradas. De resto, quase ninguém fala comigo. Evitam-me ostensivamente e já os apanhei a rirem-se nas minhas costas – lamentou-se o ancião. – Foi Martinho quem me pediu para vos falar…

– Martinho de Turones?! – exclamaram todos, com espanto.

– Sim, ele mesmo. O que vos tem defendido, sempre que pode.

– E o que pretende?! – perguntou Instâncio, impaciente.

– Ele conseguiu que o imperador lhe prometesse não vos fazer mal… de não haver sangue… desde… desde…

– Desde quê?! – Instâncio não aguentava mais de ansiedade.

O decano suspirou, antes de continuar.

– … que todos renuncieis aos vossos cargos, dentro da Igreja…

Um silêncio ensurdecedor desabou sobre as consciências dos enclausurados. Higino limpava o suor com um lenço muito usado e pediu um copo de água, que, a par da comida, embora frugal, nunca parou de ser ministrada aos hispânicos.

– … e eu também! – rematou, finalmente, o bispo de Corduba.

Prisciliano remordeu os lábios, embriagado nas palavras do amigo.

– Posso falar com o irmão Martinho?

– Receio que não, Prisciliano! Martinho, depois de assegurar a promessa de Magno Máximo, voltou à sua cidade. Parece que foi chamado de urgência a Turones. Mas confidenciou-me sentir-se também muito desconfortável na companhia dos malditos bispos acusadores.

– É uma pena… – lamentou-se o mestre, caminhando, em passos lentos e ensimesmado, num círculo perfeito.

– Prisciliano, devo dizer-te que Martinho entende que deveríamos aceitar o que nos propõe. Considera-nos demasiado radicais na vivência da ascese e que isso pode gerar equívocos quanto à nossa fé. E que, com o tempo, nos reabilitaremos…

– Ora, por isso mesmo, queria discutir com ele. Veria que, em muitos pontos, estamos próximos da sua espiritualidade – retorquiu o mestre.

– Martinho disse ainda que nos acolheria no seu *Majus Monasterium* durante algum tempo e que nos ajudaria secretamente na rápida reabilitação, caso aceitemos o que acertou com o imperador.

Prisciliano passou a noite em claro, como tantas que vivera em oração, no meio dos montes. Os soldados acabaram por levar Higino, fazendo saber que o tempo para a reunião se esgotara. Todos estavam perplexos e angustiados com a proposta. Havia uma saída, mas a um preço alto de mais para as suas honras. Era como passar uma esponja por todo um passado, construído com muitas dificuldades, estudo e ascese. Apagar-se-ia quase toda uma vida, não só deles, mas de tanta gente, desde ricos aristocratas a mulheres ao povo simples e pobre, que encontraram a porta da salvação nos ensinamentos do mestre.

Depois da saída de Higino, Prisciliano presidiu a uma missa e, durante a homilia, pediu aos companheiros de cativeiro que pensassem na proposta com serenidade, sabedoria e sensatez para tomarem a decisão, em comunhão com o Uno e a consciência.

Durante o clarão noturno, a imaginação de Prisciliano acomodou--se onde sempre repousava, no momento do infortúnio. Pegou na pedra que simbolizava a alma gémea com a amada, e espreitou por uma seteira das paredes e encontrou um pedaço de Via Láctea no firmamento. De imediato, voou para o seu colo. Pensou profundamente no teor das suas cartas. A última transportava um alento de esperança. Eram, na verdade, excelentes argumentos para se defender e bastava que a peregrina chegasse a tempo. Para isso, era preciso ganhar esse tempo. Ora, se entretanto abdicassem, de nada serviriam as provas que vinham do oriente. Por outro lado, havia outro aspeto das cartas de Egéria que lhe deixaram o espírito inquieto e que continuavam a picar-lhe secretamente o coração. Consciente ou inconscientemente, ela voltava a falar do martírio como forma maior de alcançar a redenção e a proximidade com Deus...

Nos finais daquele verão de 384, Magno Máximo preocupava-se em encontrar forma de não hostilizar o grande Teodósio, enquanto estudava uma solução para tomar conta da porção imperial que se mantinha sob as mãos de Valentiniano II. No fundo, aspirava a ter sobre o meio-irmão o mesmo ascendente tutelar de Graciano, a fim de o poder dominar, de seguida. No outono do ano anterior enviara apressadamente uma embaixada de paz a Teodósio, procurando sossegar a mãe com a aparente concórdia com Valentiniano. Agora, enfurecia-se ao saber que o jovem imperador de Mediolanum também recorrera a Teodósio para intermediar uma solução com Máximo, com receio de que concretizasse os seus intentos.

– Aposto o meu império como foi Ambrósio quem teve a ideia! Maldito! Há um ano, apareceu-me sem Valentiniano, ao contrário do que tinha sido combinado – zurzia Máximo, no meio do seu gabinete de despacho. – Lá veio ele com falinhas mansas, como o Diabo a seduzir uma alma, dizendo que era perigoso para o principezinho atravessar os Alpes no inverno. Prometeu-me que o trazia cá na primavera e olha lá se trouxe! Em vez disso, pediu ajuda a Teodósio! Deveria era pedir-ma a mim! Que achas que deva fazer, Evódio?

– Para já, acho prudente aceitar a proposta de Teodósio: Vossa Alteza mantém-se a governar os territórios de Graciano... e Valentiniano a mandar nos que já detinha! Parece-me sensato.

– Mas isso não é novidade! Afinal já assim o era, com a agravante de que Graciano, na prática, também governava o Ilírico, a Itália e África, pois era o tutor desse fedelho.

– Há uma grande novidade! Ou melhor, duas! – retorquiu o experimentado Evódio.

– Quais?! – apressou-se o imperador, ansioso.

– Consta-se que, no início deste mês de setembro, chegaram embaixadores de Teodósio a Verona, para conversarem com Valentiniano...

– Hummm... isso é preocupante... – ruminou. – É melhor prevenir: manda imediatamente um espião a saber do que estarão a tratar. Poderá ser para lhe comunicar os termos da proposta que nos fez – haveria de pensar melhor naquela questão. – E qual é a outra novidade, Evódio?

– Na verdade, direta ou indiretamente, Teodósio está a reconhecê-lo como legítimo imperador e isso é uma bela notícia – respondeu, com um sorriso.

– Está bem! Façamos então de conta que aceitamos, por enquanto, a proposta de Teodósio. Mas não reconhecerei Valentiniano como imperador... jamais! Ouviste?! Tenho sobre ele e sobre os seus territórios os mesmos direitos que esse danado do defunto Graciano. E hei de lutar por eles!

Máximo espumava de fúria, ao redor da mesa cheia de mapas, aparelhos de medição e correspondência. Estivera a analisar a posição dos Alamanos que atacavam novamente na zona do Rhenus. Estes repetiam as investidas do início do ano, acossados por Hunos e Alanos, e obrigados a atravessar a fronteira, na sequência das manobras diplomáticas do *magister militum* Bauto, o general-maior franco de Graciano e que integrava o contingente dos germânicos contra os quais as tropas de Máximo se haviam revoltado.

– Estão lá fora dois bispos – anunciou Evódio.

– Quem são?

– Os vossos amigos Magno e Rufo. Querem falar-vos sobre os hereges…

– Sobre os hereges?! Esses malditos já se decidiram?! Não tenho paciência para essa seita de demónios!

– Pois, parece que esses *demónios* querem falar consigo a sós…

– A sós! Mas quem pensam eles que são?! Embaixadores de algum imperador, enviados divinos?! Estão é loucos, Evódio! Onde já se viu a afronta! Manda lá entrar os bispos!

Evódio acenou ao guarda para trazer Magno e Rufo à sala. Entraram de cabeça levemente inclinada, em sinal de submissão. Ithacio Claro não quis aparecer, por ser o principal acusador e bispo de uma cidade distante. Por isso, convencera aqueles colegas a cumprirem o papel.

– Sentem-se! – ordenou, ainda de pé. – Então o que me querem, senhores bispos?

Perante os clérigos, Máximo procurou dissipar a ira que lhe incendiava o corpo e a alma para evitar murmúrios na cidade.

– Cristianíssimo imperador… – O soberano deixou escapar um breve sorriso, lembrando-se de que fora batizado poucos dias antes de usurpar o trono – …vimos à vossa presença trazer aquele que é o entendimento dominante dos bispos com quem temos falado… sabe… sobre os hispânicos que mantém guardados no palácio…

– Sim, os hereges! E então, qual é esse entendimento? – questionou, impaciente.

– Não quer Vossa Alteza ter do vosso lado a maioria dos bispos que representam as principais cidades do império? – perguntaram, como raposas.

– Sim, é claro que sim – respondeu, satisfeito com a sujeição dos bispos, mas logo franzindo o sobrolho com o fantasma de Martinho a zoar-lhe aos ouvidos. – É meu propósito ser o imperador que mais zela os Evangelhos e a Fé de Cristo. Na verdade, esse é o meu primeiro desejo!

Os bispos sorriram, agradados de cumplicidade.

– Bem, se assim é, não esqueçais que foi Graciano quem concedeu aos réus vários favores, permitindo, dessa forma, que a heresia medrasse na Hispânia e nas Gálias. Não fossem as suas más decisões, já esses perigosos maniqueus teriam sido julgados e colocados onde Deus os quer! – assinalou o bispo Magno, erguendo o polegar.

– E não esqueçais que Graciano caiu nas boas graças dos nicenos, sobretudo italianos, desde que renunciou ao título pagão de Pontífice Máximo e mandou retirar da cúria o Altar da Vitória – sublinhou Rufo, para logo atacar com a arma mais poderosa: a subtil indiciação de usurpação, a ideia que Máximo mais queria afastar. – Acresce que alguns dos bispos cristãos ainda se retorcem pelo facto de as orações pela prosperidade, êxito e longa vida de Graciano não terem sido acolhidas, vendo-o morto, depois da perseguição…

– Tendes razão! – bramiu Máximo, com um cínico sorriso. – Ora aí está uma boa maneira de me afastar da política de Graciano! Ainda dizem alguns, como esse Ambrósio, que ele era o Ungido do Senhor, em quem era pecado tocar!

– E lembra-te da forma como os hereges se dirigiram a Valentiniano na carta que lhe queriam fazer chegar, quando estavam em Burdigala: príncipe, césar, imperador… – soprou Evódio aos ouvidos de Máximo.

– Malditos hereges! Acabou a boa vida no palácio! Evódio, como prefeito do pretório, conduz, como é teu dever, o processo de investigação e acusação dos maniqueus!

– Mas de que os acusamos? – perguntou, admirado com a pronta decisão do imperador. – Sendo eu a conduzir um processo contra eles, é de um tribunal secular que se trata, e não canónico!

– Então não dizem que esses gnósticos e maniqueus praticam bruxaria e magia negra?! Que se dedicam às ciências ocultas e dão demasiadas liberdades às mulheres?! – Máximo sorria de soberba com a ideia que a mente lhe oferecia. – Que pior crime poderiam praticar para ofender o império?! Não temos uma carta escrita pelo punho desse Prisciliano que o comprova e, pelo menos, um ou dois bispos que estão dispostos a depor pessoalmente contra eles?!

40

Tessalonica (Salónica)
Augusta Treverorum (Tréveris)

Os ventos fortes batiam-lhe na cara e já nem o véu conseguia proteger-
-lhe os cabelos. A embarcação guinava para ambos os lados, enquanto
subia e descia as ladeiras formadas pelas ondas, tão vertiginosas com a
subida ao Monte Sinai. Egéria apertava contra o peito uma caixinha de
prata, oferecida pelo bispo de Constantinopla, onde guardava o seu bem
mais precioso, enquanto rezava fervorosamente para que passasse a tormenta. Acabava de cruzar o Helesponto, passados já os idos de setembro,
na frágil casca de noz que, tal como David, procurava vencer Golias, o
imenso e perigoso *Mare Internum*. Tinha muito claro na cabeça o primeiro destino a alcançar o mais rapidamente possível: Mediolanum!

Alguns dias volvidos, entravam na baía abraçada pela cidade de Tessalonica e guardada pelos montes Vardar. Fora naquela cidade, onde o
apóstolo Paulo pregara com fervor quando os cristãos eram conhecidos
como uma seita judaica dissidente e os seguidores de ambos os credos
sepultados lado a lado. E também ali Teodósio firmara, três anos antes,
um édito que transformara, finalmente, o Cristianismo niceno na religião
oficial do império, colocando, por conseguinte, na ilegalidade todas as
outras crenças, quer pagãs, quer cristãs heréticas.

O patrão do barco comunicava que fariam escala durante alguns dias
na cidade, para reabastecer de água potável e víveres, assim como para
deixar e carregar mercadoria.

Egéria perguntou onde se encontravam os templos e mergulhou na cidade fundada por Cassandro, no tempo de Alexandre Magno. Ao início da tarde, entrou apressada na basílica de São Demétrio, um oficial romano martirizado cerca de cem anos antes, construída sobre umas termas, e ajoelhou-se em frente ao altar. Rezou com toda a devoção, pedindo a Deus pela sorte de Prisciliano e companheiros. Fechou os olhos, abstraiu-se e meditou em silêncio, como o fazia nos montes galaicos. Quando controlou a mente, tornando-a obediente à sua vontade, fugiu dos perigos do mundo e das angústias que a dominavam. Alcançou finalmente o clímax do Nada, onde vislumbrou a paz, a absoluta tranquilidade, rompendo os grilhões que a mantinham aprisionada ao mundo. Assim que voltou, transmutou o pensamento para o amado e aninhou-se no seu coração, onde comungou num profundo enlevo e ali ficando um tempo impossível de medir. Só regressou ao mundo quando a abanaram com delicadeza, julgando-a desmaiada.

– Vá, irmã, acorda, temos de fechar a basílica!

Nessa tarde, Prisciliano e os amigos foram surpreendidos pelos guardas do palácio.

– Toca a levantar esses cus do chão! Quero toda a gente fora! – Os rudes soldados batiam com os pés no chão, para os apressar.

– O imperador recebe-nos? – perguntou o mestre, com cortesia.

– Sim, recebe-vos o nosso grande imperador... nos calabouços de Augusta Treverorum! – Nas paredes ecoou uma risada geral da soldadesca pela graçola do comandante. – É uma grande honra! Vereis que sereis acompanhados pelos mais ilustres convidados da cidade – concluiu, entre cínicas gargalhadas.

Saíram das caves do palácio e respiraram finalmente ar puro. Um vento frio soprava das montanhas vizinhas, no alvor do outono. Algumas carretas puxadas por gordos bois transportavam cabazes de uvas que os escravos acabavam de cortar nas vinhas dos seus senhores. Os comerciantes de vestuário apregoavam as qualidades das roupas de inverno, feitas de lã. Os cidadãos cirandavam por todo o lado, enchendo a cidade de vida. Quando avistaram a Aula Palatina, a imponente basílica que se erguia em direção aos céus de Augusta Treverorum, no centro de uma zona residencial, os cidadãos deitaram olhares de curiosidade para os tristes, magros e mal vestidos personagens fortemente escoltados pela guarda imperial.

– Prisciliano! É Prisciliano! – gritou alguém, do meio da multidão.

Os cativos viram o homem que pronunciava o nome do mestre, mas não o reconheceram, nem ninguém à volta. Rapidamente, os transeuntes deixaram o que faziam e, murmurando entre si, aproximaram-se do sinistro cortejo, curiosos com o famoso personagem que toda a cidade sabia que aguardava a mais importante decisão da sua vida. Prisciliano caminhava seráfico, com o olhar distante, lembrando-se que também Cristo passara por semelhante humilhação.

Apesar do vexame público, o coração mantinha-se aquietado, como se uma longínqua energia o sossegasse, em simbiose com Egéria. Olhou para os amigos e reconfortou-os com um breve e carinhoso sorriso. Atrás de si, uma silenciosa multidão, atraída pelo poder magnético do homem cuja fama, tanto de santo como de herético, arrastava multidões em tão longínquas terras, por devoção ou ódio. Alguns ajoelhavam-se discretamente e faziam o sinal da cruz.

Ao passar em frente da majestosa basílica, um edifício feito em ladrilhos, rodeado de antessalas e naves com colunas, com duas galerias transitáveis, Prisciliano vislumbrou finalmente alguém que conhecia.

Os olhos frios gelaram os ares que os separavam. Tal como em Emerita Augusta, ali estava a águia esperando a sua presa. Desta vez, o riso cínico do corado Ithacio Claro troou nas almas dos prisioneiros. Prisciliano não lhe largou o olhar, até que Ithacio se resignou ao seu peso, deixando-o cair no empedrado do chão.

Uns passos à frente, reconheceu Hidácio que, vendo tanta gente, virou costas e entrou na basílica. Mais adiante, mas a suficiente distância, Prisciliano divisou Higino, inclinado sobre o bordão. Os olhos inchados adivinhavam a tristeza dos seus dias, tão certo de que preferia integrar a humilhante procissão dos amigos do que ser a hipócrita vítima dos colegas gauleses e hispânicos que ali se reuniam para acabar com Prisciliano e o seu movimento, usando-o como troféu para lhes legitimarem as decisões. Um voto ou dois contra até davam um ar de democracia na decisão. Um acanhado sorriso esgueirou-se dos lábios ressequidos do velho Higino, a melhor forma que encontrou para transmitir ânimo aos amigos.

O destino era um enorme edifício acastelado de quatro andares, construído na pedra arenisca clara da porta por onde entrou pela primeira vez na cidade e que, para além de ameaçadora estrutura defensiva, guardava a entrada norte, a Porta de Moguntiacum. Aquele era o próximo aposento dos hispânicos.

Os homens foram atirados para um cárcere escuro e húmido, nas caves. A luz trémula de uma vela alumiava o decrépito lugar, onde pairava um odor nauseabundo a bafio, fumo, urina e dejetos humanos. Eucrócia teve igual sorte, mas separada dos amigos.

– Não vão continuar a libertinagem! – rosnou o carcereiro calvo, manco e sem dentes, conhecedor da identidade dos prisioneiros, enquanto fechava a porta com estrondo.

– Amigos, temos de nos habituar a viver aqui, por algum tempo... – animou o mestre.

– Por algum tempo? – Instâncio não escondia estar assustado, como os demais.

– Sim, algum fim haveremos de ter! E espero que seja um fim de que nos possamos orgulhar! – afirmou, com o olhar distante, numa longínqua paisagem interior.

– Orgulhar?! Estamos aqui como animais! Achas que nos vão ouvir?! – Felicíssimo não se resignava.

– Não há sentença sem julgamento! Temos de nos preparar para o julgamento. Preferem dizer o que eles querem ouvir ou lutar pela verdade?

Todos olharam para Prisciliano, mal habituados ao escuro e ao espaço, que, embora tivesse alguma profundidade, mais parecia uma pocilga.

– A verdade... – responderam, um a um.

– Acho que vamos ser sujeitos a tortura, Prisciliano – atalhou Latroniano, inquieto. – O que vamos fazer?

– Quem aqui entra dificilmente sai com o escalpe! – Uma voz que mais parecia o rugido de um leão bradou dos fundos escuros do cárcere, a todos assustando, pela imprevisibilidade.

– Quem está aí? – perguntou Prisciliano, recuperado do susto.

Um homem musculado, forte e rude apareceu da penumbra. Falava um latim de sotaque germânico, enganando-se em algumas formas verbais e declinações, mas conseguindo fazer-se entender. Arrumou os seus longos cabelos louros, sujos e enriçados para o lado, deixando aparecer atrás de si um outro homem, menos corpulento, mas de aspeto igualmente rude e fero.

– Eu, Leotmir, ele – disse, apontando para trás, sem se virar –, Leovigild. Chefes alamanos.

Os dois bárbaros haviam sido capturados nas recentes batalhas na fronteira e sabiam o que os esperava.

– Nós lutar com leões! – sublinhou com um sorriso, ao mesmo tempo resignado e orgulhoso da sua raça.

Ao final da tarde, depois de comer uma sopa pestilenta, Prisciliano presidiu a uma oração coletiva. Os alamanos, mesmo pagãos, sentaram-se no círculo, tentando perceber o sentido das rezas. No seu silêncio, procuravam sintonizar-se com as preces ao Deus dos recentes companheiros de infortúnio.

– Vós rezar aos vossos deuses por nós… Nós rezar aos nossos por vós…

Prisciliano não deixou de sorrir, perante a generosidade dos pagãos. Se tivesse tempo, haveria, com certeza, de os doutrinar à verdadeira fé. Mas não teve. Dois dias depois, os soldados vieram buscá-los. Era domingo, dia de circo no anfiteatro.

Leotmir e Leovigild foram as estrelas no imponente anfiteatro, o décimo maior de todo o império, situado na ponta nascente da cidade, perante uma assistência de quase vinte mil pessoas, muitos deles soldados da frente de guerra. Foram levados para as caves laboriosamente esculpidas na rocha, imediatamente por debaixo da arena, e, um de cada vez, içados por meios mecânicos para o seu meio. De uma galeria lateral, soltaram dois leões esfomeados, transportados expressamente de África, com os quais lutaram inutilmente, na sua vez, até à morte. Enquanto os urros da assistência ecoavam por toda a cidade, Prisciliano e os amigos rezavam, consternados, pelas suas almas.

Em Tessalonica, Egéria viu-se confrontada com imprevistas contrariedades. Os barcos que chegavam davam notícias de constantes temporais em alto-mar. O patrão anunciou aos passageiros que não podia levantar ferro enquanto não tivesse a certeza de que a viagem poderia fazer-se em segurança. A peregrina temia que, com a demora, chegasse o *Mare Clausum*, impedindo o barco de ancorar na bota itálica.

– Quantas milhas são daqui a Mediolanum? – perguntou ao bispo da cidade.

– Mais de mil, segundo me parece! É uma boa distância. Estás a pensar seguir pela estrada?

– Não vejo outra alternativa... Quantos dias demora a viagem?!

– À volta de setenta dias, se não houver percalços. Repara que o tempo, no outono, é sempre uma incerteza – asseverou o bondoso bispo. – Mas porquê tanta ansiedade, minha filha?

– Há uma pessoa lá com quem preciso de me encontrar urgentemente – respondeu-lhe, visivelmente oprimida.

Sabia de cor as cidades que havia de vencer, em tantas jornadas: Stopis, Scviris, Ad Herculem, Naisso, Viminatio, Singiduno, Sirmium, Servttio, Ad Pretorium, Emona, Aquileia, Verona, Brixia, Bergomum, Como e, finalmente, Mediolanum, a capital imperial onde residia a pessoa em quem depositava todas as esperanças.

Enquanto Egéria contava as milhas e os dias do caminho da cidade onde governava Valentiniano, da mesma saía uma das pessoas mais influentes de todo o império, com uma pequena comitiva de apoio. O seu destino era Augusta Treverorum. E deveria ir e voltar antes que as neves tomassem conta dos Alpes.

41

Augusta Treverorum (Tréveris)
Aquileia

Prisciliano rezava todos os dias com o grupo. Entregavam-se nas mãos de Deus, ao que Ele achasse que mereciam, depois de tantas canseiras no mundo. Defendiam a sua espiritualidade e a Sua causa o melhor que sabiam e conseguiam compreender sobre os insondáveis mistérios decorrentes da vinda de Cristo ao mundo. Os irmãos pareciam-lhe bastante fortalecidos na fé e no espírito, apesar do regime alimentar espartano a que eram sujeitos. A vida de ascese para isso os preparara. Preocupava-o, sobretudo, a viúva Eucrócia, de quem não sabiam notícias, a não ser um ou outro comentário dos guardas, breve e contrariado, dizendo que estava como quando chegou.

À noite, as preces e os pensamentos de Prisciliano voavam para Egéria. No silêncio dos subterrâneos do forte da Porta de Moguntiacum, o mestre partia numa nova viagem espiritual na senda da dileta peregrina. Vivia um sentimento difuso. Ansiava que chegasse a Treverorum com as provas que desmontassem os argumentos dos cínicos que o acusavam. Queria voltar a vê-la, uma vez mais que fosse. Ao mesmo tempo, experimentava o sabor de uma estranha vertigem, uma energia poderosa que o apelava com urgência. Pressentia uma grande alegria interior por saber-se perto do doce colo da eternidade. Ponderou estar a ficar demente ou alucinado. Mas olhava à volta e não via alterações na forma como sempre entendeu a vida, desde que descobrira o caminho da redenção, uma vida de entrega total, radical, sem reservas nem subterfúgios a uma causa: a liberdade que o Mestre de Jerusalém dava à sua consciência humana, que buscava a felicidade no fascinante mistério divino.

– Não mentiremos, mas não reconheceremos qualquer heresia! Por isso, manter-nos-emos no silêncio e rezaremos enquanto nos interrogarem. Pelo menos até que mostrem as suas provas e nos digam qual o nosso erro.

– Assim será! – afirmaram, de peito inflamado, todos os companheiros.

Em meados de outubro, começaram a ser chamados um a um às audiências públicas, num dos palácios junto ao fórum, onde se encontrava alojada a quase totalidade dos bispos. Um atrás do outro, negaram qualquer prática herética e remeteram-se ao silêncio quando instados a explicar o que faziam nas reuniões noturnas e no mais que era a práxis do grupo, rezando fervorosamente, o que impacientava os inquiridores.

Na assistência, para além do povo curioso e de discretos simpatizantes do mestre galaico, sentavam-se os bispos, ouvindo os interrogatórios dos magistrados que Evódio nomeara para o julgamento. Irritados pela forma como reagiam os acusados, os prelados comentavam entre si a atitude sobranceira. Higino assistia, com os olhos desmaiados. Parecia um moribundo ambulante, com tantos dias praticamente sem dormir, por não o conseguir.

Evódio, que superintendia o processo, numa cadeira colocada ao centro da sala, cansara-se das perguntas com respostas inconclusivas, pelo que ordenou que passassem, de imediato, às testemunhas de acusação. Ithacio Claro encheu o peito para desfiar o rol das acusações que guardava no alforge, havia muitos anos. Chegara finalmente a sua hora. Aliás, uma vez ali, não havia retorno. Tanto lutara por ver Prisciliano e os amigos sentados no banco dos réus que vivia agora o momento da suprema graça, contando tudo o que ouvira na Hispânia acerca da magia negra e ocultismo praticados por Prisciliano e pelo seu bando de heréticos. Não hesitou em afirmar que praticavam ações típicas dos maniqueus, rezando descalços e nus em conciliábulos noturnos, misturados com mulheres, terminando as suas reuniões em orgias debaixo da lua cheia, acreditando serem esses atos mágicos propiciatórios.

– O senhor bispo alguma vez assistiu a essas atividades? – inquiriu o juiz.

– Não, na verdade, não assisti. Mas conheço quem tenha assistido... e que me contou... – respondeu Ithacio, hesitante.

– Está cá alguma dessas pessoas?

– Ora bem, aqui não... – redarguiu, com o sangue a incendiar as flácidas carnes do rosto. – A não ser Delphino de Burdigala e Hidácio de Mérida... que também sabem destas coisas...

– Chamem as testemunhas!

Seguiu-se o bispo emeritense que secundou o depoimento de Ithacio. Depois, o aquitano, que se movia com visível incómodo para o banco que lhe estava destinado.

– Na minha cidade – respondeu –, é sabido que Prisciliano engravidou Prócula, a filha da ré Eucrócia, e que recorreram às flores de artemísia para a fazer abortar, como fazem os maniqueus, que abominam a reprodução humana – asseverou, sem vacilar.

– O senhor bispo assistiu a qualquer dessas práticas? Ou a outras das que aqui referiu o bispo Ithacio?

– Eu... não. Mas alguns dos meus presbíteros, sim...

– Eles estão cá para depor?

– Neste momento, não... – titubeou Delphino.

Os juízes retorceram-se nas cadeiras e confabularam entre si, com desconforto.

– Chame-se Eucrócia!

A viúva aristocrata não estava a par do pacto de silêncio dos amigos. Mas, mesmo assim, indignou-se com as perguntas, negando com veemência as acusações de Delphino. Confessou, apenas, que nas suas propriedades, sobretudo nos tempos em que o esposo era vivo, rezavam à noite, homens e mulheres, mas sempre na maior decência e respeito, numa entrega total à oração, como fazem os ascetas.

Evódio declarou terminada a sessão daquele dia. À noite, fez o relato dos acontecimentos a Magno Máximo.

– Ainda não há provas?! Então que raio de acusadores são esses que só sabem por terem ouvido?! – questionava, irritado. – Toma providências, Evódio! Sabes bem como encontrar essas provas!

– Sim, meu senhor – Evódio havia congeminado um plano de contingência.

– E anda rápido, porque me avisaram que Ambrósio de Mediolanum está a caminho da cidade para mais uma embaixada e quero esse assunto arrumado o quanto antes.

– Sim… Vossa Alteza…

– Antes de ele chegar, entendes?! Não o quero por aqui a farejar para inventar questiúnculas teológicas contra nós.

– Ao que sei, Ambrósio não simpatiza com os priscilianistas. Também desconfia da sua ortodoxia. Tanto é que se recusou, em tempos, a recebê-los em Mediolanum – retorquiu Evódio, confiante.

– Mesmo assim, é melhor prevenir… É um mentiroso… Já esqueceste que nos prometeu trazer aqui Valentiniano e não cumpriu?! Não me cansarei de amaldiçoar esse intrujão!

Nos dias seguintes começaram os verdadeiros suplícios. Na primeira jornada, sob o olhar atento dos magistrados que lhes perguntaram em vão se queriam confessar voluntariamente os crimes, os encarcerados foram dispostos numa parede, desnudados e com os pés e mãos amarrados. Um verdugo baixo, calvo e com a cara tapada fez estalar o chicote nos corpos. Os fios de couros penetravam nas carnes magras, irrompendo jatos de sangue em todas as direções. O líquido quente, misturado com pequenos pedaços de pele, pintaram de vermelho o chão e a parede, para onde estavam virados. Todos se mantiveram impassíveis, recebendo os látegos alheados mentalmente da dor.

Evódio, que assistia de longe, ao lado de meia dúzia de outros bispos, entre os quais Ithacio, não continha as fúrias.

– Malditos! Pensam que são uns heróis?! Vão ver o que lhes vai acontecer! – determinara-se a não falhar no seu plano.

À noite, enquanto colocava a água que servia para lhes matar a sede nas costas dos amigos acalmando-lhes as feridas, Prisciliano abria o seu estado de alma:

– Estes homens perderam o tino! E ainda se acham cristãos! – suspirava, com tristeza. – E os bispos, viram como assistiam impávidos?

– Sim, como se esperassem uma confissão de sacristia… – respondeu Instâncio, ajeitando-se para não roçar as feridas.

– Logo mais, estarão a celebrar a eucaristia, o sacrifício do Senhor, com as mesmas mãos imundas com que cumprimentaram o verdugo e o avalizaram para os suplícios – concluiu o mestre, abraçando cada um dos amigos e felicitando-os pela coragem excecional durante a negra jornada.

Por aqueles dias, Egéria seguia, determinada, apesar do cansaço. Ultrapassara já Scviris, Naisso, Viminatio, Singidunum, Sirmium, Servttio e Emona, e avistava as muralhas de Aquileia, a importante cidade que assinalava a entrada na península itálica, pela parte oriental. O coração apertava-se-lhe, fustigado por uma desconhecida contrariedade. Não entendia tão desmesurada angústia, até porque, mesmo com o mau tempo, não perdera o ritmo dos dias traçados para a viagem.

Em Aquileia repousou o corpo, mas não o espírito. A noite toda passou-a num sono leve e quebradiço, como se estivesse em constante vigilância de alguém que precisava urgentemente dos seus cuidados.

Alguns dias mais tarde, com as feridas em crosta nas costas e nas coxas, foram de novo chamados ao palácio onde prosseguia a recolha de provas do processo.

Esperava-os uma nova sessão de torturas e suplícios mais severos. Foram deitados com as costas feridas no chão. O verdugo aproximou-se com um archote. De rosto destapado, viram um homem inexpressivo a mirá-los de cima a baixo. Como todos os carrascos, era um marginalizado da sociedade que vivia com os coveiros. Cheirava mal dos sovacos, tinha a pele encarquilhada, cicatrizes nas palmas das mãos que adivinhavam feridas antigas e uma espessa verruga no queixo. Até então, nunca se lhe ouvira uma palavra. Admirara a capacidade de resistência à dor dos acusados durante a primeira sessão, sem um único gemido, apesar dos vigorosos açoites que lhes desferiu. Vendo-se longe dos magistrados, deixou cair:

– Isto vai doer muito mais… E deixar no corpo marcas para sempre. Se tiverem algo para confessar, façam-no agora!

– Obrigado. Deus te perdoará do teu ignóbil ofício, pelo gesto que acabaste de ter para connosco. Mas não temos nada a confessar. Faz o teu serviço, como te mandam! – ordenou Prisciliano, com um olhar frio.

O homem semicerrou os olhos na sua direção, encolheu os ombros e pegou nos archotes. As mãos viam-se escuras não só de sujidade mas também de fumo e dos materiais que estivera a preparar. Começou por colocar cera no peito e abdómen dos réus, passando, de seguida, com o archote para cozer a pele até ficar vermelha e ardente.

Mantendo-se a estoica impassibilidade dos homens com os olhos vidrados em lugar nenhum, recebeu ordens para passar a um novo suplício. Foi um pez negro e oleoso que o archote fez queimar sobre os corpos, que os deixou com feridas dilacerantes. Desta vez, não puderam conter os gemidos, lamentos e lágrimas. As dores eram atrozes, impossíveis de ser ignoradas, por mais esforços de alheamento que fizessem. O verdugo conhecia como ninguém o limite que o ser humano era capaz de suportar sem correr riscos para a vida, e foi esse limite que cumpriu. Mas os corpos dos queimados mais pareciam ter saído de uma casa a arder.

Magistrados, bispos e os que foram autorizados a assistir abandonaram a sala, espantados com a atitude dos clérigos hispânicos e, ao mesmo tempo, enfurecidos por tão convincente suplício não lhes ter aberto a boca.

– Insolentes! – gritou Evódio, ao bater a porta.

O verdugo ficou sozinho a arrumar os instrumentos do seu labor. Olhou de soslaio para os cinco homens que sofriam as penas do Inferno.

– Sabes o que é feito da mulher que foi presa connosco? – perguntou Prisciliano, com a voz arrastada.

O algoz aproximou-se e fixou os olhos no líder.

– A viúva? – perguntou, com voz arrastada.

– Sim…

O homem limpava as mãos, enquanto lhe respondia:

– Eu disse-lhes que vos poria a falar e que não era preciso supliciá-la, até porque está muito debilitada. Quase não come, a pobre. Mas vocês não estão a facilitar-me a vida…

O silêncio tomou novamente conta da sala, apenas entrecortado pelos ruídos das pias de barro e dos materiais que compunham a grotesca parafernália do labor do carrasco.

– Obrigado… – disse, finalmente, Prisciliano, admirado com os laivos de bom coração do verdugo.

– Mais logo, quando escurecer, hão de vir buscar-vos para vos levarem para o cárcere. Não querem espetáculo público gratuito nas ruas – concluiu, de costas voltadas e preparado para sair.

Dirigiu-se para a porta, abriu-a e olhou à volta, para fora, como que a certificar-se de algo. Fechou-a novamente, sem sair, e dirigiu-se a um compartimento escondido nos subterrâneos. Pouco tempo depois, surgiu com uma espécie de bolsa de tecido arredondada que segurava pela parte de cima. Com suavidade, colocou-a sobre as feridas que acabara de abrir. Os torturados sentiram o alívio do frio do gelo a combater a carne queimada.

42

Mediolanum (Milão)
Divodurium Mediomatricorum (Metz)
Augusta Treverorum (Tréveris)

Dez dias depois, Egéria chegava finalmente a Mediolanum. Não queria perder tempo e procurou logo encontrar-se com o homem que a podia ajudar. Assim pudesse contar-lhe com detalhe a verdade das suas práticas e explicar a forma como viviam a fé. Mesmo que nutrisse pouca simpatia por movimentos carismáticos como o priscilianista, com certeza que não ficaria insensível aos bons argumentos que trazia do oriente. E muito menos ao escândalo para a Igreja universal que fora perseguida por tantos séculos. Sobretudo, agora que era a religião oficial do império, não podia passar de perseguida a perseguidora dos próprios fiéis. Certamente que Ambrósio, o bispo da cidade, a ajudaria. A sua palavra era escutada em toda a cristandade, tão hábil era no manejo dos argumentos tanto teológicos como diplomáticos. Assim como os seus sermões e estudos teológicos ganhavam grande impacto entre os crentes.

Para quem chegava a Mediolanum vindo de Como, devia entrar pela porta norte, precisamente a Porta Comacina. À esquerda da estrada, a pouca distância das muralhas da cidade, erguia-se a imponente *basilica Portiana*, construída no tempo de Constantino, seguindo o desenho da Aula Palatina de Treverorum. Egéria entrou, apressada, pela porta principal do templo de planta cruciforme e ajoelhou-se em frente ao altar, rezando e descansando o corpo extenuado da longa viagem. Quando terminou as orações e se viu refeita, procurou um clérigo, perguntando pelo bispo.

– Aqui não sabemos dar-te informações. Não tem vindo a esta basílica, nos últimos tempos. Procura na residência episcopal, dentro das muralhas.

– Qual o caminho mais rápido para lá chegar, irmão? – perguntou, sem mais delongas.

A peregrina atravessou o fosso que circundava a muralha pelo passadiço que lhe permitia alcançar a porta e mergulhou na agitação da mais importante urbe do norte da Itália. Havia um número inusitado de soldados nas redondezas, sinal dos receios em que a cidade vivia desde a usurpação de Magno Máximo. Cruzou o primeiro quarteirão, deixando à esquerda o imponente *horreum*, o armazém destinado ao aprovisionamento alimentar do exército, e, dois quarteirões adiante, virou à esquerda, entrando na rua que dava para a *Porta Argentea*.

A fatigada viajante experimentou o mesmo surpreendente estranhamento que vivenciaram Prisciliano e os amigos quando, anos antes, chegaram ao imponente complexo episcopal de Mediolanum. Egéria nunca soube dos infrutíferos resultados das diligências de Prisciliano junto de Ambrósio, porque este, nas cartas, nunca lhos narrara. Agora, à vista das várias basílicas, do batistério e do episcópio, onde residia Ambrósio, só pensava numa coisa: descobrir o bispo, com urgência.

– Ambrósio está a caminho de Augusta Treverorum, como embaixador do príncipe Valentiniano – foi a informação recebida, que a desmaiou de desilusão.

Procurando recompor-se, preparou-se para fazer mais algumas perguntas, mas o prelado havia desaparecido. Desalentada, voltou à rua e sentou-se num banco de pedra.

– Não percas tempo, peregrina!

Egéria sobressaltou-se. Não percebera como aparecera aquele maltrapilho ao seu lado, parecendo que surgia de parte nenhuma.

– Que queres tu? Como sabes que eu sou uma peregrina?

– Li na Via Láctea – gracejou, fungando.

Ela virou-se mais para ele e mediu-o de cima a baixo. Era um homem de idade avançada, com o cabelo e a barba encanecida. Reparou que lhe faltava a mão direita.

– O que te aconteceu à mão?

– Um dia pregaram-me a uma cruz... A ferida deste lado – ergueu o coto ceifado, enquanto explicava – infecionou a mão e, por isso, cortei-a com esta – levantou a outra, onde se via a cicatriz do cravo.

A viajante arrepiou-se.

– Coitado de ti...

– Coitada de ti...

– De mim?!

– Sim, se não chegares a tempo.

– Que sabes tu de mim?

– Que viajas para Augusta Treverorum e que, se estiveres a perder tempo, nem sequer verás as rosas azuis a florescerem.

– O quê?!

– ... não chegarás a tempo... ao teu tempo... ao tempo dele?

– Não entendo nada do que dizes. Nunca consegui ver sequer rosas azuis...

– Não precisas de entender, só precisas de ir... o mais rapidamente possível. Ele precisa de ti.

Subitamente, uma coluna de soldados passou em frente, com os cavalos a fazerem um estrupido na calçada. Egéria desviou a atenção, por momentos para logo perguntar:

– Quem és tu?

Mas o vagabundo já não se encontrava ao seu lado. Com o estômago frio, levantou-se e olhou em volta. Perguntou por ele a quem se encontrava por perto. Mas ninguém o vira nem sabia do que ela falava.

Ao chegar a Argentoratum, Ambrósio poderia escolher uma das duas estradas que ligavam a cidade à capital das Gálias: seguir pela rota oriental, passando por Moguntiacum, ou pela ocidental, cruzando Divodurium Mediomatricorum. Uma por cada lado, compunham um círculo quase perfeito, mas levavam o viajante ao mesmo local: Augusta Treverorum. Dada a urgência da missão, o bispo escolheu o percurso ligeiramente mais curto, o que lhe permitia falar previamente com o bispo de Divodurium Mediomatricorum sobre os acontecimentos que acabavam de chegar a Mediolanum que referiam o aprisionamento, julgamento e tortura dos líderes do movimento priscilianista. Muito embora não fosse a missão que o levava à capital de Máximo, não podia deixar de se inteirar desses impensáveis acontecimentos. Era certo que não lhes dera grande importância, no passado, nem sequer simpatizava com as formas extremas do ascetismo hispânico, que entendia que podiam levar a situações análogas às das práticas maniqueias, ou pelo menos a serem aproveitadas por uma mente malévola para as acusar de maniqueísmo. Mas o que não podia concordar era com a intromissão do imperador nos assuntos da Igreja. Não admitia que fosse o poder secular, em vez do religioso, a julgar se os atos e crenças daqueles bispos eram ou não heréticos.

No entanto, o bispo local adoecera, não tendo comparecido à chamada de Máximo, pelo que não sabia mais do que Ambrósio. Por isso, prosseguiu viagem. Quando chegasse, haveria de se inteirar dos hediondos acontecimentos.

Enquanto Ambrósio reiniciava o percurso, definindo mentalmente a argumentação que haveria de usar contra o imperador, Egéria saía de Mediolanum rumo ao mesmo destino, com o coração contrito, numa angústia crescente, sobretudo depois do encontro com o desconhecido. Os rumores corriam e ouviu, estupefacta e aterrorizada, o que se contava sobre os priscilianistas em Mediolanum. Queria acreditar tratar-se da fértil imaginação das pessoas que sempre empolam os factos. *Ninguém supliciaria ninguém por ser cristão!*, pensava, incrédula. *Isso foi no tempo dos gloriosos mártires que morreram às mãos de imperadores pagãos e tiranos como Nero e Diocleciano. Não de um imperador batizado, por usurpador que seja, como Magno Máximo!* Mas logo se lembrava das enigmáticas palavras do maltrapilho e o peito transformava-se numa rocha que se comprimia contra o coração.

Ambrósio matutava na sua dupla missão: demonstrar, em primeiro lugar, que, com a sua primeira embaixada, não quis enganar Máximo e prometer-lhe algo que sabia de antemão que não se ia cumprir, a vinda do jovem Valentiniano a Treverorum e, em segundo lugar, levar de volta os restos mortais do cristianíssimo Graciano, seu grande amigo, e que tanto o ajudara na implantação da Igreja na Itália.

Sabia de antemão que Máximo deveria estar ferido na sua dignidade, para além de que se mostrava embriagado pelo poder total, como demonstrava no caso dos priscilianistas. Por outro lado, sabia também que não devia abrir muitas simpatias com um imperador niceno, pois não

414

se esquecia que aqueles que lhe encomendaram a missão, Valentiniano e Justina, eram arianistas professos e poderiam entender qualquer concessão como uma traição.

Só havia um caminho: ser duro, assertivo, intransigente, a fim de não ficar mal junto de quem o enviava e de quem o recebia, pois sabia que o caminho estaria fortemente armadilhado.

Ambrósio e Egéria seguiam ao mesmo tempo para Augusta Treverorum, mas a distâncias diferentes. Nesse destino, os cinco encarcerados eram conduzidos novamente para a sala de tortura. Tinham recuperado, ainda que não totalmente, das lesões infligidas nos dois suplícios anteriores. O risco de vida havia passado. Alguém lhes fazia chegar, discretamente, uns unguentos muito eficazes na recuperação dos traumatismos, em especial nas queimaduras. Durante as orações diárias, Prisciliano pedira aos amigos para rezarem pelo verdugo. Pressentia ter sido ele quem lhes fizera chegar os óleos mágicos, pois só poderia ser alguém habituado a lidar com aquelas feridas e igualmente conhecedor dos segredos da natureza. *Estranha condição a do verdugo que ora açoita com violência ora procura reparar o seu mal!*, pensava o mestre.

Esperava-os o *eculeus*, o potro: uma armação de madeira em forma de ferradura, onde se colocava o réu atado de pés e mãos. Um complexo de pesos e cordas girados por uma manivela puxava os membros e as articulações provocando dores tão intensas a que poucos resistiam, se não quisessem fugir do suplício como um verdadeiro cristão do inferno.

– Esta vai doer ainda mais! E não tenho remédios para acalmar a dor – murmurou o algoz, sem poder ser ouvido pela assistência.

– Cumpre a missão, como é o teu dever! – ordenou, Prisciliano. – Como te chamas?

O homem corou e olhou discretamente à volta, assegurando-se de que ninguém se apercebia da conversa. Caso contrário, poderia ter o mesmo destino daqueles que martirizava.

– Eu chamo-me... – hesitou, para logo concluir: – Chamam-me O Cristo...

– *O Cristo*?!

Eclodiu no mestre a lembrança do pedinte de Emerita e do da estrada para Burdigala. Também disse chamar-se assim... Mas este não era coxo, apesar de pertencer ao refugo urbano, neste caso de Treverorum. Passou a olhá-lo e a ouvi-lo com mais curiosidade e atenção.

– Sim, talvez porque me cabe fazer a tarefa que ninguém quer… Crucifico, suplicio e mato gente, tanto culpados como inocentes. Eu cumpro as ordens dos juízes. Eles não sabem quem é inocente ou não. Julgam como mais lhes convém… ou como o imperador decide…

Recordou então vagamente o veredito de Antonino, em Canopo, sobre o seu encontro com *O Cristo* e de este lhe tapar os olhos para sempre. Estremeceu.

– E tu sabes quem são os culpados e os inocentes?! – questionou Prisciliano, com um aperto no peito.

– Sei, tenho a certeza de quem é culpado e de quem é inocente no martírio que lhes inflijo – respondeu, com firmeza o verdugo. – Agora, cala-te, porque Evódio está a aproximar-se.

– E nós somos culpados ou inocentes…?

– Cala-te!

– O que se passa aqui?!

– Nada, senhor prefeito. Apenas aconselhava estes senhores a confessarem, pois vão arrepender-se bem do motivo que aqui os trouxe.

– Então, vá lá, que são horas! – ordenou, sentando-se depois junto de Ithacio.

– Então o teu amigo Hidácio foi embora? – perguntou ao bispo de Ossonoba, com cara de poucos amigos.

Ithacio Claro remexeu-se na cadeira. Também ele ficara visivelmente incomodado por Hidácio, que com ele sempre se mantivera na primeira linha contra os priscilianistas, ter pedido escusa ao imperador para voltar a casa, invocando problemas de saúde.

– Sim, teve de ir, coitado! Aquelas dores de ventre… quando lhe dão quase o matam. E só o médico pessoal lhas consegue aliviar – respondeu, apesar de desiludido com o amigo.

– Bom, pelo menos estás tu, a testemunha principal deste processo, não é?! – insistiu, com secura.

– Sim… – titubeou Ithacio, sabendo que o que Evódio lhe transmitia nas entrelinhas era que, se o processo não terminasse com a condenação dos réus, ele próprio passaria a réu por delação, crime punido com a própria morte.

Um de cada vez, os presos deitaram-se voluntariamente sobre o potro. Já sem a estupefação de *O Cristo*, mas com a cólera da assistência selecionada, o verdugo amarrou-lhes bem os membros. Agrilhoou os pés à madeira e os membros superiores a um torno e, lentamente, começou a rodar a manivela.

As dores nas articulações e nos músculos foram atrozes, durante as cinco voltas que durou o suplício. As cordas e os pesos puxaram os braços de tal forma que parecia que se iam desintegrar do corpo, quebrando as articulações. Daquela vez, por entre desesperadas orações, os flagelados não suportaram tanta dor nem evitaram os gritos lancinantes. O sofrimento fazia-os desejar a morte a mais tormentos.

Ao final de cada quinta volta, *O Cristo* parava e desferia golpes de espada nos corpos quase nus, apenas com os genitais tapados por um pano branco, rapidamente manchado de sangue. As feridas abriram-se nos corpos estirados, sem que os supliciados pudessem reagir, exceto invocar o nome de Deus, Cristo e todos os santos martirizados, com os cortantes e desesperados gritos de dor. Finalmente, as feridas foram cauterizadas com uma placa de ferro em brasa, pondo à prova o limite da capacidade de resistência humana.

Seguiam-se os membros inferiores, repetindo a crua dose de tortura, com exceção do ferro quente. As dores assentavam, sobretudo, nos joelhos e bacia e, por fim, nas pontadas da espada. Só Felicíssimo foi poupado à segunda rodada, pois o verdugo notou que já não aguentava a dose administrada aos restantes, ficando com a omoplata deslocada e desmaiado no chão.

Igual dor cortante sofria cada um ao assistir à tortura dos amigos. Era o caso de Prisciliano, que foi o último, presenciando o sofrimento atroz, mas heroico, dos amigos que o precederam.

– Amanhã continuaremos, mas a dose será mais forte – anunciou *O Cristo*, quando desamarrava o mestre.

– Isto ainda não acabou por hoje! – sublinhou Evódio. – Tens aqui mais um cliente!

Apesar de deitados, procurando a posição menos penosa para os membros doridos, os cinco desviaram os olhos para o prefeito do pretório e para aquele vulto que permanecia, dobrado sobre si mesmo, ao seu lado.

– Meu Deus, não pode ser! – murmurou, horrorizado, Prisciliano.

43

Augusta Treverorum (Tréveris)

Mal chegou, Ambrósio instalou-se num albergue da cidade, juntamente com o presbítero, o secretário e os cinco soldados que o acompanhavam a cavalo. Não queria os cómodos do imperador para ficar mais reservado e independente, evitando, ao mesmo tempo, contactos indesejáveis.

À primeira hora do dia seguinte, apresentou-se no palácio, pedindo para ser recebido em audiência privada, como embaixador plenipotenciário de Valentiniano.

Depois de esperar algum tempo, apareceu um chambelão do palácio, cheio de tiques e com ar de eunuco, muito embora Máximo fizesse alardear que, como bom cristão, não aceitava castrados ao seu serviço. Com o indicador erguido, informou-o com ar afetado:

– Sua alteza magnífica não vos poderá receber em audiência privada! Mais logo, pela hora sexta, reunirá o Consistório na Aula Palatina. Ali vos receberá, bispo Ambrósio!

– Faz o favor de informar o imperador que venho como ministro de um soberano reconhecido e não venho pedir favores. Trago as credenciais para lhe apresentar. Por isso, a dignidade do príncipe que represento merece que seja recebido em privado.

Ambrósio admitira aquela possibilidade. Era uma forma de o humilhar e fazer perder a paciência, antes mesmo de o receber. Já o tentara na primeira embaixada. Porém, tinha de jogar tudo para se encontrar cara a cara com Magno Máximo, a sós, e não mostrar qualquer temor.

– Penso que fui suficientemente claro. Mas posso repetir se o desejares.

– Diz então ao teu imperador que é uma falta de cordialidade e respeito receber um bispo ao lado de tanta gente, e que lhe devo falar a sós, da parte de Valentiniano, de assuntos do seu interesse pessoal – insistiu, sem perder o porte, junto do chambelão.

Perante a teimosia do bispo, e sem mostrar qualquer emoção, o anfitrião saiu sem uma palavra, deixando Ambrósio de pé. Não demorou a voltar à sala.

– Tenho instruções para informar que, ou aceitas ser recebido hoje no Consistório, ou temo que não mais o possas ser – afirmou, com os olhos a rirem-se na cara do bispo, embora mantivesse as faces impassíveis.

– Estão a agir totalmente contra todas as regras da diplomacia! Mas, se ele assim quer, assim será! – concluiu, evitando continuar o jogo de Máximo.

À hora certa, Ambrósio entrou na porta da imponente basílica, juntamente com o secretário, a quem dera ordens para ficar a meio da sala e anotar tudo o que ali se passasse, e com o presbítero, que devia ficar ao lado do secretário. Parou à entrada e mediu com o olhar o comprimento do templo: perto de cem passos, até à parede da abside, onde se encontrava a cadeira do imperador. Todos pareciam apanhados de surpresa. O burburinho que se fazia no recinto parou subitamente, com os funcionários e membros do Consistório a ocuparem, à pressa, os seus lugares. Máximo, que se encontrava de pé a cochichar com Evódio, sentou-se no cadeirão imperial, tendo o prefeito ocupado também o seu destacado posto, à frente.

O bispo diplomata percorreu altivo e sem pressa o corredor, em direção à abside. Para qualquer homem, seria uma experiência única entrar naquele edifício com o solo e as paredes aquecidos e cobertos por placas de mármore. Mas para o bispo de Mediolanum foi um momento de extrema tensão percorrer o espaço que o separava de Máximo, debaixo de um silêncio cortante. Os presentes fizeram-lhe a vénia, como era da praxe, embora receosos de que o imperador não apreciasse.

Magno Máximo também não podia dispensar-se a erguer-se, dar alguns passos e ir ao encontro do bispo. Mesmo a contragosto, não podia negar-se a oferecer-lhe o ósculo e o abraço da paz. Mas Ambrósio evitou-o ostensivamente, gerando um burburinho na sala.

– Porque pretendes abraçar alguém a quem não reconheceste a dignidade? – perguntou, com gravidade e provocação.

– Eh lá! Estás irritado?! – retorquiu o imperador, escondendo a fúria com a ironia.

– É claro que estou incomodado – respondeu, com os olhos nos dele. – É uma ofensa grave não me teres recebido em privado, como era teu dever.

O imperador estava prevenido dos maus humores de Ambrósio e tinha até preparado a resposta, com um sarcástico brilho no olhar:

– Esqueces-te que foi precisamente neste mesmo Consistório que foste recebido na primeira embaixada?!

O contra-ataque de Máximo levantou um novo burburinho no recinto. Ambrósio sorriu. Esperava aquela insinuação.

– Sim, isso é verdade, foi mais uma irresponsabilidade tua!

– Então porque não protestaste dessa vez?! – o imperador erguia a voz para causar risos na assistência.

– Porque, nessa ocasião, vim pedir a paz para alguém mais débil do que tu. Agora venho tratar em nome de um igual... – defendeu-se o bispo.

– Desculpa, não estou a perceber. Estás a falar de Valentiniano?

– Sim, claro, de quem...

– Mas a quem achas que ele deve o seu estatuto?! – interrompeu Máximo.

– A Deus Omnipotente que lhe conservou o reino! – replicou o visitante, com uma perturbante impassibilidade, atiçando de imediato a discussão para o rubro.

– Pois fica a saber que ele deve a coroa à minha clemência! E só lha concedi face à tua falsa promessa, no ano passado, dentro desta mesma basílica! Já te esqueceste da tua fita, Ambrósio?

O imperador não se conteve mais, explodindo o vulcão das emoções numa violenta recriminação sobre o que considerava serem outras faltas graves para consigo, desde a invasão dos bárbaros provocada pelo general Bauto até às deserções dos seus oficiais que se passavam para os exércitos de Valentiniano ou de Teodósio.

– E, apesar de todos os desaforos, Valentiniano ainda reina porque decidi não o incomodar, acreditando em ti.

– Quanta pretensão, Máximo! – replicou Ambrósio, fitando-o de novo nos olhos, evitando que dominasse a contenda. – Aquando da primeira embaixada, não te vi tão furioso e incomodado como hoje...

O imperador protestou, erguendo a voz, que ecoou ao longo das paredes altas da Aula Palatina. Os antigos imperadores representados nas pinturas murais traçadas sobre as impressionantes janelas de vidro estariam corados de vergonha com a prestação do senhor que detinha agora o trono dos gloriosos antepassados.

– Ouve-me com calma, Máximo! – insistiu Ambrósio, procurando não perder o pé. – Se vim aqui agora, é precisamente porque sabia que poderias estar equivocado sobre os resultados da minha visita anterior....

Ambrósio defendeu a sua tese com inteligência deixando furioso o anfitrião, até chegar ao primeiro objetivo da missão: levar os restos mortais de Graciano para Mediolanum. Mas Máximo não estava pelos ajustes. Temia que os seus antigos soldados debandassem.

– O quê?! – retorquiu Ambrósio a tal insinuação. – Aqueles que abandonaram o senhor ainda vivo iriam agora defender o seu cadáver?! – E, lançando todas as munições que trazia no paiol, atacou: – Como se poderá acreditar que não foste tu o assassino se lhe recusaste dar sepultura?! Afirmaste então que era teu inimigo e que te era permitido livrares-te dele, não foi? – Ambrósio perguntava e respondia, sem dar tempo a qualquer intrusão no discurso. – No entanto, caro Magno Máximo, ele não era o teu inimigo; tu, sim, eras o inimigo dele. Se alguém te disputasse o império, por acaso dirias que aquele perseguia, na tua pessoa, um inimigo? O usurpador é aquele que ataca; o imperador apenas defende o seu direito!

Ao lembrar-lhe a usurpação, Ambrósio quis intimidar o imperador. Apanhado de surpresa, este interrompeu bruscamente a audiência e convidou Ambrósio a sair, alegando apressadamente que tinha de pensar melhor no assunto e logo daria notícias. O bispo pediu apenas algum tempo para mandar uma carta a Valentiniano, redigida ali mesmo com os apontamentos tirados pelo seu secretário, a dar conta do sucedido durante a audiência. No fundo, para além de intimidar Máximo, pretendia evitar que este se antecipasse com alguma carta de Treverorum para Mediolanum com informações erradas sobre a forma como decorrera a missão que pudessem ser aproveitadas pelos malévolos conselheiros arianistas de Valentiniano, sempre à espera de poder desacreditar o bispo, com alguma falha diplomática.

Mal partiram os dois soldados a galope com a carta, Ambrósio dirigiu-se aos seus aposentos. Tinha agora uma outra secreta missão em mente.

Se os olhos não o tinham enganado, tinha visto o velho bispo Higino de Corduba cambaleando sobre um bordão e em estado lastimável. Ele era a pessoa certa para saber o que pretendia. Mandou o presbítero certificar-se de que não fora imaginação sua, pedindo que o trouxessem até junto de si.

– Higino, não te imaginava por estes locais tão distantes da tua amena Corduba – disse, recebendo-o com um abraço e um ósculo fraterno.

– Estou velho de mais para estas andanças, mas vim aqui para uma reunião de bispos… Digamos que me trouxeram, contra a minha vontade, pois, como te disse, não tenho idade…

Depois das conversas da praxe, Ambrósio foi direto ao que o preocupava: o que estava a acontecer com os priscilianistas!

– Um horror! Não imaginas, irmão, o que fazem a dois bispos e a três clérigos cristãos. Torturas, suplícios… Nem sei como te dizer! Há três dias, Evódio entregou formalmente a Magno Máximo uma acusação, para que ele profira a sentença – Higino era o desalento em pessoa.

– Mas… acusa-os de quê?!

– Magia negra, *maleficium*, bruxaria, enfim… Ajeitaram as provas ao que lhes permite atingir os objetivos.

– Meu Deus, isso é terrível! – replicou, com gravidade e preocupação. – Querem matá-los…

Ambrósio respirou fundo, completamente transtornado com a notícia. Lembrou-se de quando os priscilianistas procuraram a sua ajuda e sentiu remorsos e arrependimento por não lhes ter dado atenção. Talvez se tivessem evitado tantos equívocos e transtornos.

– Hereges ou não, deviam estar a ser julgados por um concílio regularmente convocado para o efeito – pensou alto.

– Irmão, garanto-te que não são hereges! Isto é tudo uma vergonhosa manobra de Ithacio Claro. Uma vingança pessoal.

– E não lhes dei ouvidos, em tempos… – remordia-se Ambrósio.

Higino estava a par do que acontecera em Mediolanum, mas não quis pisar a ferida.

– E não sabes ainda como manobrou até me conseguir levar para o *eculeum*, acusando-me também. Esse maldito Ithacio conseguiu, inclusive, convencer Máximo a iniciar um processo contra mim.

– Não posso acreditar… Contra ti, Higino?! Meu Deus, como é isso possível?!

44

Augusta Treverorum (Tréveris)

Na manhã seguinte, Ambrósio acordou ainda o sol não havia nascido. Depois da higiene matinal, vestiu-se à pressa, engoliu um pedaço de pão que trazia sempre consigo, bebeu a água que tinha no quarto e partiu como uma flecha disparada por arqueiro de pontaria afinada. Entrou na residência onde se hospedavam os bispos, perguntou pelo aposento de Ithacio Claro, subiu um andar e entrou sem bater.

Um homem gordo enfiado numa veste branca até aos joelhos e com a cabeça tapada por um barrete também branco abanava as traves do quarto com o estrondo dos roncos do furioso ressonar.

– Acorda, Ithacio!

O homem despertou, aturdido e aflito, e ergueu-se num ápice. O coração batia-lhe veloz. Adormecera muito tarde, depois do faustoso jantar, a convite do imperador, que pretendia manter o controlo sobre os bispos ainda presentes na cidade e convencê-los de que Ambrósio os ofendera ao recusar-lhes a comunhão espiritual, negando-se, inclusive, a pernoitar no mesmo palácio onde tão hospitaleiramente os acomodara.

– O que se passa?! Ladrões?!

Ambrósio correu a cortina escura que tapava a luz da alva.

– Ambrósio?! – perguntou, estupefacto. – O que aconteceu?!

– Ithacio, não tenho tempo a perder! Estou profundamente desiludido contigo e com os bispos que se atrevem a acusar companheiros e irmãos, provocando-lhes torturas tão atrozes a que os cristãos já não estavam habituados.

– Mas… não sabes que são um bando de maniqueus e que praticam a bruxaria?

– Deixa-te lá disso! Se algo os desvia da correta fé, somos nós, os bispos, a Igreja, que tem o dever de os julgar e punir, se for o caso. Não concebo que um bispo seja capaz de acusar, assistir com os próprios olhos aos gemidos, gritos e suplícios desses pobres, tocar as fasces dos lictores e as cadeias dos condenados, e que vá depois consagrar o pão e o vinho como se nada tivesse acontecido!

– Ambrósio… por favor…

– Cala-te, Ithacio! Não vejo como te possas redimir do que fizeste. És igual aos sumo-sacerdotes judeus que entregaram Jesus a Pilatos para ser crucificado. Quando te deitas, fazes o exame de consciência perante o crucifixo que tens sobre a tua cama?!

– Chega, Ambrósio!

O bispo de Mediolanum bateu a porta com estrondo e saiu à pressa, não sem antes sentenciar:

– Nunca conseguirás fazer a História andar para trás! Das decisões difíceis só nos poderemos orgulhar ou arrepender!

Várias cabeças de bispos espreitavam pelas frinchas das portas. Era impossível não ouvir a troca de palavras no quarto de Ithacio. Esconderam-se à passagem de Ambrósio.

Enquanto se dirigia para a estalagem, pensava uma vez mais nos relatos de Higino que não o deixaram dormir a noite inteira.

– Vendo que Prisciliano e os companheiros não confessavam, Ithacio sussurrou a Evódio que eu também comunguei com os priscilianistas, na Hispânia. Embora não tenha participado em reuniões noturnas, é verdade que comungo com eles nos princípios doutrinais e na espiritualidade. A Igreja hispânica deve muito à missão evangelizadora que doutrinou os pagãos, nos últimos anos.

– E o que fez Evódio, irmão?

– Instaurou um processo contra mim, para averiguar a legalidade das práticas. A fórmula certa para me levar também para as câmaras de tortura.

– Também te supliciaram, Higino?!

*

Quando Prisciliano viu o ancião de Corduba junto ao prefeito do pretório, o coração sobressaltara-se-lhe. Eles eram robustos, podiam suportar algumas torturas. Mas Higino, não. Vendo-o a ser despido, chamou Evódio, sem hesitar.

– Para com esta monstruosidade, prefeito! Não sei onde queres chegar, mas trazer um velho moribundo para estes suplícios é o cume da brutalidade, da selvajaria!

– Sei perfeitamente onde quero chegar, bruxo! Estou a ficar sem paciência e sem mais tempo para este processo! – Evódio recordava que o imperador lhe havia pedido rapidez, devido à iminente chegada de Ambrósio. – Confessa os teus atos e isto terminará!

– Muito bem, abro a boca para te responder ao que quiseres, se deixares esse homem partir em paz e não lhe provocares qualquer dano físico.

– Senhores magistrados, cheguem-se aqui e tragam os secretários. Estes senhores vão dar-nos finalmente o gosto de conversarem convosco.

– Confessas que segues a doutrina de Mani?

– Nego! Mani defendeu doutrinas inconciliáveis com os ensinamentos de Cristo e das Sagradas Escrituras – respondeu Prisciliano, com as forças que reuniu, apesar de transformado num farrapo humano.

– Mentira! – gritou Ithacio, que acompanhava a sessão. – Não faltam maniqueus na Hispânia, magros, pálidos e com vestes de pedintes, como esses aí! Fazem todos parte da mesma seita!

– Senhor bispo, vai ter de se manter em silêncio, se faz o favor! No final, pode contrapor o que quiser e, se necessário, far-se-á uma acareação – ordenou o magistrado que conduzia o inquérito, virando-se novamente para Prisciliano. – Confessas que te alimentas de vegetais e te negas a comer carne?

– Sim, é verdade. Não vejo porque haverei de me alimentar com o espetro da morte de seres inocentes criados por Deus. Os alimentos que ingiro são os suficientes para me manterem vivo, em boa forma física e mental.

– Confessas que tens interesse pela magia e astronomia? Rezas descalço ou despido de roupas em assembleias noturnas?

– Se com a pergunta pretendes saber se sou bruxo ou se pratico magia negra para fazer mal a alguém ou para obter favores dos elementos sobrenaturais, nego totalmente. Não obstante, quando era criança, acompanhei o meu pai e os *pagi* em procissões propiciatórias pelas boas culturas ou pela chuva. Rezei descalço sozinho e com os meus irmãos, em sessões noturnas, nos montes e ermos. Mas não me arrependo. É a melhor forma de reconhecermos que somos uma pequena partícula na imensidão da criação divina. De nos lembrarmos que somos d'Ele e que a Ele haveremos de voltar, prestando as contas da vida, da mesma forma como nos entregou a este mundo: despidos de roupa, mas também despidos das vaidades e reconhecendo a inutilidade das tentações mundanas. Quanto à astronomia, não nego que observo os astros. Lívio, o meu velho pedagogo, ensinou-me desde criança como observá-los, nomeadamente a Via Láctea.

Nesse momento, o pensamento de Prisciliano voou para as mulheres da sua vida: Priscila e Egéria. Com ambas se ligava através do caminho feito de estrelas. Priscila, que o aguardava no seu sepulcro, em Aseconia, e que, por ter morrido pagã, esperava apresentar-se junto de Deus como mulher virtuosa e merecedora do Seu carinho. E Egéria, a mulher que vivia, em total comunhão, na plenitude do seu coração. Perguntava-se onde estaria, naquele momento, e se sabia do que lhe acontecia em Treverorum, agradecendo-lhe todas as noites as palavras que escrevera, que o mantiveram animado na fé. Mas, sobretudo, preparado e mais confiante na via da suma perfeição a que os cristãos, havia quase um século, não podiam aspirar: o martírio.

E a pergunta seguinte vinha abrir-lhe ainda mais essa saudade imensa.

– É verdade que ensinas às mulheres as Sagradas Escrituras, como o fazem os gnósticos, que lhes permites que sejam também oficiantes, que as consideras iguais e com os mesmos direitos dos homens e que elas participam nos vossos conciliábulos noturnos?

– Não sei o que fazem os gnósticos, a esse propósito. Mas considero, sim, as mulheres iguais aos homens. A ambos Deus criou para serem seus filhos. Não consta que Ele tivesse determinado que um era superior ao outro. As mulheres têm igual direito a conhecer as Sagradas Escrituras e, as eleitas, o sagrado dever de as ensinar. E, sim, é verdade que os montes e a noite são propícios à reflexão conjunta de todos os eleitos sobre os ensinamentos de Cristo.

– Se reunis de noite no meio dos montes com mulheres, não consideras isso uma libertinagem, uma ofensa à ordem pública e à moral cristã?

– Se chamas libertinas a essas mulheres e julgas que ofendemos a

Igreja e o Estado, como qualificas a atitude de Jesus Cristo que nunca considerou, tal como o Pai, que as mulheres eram diferentes dos homens? Ele, que também amou... Como julgarias tu Jesus Cristo, se fosses o seu juiz, quando defendeu a mulher de má vida e disse: *Que atire a primeira pedra quem não tiver qualquer pecado?*

– Eu não estou a ser julgado, apenas a inquirir... Haverá quem julgue, a seguir – respondeu o magistrado que presidia ao interrogatório, não escondendo o nervosismo face à acutilância do réu.

– Mas também posso confessar outras coisas que são importantes na doutrina que defendo, para além de, em Cristo, não haver diferença entre homem e mulher, judeu ou grego...

– Estás a referir-te a quê?

– À abolição da escravidão, pois todos os homens nasceram iguais aos olhos do Senhor.

Fez-se um burburinho de espanto na sala.

– Tonto, isso nunca acontecerá! Sempre houve escravidão e sempre haverá! Prisciliano não vacilou e continuou a afirmar o seu credo, a sua espiritualidade.

– Amo a pobreza voluntária, predico um ascetismo sério e não de faz-de-conta, concedo importância aos laicos, porque a Igreja é de todos os que amam a Cristo, não apenas dos sacerdotes, fomento a leitura das Sagradas Escrituras e a sua predicação tanto a clérigos como a laicos, a nobres como a plebeus e intelectuais.

– Anotem, secretários! Agora, fala-me mais sobre os montes e os lugares ermos... Porque os escolhiam para o vosso culto?

– Para imitar Jesus Cristo!

– Como assim?!

– Para onde se recolheu Jesus depois do milagre da multiplicação dos pães e dos peixes, quando se recusou a ser rei do mundo?

Perante o silêncio do magistrado, ele próprio respondeu:

– Está escrito: *Percebendo Jesus que o vinham buscar para fazerem dele Rei, retirou-se novamente para o monte...* E queres saber mais quantas vezes subiu ao monte para rezar ao Pai, e se refugiou no deserto...?

Por indicação de Ithacio, as perguntas sucederam-se, sobre os recolhimentos antes da Epifania, a hóstia levada para as reuniões, os jejuns quaresmais e dominicais, até que chegou a pergunta final:

– Confessas que viajaste a Alexandria e aprendeste os mistérios da teurgia e das ciências ocultas e mágicas do Egito? E dizes-nos com quem contactaste nessa viagem?

Prisciliano ficou surpreso por toda a sua vida estar minuciosamente escalpelizada por Ithacio. Mas não se coibiu na resposta.

– Sim, é verdade que viajei, nos tempos de juventude, quando ainda vivia nas trevas e nos enganos do paganismo. Fiquei instalado em casa de Marcos, um sábio oriundo de Mênfis, um verdadeiro mestre da espiritualidade, asceta, estudioso e seguidor de Orígenes; contactei com o sábio Antonino de Canopo, mas também com a vida dura dos ascetas do deserto, verdadeiros atletas do espírito.

– Ou seja, pretendes fazer uma revolução na Igreja adaptando-a àquilo em que acreditas?

– Não, o meu apelo sempre foi por uma revolução espiritual, nunca por uma revolução religiosa!

O magistrado olhou-o em silêncio por algum tempo e deu por encerrado o interrogatório, verificando que tudo estava conforme, nas notas do secretário. A próxima a ser interrogada seria Eucrócia, a quem já tinham mandado buscar ao cárcere, pois acreditavam que, confrontada com o estado lastimoso dos amigos, soltaria a língua, nos termos que lhes convinham. Depois, Instâncio e todos os outros.

Ithacio esfregava as mãos de satisfação. *Com que então tinha contactado com Marcos de Mênfis?*, pensava. Lembrava-se vagamente do bispo Ireneu de Lugdunum ter escrito algo sobre uma personagem com esse nome que era mestre na arte mágica. *O escrito tem dois séculos, mas... quem sabe através da magia negra o seu espírito continua a vogar dentro de algum corpo nas terras do Egito?*, elucubrava Ithacio Claro.

Findos os interrogatórios, Evódio entregou a acusação a Máximo. Prisciliano e os amigos estavam formalmente acusados de maniqueísmo, pelo simples e único facto de confessarem terem participado em reuniões e vigílias noturnas. Deram também como provada a prática de obscenidades, pelo que foram acusados de *turpiduto*, o que os tornaria, por força da sentença, indignos da estima dos cidadãos. Prisciliano, para além destas incriminações, foi ainda acusado de conhecimento e prática de magia negra, por haver confessado ter rezado nu e descalço e de, negando sempre a prática de magia, a ter estudado na juventude. Eram crimes punidos com a morte! Quanto a Higino, o processo fora suspenso, mas não encerrado.

Ambrósio ainda não recuperara do choque, depois da narrativa de Higino. Mal acabava de contar os trágicos acontecimentos dos últimos dias, alguém bateu à porta.

– Sim? – perguntou o bispo de Mediolanum, alteando a voz.

– Senhor bispo, está consigo Higinio de Corduba?

Não foi difícil aos espiões de Máximo acompanhar todas as atividades dos dois prelados. Máximo e Evódio estavam furiosos por Higino ter ido ao encontro de Ambrósio, depois do que havia acontecido na tarde anterior na Aula Palatina, e de não ter comparecido ao jantar oferecido pelo imperador, sobretudo por tê-lo poupado às torturas.

O ancião foi levado, de imediato, à presença do soberano.

– A tua sentença está tomada... – Depois de um magistrado ler o apressado relatório contendo factos e justificações sem nexo, Máximo concluiu: – Higino, estás destituído da tua sé e condenado ao exílio! Tens uma hora para sair da cidade!

Durante o *prandium*, três oficiais do imperador abordaram Ambrósio.

– Trago ordens para te informar que deves abandonar imediatamente Treverorum! – comunicou o que os comandava.

– Assim de repente?! – perguntou Ambrósio, aborrecido.

Na verdade, não era uma atitude que o surpreendesse. Mas estava a meio da refeição, com a bagagem por arrumar e não tinha ainda notícias de Higino. Desconhecia que o velho bispo seguia escoltado a caminho de Colonia Agrippina, para depois rumar para o definitivo exílio, na Britania.

– Sim, são as ordens que tenho e devo cumpri-las!

– E qual a razão por que Magno Máximo vos manda informar-me de tão sábia decisão?

– O senhor imperador mandou dizer que não podia permitir que um bispo ofendesse os demais bispos da sua corte e do império ao recusar sentar-se com eles à mesa e recusando-lhes a comunhão.

Ambrósio soltou uma gargalhada, pela desculpa esfarrapada que Máximo encontrara para o expulsar de Treverorum.

– Diz-lhe que não posso estar em comunhão com bispos sem escrúpulos e que acusam os próprios irmãos.

– Manda também sua alteza, em gesto de cortesia, oferecer-te estas roupas quentes, porque faz muito frio nos Alpes, e ainda uma almofada para que não te tortures com os sobressaltos da estrada – informou ainda, com a boca cheia de cinismo.

– Diz-lhe que lhe devolvo a cortesia, bem como a roupa e a almofada. E, já agora, diz-lhe também para não se preocupar com os solavancos do carro na estrada, porque há torturas bem piores que homens como ele são capazes, invocando o mandato divino.

Os oficiais levaram Ambrósio à porta de Moguntiacum, sabendo que era o caminho mais distante para chegar a Argetoratum e, dali, atravessar os Alpes. No total, esperava-o cerca de um mês de viagem, até Mediolanum.

– E as nossas roupas? – perguntou depois de atravessar o fosso que protege as muralhas, olhando para os sorrisos cínicos dos oficiais.

– Como não quisestes as que ofereceu o imperador, esperai aqui que vos traga as vossas.

Só ao cair da tarde lhes trouxeram a bagagem. Ambrósio, o presbítero, o secretário e os três soldados que estavam com ele foram obrigados a partir ao cair da noite, o momento mais propício a perigos e armadilhas.

Deitaram-se nos escombros de umas oficinas de cantaria abandonadas, com a muralha à vista. À primeira hora da alva, levantaram-se e iniciaram o longo caminho de regresso a casa. Ambrósio seguiu com o coração destroçado: não alcançara nenhum dos objetivos pessoais e diplomáticos. E não sabia como evitar o fim que se adivinhava para os cristãos priscilianistas.

Mas, nessa mesma manhã, mais dois acontecimentos marcaram a história daqueles dias. Por um lado, Ithacio, muito afetado com a conversa havida com Ambrósio, pediu ao imperador para voltar a Ossonoba, alegando que precisava de atender aos fiéis, pois passaram muito tempo sem o ver. Sem ouvir qualquer opinião, Máximo autorizou a saída do bispo. Afinal, estavam já reunidas as provas suficientes para a decisão que bem entendesse. Por outro, e um pouco mais a sul, Egéria levantava-se na *mansio* de Argentoratum, rezava as orações matinais e recomeçava mais uma jornada, em direção a Augusta Treverorum.

45

Augusta Treverorum (Tréveris)
Ad Duo Decimum (Delme, perto de Metz)

– Majestade, ouvi dizer que Ithacio Claro não está na cidade.

– Sim, Evódio! Eu próprio o autorizei a ir-se embora, há alguns dias. Já não precisamos dele e achei que a sua presença poderia ser incómoda. Ambrósio fez-lhe algumas acusações... e muitos outros bispos ouviram. Tive receio que as palavras do embaixador pudessem contagiar os demais.

– Perdoe-me a ousadia, mas isso pode trazer-nos um problema... Um grave problema...

– Como assim?!

– Os magistrados entendem que, segundo as regras, ninguém pode ser condenado sem o acusador presente.

– Hummm... Quero lá saber disso! Sou um imperador e, se necessário, mando fazer uma nova lei.

– Isto poderia ser grave... Um imperador deve respeitar as leis do império, ou produzir leis gerais e abstratas, não leis para um caso particular. Muito menos, simular a presença do acusador – informava, sabendo o que dizia. – Não faltariam vozes a cruzar os Alpes. Podia ser um pretexto para se juntarem os exércitos de Teodósio e Valentiniano contra nós...

– Mande-se buscar o homem, imediatamente! – ordenou Máximo, com o rosto moído de preocupação.

– Já dei ordens para o procurarem. Mas ninguém sabe sequer dizer por que estrada seguiu. Se por uma principal, se secundária. Até ouvi dizer que poderia estar escondido nas redondezas, à espera que se pronuncie a sentença.

– E agora, Evódio?!

O prefeito coçou o nariz e tomou-se de um ar afetado.

– Só vejo uma solução...

– Qual?! – perguntou, ansioso, o imperador.

– Fazer-se um novo julgamento...

– Um novo julgamento?! Então, se não temos o acusador, não faz sentido! – concluíra, apreensivo.

Evódio sorriu. Tinha planeado a forma de resolver o assunto.

– Se for um processo fiscal, conduzido pelo *fisci patronus*, será diferente. Não estamos a precisar de fundos para organizar o exército destinado à invasão da Itália?

– Sim... embora não possamos fazer alarido disso... – a mente fazia contas que se liam no brilho dos olhos, pois, embora não sustentassem uma batalha, eram mais uma boa ajuda.

– Quer Prisciliano quer a viúva aquitana ou alguns dos réus são ricos aristocratas terra-tenentes. As suas propriedades renderão um excelente pecúlio para ajudar ao esforço de guerra – as palavras de Evódio eram o espelho da cupidez.

– E se forem condenados, na sequência do processo movido pelo procurador do fisco, poderemos confiscar-lhes as propriedades – lembrava Máximo, cada vez mais satisfeito com a ideia.

– Sim, é o que diz a lei de Teodósio, de 8 de maio de 381. A propriedade dos maniqueus pode ser confiscada!

– Ah, Evódio, como gostava de saber tanto de leis como tu! – afirmou o imperador, soltando uma gargalhada. – Mas para isso é que te nomeei prefeito do pretório. Vá, chama imediatamente Patrício à minha presença! – ordenou, com um sorriso manhoso a abrir-lhe o rosto até ali grave e pesado.

Egéria seguia apressada, milha atrás de milha, em direção ao destino. Passara Tres Tabernae, Pons Saravi e Ad Decem Pagos e preparava-se para repousar em Ad Duo Decimum, a *mansio* anterior à importante cidade de Divodurium Mediomatricorum. A partir dessa urbe, só faltaria cruzar duas *mansiones*, até Treverorum: Caranusca e Ricciaco. Animava-se com a possibilidade de encontrar Ambrósio na capital ou, pelo menos, cruzar--se com ele no caminho. Não sabia que os oficiais de Máximo lhe haviam trocado as voltas, mandando-o para Mediolanum pela estrada oriental.

Naquela noite, agarrada à sua pedrinha mágica, recordou todos os momentos que viveu com Prisciliano, desde a criança reservada ao adolescente sonhador, o jovem pagão atlético e cheio de energia que se desesperava por conquistar o seu coração ao adulto inteligente e homem sábio, profundo, o guia espiritual de toda uma comunidade. Alegrou-se, entristeceu-se, sofreu, chorou... Rezou uma vez mais pelo bem-estar dos queridos irmãos.

– Prisciliano, fazes-nos falta! Fazes-me muita falta! Amo-te profundamente, em todas as tuas dimensões. Como gostava de to poder dizer agora, nos doces e plácidos lugares da nossa Galécia, debaixo de um frondoso carvalho, junto ao curso de um rio que serpenteia os nossos montes, debaixo da lua e do orvalho da noite... – Egéria não conteve uma vez mais as lágrimas de sofrimento físico e emocional que eram a sua permanente companhia naquela viagem.

Patrício chamara todos os réus à sala de audiências. Pronunciou os factos de que eram suspeitos.

– Não sei que mais nos querem. Esclarecemos tudo o que tínhamos para esclarecer – resignou-se Prisciliano.

– Estamos a iniciar um novo processo, sob nova direção. Agora minha, como responsável pelas finanças do Estado.

– Não devemos nada ao império. Temos todos os impostos em dia – contestou o mestre.

– Sim, mas o que quero saber é se mantêm o teor das vossas declarações, no processo conduzido sob a égide do nosso prefeito do pretório.

– Já dissemos o que tínhamos a dizer sobre o assunto...

Os réus estavam extenuados e muito debilitados fisicamente. Felicíssimo trazia o braço ao peito para evitar as dores. Os restantes eram pele esticada sobre ossos.

Passavam os dias em permanente oração. Prisciliano, com as forças que lhe restavam, falou aos companheiros do martírio a que tantos cristãos se entregaram em nome das suas convicções, certos de que seriam recebidos no regaço divino, e que, como mártires, passariam a ser venerados como santos.

As últimas duas cartas de Egéria, consciente ou inconscientemente, referiam essa mais radical forma de imitar a Cristo. Ao longo do tempo, essa hipótese começou a engendrar-se no coração de Prisciliano, que, aos poucos, foi preparando os irmãos para essa possibilidade. Na verdade, olhando para trás no tempo, Prisciliano não encontrava melhor semelhança para a verdadeira imitação de Cristo: a chegada à grande cidade, onde se administrava a justiça, a denúncia dos sacerdotes, alguém que lavava as mãos pela suprema decisão, só faltava um fim semelhante ao do Filho do Homem.

– Ao longo da vida tentámos imitar, o melhor que pudemos, Cristo, o nosso modelo de perfeição. Se nos quiserem oferecer a graça do martírio, restar-nos-á aceitá-la com a dignidade daqueles que nos precederam e que, por essa via, como santos, entraram no Reino dos Céus.

Patrício não demorou muito tempo a encerrar a instrução do processo e, como pretendia o imperador, a entregar-lhe a acusação em mãos. Foi um procedimento sumário e rápido, de apenas uma audiência, que se baseou nas voluntárias confissões dos réus e na carta de Égéria, junta ao processo. Foram acusados dos crimes que constavam do libelo de Evódio: maniqueísmo, *turpitudo*, conhecimento e prática de magia negra. A fim de não fazer uma simples cópia da acusação do prefeito do pretório, e porque era o crime que mais interessava às finanças do Estado, Patrício reforçou a justificação das práticas de maniqueísmo, sublinhado através do jejum dominical, da leitura dos apócrifos e do ensinamento das Sagradas Escrituras às mulheres, como faziam os gnósticos.

No dia 6 de janeiro 385, Egéria chegava finalmente a Augusta Treverorum, pela porta da estrada de Divodurium Mediomatricorum. Era o dia da Epifania e do trigésimo sexto aniversário de Prisciliano. Entrou diretamente no cardo máximo e seguiu apressada para o fórum. Também ali, não havia tempo para admirar a cidade. Notou um estranho e tenso ambiente intramuros. Os sinos tocavam a rebate em todas as basílicas e os cidadãos seguiam em direção à Porta de Moguntiacum, silenciosos e ensimesmados, como se estivessem a ser conduzidos sob o efeito de alguma droga.

Egéria furou como pôde entre a multidão, pedindo licença, passando à frente, sem que ninguém reclamasse, pois caminhavam como fantoches para fora da cidade, como se a mesma fosse, de repente, ficar deserta. Não questionou a razão da demanda coletiva. Os corações dos que amam sempre adivinham as dores dos amados. O peito revolvia-se-lhe num frémito tal que gritava no afunilamento a que obrigava a porta, e a todos suplicava por a deixarem passar.

Do outro lado, a multidão reunia-se em círculo, à volta de um estrado montado à medida dos olhos da assistência, para que todos pudessem assistir ao macabro espetáculo. Sobre o tabuado, cinco corpos ajoelhados com as mãos amarradas atrás das costas. Quatro homens e uma mulher. Todos erguiam os olhos para o céu e rezavam em silêncio.

Egéria viu-os serenos. Mas dentro dela um vulcão irrompia com tanta força que lhe fez perder os sentidos, com o choque emocional. Não se lembrava do tempo que passara até recuperar as faculdades. Um estranho batia-lhe na cara, parecendo-lhe ela a torturada. Rapidamente tomou consciência do que se preparava para acontecer.

No cimo do estrado, o verdugo vestido de vermelho mandou soar o *tintinabulum* e cobriu a cabeça da mulher. Fê-la encostar ao cepo e, com um golpe rápido, fez jorrar sangue do pescoço separado da cabeça que rolava para junto dos quatro condenados, que a tudo assistiam.

– Meu Deus, Eucrócia!

Da assistência ouvira-se um burburinho e algumas mulheres a tapar os olhos com as mãos ou com os lenços com que cobriam o cabelo e o rosto.

Continuou a furar entre a multidão, enquanto se seguia o ritmo das execuções.

– Latroniano… Não posso crer…

– Deus querido, Arménio…

– Santo Cristo, Felicíssimo…

Chegara a vez do último homem que a tudo assistira em completa impassibilidade. O verdugo aproximou-se com a venda para os olhos. Priscilano olhou-o de frente. Sabia que era a última vez.

– Nós já nos conhecemos há muito tempo… – disse-lhe, imperturbável, depois de coser todas as pontas que lhe faltavam.

– Sim, somos velhos conhecidos… e continuaremos a ser… – respondeu, sem parar os trabalhos.

O mestre recordou várias passagens importantes da sua vida e acreditou ter contactado e beneficiado do espírito que habitava agora no verdugo.

– Então, *Cristo*, já me podes responder?

– A que queres que te responda?

– Somos culpados ou inocentes?

O homem hesitou, antes de lhe pôr o último escuro nos olhos.

– Inocentes…

– Então porque o fazes?

– São ordens do Senhor…

– Posso fazer-te um último pedido?

– Sim, se lhe puder corresponder.

– Se te aparecer uma mulher com uma pedra igual a esta – mostrou-lhe o quartzo que trazia escondido na mão –, entrega-lhe a minha, por favor. Ela saberá o que significa…

Subitamente, um clamor eclodiu entre a multidão.

– Prisciliano! Meu amor!

A voz ressoou gritada e prolongada, emudecendo tudo à volta. No último momento, Prisciliano vislumbrou Egéria. Estava na primeira linha, logo atrás do cordão de segurança. Os seus olhos cruzaram-se, finalmente, por uma tão curta fração de tempo.

O coração de Egéria detonou numa imensa agonia. Num relâmpago, passou-lhe na mente a vida desde que conhecera o jovem envergonhado que se tornara no seu amado, no seu mestre. Num ápice, Egéria sofreu todas as dores do mundo, todas as dores do homem. Revoltou-se com o destino, revoltou-se com a sorte que Deus lhe reservara.

Perante o cenário de morte, Egéria dobrou-se sobre si mesma e, completamente perdida e desamparada, chorou horas a fio a perda do amado. A sua pedrinha de quartzo caiu-lhe da bolsa, no chão.

– Amo-te muito, querido Prisco… Para sempre… Até à eternidade…

46

Augusta Treverorum (Tréveris)
Varatedo (Vayres, perto de Bordéus)
Burdigala (Bordéus)
Iria Flavia (Padrón)
Aseconia (Santiago de Compostela)

[Cinco anos depois...]

Egéria entrava pela segunda vez em Augusta Treverorum. O coração agitou-se, transportando-a para as memórias que nunca esqueceu. Era igualmente intensa a saudade da pessoa que mais amou, que continuava a amar e admirar como ninguém. Agora poderia apreciar melhor a paisagem, conhecer os recantos da cidade, deter-se nos cidadãos de rostos bem mais descomprimidos. Enquanto pensava nos acontecimentos que tanta dor lhe causaram, observava com atenção cada pedaço da cidade que a marcara para sempre.

O fórum efervescia de atividade, sobretudo comercial. Não se via a mesma catrefada de funcionários públicos, pois, com a morte de Máximo, no verão do ano anterior, Treverorum perdera o estatuto de capital. Teodósio era, agora, o único soberano de todo o império e, para consolidar esse poder, mudara temporariamente a corte de Constantinopla para Mediolanum.

*

Magno Máximo tinha conseguido concretizar a sua obsessão: invadir a Itália! Valentiniano refugiara-se com a corte em Tessalonica, onde acudira Teodósio, para tomar as suas dores e dar batalha ao usurpador. Este, como prognosticara Martinho, terminara os dias em Aquileia, com as espadas dos soldados do exército oriental cravadas no corpo, dado que Teodósio renunciara a infligir-lhe pessoalmente a morte. Mas já nenhum desses feitos interessava a Egéria.

– Ainda te lembras das ruas e dos edifícios da cidade, Instâncio?
– Não, irmã… Na verdade, ainda estou com pele de galinha a reviver todas as emoções dos tristes tempos que por aqui passei. Tenho vagas recordações de edifícios, pessoas, basílicas, portas… Mas o estado de espírito só me permitiu guardar uma memória muito confusa deste local.
– Vá, então eu faço-te de guia – disponibilizou-se, com um ténue sorriso.
Egéria tinha um objetivo claro no pensamento. E era esse que, sem demoras, haveria de conseguir!
Instâncio emocionou-se à vista do edifício onde fora atrozmente torturado. Simpósio e Dictínio, os restantes membros da comitiva chegada da Galécia, procuravam acalmá-lo. Mas apenas o conseguiram amparar. Chorava como uma criança acabada de perder os pais. As negras memórias assaltaram-no, como em tantas noites sem dormir, na ilha Sylinancis, ao largo da Britania, para onde fora exilado, após o processo. Vivia com os remorsos de ter sido o único galaico que não teve a honra do martírio, como os amigos. Nunca soube se tal se devia ao facto de ter sido sorteado, na noite anterior, no final de uma ceia bem regada com vinho do Mosella, para que não dissessem que foi uma matança geral e sem critério. Instâncio sempre se remordera, achando ter ficado algo por dizer na sua confissão e que podia ser interpretado como uma fraqueza pela comunidade priscilianista.
Porém, não fora assim. Mal caíra Máximo, Instâncio foi recebido na Galécia como um herói, apesar de não ter podido voltar à sé de Salmantica, já ocupada por um bispo. Mas não era seu propósito voltar ao episcopado. Apenas ajudar Egéria, a nova e intrépida líder do movimento.

De início, a peregrina não quis aceitar a decisão unânime dos que se reuniram para escolher quem dirigisse o grupo, num momento tão difícil.

– Cabe-te a missão! – insistira Simpósio. – Nós estamos muito expostos e com todos os olhos e ouvidos à cata de qualquer descuido, para contarem aos esbirros de Ithacio, de Hidácio ou do imperador.

– Simpósio tem razão… Pelo menos, até passar esta turbulência… – insistiu outro companheiro.

– Até lá, temos de nos disfarçar muito bem, para guardarmos o nosso segredo – reforçava o enérgico e hiperativo Dictínio. – Já disse a alguns dos nossos: jura e perjura, mas não reveles o nosso segredo, senão podes ficar sem a tua cabeça e os teus amigos mais próximos sem as deles.

Egéria sorriu. Sabia que Dictínio era um dedicado discípulo do mestre e que tudo faria, mesmo usando todos os subterfúgios, para defender o santo Prisciliano e os priscilianistas.

– Não, Dictínio. O teu pai é o nosso melhor guia. Tem a idade, prudência e a sabedoria na dose certa para ser o novo mestre. Não é tarefa para uma mulher.

– Egéria, uma vez ouvi Prisciliano contar uma história a alguém que o acusava de defender a igualdade das mulheres e de lhes ensinar as Escrituras. Dizia ele que antigamente não se sabia como nasciam as abelhas. Os mais sábios, entre os quais Aristóteles, inventaram as mais disparatadas teorias. Chegou-se ao ponto de se defender que nasciam no ventre dos bois mortos. E assim se pensou durante tempos inimagináveis. Sabes porquê?

– Não! Eu não estava presente quando ele contou essa história – respondeu, curiosa.

– Simplesmente porque não eram capazes de ver o que lhes parecia impossível: o rei era afinal uma rainha!

Depois de vários sorrisos trocados entre todos os presentes, Egéria aceitou o desafio.

– Muito bem, em memória do sábio e santo Prisciliano, aceitarei, mas com uma condição!

– Qual?

– Só ficarei com essa incumbência até termos o corpo do nosso santo mártir sepultado entre nós. E vós assumis o compromisso de tudo fazerdes e de me ajudares no que estiver ao vosso alcance para que isso aconteça.

Egéria assumia a condução dos amigos no meio do turbilhão citadino. Ainda recordava os contornos da cidade, pois da primeira vez ali ficara com a sua pequena comitiva cerca de uma semana, até se sentir mais calma e segura para voltar.

– Agora seguimos em frente, em direção à Porta de Moguntiacum. Estamos perto!

Era o mesmo percurso que fizera, cinco anos antes, acotovelando pessoas, em busca de Prisciliano. Também ela seguia, naquele momento, afetada e circunspeta, lembrando o dia que a vida lhe gravara para sempre na memória com tinta indelével.

As lembranças provocaram, novamente, um efeito devastador. Egéria ajoelhou-se no lugar onde vislumbrou o último olhar, o último assomo de vida de Prisciliano. E as lágrimas até ali reprimidas, com olímpica resistência, jorraram como uma inesgotável fonte salgada. Instâncio, profundamente comovido, amparava-se novamente em Simpósio e Dictínio.

– Foi aqui o lugar onde não me deixaram despedir dos meus amigos...

– E chorou, também ele, copiosamente.

Repararam, então, que alguém desenhara uma cruz no solo com pequenas pedras de mármore coloridas, num pequeno recanto protegido, junto ao fosso exterior, onde jaziam algumas rosas.

– É por ali! – anunciou Egéria, depois de hesitar um pouco. – Mas...

Cinco anos antes, finalizadas as execuções, toda a assistência, imperador, prefeito do pretório, procurador do fisco, bispos, demais funcionários e o povo, recolhera aos respetivos aposentos e residências. Ficara apenas o verdugo e um cachorro sarnento colado aos seus pés, dez ajudantes para transportarem os corpos, um apressado presbítero encarregado de uma curta cerimónia fúnebre antes do enterro e a inconsolável Egéria, encostada à muralha. O verdugo não tirava os olhos da mulher solitária em pranto a acompanhar os corpos, com as cabeças ao lado, sobre as padieiras. Não disse nada, respeitando-lhe a dor e lembrando-se de Maria Madalena que também acompanhou o corpo de Jesus e fora a primeira a confirmar a ressurreição.

O presbítero despachara rapidamente as rezas, desaparecendo da necrópole. *O Cristo* foi então buscar cinco ataúdes de madeira que havia escondido previamente nas imediações, onde depositou os corpos. Fê-los descer à terra, perante uma mulher soluçante e agoniada. Todos ficaram com os olhos abertos, como se mirassem a eternidade, no momento fatal.

Beijou a testa de Prisciliano e caiu no chão em pranto, enquanto os ajudantes cobriam os esquifes de terra lisa.

– Deixa-me prestar-lhe a última homenagem… – pediu, entre soluços.

O Cristo olhou-a, como se a conhecesse.

– O que lhe vais fazer?

– Ungi-lo, antes de descer à terra… Mas não tenho óleos…

– Hummm… Estou a ver que queres ungi-lo como a pecadora…

– O que sabes tu disso, verdugo?

Ele retirou óleos de uma sacola e entregou-lhos.

– Toma, é óleo de rosa azul! – olhou-a, curioso, perante a sua estupefação.

Egéria estremeceu.

– Não existem rosas azuis…

O verdugo respondeu-lhe com um sorriso enigmático. Ela lembrou-se então das explicações dadas em tempos por Prisciliano e também das palavras do pedinte que encontrou em Mediolanum. Decidiu igualmente remeter-se a um prudente silêncio, enquanto olhava para o boião que guardava a essência.

– Foi uma mulher sem nome, uma pecadora, que ungiu Jesus como Cristo, o Ungido de Deus… – prosseguiu o homem.

– Sim, eu sei. É o que dizem as Escrituras. Onde ouviste isso?

– Ele fez a Sua revelação a uma mulher e disse que, em memória dela, esse gesto deveria ser recordado por todas as gerações. Sabes porque até hoje ninguém revelou o seu nome e ninguém ousa comentar essa passagem das Escrituras?

– Não, porquê?! – Egéria estava cada vez mais curiosa.

– Porque essa inominada representa todas as mulheres que Ele amou e é comparada a Deus, o Inominado.

– Como é que um verdugo maltrapilho sabe tudo isso?!

Entretanto, o cão, que não parava de se coçar com a pata dianteira, latiu e abanou a cauda. O verdugo sorriu.

– Foi ele que me contou! – respondeu, apontando para o animal, deixando revelar um terno sorriso, para logo se tornar mais sério e prosseguiu: – Parece que o teu mestre também era assim: amava as mulheres como Ele as amou.

Egéria abanou a cabeça e só comentou, num murmúrio sofrido, antes de iniciar a unção.

– Está tudo doido por aqui!

No dia em que regressou à Galécia, cinco anos antes, triste e devastada, visitou por uma última vez a necrópole, para se despedir do amado e dos amigos. Quando se aproximava, vislumbrou um vulto desconhecido ajoelhado e com as mãos erguidas à frente do peito e justapostas, em oração. Aproximou-se mais um pouco, cheia de curiosidade. Tinha a cabeça tapada por um capuz roto na base do pescoço, não lhe descobrindo o rosto. Mas era um homem mal vestido e que chorava copiosamente, enquanto rezava. Mal se apercebeu que era observado, levantou-se e desapareceu misteriosamente, sem deixar rasto.

O local onde foram enterrados os cinco justiçados estava agora bem cuidado, plantado de flores de várias cores. Os quatro galaicos aproximaram-se e ajoelharam-se, em silêncio. Estavam mais reconfortados, junto aos velhos amigos, no momento do reencontro. Simpósio iniciou uma oração que Prisciliano costumava rezar nos momentos difíceis e quando queria erguer-lhes o ânimo espiritual.

Quero libertar e ser libertado,
Quero salvar e quero ser salvo.
Quero criar e ser criado,
Quero cantar e ser cantado.
Dançai todos juntos!
Quero chorar: golpeai-me no peito!
Quero ornar e ser ornado.
Sou candeia para ti, que me vês.
Sou porta para ti, quem quer que sejas tu que bates.
Tu vês o que eu faço, não o nomeies.
Com o verbo ensinei, e com o verbo não sou iludido.

Todos se abraçaram no final e assim ficaram até secarem as lágrimas.

– Sabia que haverias de voltar!
As palavras vindas de trás assustaram-nos. Ergueram-se à pressa.

– Quem és tu? – perguntou Dictínio, o mais jovem, colocando-se à frente do grupo, na defensiva.

Um homem baixo, feio, calvo e de aspeto escanzelado, acompanhado de um cão, olhava-os, como se fosse um morto-vivo acabado de sair de uma das tumbas.

– Eu sou *O Cristo*…

Dictínio e Simpósio arregalaram os olhos de espanto. Egéria reconheceu-o, de imediato, pela verruga. O homem que decepara Prisciliano e os enterrara. Estava exatamente igual ao tempo em que o conhecera. Acordara muitas noites com aquela figura sinistra, de espada em punho, a degolar o amado e todos os que integrassem a sua comunidade.

– Tu és louco… Fora daqui! – ripostou o animoso Dictínio. – Deixa-nos em paz, por favor.

Instâncio aproximou-se do homem e, perante o espanto geral, saudou-o com estima.

– *O Cristo* não é um louco… Há-os bem piores!

– Eu cumpro as ordens do Senhor…

Contou rapidamente o comportamento do verdugo e carrasco, sobretudo após as queimaduras que sofreram e nos avisos que fazia, às escondidas.

– Sabia que ias voltar! – continuou, virando-se para Egéria. – Ninguém deixa abandonado o coração que ama verdadeiramente.

A mulher olhou para o velho e para o local onde estava sepultado Prisciliano. Eram rosas azuis que ali floresciam. Estremeceu, prosternou-se e chorou convulsivamente. Finalmente, ela via a cor que só Prisciliano vislumbrava. Era o sinal do seu amor eterno e sem reservas. Com o coração a transbordar de emoções, acreditava que o seu espírito ali se encontrava e se alegrava com o reencontro com a amada.

– A partir de agora, não mais te largarei até ao fim dos tempos, meu amor.

Dirigiu-se às flores. Colheu duas. Guardou uma e ofereceu a outra ao verdugo. Instantaneamente, as outras murcharam e perderam a cor.

Depois de correrem as burocracias nos gabinetes das autoridades locais, foi-lhe consentido proceder à exumação dos corpos. Afinal, morto Máximo, Teodósio declarou-o como usurpador tirano e, por consequência, ilegais todos os seus atos. Assim, o objetivo de Egéria para aquela viagem estava, finalmente, em vias de ser consumado: trasladar os corpos dos mártires de Treverorum para onde as suas almas descansassem em paz total: a Galécia.

Ithacio pensara que ganhara o mais importante desafio da sua vida. No calor dos acontecimentos, instigara a perseguição de todos os priscilianistas que ficaram na Hispânia. Depois de um processo sumário, Asarvo de Tongobriga e Aurélio, diácono neste *vicus*, foram igualmente decepados no meio do fórum, frente a uma consternada e incrédula população. Tiberiano viu as suas propriedades confiscadas pelo procurador do fisco e foi exilado na mesma ilha onde se encontrava Instâncio. Amedrontados, alguns ascetas priscilianistas confessaram a sua condição antes da instauração do processo e foram exilados para as Gálias.

A carnificina só terminou quando Martinho, contra a sua vontade, aceitou perante Máximo reconhecer Félix como o sucessor de Britto, na cadeira da sé de Augusta Treverorum, depois da morte deste, pouco mais de um ano após as degolações. Martinho ruminou os remorsos a vida inteira, por ter saído da cidade sem se assegurar de que os priscilianistas não seriam mortos e por ter, depois, aceitado validar a nomeação de Félix, um ato tomado por homens com as mãos manchadas de sangue. Acreditou que isso lhe fizera, inclusive, diminuir os poderes curativos e carismáticos. Porém, o bispo de Turones receava que o vertiginoso inebriamento de Ithacio levasse à morte todo e qualquer ser inocente, desde que pálido, magro e pobre, que vivesse na Hispânia. E desses havia muitos. O preço a que se resignou a pactuar com Máximo ajudava a consciência a conformar-se com a decisão que tomara: suspenderam-se, de imediato, as perseguições e as mortes no território priscilianista. Magno Máximo estava igualmente satisfeito: não podia ter um bispo com o prestígio de Martinho a zurzir constantemente contra si e havia cortado o mal pela raiz, ao mandar decepar a cabeça ao líder da seita.

Mas, com a queda do imperador, Ithacio perdeu o desafio, caindo em desgraça. Foi rapidamente destituído do bispado de Ossonoba e remetido para o exílio. Hidácio furtou-se a igual decisão, porque, tal como em Treverorum, quando pressentiu o calor queimar-lhe as nádegas, demitiu-se voluntariamente de titular de Emerita Augusta e desapareceu.

*

Foi o próprio *Cristo* quem se ofereceu para proceder à exumação dos corpos.

– Agora não mais precisarei de semear flores nos túmulos dos santos...

– Porquê? – perguntou Egéria.

– A partir de agora, nunca mais haverá rosas azuis no mundo. Estas duas são as últimas: a minha e a tua! Guarda-a, com carinho, que eu guardarei a minha.

Ela sorriu de ternura, percebendo o simbolismo daquelas palavras, mas também quem cuidara com afeto os cinco canteiros.

– Obrigada... *Cristo*... – retorquiu, oferendo-lhe um abraço. – Já agora, porque tens essas cicatrizes nas mãos?

– Eu era um pobre vagabundo da cidade, sem eira nem beira, sem um cantinho para dormir. Um dia, pregaram-me a uma cruz, confundindo-me com um criminoso. Só depois se aperceberam que se enganaram e desprenderam-me. Arranjaram-me então este trabalho, para lavarem as consciências.

– E gostas do que fazes?

– De encontrar homens santos?!

Egéria meditou naquelas palavras e recordou a conversa sobre a pecadora sem nome que ungiu Jesus e a explicação do verdugo, cinco anos antes. Tantas foram as vezes que nela pensou, na Galécia. Quando as ouviu, pensou tratar-se de uma tontice, mas, depois de muito refletir, achava que a interpretação do algoz maltrapilho fora simplesmente brilhante. Na verdade, nas suas meditações, Egéria concluíra que Prisciliano morrera também para reconhecer o papel da mulher na sociedade como filha de Deus, tal como o homem. E que Jesus dera essa lição, deixando revelar-se como o Ungido através de uma mulher pecadora e sem nome. *Que melhor papel foi oferecido à mulher que, tirando Prisciliano, não conheço quem o tenha entendido até agora? Quantos séculos passarão sem que se perceba a revolucionária mensagem de Jesus escondida nessa passagem das Escrituras?*, pensava, imaginando que poderia acontecer o mesmo que ao amado a quem se atravessasse a interpretar os escritos sagrados daquela forma. Olhou novamente para o velho verdugo e sentiu uma arrebatadora admiração por ele.

A operação final ficou concluída durante um dia. Os corpos ainda intactos, com poucos sinais de decomposição, foram cuidadosamente colocados em novos caixões providenciados pelo *Cristo* e hermeticamente fechados.

– Latroniano ficará sepultado numa basílica desta cidade, depois das cerimónias fúnebres a que tem direito – indicou Egéria, como fora combinado, já que não era galaico. – Está tudo acertado com o bispo. Ficará aqui a representar os nossos santos e a lembrar o martírio aos vindouros. Os restantes seguem connosco!

O Cristo acompanhou-os até às portas da cidade por onde haviam entrado. Entretanto, aparecera o cão sarnento que se juntou à comitiva, despercebido. Despediram-se todos com muito afeto.

– Posso continuar a colocar flores sobre a cruz, no lugar onde viajaram para o Senhor?

– Agora arranja outras porque, como disseste, rosas azuis não mais nascerão – respondeu Egéria, apertando a sua ao coração.

Colocados em carros especialmente comprados para o efeito, os quatro corpos seguiram para os últimos destinos. Egéria foi despedir-se pessoalmente do verdugo. Abraçou-o, comovida.

– Obrigada por tudo.

– Não tens de quê. Mas antes de ires embora, tenho uma coisa para te entregar…

– O quê?

O homem exibiu duas pedrinhas de quartzo cor-de-rosa, a que Prisciliano lhe deixara e a que encontrara no local onde ela sofrera as dores da morte do amado.

– Meu Deus, não posso acreditar… Como é possível?!

Egéria caiu no chão, soluçando de tanta emoção.

– O que eu sofri por não encontrá-la… agora tenho de volta a minha alma gémea – concluiu, em prantos.

Vendo-a naquele estado, os amigos correram para ela, aflitos, mas não compreenderam o que se passava. *O Cristo* também não explicou. Levaram-na para o carro, desfalecida, mas com um luminoso brilho no olhar.

Já no caminho, Egéria acenou ao *Cristo*, ajoelhado, soluçando, ao lado do cachorro. Uma vela acendeu-se-lhe, repentinamente:

– Meu Deus, o vulto que chorava quando me despedi de Prisciliano, há cinco anos... também era *O Cristo* – murmurou, com os olhos postos no capuz roto na base do pescoço. – Olhou novamente para o local onde ficara, mas não mais o viu. Nem ao cão.

Cruzaram a Gália, passando por Lutetia, Aurelianum e Turones, até alcançarem a Aquitânia. Na Villa Varatedo deram sepultura cristã ao corpo de Eucrócia. Compraram um epitáfio de mármore e ali gravaram o seu nome e a condição de mártir.

Depois, dirigiram-se ao porto de Burdigala, venderam os carros e os animais de tiro e apanharam um barco para a Galécia. Dictínio seguiu a cavalo, para chegar mais cedo e preparar a receção. Prisciliano fazia agora o percurso inverso à primeira viagem que fez a Burdigala: a terra onde se converteu, a terra que o conduziu ao martírio.

Quando o barco começou a divisar o porto de Iria Flavia, Egéria, Simpósio e Instâncio não queriam acreditar no que viam. Uma multidão incalculável de gente aguardava a chegada dos viajantes, mas sobretudo os corpos dos três mártires galaicos. Vindos aos milhares de todos os recantos da Galécia e imensos das demais quatro províncias da Hispânia, homens, mulheres, crianças, ricos, pobres, clérigos e toda a sorte de gente esperavam os seus heróis espirituais.

Foi difícil fazer atracar o barco e descarregar os ataúdes. Dictínio comandava as operações, dando ordens a uma série de presbíteros, diáconos e laicos para manterem as pessoas a uma distância de segurança, para evitar a turbulência e os perigos de atropelo. Todos haveriam de ter a sua oportunidade de verem os mártires, mas antes celebrar-se-ia uma missa de ação de graças pelo seu regresso a casa. Simpósio presidiu, com a colaboração dos demais clérigos espalhados entre a multidão, que, assim, ajudavam a corresponder às orações, dado ser impossível que todos o ouvissem.

No final, foram abertos os ataúdes. Os primeiros a verem e a venerarem os corpos santos foram o velho Lucídio, Lucídia e o meio-irmão de Prisciliano. Muito sofreram com as notícias dos funestos acontecimentos de Augusta Treverorum, cinco anos antes. Mas, agora, estavam orgulhosos pela honra e dignidade com que Prisciliano e os amigos enfrentaram o processo e defenderam até ao fim a sua fé e espiritualidade. Durante um dia inteiro, todo o povo emocionado passou em frente aos corpos, para os ver e venerar. Montou-se uma proteção especial para impedir que os caçadores de relíquias retirassem partes dos corpos ou dos próprios caixões.

Toda a Galécia os venerava e tratava como verdadeiros santos. Naquela noite de lua cheia, ninguém arredou pé até à manhã seguinte, em vigília, proclamando e cantando, madrugada adentro, salmos e orações que Prisciliano lhes ensinara.

Chegado o novo dia, puseram-se a caminho de Aseconia. Egéria conhecia o último desejo de Prisciliano: dormir o sono eterno junto às cinzas da mãe.

Até Aseconia, a estrada encheu-se numa interminável procissão. Dictínio havia ordenado a construção de um *sacellum*, um pequeno mausoléu abobadado de mármore sobre a cripta onde descansavam os restos de Priscila e de alguns antepassados. Ali ficariam colocados os túmulos de pedra dos três santos mártires. Ao mesmo tempo, mandara gravar três lápides em mármore, com os seguintes dizeres:

Aqui jaz São Prisciliano, o apóstolo de Cristo, que morreu decapitado por ensinar com amor e paixão a Sua mensagem e que, por ela, se tornou mártir e santo.

Aqui jaz São Felicíssimo, o discípulo de Prisciliano e de Cristo, que morreu decapitado por ensinar com amor e paixão a Sua mensagem e que, por ela, se tornou mártir e santo.

Aqui jaz Santo Arménio, o discípulo de Prisciliano e de Cristo, que morreu decapitado por ensinar com amor e paixão a Sua mensagem e que, por ela, se tornou mártir e santo.

– Missão cumprida! – concluiu Egéria. – Agora ficas tu a tomar conta do rebanho, Simpósio. A minha tarefa terminou. Ficarei até ao resto dos meus dias a zelar por este local com as minhas irmãs. Aqui viverei o resto da vida até poder deitar-me ao lado de Prisciliano para toda a eternidade.

Antes de tapar o túmulo, depositou a pedrinha de quartzo e a rosa azul, tão fresca como se houvesse sido cortada naquele momento, junto ao corpo de Prisciliano e sentiu, finalmente, o coração aquietado, o luto concluído.

– Amo-te muito, querido Prisco...

Epílogo

Santiago de Compostela

Naquele dia 20 de julho de 1879, todos chegaram antes da hora marcada. Até que se abrisse a porta do amplo salão do Palácio Episcopal, onde decorreria a tão esperada comunicação, as conversas não fugiam do tema que ali trouxera toda a classe de clérigos compostelanos. Apesar do calor abrasador, trajaram a rigor para a ocasião, com os hábitos, batinas, sobrepelizes e demais indumentária impecavelmente limpa.

A entrada dos três destacados membros da academia foi recebida com um burburinho que entoou nas pétreas paredes. Dom Miguel Payá entendeu-o. Caminhava à frente, a par do Doutor Antonio Casares, reitor e catedrático da Faculdade de Farmácia, e distribuía sorrisos, enquanto acenava aos presentes, com a mão direita colocada obliquamente perto da sua cabeça. A esquerda limpava o suor da testa, com um lenço branco, defendendo-se da canícula. Logo atrás, seguiam, graves e solenes, mais dois catedráticos de Medicina, Francisco Freire Barreiro e Timóteo Sánchez Freire, bem conhecidos da clerezia compostelana, e ainda mais dois homens estranhos por aqueles lados.

Chegara finalmente o momento de glória pelo qual o cardeal tanto ansiara. Haviam passado seis meses exatos desde a abertura da tumba. Tudo parecia de feição, tirando os murmúrios do deão, que rapidamente haveriam de silenciar após o que se preparava para acontecer. Dom Miguel estava certo que ninguém mais poria em causa os ditames de tão reputados científicos, a que se somava uma intocável e acreditada religiosidade.

Longe iam os dias do susto que quase o matavam do coração, quando viu a lápide onde estava inscrito: *Aqui jaz São Prisciliano, o apóstolo de Cristo, que morreu decapitado por ensinar com amor e paixão a Sua mensagem e que, por ela, se tornou mártir e santo.* Depois de pedir inspiração divina, o cardeal tinha chegado a uma conclusão. Poucos dias após a abertura do túmulo, convocara aos seus aposentos os padres López Ferreiro e Labín Cabello. Como não tinha a certeza se eles reportaram o que viram ao seu deão, chamara também, a muito custo, José Canosa. O melhor era mesmo não correr quaisquer riscos.

– Irmãos, depois de muito pensar no assunto que só nós sabemos, estou certo do que aconteceu!

O insigne prelado rondou os três com o olhar. Parecia-lhe ser a fórmula perfeita para os chamar para o seu propósito. Mas eles não responderam. Ficaram a aguardar o que tinha para lhes dizer.

– Como sabeis, em 1589, o arcebispo Dom Juan de Sanclemente – Deus o tenha na sua graça! – teve de esconder apressadamente as relíquias do santo apóstolo de Francis Drake e da frota inglesa que atacara as costas galegas, arribando nas marés de La Coruña, para evitar a pilhagem, a infame profanação. Até hoje, e volvidos mais de trezentos anos, ninguém sabe onde param as ditas relíquias.

Os três assentiram com a cabeça. Foi essa, aliás, a razão que o cardeal invocou para iniciar as escavações. Não fazia sentido venerarem-se as relíquias do santo apóstolo sem a certeza de que elas ali se encontravam.

– Pois bem, o que os nossos antepassados fizeram foi muito simples: mandaram fazer uma lápide a dizer que ali jazia um herege! Nenhum pirata, muito menos o exército inglês, gostaria de ver na folha de serviço que, em vez de profanar ou roubar as ricas sagradas relíquias, levava para casa os ossos de um herege!

Na face dos três membros do cabido morava o espanto. Dom Miguel acreditou que López Ferreiro e Labin Cabello se conformavam e aceitavam a explicação. O deão ainda esboçou uma tentativa de debate:

– É uma hipótese viável. Mas sempre difícil de sustentar.

– O senhor deão não acredita que estes podem ser os ossos do apóstolo?

– Senhor cardeal, se tivesse, em consciência, de emitir um juízo sobre a autenticidade das relíquias encontradas, vacilaria por certo, pois confesso que a matéria de que se trata não é da minha incumbência. – As faces de Dom Miguel Payá acendiam-se como um pimentão. – Sei, contudo, que, no que concerne a estes assuntos, os meus colegas cónegos Labin e López Ferreiro são as pessoas certas e competentíssimas para os ajuizar.

Na noite seguinte a tais acontecimentos, solicitara também a presença do reitor da academia para lhe mostrar os achados. O mal-recomposto coração do cardeal quase ia tendo um definitivo colapso.

– Os ossos aqui presentes não são de uma, mas de três pessoas distintas, Dom Miguel... E morreram decapitados...

Mais um dia de reflexão e oração deram na solicitação escrita que dirigiu aos três académicos, nos seguintes termos:

A exploração que se está praticando no subsolo do presbitério e trás-sacrário de esta Santa Igreja Metropolitana de Compostela, da nossa Ordem e do Exmo. cabido canonical, com o fim de descobrir o sepulcro e os ossos do gloriosíssimo apóstolo Santiago, a quem se consagrou esta magnífica Basílica, em consequência de seu primeiro achado deu, entre outros resultados, o do descobrimento de uma grande coleção deles dentro de um sepulcro rústico no mencionado trás-sacrário, que é a abside da grande Basílica, sem inscrição alguma que indique ser os do Santo apóstolo ou os dos seus dois discípulos Santo Atanásio e São Teodoro, que a história e a tradição atestam terem sido enterrados junto às cinzas do seu tão amado mestre. E como é altamente importante estudar a sua autenticidade com a mais excelente solicitude, cremos ter sido lógico e prudente rogar a V. Exas. que possam reconhecê-los, examiná-los, classificá-los e colecioná-los; informando-nos, de seguida, segundo vosso acreditado saber, credibilidade e competência, acerca destes três pontos cruciais:

1.º A quantos esqueletos pertencem?

2.º Qual é a sua antiguidade?

3.º Encontra-se neles algum sinal que torne temerária ou inverosímil a crença de que são os que se procuram? Isto é, apenas os do Santo apóstolo, ou os deste com os dos seus dois referidos discípulos?

Bem seguros como estamos da vossa bondade e acreditada religiosidade, confiamos que não desdenharão esta importantíssima tarefa e que a desempenharão tão cabalmente que nos proporcionarão um relatório

luminosíssimo que nos ajude a ver, com clareza, um acontecimento de tão
colossal importância.
Deus guarde a V. Exas. por muitos anos.
Miguel, cardeal Payá, Arcebispo de Compostela

Chegara a hora da verdade: a resposta às questões então laboriosamente colocadas aos peritos da academia. Todos tomaram o seu assento no salão. Não se ouviam vozes, apenas o arrastar das cadeiras. O verão tornava o calor do salão ainda mais insuportável. Não havia entradas de ar para não atrapalhar as comunicações com eventuais ruídos do exterior. Dom Miguel passou os olhos pela assistência. Estavam lá todos: padres, diáconos, membros do cabido, o seu deão, é claro, e os dois convidados que a assistência desconhecia.

Disfarçado de criado, o velho peregrino que trouxera a rosa azul a Compostela entrara também na sala e encostara-se discretamente a uma parede. Ouvia e observava, com atenção, tudo o que ali se passava, ao mesmo tempo que recordava tempos passados. Os tempos em que os túmulos dos decapitados de Tréveris se converteram em lugares de intensa devoção popular, em que foram honrados como santos mártires, inscritos mesmo nos martirológicos das igrejas. Os tempos em que os juramentos mais solenes passaram a ser feitos no santuário priscilianista de Aseconia, agora Compostela, que assim se chamava pela força de naquele local ter havido uma necrópole romana, um *compositum tellus*. Recordava como o culto se manteve durantes vários séculos, como o movimento priscilianista se preservou entre os povos do noroeste da península ibérica, apesar das condenações em vários concílios, como os de Toledo, em 400 e 683, e os de Braga, em 561 e 572. De como o povo, contra todas as adversidades e perseguições, peregrinou ao santuário dos mártires anos a fio, guardando no subconsciente coletivo a memória dos acontecimentos do final do século IV, quando chegou o barco que trazia Prisciliano e os seus discípulos de Tréveris, a antiga Augusta Treverorum, e os acompanharam até à sua definitiva sepultura. De como a invasão dos mouros atenuara a devoção, até a tumba ser redescoberta pelo eremita Pelayo, cerca do ano 820, e o bispo local ter anunciado ao mundo tratar-se do túmulo do apóstolo Tiago Zebedeu, apesar de a Bíblia relatar que o mesmo fora decapitado em Jerusalém, no ano 44 e, assim, ali sepultado. E de, a partir de então, Santiago passar a incorporar a força espiritual na luta contra os sarracenos e de Compostela se tornar um fundamental centro religioso, onde se construíram basílicas e a catedral, onde continuaram e floresceram as peregrinações.

Enquanto rememorava séculos de História, o peregrino viu o titular máximo da arquidiocese tomar a palavra, pigarreando para aclarar a voz. Começou por explicar ao que vinha. A assistência estava ansiosa. Alguns cochichos que se ouviam eram dos curiosos por saberem quem eram os dois desconhecidos e que papel se lhes destinara, pois viam-se colocados em lugar de destaque. De seguida, passou a palavra ao reitor da academia de Compostela, para que lesse o parecer a que haviam chegado.

António Casares cumprimentou o anfitrião e toda a notável assistência, agradecendo a honra do convite para liderar uma equipa de prestigiados académicos. Sem demorar mais tempo, passou a ler o texto do que chamou:

PARECER DOS PROFESSORES DE MEDICINA
sobre as
RELÍQUIAS EXUMADAS NAS ESCAVAÇÕES DA BASÍLICA
COMPOSTELANA

O reitor explicou à assistência o contexto e o teor das perguntas que lhe foram colocadas, o local onde foram encontrados os achados, a forma como foram analisados. Apesar de extenso, o cardeal conhecia o texto quase de cor. Sabia que todas as palavras foram medidas e fundamentadas pelos seus autores, depois de uma longa conversa sobre o assunto, no recato do seu palácio. Lembrou-se da conversa havida com o deão e os cónegos que presidiram à escavação, quando Casares enunciava, em voz alta e tom solene:

– Encontrámos ossos humanos colocados de forma desordenada e misturados com alguma terra, desprovidos de cartilagem e tecidos moles, e tão deteriorados e frágeis que não existia um único osso inteiro nem completo.

Seguiu-se uma interminável e enfadonha descrição das técnicas de recolha, separação, análise visual e química dos ossos. Mas já quase ninguém ouvia. Todos desejavam que o reitor terminasse. Muito poucos, na sala, compreendiam ao certo toda a narrativa que traçava, dadas as constantes referências a questões de natureza científica.

– Duas coisas convém registar, muito especialmente na composição dos ossos, objeto deste estudo: a primeira, a grande diminuição da matéria orgânica, que parece estar relacionada com a sua antiguidade; e a segunda, o aumento dos fosfatos e redução do carbonato, o qual pode proceder da ação de ácidos desenvolvidos na fermentação de substâncias orgânicas que se tivessem misturado com os ossos.

O reitor deitou, pela primeira vez, um olhar sobre a assistência. Ele sabia que todos esperavam por aquele momento. Antes de passar às conclusões, ainda se cruzou com os olhos do cardeal. Ambos recordariam para sempre a feliz cumplicidade daquele instantâneo encontro de olhares.

– Face ao referido, passarei a explicar como se poderão resolver as três questões propostas pelo Excelentíssimo senhor cardeal.

A assistência recuperou os níveis de atenção, quase não respirando.

– Primeira: os ossos reconhecidos pertencem a três esqueletos incompletos de outros tantos indivíduos, de desenvolvimento e idade diferentes: os dos dois primeiros grupos morreram na passagem do segundo para o último terço da duração média e fisiológica da vida, enquanto o terceiro nos pareceu estar já neste último estádio de vida.

Um burburinho fez-se na assistência. A pergunta de Dom Miguel induzia para a existência de três esqueletos, mas a confirmação trazia, obviamente, espanto e até aparente embaraço. Mas Dom Miguel não estava preocupado. Os especialistas tinham as respostas adequadas para tudo.

– Quanto à segunda questão: não é possível fixar com exatidão a antiguidade dos ossos reconhecidos; contudo, tendo em conta o estado de integridade e composição, pode assegurar-se que contam séculos de existência.

Esta conclusão não surtiu qualquer efeito na assistência. Era suposto que assim fosse, por isso, alguns remexeram-se nas cadeiras, em especial, o deão, que esperava mais das conclusões, até porque era das pessoas que sabia que os dois ilustres desconhecidos que se sentavam junto ao cardeal eram reputados membros da Real Academia de História: Fidel Fita, jesuíta especializado em epigrafia e arqueologia, e Aureliano Fernández Gomez, historiador respeitado e influente na capital do reino, mas que afinal ali tinham vindo observar as relíquias e dizer que nada tinham a opor às conclusões dos homens das ciências positivas.

– Finalmente, no que à antiguidade se refere, não parece temerária a crença de que os ditos ossos tenham pertencido aos corpos do Santo apóstolo e de seus dois discípulos.

Nesta ocasião, o peregrino saiu da sala e empreendeu a viagem de regresso a casa. Ao lado seguia o cão, de cauda a abanar.

– Sabes, Diógenes, haveremos de voltar sempre. A peregrinação a estes lugares é intemporal e ecuménica. Um peregrino vem a esta terra sagrada para se encontrar com o Uno e consigo mesmo, através do Santo Espírito que aqui habita…

Guarda-me, Pai Eterno, no teu peito,
misterioso lar,
Dormirei ali, pois chego desfeito
De tanto lutar.

Miguel de Unamuno

Sou um ignorante, no campo da ciência e, no campo teológico, um heré-
tico. Prefiro Platão a Aristóteles e Orígenes a Santo Agostinho, e o galego
Prisciliano a São Tiago de Compostela.

Teixeira de Pascoaes

Apêndices

I

BULA "DEUS OMNIPOTENS", do Papa Leão XIII, publicada a 1 de novembro de 1884

Nós também, desaparecidas todas as dúvidas e findas todas as controvérsias, aprovamos e confirmamos de ciência certa e por nossa própria iniciativa e em virtude da nossa autoridade a sentença do nosso Venerável Irmão e cardeal de Compostela sobre a identidade dos sagrados corpos do apóstolo e Teodoro, e decretamos que esta sentença tenha perpetuamente força e valor. Por outro lado, queremos nós e ordenamos que a ninguém seja permitido, sob pena de Excomunhão Latae Sententiae, e da que reservamos, do modo mais firme, a absolvição a nós próprios e aos nossos sucessores, separar, roubar e trasladar as santas relíquias que voltaram a ser depositadas no antigo recetáculo, e que jazem seladas, assim como qualquer das suas partículas.

II

CARTA DO PAPA SÃO LEÃO QUE NARRA A LENDA DA TRAS-LADAÇÃO DO APÓSTOLO SANTIAGO

Saiba vossa fraternidade, diletíssimos reitores de toda a cristandade, como foi trasladado para Espanha, às terras da Galiza, o corpo íntegro do mui bem-aventurado apóstolo Santiago. Depois da Ascensão aos céus do nosso Salvador, e da descida do Espírito Santo sobre os discípulos, durante o décimo-primeiro ano após a Paixão, no tempo dos ázimos, o bem-aventurado apóstolo Santiago, depois de visitar as sinagogas dos judeus, foi preso em Jerusalém pelo pontífice Abiatar, e condenado à morte, juntamente com o seu discípulo Josias, por ordem de Herodes.

Com receio dos judeus, durante a noite, o corpo do bem-aventurado após-tolo Santiago foi recolhido pelos seus discípulos, que, guiados por um anjo do Senhor, chegaram a Jafa, junto ao mar. E, como ali hesitassem sobre o que deveriam fazer, apareceu imediatamente, por desígnio de Deus, uma embar-cação preparada. E com grande alegria entraram nela levando o discípulo do nosso Redentor, e com as velas içadas e os ventos favoráveis, navegando com grande tranquilidade sobre as ondas do mar, chegaram ao porto de Iria, lou-vando a clemência de nosso Salvador. Na sua alegria, entoaram ali este verso de David: "Foi o mar o teu caminho e a tua senda a imensidade das águas".

Uma vez desembarcados, deixaram o mui bem-aventurado corpo que transportavam num pequeno terreno chamado Liberum (Libedrón), que distava oito milhas da citada cidade, e onde agora se venera. E neste lugar encontraram um enorme ídolo construído pelos pagãos. Rebuscando as imediações, encontraram uma cripta, na qual havia ferramentas que os pedreiros usam para construir casas.

Assim, pois, os mesmos discípulos, com grande alegria, derrubaram o citado ídolo e reduziram-no a pó miúdo. Depois, cavando profundamente, colocaram umas fundações firmíssimas e ergueram sobre elas uma pequena construção abobadada, onde construíram um sepulcro de pedra, no qual, com artificioso engenho, se guarda o corpo do apóstolo. Por cima, edificou- -se uma igreja de reduzidas dimensões, adornada com um altar que abre ao povo devoto uma venturosa entrada no seu sagrado altar. Após a inu- mação do santíssimo corpo, entoaram louvores ao Rei dos céus, cantando estes versos de David: "Se alegrará o justo no Senhor e confiará n'Ele, e se glorificarão todos os retos de coração". E a seguir: "O justo estará em eterna memória e não temerá a má notícia".

Depois de algum tempo, instruídos os povos no conhecimento da fé pelos discípulos do mesmo apóstolo, em breve cresceu a fecunda seara multipli- cada por Deus. Tomada, pois, uma prudente resolução, dos discípulos, um dos quais se chamava Teodoro e outro Atanásio, ficaram ali para custodiar aquele preciosíssimo tesouro, o mesmo é dizer, o venerável corpo de San- tiago. Os outros discípulos, por sua vez, guiados por Deus, dispersaram-se pela Espanha para predicar.

Como dissemos, aqueles dois discípulos, inseparáveis por reverência ao mestre, enquanto que com todo o carinho vigiavam sem interrupção o citado sepulcro, mandaram que, depois da sua morte, fossem enterrados pelos cristãos junto a seu mestre, um à sua direita e outro à sua esquerda. E, assim, chegado o fim da vida, ao pagar a sua dívida à natureza, expira- ram com venturosa morte, e alegremente levaram as almas ao céu. E, não os abandonando o seu egrégio mestre, logrou, por graça divina, colocá-los com ele no céu e na terra e, adornado com uma estola purpúrea e uma coroa, desfruta na corte celestial com os seus discípulos, ele que protegerá os desgraçados que se recolham na sua invencível proteção, com o auxílio de Nosso Senhor e Salvador Jesus Cristo, cujo reino e império com o Pai e o Espírito Santo dura eternamente pelos séculos dos séculos.

Assim seja.

(Lib. III, cap. II, *Liber Sancti Iacobi, Codex Calixtinus*. Ano 1139 (?). Tradução do autor.)

III

Prisciliano em Compostela

A hipótese de se tratar do túmulo de Prisciliano e dos decapitados de Tréveris (antiga Augusta Treverorum), que se encontra em Compostela, vem sendo assinalada, ao longo dos últimos tempos, por vários respeitáveis autores, pensadores e historiadores, como Duchesne, Unamuno, Sanchéz Albornoz, Chadwick e Chocheyras. Para os interessados, aqui ficam as obras mais relevantes:

Duchesne, L., "Saint Jacques en Galice", Annales du Midi, Toulouse, 1900.

Unamuno, M., "Andanzas y visions españolas", Madrid, 1929.

Sanchéz Albornoz, C., "España ante la historia", Buenos Aires, 1958.

Chadwick, H., "Prisciliano de Ávila. Ocultismo y poderes carismáticos en la Iglesia primitiva", Madrid, 1978.

Chocheyras, J., "Saint Jacques à Compostelle", Paris, 1985.

Cronologia Jacobeia

44 – O apóstolo Tiago, o Maior ou Zebedeu, foi martirizado (decepado) por Herodes Agripa, nos primeiros meses deste ano. Epifânio define-o como vegetariano, continente e proprietário apenas de uma túnica e um manto de linho.

Século VII – Difunde-se pela Europa a "notícia" de que Santiago predicou no ocidente espanhol.

813(?) – O eremita chamado Pelayo terá descoberto uma pequena construção quadrada abobadada de mármore (*arca marmorica*), debaixo da qual, numa cripta, existiam túmulos da época romana, no local onde hoje está a catedral de Santiago de Compostela. Chamado Teodomiro, bispo de Iria (atual Padrón), este atribuiu-os (desconhecem-se os fundamentos) ao apóstolo Santiago Maior e aos discípulos Teodósio e Atanásio.

829(?) – Afonso II, *o Casto*, rei das Astúrias, mandou construir nesse espaço uma pequena igreja. Julga-se que de alvenaria, assentada com barro e coberta por um simples artesoado.

899 (6 de maio) – Consagração de uma nova igreja, mais ampla (já com três naves, três absides e três entradas), mandada edificar por Afonso III, *o Magno*, em substituição da anterior, sem tocar no pequeno mausoléu e nos sepulcros encontrados em 813, que ficaram no centro do novo templo.

997 (agosto) – Almançor, o general muçulmano, destruiu a cidade e a igreja, respeitando apenas o sepulcro e, por conseguinte, a cripta. Sobre os seus próprios escombros, Vermudo, *o Gotoso*, mandou reconstruir a igreja.

1075 – Diego Pélaez deu início à construção da atual igreja românica que aproveitou o mausoléu romano como cabeceira e engoliu a antiga igreja, a qual desabou durante aquela construção (1112). A edificação sofreu um forte impulso no episcopado de Diego Gelmirez (1100-1140), que mandou construir, no centro da capela maior, um novo altar verticalmente sobre o venerado sepulcro, nele incorporando a primitiva pequena ara. Propôs-se igualmente destruir o habitáculo do sepulcro, mas teve forte resistência do cabido. Ordenou então que se tapasse a cripta para evitar que os peregrinos levassem as sagradas relíquias (1139?).

1139(?) – Conclusão do *Liber Sancti Jacobi* ou *Códice Calixtino*. Recebe o seu nome devido ao prefácio (presume-se que falsamente) atribuído ao Papa Calixto II. Terá sido escrito por um tal Aymerico Picaud. No seu Livro III (Livro da Trasladação), capítulo II, consta a carta do Papa Leão III, sobre a trasladação de corpo de Santiago de Jerusalém para a Galiza (*Vide Anexo II*).

Século XII – Jean Beleth redige a *Grande História Jacobeia*, na qual reúne todas as tradições e textos que conhecia sobre a lenda do apóstolo.

1211 – Consagração do novo templo pelo arcebispo Pedro Muñiz, depois de concluído o pórtico da Glória, do mestre Mateo, em 1188.

Século XIII – Jacobo Vorágine (1230-1293) escreve a *Lenda Áurea*, baseada no texto de Jean Beteth, onde recolhe a lenda de Santiago na sua forma praticamente definitiva.

1466 (14 de agosto) – Chegou a Compostela o barão de Rozmithal de Blatna, com o propósito de ver os restos de Santiago, sem sucesso, por estar tapado.

1554 (abril) – O príncipe Filipe II passou por Compostela a caminho de Inglaterra, mas não entrou na cripta.

1572 – Ambrosio de Morales, cronista de Filipe II, não pôde igualmente entrar na cripta, nem ver o túmulo do apóstolo, apesar do interesse demonstrado.

1589 (4 de maio) – A armada inglesa comandada por Francis Drake ancorou no porto de La Coruña, provocando grande temor na Galiza, particularmente em Compostela. O Arcebispo Juan de Sanclemente pediu socorro, receando o roubo da igreja e a profanação das veneradas relíquias do apóstolo. Há quem defenda que as escondeu noutro lugar e quem sustente que as manteve no mesmo local.

1611 – Jacobo Sobiesky, pai do rei da Polónia João Sobiesky, escreve que o túmulo do apóstolo se encontrava debaixo do altar.

1665 – Durante o consulado do arcebispado Pedro Carrillo começam as grandes obras na Capela Maior, sob a direção de José de Vega y Verdugo, que lhe provocaram alterações radicais. Nas suas notas, refere temer que as obras afetassem a abóboda da cripta, referindo-se ainda ao lugar *onde, dizem, está enterrado o Santo* e à *abóbada onde está o Santo Corpo*. As obras foram realizadas.

1673 (outono) – Domenico Laffi, romeiro e clérigo bolonhês, relata ter assistido à abertura do sepulcro de Santiago, coberto de lâminas de prata, um ano depois de José Veja y Verdugo ter saído de Compostela para a Andaluzia.

1702 – Guerra da Sucessão da coroa espanhola provoca sobressaltos na Galiza, com os ingleses a ameaçarem alguns pontos do território.

1719 (outono) – Os ingleses assustam novamente a Galiza, quase chegando às portas de Santiago de Compostela. Documentos e alfaias foram transportados para Lugo, desconhecendo-se se alguma providência se tomou sobre as relíquias.

1726 – O peregrino Guilherme Manier visita a catedral, que descreve minuciosamente, mas não refere ter visto o túmulo.

1738 – Carta do cabido ao deão Manuel Francisco Rodriguez de Castro referindo estar oculto o sepulcro do apóstolo.

1743 – O mestre-escola Diego João de Ullo refere ter recebido lâmpadas, devendo colocar a maior sobre a lousa que *segundo se pensava, cobria a entrada para a cripta* do apóstolo.

1879 – O cardeal Dom Miguel Payá y Rico, fortemente empenhado em descobrir as relíquias sagradas, tantos séculos escondidas, ordenou a execução de escavações na catedral, nomeando como responsáveis os cónegos Labin e López Ferreiro. Depois de quatro noites de trabalhos, apareceu uma urna com ossos humanos. Terá sido encomendado o projeto para uma nova e grandiosa cripta ao arquiteto Villajos, a atual, ao estilo românico-bizantino, ao gosto da época.

1883 (12 de março) – Dom Miguel Payá y Rico declara, por decreto, a autenticidade das relíquias como pertencentes aos corpos de Santiago e dos discípulos Atanásio e Teodoro e, por conseguinte, dignas de culto religioso.

1884 (8 de junho) – Chega a Santiago de Compostela Monsenhor Agustin Caprara, promotor da Fé do Vaticano, enviado pelo Papa, para fazer o exame jurídico do processo de descoberta das relíquias.

Ao debater com os peritos físico-anatómicos, Casares, Freire Barreto e Sánchez Freire, os subscritores do parecer sobre os ossos encontrados, estes "*não deixaram, contudo, de modificar e explicar melhor o seu conceito sobre a composição e conformação daqueles ossos, a sua idade, sexo e sobre a decomposição de alguns deles causada pela ação da humidade e do tempo, e julgam que aqueles ossos pertenciam a três indivíduos do sexo masculino, de idade de um terço de vida de duração ordinária e de tanta antiguidade que não impedia remontá-los aos primeiros séculos do Cristianismo, razão pela qual não parecia temerária a crença de que os ditos ossos pertenceram aos corpos do santo apóstolo Santiago e seus discípulos.*

1884 – Com base nos elementos obtidos nas escavações, o Papa Leão XIII decretou, a 25 de julho, a autenticidade das relíquias como pertencentes ao apóstolo e aos seus discípulos Atanásio e Teodoro, comunicando-o ao mundo através da bula *Deus Omnipotens*, a 1 de novembro do mesmo ano (vide anexo I).

1885 – Trasladação das "relíquias" descobertas para uma urna de prata, que atualmente se encontra na cripta debaixo do altar-mor da catedral.

1946 a 1959 – Manuel Chamoso Lamas dirige um conjunto de escavações, onde se encontraram, entre o mais, túmulos cristãos datáveis do século IV ao século VII, de granito, tégula e de materiais aproveitados.

2011 (4 de abril) – O cabido de Santiago de Compostela abriu ao público os fundos da catedral, resultantes das escavações dirigidas por Chamoso Lamas, onde se pôde ver um grande cemitério de origem romana que se prolongou pela época e que, no século VIII, ficou coberto por uma película terrosa, que evidencia um abandono imediatamente anterior à descoberta de Pelayo e Teodomiro, em 813. Nas palavras do diretor técnico do Museu da catedral de Santiago de Compostela: *A escavação permite entender a evolução do espaço hoje ocupado pela catedral: de mausoléu romano a necrópole sueva depois e a igreja consagrada em 899, a primeira em honra a Santiago, ao chegarem os primeiros peregrinos.*

Como se refere no jornal *El País* (*vide* http://historiayarqueologia. wordpress.com/2011/03/25/la-catedral-escondia-un-cementerio/): *Se alguém esperava que uma escavação confirmasse a crença de que os restos que se veneram em Compostela são os do apóstolo Santiago, engana-se. Não a prova, mas também não a refuta*, adverte o deão. *A investigação é conforme a tradição, mas não comprovativa*, disse.

Topónimos romanos

Localidades:

Abula – Ávila
Ad Decem Pagos – Dieuze (França)
Ad Duo Decimum – Delme (França)
Ad Duos Pontes – Pontevedra (?)
Aelia Capitolina – Jerusalém
Aeminium – Coimbra
Aginnum – Agen
Aquae Celenis – Caldas de Reis (Galiza)
Aquae Flaviae – Chaves
Arelate – Arles
Argentoratum ou Artentorate – Estrasburgo
Aseconia – Santiago de Compostela
Asturica Augusta – Astorga
Augusta Treverorum – Tréveris (Alemanha); Trier, em alemão
Augustodurum – Bayeux
Aurelianum – Orléans
Blavia – Blaye
Brigantium – Corunha
Bunili – Boelhe (Penafiel)
Burbida – perto de Redondela (?) (Galiza)
Burdigala – Bordéus
Bracara Augusta – Braga
Caesaraugusta – Saragoça

Caesarodunum (ou Turones) – Tours
Caladuno – Arcos (?) Alto da Serra do Pindo (?)
Caranusca – Hettange-Grande (França)
Civitas Igaeditanorum – Idanha-a-Velha
Cnido – Tekir (Turquia)
Colonia Agrippina – Colónia
Conimbriga – Condeixa
Constantinopla – Istambul
Corduba – Córdova
Danegia – Mozinho? (Penafiel – proposta do autor)
Divodurum Mediomatricorum – Metz
Elusa – Éauze
Emerita Augusta – Mérida
Emona – Liubliana (Eslovénia)
Fozera – Libourne (Aquitânia)
Gades – Cádis
Iria Flavia – Padrón (Galiza)
Legio – Leão
Limia – Ponte de Lima
Limonum – Poitiers
Lucus Augusti – Lugo
Lugdunum – Lyon
Lutetia – Paris
Magnetum – Meinedo (Lousada)
Marecus – Marecos (Penafiel)
Massilia – Marselha
Mediolanum – Milão
Metellinum – Medellín
Moguntiacum – Mainz
Naisso – Nis (Sérvia)
Navioregum – Royan (Aquitânia)
Nicomedia – Izmit (Turquia)
Norba Caesarina – Cáceres
Oculis Calidarum – Vizela
Oiasso – Irun
Ossonoba – Faro

Perge – antiga cidade perto de Antália (Turquia)

Pompaelo – Pamplona

Panoniam – Panóias (Vila Real)

Pons Saravi – Sarrebourg

Portus Blendium – Suances (Cantábria)

Praesidio – Castro de Codeçoso do Arco (?) Pisões (?)

Ricciaco – Dalheim (Luxemburgo)

Salacia – Salamonde (?) Castro de Vieira (?)

Salmantica – Salamanca

Scviris – Scopje

Servttio – Gradiška (Bósnia Herzegovina)

Singidunum – Belgrado

Sirmium – Sremska Mitrovica (Sérvia)

Strido Dalmatiae – antiga cidade perto de Liubliana

Sylinancis – Ilhas Scilly

Tarraco – Tarracona

Tessalonica – Salónica

Toletum – Toledo

Tongobriga – Freixo (Marco de Canaveses)

Tres Tabernae – Saverne (França)

Tude – Tui

Turoqua – arredores de Pontevedra (?)

Turones (ou Caesarodunum) – Tours

Varatedo – Vayres (Aquitânia)

Vicus Spacorum – Vigo

Viminacium – antiga cidade romana perto de Kostolac (Sérvia)

Vissaium – Viseu

Rios:

Anas – Guadiana

Avus – Ave

Barraeca – Albarregas

Celanus – Cávado

Duranius – Dordogne

Durius – Douro
Gallicus – Gállego
Hiberus – Ebro
Limia – Lima
Garumna – Garona
Minus – Minho
Mosella – Mosela
Nebis – Neiva
Rhenus – Reno
Rodanus – Ródano
Tamaca – Tâmega
Tiberis – Tibre

Agradecimentos

Na hora do fecho deste livro, lembro, com carinho, todos os que me permitiram que ele fosse uma realidade: a família, os amigos e os leitores. Tantos foram os que me animaram a contar esta história que me inquieta há longos anos e sempre ambicionei escrever.

Um agradecimento especial também à Porto Editora por apostar nos autores portugueses e por me permitir cumprir o meu maior sonho: contar histórias que tocam ângulos menos conhecidos da nossa identidade. Recordo, nesta hora, as palavras amigas e o apoio incondicional da Dra. Cláudia Gomes e da Dra. Mónica Magalhães, incansáveis profissionais desta prestigiada editora.

O Segredo de Compostela termina de ser escrito precisamente no dia em que foi escolhido um novo Papa – Francisco. Mais do que o sobressalto de Compostela poder encerrar o maior paradoxo da cristandade, este livro procura trazer à reflexão e ao debate do cidadão do século XXI questões tão atuais agora como no século IV, quando o Cristianismo se tornou na religião oficial do império Romano. Desde a eterna tensão entre a Igreja pobre e carismática dos primeiros cristãos à Igreja histórica que se construiu na sequência dos sucessivos dogmas; o papel da mulher na Igreja e na sociedade; e os vícios de uma instituição feita de homens, onde se projetam as faces da fragilidade da condição humana.

Assim, dedico este livro a duas pessoas:

A Egéria, intrépida peregrina dos finais do século IV, que viajou desde a ponta oeste da península ibérica até à Terra Santa e, desde tão longínquos lugares, escreveu àqueles que deixou na sua Galécia natal. As cartas desta mulher esquecida da nossa terra representam o segundo testemunho escrito de uma peregrinação ao oriente e o primeiro que se conhece redigido por uma mulher. É ainda o texto latino mais antigo que se pode atribuir ao território ocidental onde se encontra atualmente Portugal e é um testemunho da evolução das línguas romances.

E, claro, a Prisciliano, um homem que viveu fora do seu tempo. Criou um forte movimento espiritual que se difundiu em toda a península ibérica e perdurou durante séculos. Quiçá, ainda se encontram resquícios do priscilianismo na espiritualidade do noroeste peninsular. Este homem, perseguido pela sua Igreja, como herege, espera há muito um pedido de desculpas pelos males que lhe infligiram e aguarda serenamente a sua reabilitação. Possa este livro contribuir para que tal aconteça, finalmente.

Paço de Sousa, 13 de março de 2013

Só teremos realmente vivido
quando por nós tiver brilhado centelha numa alma,
ressoado a palavra de nosso pensamento
ou se afirmado o desejo de que haja
mais brandas sombras nos desertos do mundo;
brilhado, ressoado e se afirmado pelo fazer e no fazer.

Agostinho da Silva

O autor pode ser contactado, a propósito deste livro, através de:

albertosssantos@hotmail.com

A Escrava de Córdova

Alberto S. Santos

Conseguirá o amor vencer as barreiras da religião? Este livro segue a vida de Ouroana, uma jovem cristã em demanda pela liberdade e pelo seu lugar especial no mundo. Em nome do coração, a jovem questionará a educação, as convicções e a fé que sempre orientaram a sua existência. Será, por entre o recato das igrejas graníticas e a efervescência das mesquitas, que a revelação por que tanto almeja a iluminará.

A Escrava de Córdova revela-nos a vibrante história de seres extraordinários que viveram em condições adversas, na terra onde, mais tarde, nasceram Espanha e Portugal, oferecendo-nos uma viagem apaixonante pelo quotidiano urbano, geografia, mentalidade e pela fremente História do dobrar do primeiro milénio. O romance surpreende, ainda, por desvendar o ângulo mais brilhante, mas também o mais duro e cruel, da civilização muçulmana do Al-Andalus.

A Profecia de Istambul
Alberto S. Santos

Apenas um pequeno grupo de iluminados conhece o inquietante mistério associado à Lança do Destino que, em silêncio, atravessa séculos e milénios. As cidades de Istambul, Argel e Salónica do século XVI são o exótico cenário da luta entre o Bem e o Mal, onde nasce uma terrível profecia que ameaça o futuro da humanidade.

A Profecia de Istambul é um empolgante romance que traz à cena os prodigiosos seres que transformaram a bacia do Mediterrâneo num fervente caldeirão cultural durante o Século de Ouro. Num tempo em que mudar de religião pode significar a ascensão social ou a fogueira da Inquisição, muitos são os homens e as mulheres permanentemente confrontados com as mais duras penas, e com a sua própria consciência, para que tomem a decisão das suas vidas.

Pelo meio de corsários, cativos, renegados, conquistadores e judeus fugidos dos estados ibéricos, entre um inviolável pacto e um perturbante segredo, emerge uma fascinante história de amor, que irá colocar à prova os valores mais profundos de um ser humano.

O que é mais valioso: o amor ou a salvação da humanidade?